青銅器銘文檢索

第二冊

總編　周　何
主編　季旭昇　汪中文
編輯　周聰俊　陳　韻
　　　方炫琛　盧心懋
協編　陳美蘭

文史哲出版社
印行

晝	0481		
	2834	𨹨𣪘	余亡康晝夜
			小計：共 1 筆
隶	0482		
	7136	𨟻鐘一	大鐘八隶(肆)
	7137	𨟻鐘二	大鐘八隶(肆)
			小計：共 2 筆
隸	0482+	𣪕用為隸，0572+ 𣪕字參看	
	7183	叔夷編鐘二	為女𣪕(隸)寮
	7184	叔夷編鐘三	逮乃𣪕(隸)寮
	7214	叔夷鎛	為女𣪕(隸)寮
	7214	叔夷鎛	逮乃𣪕(隸)寮
			小計：共 4 筆
臤	0483		
	0565	臤父丁鑊鼎	[臤]父丁鑊
	0892	臤𤕦弜乍文父丁鼎	弜乍文父丁[𤕦臤鑊]
	1922	臤父癸𣪘	[臤]父癸
	2121	弔臤乍乍寶𣪘	弔臤乍寶𣪘
	2339	臤烏乍且癸𣪘	𠨘易鳥玉、用乍且癸彝[臤]
	3794.	臤父乙爵	[臤]父乙
	3932	臤父辛爵	[臤]父辛
	4026	臤父乙爵	臤父乙
	4884	臤尊	臤从師雝父戍于古𠂤之年
	4884	臤尊	臤蔑曆、中競父易金
	4884	臤尊	臤拜稽首、敢對揚競父休
	6278	臤𠨘用__日義觚	用乍pd日乙尊彝[臤]
	6517	臤父癸觶	[臤]父癸
			小計：共 13 筆
臣	0484		
	0508	臣辰方鼎一	臣辰[冊𡈼]
	0509	臣辰方鼎二	臣辰[冊𡈼]
	0672	父乙臣辰𡈼鼎一	父乙[臣辰𡈼]
	0673	父乙臣辰𡈼鼎二	父乙[臣辰𡈼]
	0716	小臣鼎	小臣乍尊彝
	0754	臣辰𡈼冊父乙鼎	[臣辰𡈼冊]父乙
	0846	臣辰父癸鼎	[臣辰冊𡈼]父癸
	0906	魯內小臣床生鼎	魯內小臣床生乍䵼
	0907	小臣氏樊尹鼎	小臣氏樊尹乍寶用
	1091	小臣𧻚鼎	小臣𧻚即事于西、休
	1092	小臣建鼎	休于小臣Lq貝五朋
	1103	臣卿乍父乙鼎	臣卿易金
	1150	小臣缶方鼎	王易小臣缶淍責五年

	1174	易乍旅鼎	寏白于成周休賜小臣金
	1264	䲮鼎	休朕皇君弗忘氒寶臣
	1268	梁其鼎一	允臣天
臣	1269	梁其鼎二	允臣天
	1270	小臣𧊒鼎	令小臣𧊒先省楚𠩺
	1270	小臣𧊒鼎	小臣𧊒易鼎、兩
	1279	中方鼎	易于珷王乍臣
	1279	中方鼎	隹臣尚中臣
	1288	令鼎一	余其舍女臣卅家
	1289	令鼎二	余其舍女臣卅家
	1306	無叀鼎	王乎史翏冊令無叀日：官𤔲lk王IJ側虎臣
	1311	師晨鼎	隹小臣善夫、守□、官犬、眔奠人、善夫、官
	1312	此鼎一	畯(允)臣天子霝冬
	1313	此鼎二	畯(允)臣天子霝冬
	1314	此鼎三	畯(允)臣天子霝冬
	1316	𢦏方鼎	王用肇事乃子𢦏率虎臣禦淮戎
	1319	頌鼎一	畯(允)臣天子、霝冬
	1320	頌鼎二	畯(允)臣天子、霝冬
	1321	頌鼎三	畯(允)臣天子、霝冬
	1322	九年裘衛鼎	東臣羔裘
	1322	九年裘衛鼎	其𩃬衛臣虢朏
	1323	師訊鼎	臣朕皇考穆王
	1323	師訊鼎	訊臣皇辟
	1323	師訊鼎	用臣皇辟
	1323	師訊鼎	白大師武臣保天子
	1327	克鼎	以氒臣妾
	1327	克鼎	易女史小臣
	1328	盂鼎	易夷𤔲王臣十又三白
	1330	曶鼎	昔饉歲匡眔氒臣廿夫
	1330	曶鼎	用臣曰㽙
	1330	曶鼎	又臣□□
	1331	中山王譽鼎	早棄群臣
	1331	中山王譽鼎	有氒忠臣貯
	1331	中山王譽鼎	臣宗之宜
	1331	中山王譽鼎	智(知)為人臣之宜施(也)
	1332	毛公鼎	雩參有𤔲、小子、師氏、虎臣雩朕䙴事
	1976	臣辰殷	[臣辰冊𠂤]
	2115	父乙臣辰𠂤殷一	父乙臣辰[𠂤]
	2116	父乙臣辰𠂤殷二	父乙臣辰[𠂤]
	2258	臣辰冊𠂤冊父癸殷一	臣辰[冊𠂤]父癸
	2259	臣辰冊𠂤冊父癸殷二	臣辰[冊𠂤]父癸
	2388	大保乍父丁殷	大保易氒臣櫅金
	2510	臣卿乍父乙殷	臣卿易金
	2526	弔德殷	王易弔德臣嬉十人
	2570	榮殷	王休易氒臣父榮瓚
	2606	易_乍父丁殷一	hz弔休于小臣貝三朋、臣三家
	2607	易_乍父丁殷二	hz弔休于小臣貝三朋
	2607	易_乍父丁殷二	臣三家
	2633	相侯殷	相侯休于氒臣殳
	2655	小臣靜殷	小臣靜即吏(事)

臣

2690.	相侯𣪕	相侯休于氒臣□
2694	𢊁乍且考𣪕	公白易氒臣弟𢊁井五mG
2696	孟𣪕一	毛公易朕文考臣自氒工
2697	孟𣪕二	毛公易朕文考臣自氒工
2699	公臣𣪕一	虢中令公臣𤔲朕百工
2699	公臣𣪕一	公臣拜䭫首
2699	公臣𣪕一	公臣其萬年用寶茲休
2700	公臣𣪕二	虢中令公臣𤔲朕百工
2700	公臣𣪕二	公臣拜䭫首
2700	公臣𣪕二	公臣其萬年用寶茲休
2701	公臣𣪕三	虢中令公臣𤔲朕百工
2701	公臣𣪕三	公臣拜䭫首
2701	公臣𣪕三	公臣其萬年用寶茲休
2702	公臣𣪕四	虢中令公臣𤔲朕百工
2702	公臣𣪕四	公臣拜䭫首
2702	公臣𣪕四	公臣其萬年用寶茲休
2707	小臣守𣪕一	王吏小臣守吏于集
2708	小臣守𣪕二	王吏小臣守吏于集
2709	小臣守𣪕三	王吏小臣守吏于集
2730	獻𣪕	楷白令氒臣獻金車
2731	小臣宅𣪕	白易小臣宅畫干戈九
2743	𩰫𣪕	易女夷臣十家
2746	追𣪕一	畯（允）臣天子霝冬
2747	追𣪕二	畯（允）臣天子霝冬
2748	追𣪕三	畯（允）臣天子霝冬
2749	追𣪕四	畯（允）臣天子霝冬
2750	追𣪕五	畯（允）臣天子霝冬
2751	追𣪕六	畯（允）臣天子霝冬
2760	小臣謎𣪕一	小臣謎蔑曆、眾易貝
2761	小臣謎𣪕二	小臣謎蔑曆、眾易貝
2764	𥎦𣪕	易臣三品：州人、重人、𦡻人
2764	𥎦𣪕	朕臣天子
2774	臣諫𣪕	征令臣諫目□□亞旅處于軧
2774	臣諫𣪕	臣諫曰
2774	臣諫𣪕	臣諫□亡
2785	王臣𣪕	益公入、右王臣即立中廷北鄉
2785	王臣𣪕	乎內史先冊命王臣
2785	王臣𣪕	王臣手䭫首
2785	王臣𣪕	王臣其永寶用
2788	靜𣪕	小子眔服眔小臣眔氒僕學射
2792	師俞𣪕	臣天子
2800	伊𣪕	𤔲官司康宮王臣妾、百工
2803	師酉𣪕一	嗣乃且啻官邑人、虎臣
2804	師酉𣪕二	嗣乃且啻官邑人、虎臣
2804	師酉𣪕二	嗣乃且啻官邑人、虎臣
2805	師酉𣪕三	嗣乃且啻官邑人、虎臣
2806	師酉𣪕四	嗣乃且啻官邑人、虎臣
2806.	師酉𣪕五	嗣乃且啻官邑人、虎臣
2814	鳥冊夨令𣪕一	姜商令貝十朋、臣十家、鬲百人
2814.	夨令𣪕二	姜商令貝十朋、臣十家、鬲百人

臣

2815	師𣪘𣪘	僕馭、百工、牧、臣妾
2818	此𣪘一	畯臣天子霝冬
2819	此𣪘二	畯臣天子霝冬
2820	此𣪘三	畯臣天子霝冬
2821	此𣪘四	畯臣天子霝冬
2822	此𣪘五	畯臣天子霝冬
2823	此𣪘六	畯臣天子霝冬
2824	此𣪘七	畯臣天子霝冬
2825	此𣪘八	畯臣天子霝冬
2826	師㝨𣪘一	淮尸繇(舊)我貟晦臣
2826	師㝨𣪘一	𧴪、𦡳、mm、un、左右虎臣
2826	師㝨𣪘一	淮尸繇(舊)我貟晦臣
2826	師㝨𣪘一	𧴪、𦡳、mm、屎、左右虎臣
2827	師㝨𣪘二	淮尸繇(舊)我貟晦臣
2827	師㝨𣪘二	𧴪、𦡳、mm、un、左右虎臣
2835	訇𣪘	先虎臣後庸
2844	頌𣪘一	畯臣天子霝冬
2845	頌𣪘二	畯臣天子霝冬
2845	頌𣪘二	畯臣天子霝冬
2846	頌𣪘三	畯臣天子霝冬
2847	頌𣪘四	畯臣天子霝冬
2848	頌𣪘五	畯臣天子霝冬
2849	頌𣪘六	畯臣天子霝冬
2850	頌𣪘七	畯臣天子霝冬
2851	頌𣪘八	畯臣天子霝冬
2852	不嬰𣪘一	臣五家、田十田
2853	不嬰𣪘二	臣五家、田十田
2853.	尹𣪘	口尹易臣
2982	長子□臣乍賸匿	長子o7臣睪其吉金
2982	長子□臣乍賸匿	長子o7臣睪其吉金
2982.	甲午匿	用__易命臣炳臣師戊
2982.	甲午匿	臣京考帝顯令誌于匿
3075	白汈其旅盨一	畯臣天子、萬年唯極
3076	白汈其旅盨二	畯臣天子、萬年唯極
3086	善夫克旅盨	畯臣天子
3087	鬲从盨	令小臣成友逆__□內史無𩰫
3088	師克旅盨一(蓋)	克𩁹臣先王
3088	師克旅盨一(蓋)	䊷嗣左右虎臣
3089	師克旅盨二	克𩁹臣先王
3089	師克旅盨二	䊷嗣左右虎臣
4133	臣辰𡖊父乙爵一	父乙臣辰[𡖊]
4134	臣辰𡖊父乙爵二	父乙臣辰[𡖊]
4135	臣辰𡖊父乙爵三	父乙臣辰[𡖊]
4136	臣辰𡖊父乙爵四	父乙臣辰[𡖊]
4137	臣乍父乙寶爵一	臣乍父乙寶
4138	臣乍父乙寶爵二	臣乍父乙寶
4343	亞㠱小臣邑斝	癸巳王易小臣邑貝十朋
4395	臣辰𡖊䜌盉	臣辰[𡖊䜌]
4406	父癸臣辰𡖊盉	父癸[臣辰𡖊]
4406.	臣辰𡖊父乙爵五	父乙臣辰[𡖊]

4447	臣辰冊冊𰀀乍冊父癸盉	臣辰[𱁬𰀀]
4734	小臣𰀀辰父辛尊	小臣[𰀀]辰父辛
4827	兀乍高㫚日乙＿尊	兀乍高㫚日乙＿尊[臣辰𰀀𱁬]
4853	復尊	匽侯賞復冂衣、臣妾、貝
4866	小臣艅尊	王易小臣艅夒貝
4873	臣辰冊𰀁冊乍父癸尊	[臣辰𱁬𰀁]
4883	耳尊	易臣十家
4892	麥尊	巳夕、侯易者𢦏臣二百家
J2587	衛宋𤔲尊	(拓本未見)
4928	折觥	易金、易臣
5290	父乙臣辰𰀀卣一	父乙臣辰[𰀀]
5291	父乙臣辰𰀀卣二	父乙臣辰[𰀀]
5404	小臣乍父乙卣	小臣乍父乙寶彝
5437	𡚬女子小臣兒乍己卣	女子{ 小臣 }兒乍己尊彝[𡚬]
5439	小臣豐乍父乙卣	商小臣者貝
5457	小臣系乍且乙卣一	王易{ 小臣 }系
5458	小臣系乍且乙卣二	王易{ 小臣 }系
5501	臣辰冊冊𰀀卣一	用乍父癸寶尊彝[臣辰𱁬𰀀]
5502	臣辰冊冊𰀀卣二	用乍父癸寶尊彝[臣辰𱁬𰀀]
5506	小臣傳卣	師田父令小臣傳非余傳□朕考kz
5506	小臣傳卣	白𨑆父賓小臣傳□□白休
5509	𤼈卣	𤼈尹易臣
5665	臣辰𱁬𰀀壺	[臣辰𱁬𰀀]
5799	頌壺一	畯臣子需冬
5800	頌壺二	畯臣子需冬
5803	𠙷嗣𡥈𧊒壺	反臣丌(其)宗
5805	中山王譽方壺	而臣宗𩣡立
5805	中山王譽方壺	賈曰：為人臣而返(反)臣其宗
5805	中山王譽方壺	則臣不忍見施
5805	中山王譽方壺	述(遂)定君臣之位
5816.	伯亞臣𦉜	黃孫馬pr子白亞臣自乍𦉜
6631	小臣單觶一	周公易小臣單貝{ 十朋 }
6730	仲𠃬盤	中u2臣tiu7i0𠭯金
6976	㑺鐘	㑺友朕其萬年臣天
7007	梁其鐘	𤔲臣皇王譽壽永寶
7117	𨛭𪒠兒鐘一	余義楚之良臣
7122	梁其鐘一	農臣先王
7123	梁其鐘二	農臣先王
7135	逆鐘	用𦒎于公室僕庸臣妾
7186	叔夷編鐘五	伊少臣隹輔
7214	叔夷鎛	伊少臣隹輔
7294	臣戈	[臣]
7533	卅二年帶令戈	卅三年帶命初左庫工币臣冶山
7740	四年春平相邦劍	右庫工币睘輅＿冶臣成執齊
M171	小臣靜卣	小臣靜即事
M349	己侯壺	事小臣用汲

小計：共 209 筆

臧 0485

0950	羊甚諆臧鼎	甚諆臧聿乍父丁尊彝[羊]
1250	曾子斿鼎	下保臧r6□□
3064	曩白子庭父征盨一	割釁壽無疆、慶其以臧，
3064	曩白子庭父征盨一	割釁壽無疆、慶其以臧
3065	曩白子庭父征盨二	割釁壽無疆、慶其以臧，
3065	曩白子庭父征盨二	割釁壽無疆、慶其以臧
3066	曩白子庭父征盨三	割釁壽無疆、慶其以臧，
3066	曩白子庭父征盨三	割釁壽無疆、慶其以臧，
3067	曩白子庭父征盨四	割釁壽無疆、慶其以臧，
3067	曩白子庭父征盨四	割釁壽無疆、慶其以臧
5772	陳璋方壺	大臧孔陳璋(章?)內伐匽亳邦之隻，
7028	臧孫鐘	坪之子臧孫
7029	臧孫鐘二	坪之子臧孫
7030	臧孫鐘三	坪之子臧孫
7031	臧孫鐘四	坪之子臧孫
7032	臧孫鐘五	坪之子臧孫
7033	臧孫鐘六	坪之子臧孫
7034	臧孫鐘七	坪之子臧孫
7035	臧孫鐘八	坪之子臧孫
7036	臧孫鐘九	坪之子臧孫
7574	左軍戈	巨校馬臧造钕戈
7867.	龍__	□客臧(臧)嘉聞王於栽(歲)之歲
7867.	龍__	羅莫囂(敖)臧(臧)冠

小計：共 23 筆

𩰫 0486

2515	小子𩰫乍父丁毁	乙未卿旋易小子𩰫貝二百

小計：共 1 筆

𠈇 0487

5805	中山王譽方壺	乍斂中則庶民𠈇(附)
5805	中山王譽方壺	佳德𠈇(附)民

小計：共 2 筆

𦣱 0488

2586	史𦣱毁一	迺易史𦣱貝十朋
2586	史𦣱毁一	𦣱古于彝
2587	史𦣱毁二	迺易史𦣱貝十朋
2587	史𦣱毁二	𦣱古于彝

小計：共 4 筆

䰝 0489

0696	䰝鼎	䰝乍寶尊彝

小計：共 1 筆

殳 0490

1278	十五年趞曹鼎	史趞曹易弓矢、虎盧、□冑、毌、殳
2633	相侯毁	相侯休于氒臣殳
2633	相侯毁	易帛金、殳揚侯休

小計：共 3 筆

毆 0491

1326	多友鼎	唯馬毆轟
2826	師寰毁一	毆孚士女羊牛、孚吉金
2826	師寰毁一	毆孚士女羊牛、孚吉金
2827	師寰毁二	毆孚士女羊牛、孚吉金

小計：共 4 筆

殹 0492

1304	王子午鼎	命尹子庚殹民之所亟
2778	格白毁一	殹彶乞氒從格白安彶甸
2778	格白毁一	殹彶乞氒從格白安彶甸
2780	格白毁三	殹彶乞氒從格白安彶甸
2781	格白毁四	殹彶乞氒從格白安彶甸
2782	格白毁五	殹彶乞氒從格白安彶甸
2783	格白毁六	殹彶乞氒從格白安彶甸
7886	新郪虎符	行殹（也）
7887	杜虎符	行殹

小計：共 9 筆

段 0493

2191	段金歸乍旅毁一	段金歸乍旅毁
2192	段金歸乍旅毁二	段金歸乍旅毁
2737	段毁	王蔑段曆
2737	段毁	令龏娰遣（饋）大則于段
4752	段金歸旅尊	段金歸乍旅彝

小計：共 5 筆

毅 0494

1161	白吉父鼎	白吉父乍毅尊鼎
2603	白吉父毁	白吉父乍毅尊毁

小計：共 2 筆

毁 0495 毁字重見

殺 0496

	5390	北白殺卣	北白殺乍寶尊彝
			小計：共　1 筆
嗀	0497		
	1619	嗀乍母庚𩰫甗	嗀乍母庚旅彝
	2167	嗀乍母庚旅毀	嗀乍父庚旅彝
	4694	嗀古乍旅方尊	嗀古乍旅
			小計：共　3 筆
殺	0498	蔡字重見	
堯	0499		
	2205	仲夒父乍寶毀	中堯父乍寶毀
	2513	再乍季日乙妻毀一	堯生蔑再曆
	2514	再乍季日乙妻毀二	堯生蔑再曆
	3050	堯弔乍旅盨	堯弔乍中姬旅盨
	3050	堯弔乍旅盨	堯弔其萬年永及中姬寶用
	6805	堯弔乍旅匜	堯弔乍旅它
			小計：共　6 筆
寺	0500		
	1325	五祀衛鼎	內史友寺芻
	2439	寺季故公毀一	寺季故公乍寶毀
	2440	寺季故公毀二	寺季故公乍寶毀
	2573	洑白寺毀	洑白寺自乍寶毀
	2873	曾侯乙匿	曾侯乙乍寺甬冬
	2935	蠶侯乍弔姬寺男媵匿	蠶侯乍弔姬寺男媵匿
	5773	陳喜壺	台寺ur巽
	6888	吳王光鑑一	台乍弔姬寺吁宗＿薦鑑
	6889	吳王光鑑二	台乍弔姬寺吁宗＿薦鑑
	6914	辭料盆一	辭料稟＿寺
	6915	辭料盆二	辭料稟＿寺
	7084	邾公牼鐘一	分器是寺
	7085	邾公牼鐘二	分器是寺
	7086	邾公牼鐘三	分器是寺
	7087	邾公牼鐘四	分器是寺
	7092	𩴘羌鐘一	武侄寺力
	7093	𩴘羌鐘二	武侄寺力
	7094	𩴘羌鐘三	武侄寺力
	7095	𩴘羌鐘四	武侄寺力
	7096	𩴘羌鐘五	武侄寺力
	7507	二年寺工𧫒戈	寺工、二年寺工𧫒金角
	7518	四年呂不韋戈	寺工𧫒、丞囗。可＿
	7921	廿一年寺工獻車軎	廿一年寺工獻工上造但

7976	之利殘片	之利寺王之奴旨___弘___萬
M717	曾侯乙編鐘中一・一	曾侯乙乍寺（ 時 ），羽反，宮反，羽反，宮反，
M718	曾侯乙編鐘中一・二	曾侯乙乍寺（ 時 ），角反，徵反，角反，徵反，
M719	曾侯乙編鐘中一・三	曾侯乙乍寺（ 時 ），少商，羽曾，
M720	曾侯乙編鐘中一・四	曾侯乙乍時（ 時 ），少羽，宮反，
M721	曾侯乙編鐘中一・五	曾侯乙乍寺（ 時 ），下角，徵反，
M722	曾侯乙編鐘中一・六	曾侯乙乍寺（ 時 ），商、羽曾，
M723	曾侯乙編鐘中一・七	曾侯乙乍寺（ 時 ），宮、徵曾，
M728	曾侯乙編鐘中二・一	曾侯乙乍寺（ 時 ），羽、宮反，
M734	曾侯乙編鐘中二・七	曾侯乙乍寺（ 時 ），宮、徵曾，
M738	曾侯乙編鐘中二・十一	曾侯乙乍寺（ 時 ），商角、商，
M739	曾侯乙編鐘中二・十二	曾侯乙乍寺（ 時 ），商、羽曾，
M748	曾侯乙編鐘中三・九	曾侯乙乍寺（ 時 ），羽、羽角，

小計：共 24 筆

將 0501

1332	毛公鼎	唯天畐（ 將 ）集氒命
1332	毛公鼎	邦畐（ 將 ）害吉
5805	中山王嚳方壺	外之則將使上勤於天子之廟
5805	中山王嚳方壺	將與吾君並立於世
7975	中山王墓兆域圖	大牆（ 將 ）宮方百乇

小計：共 5 筆

尃 0502

1242	𢀛方鼎	豐白、尃古咸𢦏
1323	師訊鼎	小子夙夕尃古先且剌德
1332	毛公鼎	于外尃（ 敷 ）命尃（ 敷 ）政
1332	毛公鼎	出入尃（ 敷 ）命于外
1332	毛公鼎	母（ 毋 ）又敢惷尃命于外
2840	番生段	虔夙夜尃求不朁德
2857	牧段	乃尃政吏
3077	弔尃父乍奠季盨	弔尃父乍奠季寶鐘六、金尊盨四、鼎十
3078	弔尃父乍奠季盨二	弔尃父乍奠季寶鐘六、金尊盨四、鼎十
3079	弔尃父乍奠季盨三	弔尃父乍奠季寶鐘六、金尊盨四、鼎十
3080	弔尃父乍奠季盨四	弔尃父乍奠季寶鐘六、金尊盨四、鼎十
6877	僃乍旅盉	尃各酓覯僃
7043	克鐘四	尃奠王令克敢對揚天子休
7044	克鐘五	尃奠王令克敢對揚天子休
7175	王孫遺者鐘	余尃旬于國
D224	蔡侯殘鐘	尃
7182	叔夷編鐘一	余既尃乃心
7184	叔夷編鐘三	女尃余于艱卹
7184	叔夷編鐘三	中尃盟刑
7184	叔夷編鐘三	女台尃戒公家
7185	叔夷編鐘四	尃受天
7192	叔夷編鐘十一	女尃余于艱卹

皮
啟

7204	克鎛	尃奠王令
7212	秦公鎛	睿尃明刑
7214	叔夷鎛	余既尃乃心
7214	叔夷鎛	女尃余于艱卹
7214	叔夷鎛	中尃盟刑
7214	叔夷鎛	女台尃戒公家
7214	叔夷鎛	尃受天命

小計：共 29 筆

皮 0503

1322	九年裘衛鼎	舍盠冒□羝皮二、𠀠(從)皮二
1322	九年裘衛鼎	虆舄俑皮二
1322	九年裘衛鼎	𤔲吳喜皮二
1322	九年裘衛鼎	顏下皮二
2640	弔皮父殷	弔皮父乍朕文考茀公
2666	鑄弔皮父殷	乍鑄弔皮父尊殷
2666	鑄弔皮父殷	其妻子用亯考于弔皮父
5803	㡭嗣舒蚉壺	于皮(彼)新土
7112	者減鐘一	工𢾊王皮然之子者減擇其吉金
7113	者減鐘二	工𢾊王皮然之子者減擇其吉金
7114	者減鐘三	工𢾊王皮然之子者減自乍＿鐘
7115	者減鐘四	工𢾊王皮然之子者減自乍＿鐘
7218	絧𠤳尹征城	＿皮吉人享
7409	去戈	去皮造戟冶
7428	陳皮之告戈	陳皮之造戈
7663	卅二年奠令槍□矛	㘸庫工帀皮冶尹造
7664	元年奠命槍□矛	㘸庫工帀皮□冶尹貞造
7665	三年奠令槍□矛	㘸庫工帀皮□冶尹貞造
7667	卅四年奠令槍□矛	㘸庫工帀皮□□冶尹造
7739	卅三年奠令□□劍	㘸庫工帀皮冶尹啟造
7954	皮氏銅牌	皮氏命□金

小計：共 21 筆

啟 0504

0533	亞攴父乙鼎一	[亞攴(啟)]父乙
0534	亞攴父乙鼎二	[亞攴(啟)]父乙
0703	訢啟乍旅鼎	訢啟乍旅鼎
0803	兆攴鼎	排攴(啟)乍保旅鼎
0933	遂攴諆鼎	遂攴(啟)諆乍廟弔寶尊彝
1157	禽鼎	禽又攴(啟)祝
1331	中山王嚳鼎	闢啟封彊
2508	攸殷	啟乍綦
2763	弔向父禹殷	廣啟禹身
2766	三兒殷	啟□□戕子
2840	番生殷	廣啟𤔲孫子于下
4807	王子啟彊尊	王子啟彊自乍酉彝

4842	啟乍文父辛尊	子光□啟貝
4849	郣啟方尊	鄧(郣)啟乍父庚尊彝
4859	戉箙啟尊	啟從王南征
4951	亞啟方彝	[亞啟]
4968	鄧方彝一	鄧啟乍父庚尊彝
4969	鄧方彝二	鄧啟乍父庚尊彝
4974	__方彝	o3啟卿宁百生、揚
5489	戉箙啟卣	啟從征、堇(謹)不變
5493	召乍__宮旅卣	召啟進事
5574	女姬罍	啟兄午匚帚
5650	__君壺	__君啟妾
5695	內白攺乍饚公壺	內白攺(啟)乍饚公尊彝
5803	㒼嗣好蚉壺	大啟邦沔(宇)
5983	啟觚一	[啟]
6163	攺父辛觚	[攺(啟)]辛
6281	天□逐攺宁觚	天□逐攺(啟)宁用乍父辛寶尊彝
6847	蚰__匜	隹蚰si攺(啟)其乍__鼎其匜
7362	亞又攺辛戈	[辛、亞又攺(啟)]
7008	通彔鐘	廣啟朕身
7088	士父鐘一	用廣啟士父身
7089	士父鐘二	用廣啟士父身
7090	士父鐘三	用廣啟士父身
7091	士父鐘四	用廣啟士父身
7159	瘐鐘二	廣啟瘐身
7165	瘐鐘八	廣啟瘐身
7563	卅一年奠令戈	卅一年奠命槨司寇尚它坣庫工币冶肴啟
7739	卅三年奠令□□劍	坣庫工币皮冶尹啟造
7769	亞啟鉞二	[亞啟]
7875	右里啟鉚一	右里啟__
7876	右里啟鉚二	右里啟__
7899	鄂君啟車節	為鄂君啟之府商鑄金節
7900	鄂君啟舟節	為鄂君啟之府商鑄金節
		小計:共 44 筆

徹 0505

4891	何尊	徹令茍享戈
6792	史墻盤	用肈徹周邦
7092	𠫑羌鐘一	𠫑羌乍rq氒辟韓宗徹
7093	𠫑羌鐘二	𠫑羌乍rq氒辟韓宗徹
7094	𠫑羌鐘三	𠫑羌乍rq氒辟韓宗徹
7095	𠫑羌鐘四	𠫑羌乍rq氏辟韓宗徹
7096	𠫑羌鐘五	𠫑羌乍rq氒辟韓宗徹
		小計:共 7 筆

肈 0506 與2030肇實為同字，請參看。其餘从戶从攵者當釋啟，請參0504啟字。

0902	弔__肈乍南宮鼎	弔sa肈乍南宮寶尊

1119	曆方鼎	曆肇對元德考友隹井乍寶尊彝
1326	多友鼎	余肇吏女休
2450	禾乍皇母孟姬毁	禾肇乍皇母懿恭孟姬餴彝
2641	伯梳䖒毁一	伯梳䖒肇乍皇考剌公尊毁
2642	伯梳䖒毁二	伯梳䖒肇乍皇考剌公尊毁
2668	散季毁	椒季肇乍朕王母弔姜寶毁
2843	沈子它毁	休沈子肇戰tc賈嗇乍玆毁
2925	交君子__匠一	交君子qf肇乍寶匠
2926	交君子__匠二	交君子qf肇乍寶匠
2931	鑄子弔黑叵匠一	鑄子弔黑叵肇乍寶匠
2932	鑄子弔黑叵匠二	鑄子弔黑叵肇乍寶匠
2933	鑄子弔黑叵匠三	鑄子弔黑叵肇乍寶匠
2955	齊陳__匠一	肇勤(堇)經德
2956	齊陳曼匠二	肇勤(堇)經德
4845	服方尊	服肇夙夕明亯
4851	黃尊	黃肇乍文考宋白旅尊彝
4883	耳尊	肇乍京公寶尊彝
4887	蔡侯䜌尊	肇佐天子
6748	德盤	德其肇乍盤
6788	蔡侯䜌盤	肇佐天子
6792	史墻盤	用肇徹周邦
7122	梁其鐘一	汈其肇帥井皇且考秉明德
7123	梁其鐘二	汈其肇帥井皇且考秉明德
7150	虢叔旅鐘一	旅敢肇帥井皇考威儀
7151	虢叔旅鐘二	旅敢肇帥井皇考威儀
7152	虢叔旅鐘三	旅敢肇帥井皇考威儀
7153	虢叔旅鐘四	旅敢肇帥井皇考威儀
7154	虢叔旅鐘五	旅敢肇帥井
7164	㾓鐘七	肇乍龢林鐘用
M487	魯司徒伯吳毁	魯司徒白吳敢肇乍旅毁

小計：共 31 筆

敏 0507

1328	盂鼎	敏朝夕入讕(諫)、享奔走、畏天畏
1328	盂鼎	敏諫罰訟
2836	彧毁	朕文母競敏__行
2837	敔毁一	內伐湏、昴、參泉、裕敏、陰陽洛
2838	師嫠毁一	女敏可吏
2838	師嫠毁一	女敏可吏
2839	師嫠毁二	女敏可吏
2839	師嫠毁二	女敏可吏
4891	何尊	順我不敏
7183	叔夷編鐘二	女肇敏于戎功
7191	叔夷編鐘十	余敏于戎攻
7214	叔夷鎛	女肇敏于戎功

小計：共 12 筆

敃 0508

0833	中𣪘鼎	中𣪘貞鼎六斗
1307	師望鼎	得屯亡𣪘
1327	克鼎	得屯亡𣪘
1332	毛公鼎	𣪘(旻)天疾畏
2556	復公子白舍𣪘一	𣪘(𣪘)新乍我姑𨛭(鄧)孟媿媵𣪘
2557	復公子白舍𣪘二	𣪘(𣪘)新乍我姑𨛭(鄧)孟媿媵𣪘
2558	復公子白舍𣪘三	𣪘(𣪘)新乍我姑𨛭(鄧)孟媿媵𣪘
2766	三兒𣪘	𣪘□□𣪘子
2766	三兒𣪘	𣪘子□□望中□□□母气
6791	兮甲盤	休亡𣪘，
7122	梁其鐘一	得屯亡𣪘
7123	梁其鐘二	得屯亡𣪘
7150	虢叔旅鐘一	得屯亡𣪘
7151	虢叔旅鐘二	得屯亡𣪘
7152	虢叔旅鐘三	得屯亡𣪘
7153	虢叔旅鐘四	得屯亡𣪘
7154	虢叔旅鐘五	得屯亡𣪘

小計：共 17 筆

敄 0509

1332	毛公鼎	龔褱迺敄鰥寡
1661	乍冊般甗	無敄、咸
2525	寧敄𣪘	賞寧敄□貝二朋
2706	鄀公敄人𣪘	上鄀公敄人乍尊𣪘
5805	中山王譽方壺	夫古之聖王敄(務)才(在)得賢
6608	舟敄乍父癸觶	敄乍父癸彝[舟]
7005	鄀公鐘	鄀公敄□□□

小計：共 7 筆

整 0510

4887	蔡侯𨝸尊	齊嘉整𬤚(肅)
6788	蔡侯𨝸盤	齊嘉整𬤚(肅)
6925	晉邦盦	整辥爾家

小計：共 3 筆

效　0511

J762	辛伯鼎	效辛白蔑(?)乃子克曆
1162	乃子克鼎	效辛白蔑乃子克曆
1330	曶鼎	效□則卑復氒絲束
1330	曶鼎	效父迺語
1332	毛公鼎	善效乃友正
2404	效父毀一	休王易效父■三
2405	效父毀二	休王易效父■三
2406	五八六效父毀三	休王易效父■三
2854	縈毀	女母弗善效姜氏人
3090	㝨盨(器)	善效乃友內辟
4187	效爵	效乍且戊寶尊彝
4885	效尊	公易厥涉子效王休貝廿朋
4885	效尊	效對公休、用乍寶尊彝
4885	效尊	烏虖、效不敢不萬年夙夜奔走
5511	效卣一	公易氒涉子效王休貝廿朋
5511	效卣一	效對公休
5511	效卣一	效不敢不萬年夙夜奔走揚公休

小計：共　16 筆

故　0512

1329	小字盂鼎	□□□嚚御氒故
2439	寺季故公毀一	寺季故公乍寶毀
2440	寺季故公毀二	寺季故公乍寶毀
2592	鄧公毀	不故屯夫人始乍鄧公
2855	班毀一	彝杰天令、故亡
2855.	班毀二	彝杰天令、故亡
2857	牧毀	以今既司匐氒辠召故
3090	㝨盨(器)	雩邦人、正人、師氏人又辠又故
5805	中山王嚳方壺	郾故君子徻
5805	中山王嚳方壺	故邦亡身死
5805	中山王嚳方壺	故辭禮敬則賢人至
7218	絒鰫尹征城	絒鰫尹者故__自乍征城

小計：共　12 筆

政　0513

1304	王子午鼎	惠于政德
1324	禹鼎	命禹oo朕且考政于井邦
1325	五祀衛鼎	眔政父田
1332	毛公鼎	衋于小大政
1332	毛公鼎	于外專(敷)命專(敷)政
1332	毛公鼎	母顀于政
1332	毛公鼎	用歲用政
2774.	南宮乎毀	用戌 ??用政
2855	班毀一	隹乍卲考爽益曰大政

2855.	班毁二	隹乍卲考爽益曰大政
2856	師訇毁	盭龢雩政
2857	牧毁	乃専政吏
5816.	伯亞臣鐳	用政
6790	虢季子白盤	用政緣方
6791	兮甲盤	王令甲政辭成周四方責
6792	史墻盤	初盭龢于政
7000	邾君鐘	用處大政
7125	蔡侯𤅊紐鐘一	寴寴為政
7126	蔡侯𤅊紐鐘二	寴寴為政
7132	蔡侯𤅊紐鐘八	寴寴為政
7133	蔡侯𤅊紐鐘九	寴寴為政
7134	蔡侯𤅊甬鐘	寴寴為政
7135	逆鐘	乃且考□政于公室
7135	逆鐘	毋豕乃政
7163	𤼈鐘六	初盭龢于政
7175	王孫遺者鐘	惠于政德
7182	叔夷編鐘一	夙夜宦執而政事
7182	叔夷編鐘一	余命女政于朕三軍
7182	叔夷編鐘一	肅成朕師旟之政德
7186	叔夷編鐘五	堇勞其政事
7188	叔夷編鐘七	肅肅義政
7189	叔夷編鐘八	肅肅義政
7190	叔夷編鐘九	政德
7191	叔夷編鐘十	執而政吏
7193	叔夷編鐘十二	堇勞其政事
7205	蔡侯𤅊編鎛一	寴寴為政
7206	蔡侯𤅊編鎛二	寴寴為政
7207	蔡侯𤅊編鎛三	寴寴為政
7208	蔡侯𤅊編鎛四	寴寴為政
7213	𪒠鎛	肅肅義政
7214	叔夷鎛	夙夜宦執而政事
7214	叔夷鎛	余命女政于朕三軍
7214	叔夷鎛	肅成朕師旟之政德
7214	叔夷鎛	堇勞其政事
7214	叔夷鎛	肅肅義政
7219	冉鉦鋮（南疆征）	余台政𣄰徒
7899	鄂君啟車節	見其金節則毋政
7899	鄂君啟車節	不見其金節則政
7900	鄂君啟舟節	則政於大府
7900	鄂君啟舟節	毋政於關
M508	虞侯政壺	虞侯政乍寶壺
		小計：共 51 筆

敢 0514

7175	王孫遺者鐘	余敢匍于國
		小計：共 1 筆

⿰早攵 0515 與孜同字參下文孜字條

2744	五年師旋毁一	孜(⿰早攵)母敗迹
2745	五年師旋毁二	孜(⿰早攵)母敗迹
7069	者沏鐘一	寍孜(⿰早攵)庶__
7074	者沏鐘六	寍孜(⿰早攵)庶__
7077	者沏鐘九	寍孜(⿰早攵)庶__
		小計:共 5 筆

孜 0515

1301	大鼎一	王乎善夫騕召大目氒友入孜
1302	大鼎二	王乎善夫騕召大目氒友入孜
1303	大鼎三	王乎善夫騕召大目氒友入孜
5519	孜罍	[孜]
		小計:共 4 筆

儆 0516

5328	仲儆卣	仲儆乍寶彝
		小計:共 1 筆

變 0517

7107	曾侯乙甬鐘	新鐘之變徵
7107	曾侯乙甬鐘	韋音之變羽
M706	曾侯乙編鐘下一・二	文王之變商
M707	曾侯乙編鐘下一・三	為穆音變商
M707	曾侯乙編鐘下一・三	為坪皇變商
M708	曾侯乙編鐘下二・一	鄜鐘之變宮
M708	曾侯乙編鐘下二・一	為刺音變商
M710	曾侯乙編鐘下二・三	為刺音變徵
M710	曾侯乙編鐘下二・三	坪皇之變徵
M711	曾侯乙編鐘下二・四	文王之變商
M712	曾侯乙編鐘下二・五	為坪皇變商
M713	曾侯乙編鐘下二・七	鄜音之變商
M714	曾侯乙編鐘下二・八	新鐘之變商
M714	曾侯乙編鐘下二・八	音為穆音變商
M743	曾侯乙編鐘中三・四	韋音之變商
M744	曾侯乙編鐘中三・五	新鐘之變徵
M744	曾侯乙編鐘中三・五	韋音之變羽
M745	曾侯乙編鐘中三・六	贏孠之變商
M746	曾侯乙編鐘中三・七	文王之變商

M747	曾侯乙編鐘中三・八	為坪皇變商
M748	曾侯乙編鐘中三・九	鄘音之變商
M749	曾侯乙編鐘中三・十	新鐘之變商
M749	曾侯乙編鐘中三・十	為穆音變商

小計：共 23 筆

更 0518

1330	曶鼎	口若日：舀（曶）、令女更乃且考嗣卜事
2728	恆設一	令女更崇克嗣直啚
2729	恆設二	令女更崇克嗣直啚
2784	申設	王命尹冊命申更乃且考
2797	輔師嫠設	更乃且考司輔戴
2829	師虎設	令女更乃祖考啻官
2838	師嫠設一	既令女更乃且考嗣（司）
2838	師嫠設一	既令女更乃且考嗣（司）小輔
2839	師嫠設二	既令女更乃且考嗣（司）
2839	師嫠設二	既令女更乃且考嗣（司）小輔
2855	班設一	王令毛白更虢城公服
2855.	班設二	王令毛白更虢城公服
3088	師克旅盨一（蓋）	令女更乃且考
3089	師克旅盨二	令女更乃且考
4886	趩尊	王乎內史冊令趩更氒且考服
4890	盠方尊	更朕先寶事
4979	盠方彝一	更朕先寶事
4980	盠方彝二	更朕先寶事
5798	曶壺	更乃且考乍冢嗣土于成周八自

小計：共 19 筆

敕 0519

2833	秦公設	萬民是敕
7212	秦公鎛	萬生是敕
7070	陳純釜	敕成左關之釜節于稟釜

小計：共 3 筆

取 0520

2843	沈子它設	烏虖隹考取丑念自先王先公

小計：共 1 筆

斂 0521

5805	中山王嚳方壺	乍斂中則庶民附（附）

小計：共 1 筆

穀 0522

2698	陳財毁	敹羿吉金

小計：共　1 筆

穀
䧅
敵
救
敓

䧅　0523

0864	歆侯之孫陳鼎	歆侯之孫䧅（陳）之𩰫（鼎）
0993	䧅生隺鼎	䧅（陳）生隺乍飤鼎
1134	䧅侯鼎	䧅侯乍朕媯四母媵鼎
1667	陳公子弔遼父甗	䧅公子子弔（叔）原父乍旅獻（甗）
2401	䧅侯乍王媯朕毁	䧅（陳）侯乍王媯媵毁
2482	䧅侯乍嘉姬毁	䧅（陳）侯乍嘉姬寶毁
2958	陳公子匿	䧅（陳）公子中慶自乍匡匿
2960.1	陳公子中慶簠蓋	䧅（陳）公子中慶自乍匡匿
2961	䧅侯乍媵匿一	䧅（陳）侯乍王中媯𧽊塍（媵）匿
2962	䧅侯乍媵匿二	䧅（陳）侯乍王中媯𧽊塍（媵）匿
2963	陳侯匿	䧅（陳）侯乍王中媯𧽊媵匿
2967	䧅侯乍孟姜朕匿	䧅（陳）侯乍孟姜𧽊匿
3097	陳侯午鎛錞一	䧅侯午台群者侯獻金
3098	陳侯午鎛錞二	䧅侯午台群者侯獻金
3099	十年䧅侯午𩫖（器）	䧅侯午朝群邦者侯于齊
3100	䧅侯因𪒠錞	䧅侯因𪒠日
5729	陳侯乍媯穌朕壺	䧅（陳）侯乍媯穌（蘇）媵壺
5807.1	陳公孫𦘗父瓶	䧅（陳）公孫誋父乍旅瓶
6860	䧅白元匜	䧅（陳）白vm之子白元乍西孟媯婤母塍匜
6871	䧅子匜	䧅（陳）子子乍㡏孟媯穀母塍匜

小計：共　21 筆

敵　0524

1233	__鼎	攻龠無啻（敵）
1331	中山王嚳鼎	克敵大邦

小計：共　2 筆

救　0525

1331	中山王嚳鼎	栽（救仇）人才彷（旁）
2765	救毁	井白內、右救立中廷北鄉
5805	中山王嚳方壺	曾亡是夫之救
6834	__周匜	[__]周笔乍救姜寶它
6990	𥃝篙鐘	晉人救戎於楚競
6990.	㚘王鐘	㚘王卑命、竟sd王之定救㚘戎

小計：共　6 筆

敓　0526

7092	𠫑羌鐘一	𡩜敓楚京
7093	𠫑羌鐘二	𡩜敓楚京

7094	𠫑羌鐘三	𠫑敓楚京
7095	𠫑羌鐘四	𠫑敓楚京
7096	𠫑羌鐘五	𠫑敓楚京
7436	敓作戈	敓乍mv王戈
		小計：共　6 筆

戮　0527

1332	毛公鼎	肆皇天亡戮
2788	靜毀	靜學無眈（戮?)
2855.	班毀二	亡不成戮天畏
5805	中山王嚳方壺	天不臭（戮）其有愿
5825	欒書缶	余畜孫書巳戮（罯）其吉金
6792	史墻盤	昊照亡戮
7020	單伯鐘	單白戮生日
7060	昊生鐘一	王若曰：戮生
7060	昊生鐘一	戮生用乍__公大𪔂鐘
7116	南宮乎鐘	丝名日無戮鐘
M768	曾侯乙編鐘上三・七	宮、徵曾，無睪（戮）之宮，
		小計：共　10 筆

赦　0528

1331	中山王嚳鼎	及參（三）世亡不若（赦）
1331	中山王嚳鼎	詒死辠之有若（赦）
6877	𠑇乍旅盨	今我赦女
6877	𠑇乍旅盨	今大赦女
		小計：共　4 筆

攸　0529

0709	弔攸乍旅鼎	弔攸乍旅鼎
1221	井鼎	攸易魚
1286	大夫始鼎	始易友日考日攸
1300	南宮柳鼎	易女赤市、幽黃、攸勒
1306	無叀鼎	易女玄衣黹屯、戈琱㦰緱必彤沙、攸勒鑾旂
1308	白晨鼎	匍衣、里幽、攸勒、旅五旅
1309	寰鼎	易寰玄衣、黹屯、赤市、朱黃、鑾旂、攸勒、
1310	鬲攸從鼎	鬲从日攸衛牧告于王
1310	鬲攸從鼎	迺事攸衛牧誓日
1310	鬲攸從鼎	攸衛牧則誓
1310	鬲攸從鼎	鬲攸从其萬年子子孫孫永寶用
1319	頌鼎一	易女玄衣黹屯、赤市朱黃、鑾旂攸勒、用事
1320	頌鼎二	易女玄衣黹屯、赤市朱黃、鑾旂攸勒、用事
1321	頌鼎三	易女玄衣黹屯、赤市朱黃、鑾旂攸勒、用事
1323	師𠭰鼎	易女玄衮䵼屯、赤市朱黃、鑾旂、大師金雁（膺）
1331	中山王嚳鼎	烏虖、攸𢆶

戮
赦
攸

	1332	毛公鼎	馬四匹、攸勒、金嚨、金雁（膺）、朱旂二鈴
	2508	攸毀	侯賞攸貝三朋
	2508	攸毀	攸用乍父戊寶尊彝
攸	2732	曾仲大父蛕蚑毀	曾中大父蛕迺用吉攸飤鋚金
	2738	衛毀	__赤市、攸勒
	2769	師耤毀	攸勒、緣旂五日、用吏
	2771	弭弔師求毀一	易女赤舄、攸勒
	2772	弭弔師求毀二	易女赤舄、攸勒
	2775.	害毀一	攸革
	2775.	害毀二	幺衣黹屯、旂、攸革
	2796	諫毀	易女攸勒
	2800	伊毀	緣旂攸勒、用史
	2803	師酉毀一	新易女赤市朱黃中絅、攸勒
	2804	師酉毀二	新易女赤市朱黃中絅、攸勒
	2804	師酉毀二	新易女赤市朱黃中絅、攸勒
	2805	師酉毀三	新易女赤市朱黃中絅、攸勒
	2806	師酉毀四	新易女赤市朱黃中絅、攸勒
	2806.	師酉毀五	新易女赤市朱黃中絅、攸勒
	2817	師頪毀	易女赤市朱黃、緣旂攸勒、用事
	2830	三年師兌毀	攸勒
	2835	訇毀	緣旂攸勒、用吏
	2838	師斄毀一	易女弔市金黃、赤舄攸勒、用吏
	2838	師斄毀一	易女弔市金黃、赤舄攸勒、用吏
	2839	師斄毀二	易女弔市金黃、赤舄攸勒、用吏
	2839	師斄毀二	易女弔市金黃、赤舄攸勒、用吏
	2844.	頌毀一	緣旂攸勒、用吏
	2845	頌毀二	緣旂攸勒、用吏
	2846	頌毀三	緣旂攸勒、用吏
	2847	頌毀四	緣旂攸勒、用吏
	2848	頌毀五	緣旂攸勒、用吏
	2849	頌毀六	緣旂攸勒、用吏
	2850	頌毀七	緣旂攸勒、用吏
	2851	頌毀八	緣旂攸勒、用吏
	2855	班毀一	允才顯、隹敬德、亡攸違
	2988	攸鬲旅鎮	攸鬲乍旅盨（鎮）
	3083	瘐毀（盨）一	虢市攸勒
	3084	瘐毀（盨）二	虢市攸勒
	3088	師克旅盨一（蓋）	馬四匹、攸勒、素戉
	3089	師克旅盨二	馬四匹、攸勒、素戉
	3112	𨚕陵君王子申豆一	攸茲造鈇盉
	3112	𨚕陵君王子申豆一	攸立歲嘗
	3112	𨚕陵君王子申豆一	官攸無疆
	3113	𨚕陵君王子申豆二	攸茲造鈇盉
	3113	𨚕陵君王子申豆二	攸立歲嘗
	3113	𨚕陵君王子申豆二	官攸無疆
	4186	攸乍上父爵	攸乍上父寶尊彝
	4828	__㚔乍父丁尊一	王占攸田𤔲乍父丁尊[qw]
	4829	__㚔乍父丁尊二	王占攸田𤔲乍父丁尊[qw]
	4829	__㚔乍父丁尊二	王占攸田𤔲乍父丁尊[qw]
	4854	__車㚸乍公日辛尊	攸貝__pm

4890	盠方尊	易盠赤市幽亢、攸勒
4978	吳方彝	馬四匹、攸勒
4979	盠方彝一	易盠赤市幽亢、攸勒
4980	盠方彝二	攸勒
5447	王古卣	王古攸田𤔲
5577	__𣪘乍父丁罍	王古攸田𤔲乍父丁尊[qw]
5798	智壺	攸勒、䜌旂、用事
5799	頌壺一	䜌旂、攸勒、用事
5800	頌壺二	䜌旂、攸勒、用事
6789	寰盤	赤市朱黃、䜌旂攸勒
6887	𨚕陵君王子申鑑	攸缘
6887	𨚕陵君王子申鑑	攸立歲嘗
6887	𨚕陵君王子申鑑	攸無彊(盤外)
M423.	趞鼎	䜌旂、攸勒、用事
		小計：共 80 筆

敉 0530

3100	陳侯因𬯀錞	敉嗣桓文
		小計：共 1 筆

敦 0531

1324	禹鼎	敦伐鄂
7867	郘大㢨之□筲	郘大㢨之敦筲
7870	陳純釜	敦t4日陳純
		小計：共 3 筆

敗 0532

2744	五年師旋設一	敬母敗迹
2745	五年師旋設二	敬母敗迹
5804	齊侯壺	__其□□□□□敗者孚
7186	叔夷編鐘五	敗𠂤靈師
7214	叔夷鎛	敗𠂤靈師
7219	冉鉦鍼(南疆征)	女勿喪勿敗
7899	鄂君啟車節	大司馬卲陽敗晉帀於襄陵之歲
7900	鄂君啟舟節	大司馬卲陽敗晉帀於襄陵之歲
		小計：共 8 筆

寇 0533

1073	白鼎	隹白殷□八自寇年
1113	梁廿七年鼎一	大梁司寇肖亡智新為量
1114	廿七年大梁司寇肖無智鼎二	大梁司寇肖亡智鑄新量
1124	揚鼎	(據金文編補)
1276	__季鼎	日、用又(左)右俗父嗣寇
1330	曶鼎	寇𠂤(曶)禾十秭
1330	曶鼎	余無卣貝寇足□
2810	揚設一	眔司L8、眔司寇

攸 敉 敦 敗 寇

寇 戰 鼓 攻

2811	揚𣪘二	眔司L8、眔司寇
J1487	𤔲寇良父𣪘	𤔲寇良父乍為衛姬𣪘
5740	𤔲寇良父壺	𤔲寇良父乍為衛姬壺
5768	虞𤔲寇白吹壺一	虞𤔲寇白吹乍寶壺
5769	虞𤔲寇白吹壺二	虞𤔲寇白吹乍寶壺
6772	魯少司寇封孫宅盤	魯少𤔲寇封孫宅乍其子孟姬嬰賸般也（匜）
7553	廿年奠令戈	廿年鄭命韓恙司寇吳裕
7558	十四年奠令戈	十四年奠命趙距司寇王造武庫
7559	十五年奠令戈	十五年奠命趙距司寇□章右庫
7560	十六年奠令戈	十六年奠命趙司寇彭璋生庫
7561	十七年奠令戈	十七年奠命幽距司寇彭璋武庫
7562	廿一年奠令戈	廿一年奠命䜌族司寇裕左庫工币吉□冶□
7563	卅一年奠令戈	卅一年奠命𨛭司寇肖它生庫工币冶𩙿啟
7568	四年奠令戈	四年奠命韓及司寇長朱
7569	五年奠令戈	五年奠命韓_司寇張朱
7570	六年奠令戈	六年奠命_幽司寇向_左庫工币倉慶冶尹成韕
7571	八年奠令戈	八年奠命_幽司寇史墜右庫工币昜高冶尹_□
7572	十七年𨝤令戈	十七年𨝤命䜌肖司寇奠_右庫工币□較冶□□
7652	五年鄭令韓□矛	五年奠命韓□司寇長朱
7653	十年邦司寇富無矛	十年邦司寇富無
7654	十二年邦司寇野矛	十二年邦司寇野□
7657	九年鄭令向甸矛	九年奠命向甸司寇□商
7658	五年春平侯矛	五年相邦□平侯邦司寇_
7663	卅二年奠令棺□矛	卅二年奠命棺□司寇趙它
7664	元年奠命棺□矛	元年奠命棺□司寇芋慶
7665	三年奠令棺□矛	三年奠命棺□司寇□慶
7666	七年奠令□幽矛	七年奠命□幽司寇□□
7667	卅四年奠令棺□矛	卅四年奠命棺□司寇造芋慶
7668	二年奠令棺□矛	二年奠命棺□司寇芋慶
7669	四年□雍令矛	四年□雝命韓匡司寇□宅
7739	卅三年奠令□□劍	卅三年奠命□□司寇趙它
		小計：共 37 筆

戰 0534

2843	沈子它𣪘	休沈子肇戰tc賈嗇乍丝𣪘
7006	戰狄鐘	戰狄不龏
		小計：共 2 筆

鼓 0535

5802	洹子孟姜壺二	鼓（鼓）鐘一肆
		小計：共 1 筆

攻 0536

1233	_鼎	攻龠無啻（敵）
1524	□大𤔲攻鬲	□大□□𤔲攻單□□鑄其鬲
3311	攻爵	[攻]

5826	國差罎	攻師何鑄西𨛜寶罎四秉
6885	吳王夫差御鑑一	攻吳王大差擇氒吉金
6925	晉邦盦	□攻雝者
7001	嘉賓鐘	余武于戎攻𦖞聞
7003	舍武編鐘	余武于戎攻𦖞聞
7028	臧孫鐘	攻敔中冬戚之外孫
7029	臧孫鐘二	攻敔中冬戚之外孫
7030	臧孫鐘三	攻敔中冬戚之外孫
7031	臧孫鐘四	攻敔中冬戚之外孫
7032	臧孫鐘五	攻敔中冬戚之外孫
7033	臧孫鐘六	攻敔中冬戚之外孫
7034	臧孫鐘七	攻敔中冬戚之外孫
7035	臧孫鐘八	攻敔中冬戚之外孫
7036	臧孫鐘九	攻敔中冬戚之外孫
7191	叔夷編鐘十	余敏于戎攻
J0081	王孫𦣻鐘	(拓本未見)
7213	𪒠鎛	余為大攻戹
7443	攻敔王光戈一	攻敔王光自、戈q5
7444	攻敔王光戈二	攻自乍
7498	郾王詈戈	右攻尹(尹)□、攻眾
7516	攻敔王夫差戈	攻敔王夫差自乍其用戈
7536	郾王詈戈一	右攻尹桐其攻豐
7537	汈白戈	印鬼方蠻攻旁
7555	二年戈	宗子攻五欥我左工帀__
7674	大攻尹劍	大攻尹
7709	攻敔王光劍	攻敔王光自乍用鐱
7713	郾王職劍	郾王職乍武畢so劍、右攻
7714	攻敔王劍	攻敔王光自乍用劍
7715	攻敔王夫差劍一	攻敔王夫差自乍其元用
7716	攻敔王夫差劍二	攻敔王夫差自乍其元用
7722	吳王光劍	攻敔王光自乍用劍
7729	守相杜波劍	冶巡執齊大攻尹公孫桴
7730	十五年守相杜波劍一	冶巡執齊大攻尹公孫桴_
7742	十三年劍	攻尹韓耑
7814	秦右□弩機	秦右__攻尹五大夫__攻逞
7815	__易公殘弩機	__易公攻尹
7816	左攻尹弩牙一	左攻尹
7817	左攻尹弩牙二	左攻尹
7818	右攻尹弩牙一	右攻尹
7819	右攻尹弩牙二	右攻尹
7823	距末二	廿年尚上長斗乘四其我__攻書
7867.	龍__	以命攻(工)尹穆丙(丙)
7867.	龍__	攻(工)差(佐)競之
7867.	龍__	集尹陳夏、少集尹龔則、少攻(工)差(佐)孝癸
7899	鄂君啟車節	大攻尹脽台王命命集尹𢼸(悼)nf
7900	鄂君啟舟節	大攻尹脽台王命命集尹𢼸nf
M545	配兒勾鑃	余其戕于戎攻𠭯武
		小計：共　50 筆

𠂤 0537

0688	魚父癸鼎	[魚]父癸𠂤[d4]
1159	辛鼎一	剌多友𠂤辛
1160	辛鼎二	剌多友𠂤辛
1323	師訊鼎	訊敢𠂤王卑天子萬年whwi
1326	多友鼎	女既靜京自、𠂤女
1327	克鼎	易𠂤無疆
2826	師寰𣪘一	𠔀、𠂤、mm、un、左右虎臣
2826	師寰𣪘一	𠔀、𠂤、mm、尿、左右虎臣
2827	師寰𣪘二	𠔀、𠂤、mm、un、左右虎臣
2837	敔𣪘一	吏尹氏受𠂤敔圭鬲
5472	乍毓且丁卣	歸福于我多高处山易𠂤
5472	乍毓且丁卣	歸福于我多高oe山易𠂤

小計：共 12 筆

敔 0538

2402	敔𣪘	敔乍寶𣪘
2687	敔𣪘	王蔑敔曆、易玄衣赤市
2687	敔𣪘	敔對揚王休
2837	敔𣪘一	王令敔追禦于上洛煜谷
2837	敔𣪘一	敔告禽馘百、訊卌
2837	敔𣪘一	王蔑敔曆
2837	敔𣪘一	吏尹氏受𠂤敔圭鬲
2837	敔𣪘一	敔敢對揚天子休
2837	敔𣪘一	敔其萬年子子孫孫永寶用
7028	臧孫鐘	攻敔中冬戒之外孫
7029	臧孫鐘二	攻敔中冬戒之外孫
7030	臧孫鐘三	攻敔中冬戒之外孫
7031	臧孫鐘四	攻敔中冬戒之外孫
7032	臧孫鐘五	攻敔中冬戒之外孫
7033	臧孫鐘六	攻敔中冬戒之外孫
7034	臧孫鐘七	攻敔中冬戒之外孫
7035	臧孫鐘八	攻敔中冬戒之外孫
7036	臧孫鐘九	攻敔中冬戒之外孫
J0081	王孫弃鐘	(拓本未見)
7443	攻敔王光戈一	攻敔王光自、戈q5
7516	攻敔王夫差戈	攻敔王夫差自乍其用戈
7709	攻敔王光劍	攻敔王光自乍用鐱
7714	攻敔王劍	攻敔王光自乍用劍
7715	攻敔王夫差劍一	攻敔王夫差自乍其元用
7716	攻敔王夫差劍二	攻敔王夫差自乍其元用
7722	吳王光劍	攻敔王光自乍用劍
M792	宋公䜌簠	乍其妹句敔(敔)夫人季子媵匿

小計：共 27 筆

攺 0539

3047	攺乍乙公旅盨(蓋)	攺乍朕文考乙公旅盨
		小計：共 1 筆

牧 0540

0193.	亞牧鼎	[亞牧]
0893	亞牧乍父辛鼎	乍父辛寶尊彝[亞牧]
1300	南宮柳鼎	王乎乍冊尹冊令柳嗣六自牧、陽、大□
1310	鬲攸從鼎	鬲从目攸衛牧告于王
1310	鬲攸從鼎	日：女受我田、牧
1310	鬲攸從鼎	迺事攸衛牧誓曰
1310	鬲攸從鼎	攸衛牧則誓
2188	鄧公毁	莽(鄧)公牧乍餗毁
2279	牧共乍父丁食毁	牧共乍父丁to食毁
2506	奠牧馬受毁一	奠牧馬受乍寶毁
2507	尊牧馬受毁二	奠牧馬受乍寶毁
2629	牧師父毁一	牧師父弟弔脥父御于君
2630	牧師父毁二	牧師父弟弔脥父御于君
2631	牧師父毁三	牧師父弟弔脥父御于君
2703	免乍旅毁	眔吳眔牧
2760	小臣謎毁一	雩氒復歸、才牧自
2761	小臣謎毁二	雩氒復歸、才牧自
2789	同毁一	王命周左右吳大父嗣昜林吳牧
2790	同毁二	王命周左右吳大父嗣昜林吳牧
2815	師毀毁	僕馭、百工、牧、臣妾
2857	牧毁	公族組入右牧立中廷
2857	牧毁	王乎內史吳冊令牧
2857	牧毁	牧、昔先王既令女乍嗣土
2857	牧毁	王曰：牧、女母敢弗帥用先王乍明井
2857	牧毁	牧拜韻首敢對揚王不顯休
2857	牧毁	牧其萬年壽考子子孫孫永寶用
4553	牧圃尊	[牧品]
5228	牧父丙卣	[牧]父丙
6339	亞牧觶	[亞牧]
6591	牧正父己觶	[牧品]父己
6877	儹乍旅盉	曰：牧牛、叡、乃可湛
6877	儹乍旅盉	白揚父迺或吏牧牛誓曰
6877	儹乍旅盉	牧牛則誓
6877	儹乍旅盉	牧牛辭誓成、'罰金
M252	免簠	嗣奠還𢽾眔吳眔牧
		小計：共 35 筆

吺 0540+

4066	舟吺父乙爵	[舟吺]父乙

小計：共 1 筆

敎
敎
敉
弢
攺

敎敎 0540+

1281	史頌鼎一	帥𩁹辥敎于成周
1282	史頌鼎二	帥𩁹辥敎于成周
3608	▇敎爵	[▇敎]
3658	敎天爵	[敎天]
5528	敎方罍	[敎▇]
5983.	敎觚一	[敎]
6672	敎盤	[敎]
7284	敎戈	[敎]

小計：共 8 筆

敉 0540+

7394	弔孫敉戈	弔孫敉戈

小計：共 1 筆

弢 0541

1927	弢乍旅段	[弢]乍旅
6292	弢觶	[弢]
7108	𨛛弔之仲子平編鐘一	中平善弢叡考鑄其游鐘
7109	𨛛弔之仲子平編鐘二	中平善弢叡考鑄其游鐘
7110	𨛛弔之仲子平編鐘三	中平善弢叡考鑄其游鐘
7111	𨛛弔之仲子平編鐘四	中平善弢叡考鑄其游鐘

小計：共 6 筆

攺 0542

1288	令鼎一	王至于溓宮、攺
1289	令鼎二	王至于溓宮、攺

小計：共 2 筆

敀 0543

4888	盠駒尊一	王初執駒于敀
4888	盠駒尊一	王拘駒敀、易盠駒
4892	麥尊	于王才敀

小計：共 3 筆

敃 0544

1304	王子午鼎	命尹子庚敃民之所亟
2778	格白殷一	敃妊役佫孠從格白安役甸
2778	格白殷一	敃妊役佫孠從格白安役甸
2780	格白殷三	敃妊役佫孠從格白安役甸
2781	格白殷四	敃妊役佫孠從格白安役甸
2782	格白殷五	敃妊役佫孠從格白安役甸
2782.	格白殷六	敃妊役佫孠從格白安役甸

小計：共 7 筆

敄 0545

6910	師永盂	周人嗣工眉、敄史、師氏

小計：共 1 筆

敆 0546

3921	敆作父癸爵	敆作父癸
4151	敆爵	敆作父癸魭

小計：共 2 筆

散 0547

5805	中山王嚳方壺	進賢散（措）能

小計：共 1 筆

敊 0548

0628	敊之行鼎	敊之行鼎
5438	敊作旅彝卣	敊作旅彝
6898	__子敊行盞	wp子敊之行盞

小計：共 3 筆

敝 0549

6792	史墻盤	廣敝楚荊

⿰能攵
⿰黄攵
⿰阝敫
⿰無攵
⿰馬攵
⿰臯攵
⿰㗊攵
⿰𢆶攵

小計：共 1 筆

⿰黄攵 0550

2653	黄姬段	白氏⿱宀至⿰黄攵
2653	黄姬段	易⿰黄攵⿰女弓矢束、馬匹、貝五朋
2653	黄姬段	⿰黄攵用從永揚公休

小計：共 3 筆

⿰阝敫 0551

0936	天黿⿰米阝⿰阝敫乍丁侯鼎	剌⿰爪阝⿰阝敫乍丁侯尊彝[天黿]

小計：共 1 筆

⿰無攵 0552

0419	⿰無攵父辛鼎	[⿰無攵]父辛

小計：共 1 筆

⿰馬攵 0553

1331	中山王嚳鼎	⿰馬攵(奮)桴振鐸

小計：共 1 筆

⿰臯攵 0554

4861	⿰臯攵士卿尊	王易⿰臯攵士卿貝朋
7112	者減鐘一	⿰臯攵⿰叕攵于我霝龠
7113	者減鐘二	⿰臯攵協于我霝龠

小計：共 3 筆

⿰㗊攵 0555

5485	貉子卣一	王各于呂⿰㗊攵
5486	貉子卣二	王各于呂⿰㗊攵

小計：共 2 筆

⿰𢆶攵 0556

4887	蔡侯緩尊	⿰𢆶攵敬不愓
6788	蔡侯緩盤	⿰𢆶攵敬不愓

小計：共 2 筆

數 0557

3086	善夫克旅盨	皇且考其數數纍纍
7006	𢿱狄鐘	數數纍纍降
7049	井人鐘三	數數纍纍
7050	井人鐘四	數數纍纍
7088	士父鐘一	數數纍纍
7089	士父鐘二	數數纍纍
7090	士父鐘三	數數纍纍
7091	士父鐘四	數數纍纍
7150	虢叔旅鐘一	數數纍纍
7151	虢叔旅鐘二	數數纍纍
7152	虢叔旅鐘三	數數纍纍
7153	虢叔旅鐘四	數數纍纍
7156	虢叔旅鐘七	數數纍纍
7158	瘐鐘一	其數數纍纍
7160	瘐鐘三	其數數纍纍
7161	瘐鐘四	其數數纍纍
7162	瘐鐘五	其數數纍纍
7176	𢦚鐘	纍纍數數

小計：共 18 筆

攴 0557+

7481	郾王職乍攴鋸	郾王職作攴鋸
7482	郾王職乍巨__鋸	郾王職乍巨攴鋸
7485	郾王詈乍巨__鋸一	郾王詈乍巨攴鋸
7486	郾王詈乍五__鋸二	郾王職乍巨攴鋸
7487	郾王詈乍巨__鋸三	郾王職作巨攴鋸
7488	郾王詈乍五__鋸四	郾王職乍巨攴鋸
7489	郾王喜乍五__鋸一	郾王喜乍巨攴鋸
7490	郾王喜乍五__鋸二	郾王喜乍巨攴鋸
7574	左軍戈	之攴僕
7574	左軍戈	巨校馬臧造攴戊
7635	郾王喜矛	郾王喜□□攴矛
7637	郾王戎人矛二	郾王戎人乍巨攴矛
7639	郾王職矛二	郾王職巨攴矛
7640	郾王職矛三	郾王職乍攴矛
7642	郾王詈矛一	郾王詈乍巨攴矛
7646	郾王職矛二	郾王職乍攴矛
M876	郾王職戟二	郾王戠乍攴鋸
M877	郾王戎人戟	郾王戎人乍攴鋸

小計：共 18 筆

敵 0557+

7183	叔夷編鐘二	為女敵（ 隸 ）寮
7184	叔夷編鐘三	還乃敵（ 隸 ）寮

7214	叔夷鎛	為女敎(肄)寮
7214	叔夷鎛	還乃敎(肄)寮
		小計：共 4 筆

教 0558

2659	郾侯軍毁	教父所
6793	矢人盤	散父、教㮚父
		小計：共 2 筆

斆 0559 下條學字參看

1331	中山王譽鼎	雩(越)人斆(修)斆備信
2843	沈子它毁	克又井斆懿父迺□子
7995	陶範一	斆安寍壽
		小計：共 3 筆

學 0559 請與上條斆字參看

1288	令鼎一	日：小子迺學
1289	令鼎二	日：小子迺學
1328	盂鼎	余隹即朕小學
2788	靜毁	丁卯、王令靜司射學宮
2788	靜毁	小子眔服眔小臣眔夅僕學射
2788	靜毁	靜學無眈
2838	師嫠毁一	才先王小學女
2838	師嫠毁一	才昔先王小學女
2839	師嫠毁二	才先王小學女
2839	師嫠毁二	才昔先王小學女
7069	者汈鐘一	慈學趄趄
7071	者汈鐘三	慈學趄趄
7074	者汈鐘六	慈學趄趄
7077	者汈鐘九	慈學趄趄
7668	二年奠令槍□矛	生庫工帀鈹□□冶尹學造□
		小計：共 15 筆

敳 0559+

2711.	乍冊般毁	王宜人方無敳
		小計：共 1 筆

卜 0560

1330	曶鼎	□若曰：曶（曶）、令女更乃且考嗣卜事
2220	卜孟乍寶毀	卜孟乍寶尊彝
4001	田且癸爵	[田]卜且癸
4044	卜戈女爵	[卜戈]女
4166	亞__父己卜爵	亞__己父卜
6283	___觚	[畾卜止卜]
7859	卜盉	[卜]

小計：共 7 筆

叫 0561

4860	魯侯尊	魯侯又叫工

小計：共 1 筆

貞 0562

0298	涂鼎	馀（涂）貞
0463	貞乍鼎	貞乍鼎
0605	明我乍鼎	明我乍貞（鼎）
0642	公朱右自鼎	翟韓韓貞、來
0659	集脰社鼎	集脰社貞
0734	珷鼎	珷乍㝬尊貞（鼎）
0737	禁子鼎	禁子__之貞（鼎）
0805	取它人善鼎	取它人之善貞（鼎）
0806	沖子行鼎	沖子Ja之行貞（鼎）
0807	須盂生飤鼎	須盂生之飤貞（鼎）
0813	白遲父乍雛鼎	白遲父乍雛貞（鼎）
0817	王子臺鼎	王子臺自酢（乍）飤貞（鼎）
0827	宋公欒鼎	宋公欒之餗貞（鼎）
0832	禁侯䵼飤鼎	禁侯䵼之飤貞（鼎）
0833	中敀鼎	中敀貞鼎六斗
0865	卲王之諻餗鼎	卲王之諻之餗貞（鼎）
0870	蛸所__鼎	蛸所__貞貞（鼎）安膴
0895	滁父乍姜懿母鼎一	滁父乍姜懿母餗貞（鼎）
0896	滁父乍姜懿母鼎二	滁父乍姜懿母餗貞（鼎）
0918	盜叔鼎	盜弔之行貞（鼎）永用之
0919	盅鼎	盅之__貞（鼎）
0934	中斿父鼎	中斿父乍寶尊彝貞（鼎）[七五八]
0968	走馬吳買乍雛鼎	sz父之走馬吳買乍雛貞（鼎）用
0970	禁侯鼎	禁侯乍旅貞（鼎）
1049	靜弔乍旅鼎	靜弔乍鄙兄旅貞（鼎）
1054	杞白每亡鼎一	杞白每亡乍鼄娸（曹）寶貞（鼎）
1055	杞白每亡鼎二	杞白每亡乍鼄娸（曹）寶貞（鼎）
1071	鼄白御戎鼎	鼄白御戎乍滕姬寶貞（鼎）
1072	孫乍其鬻鼎	隹正月初孫乍其鬻鬲貞貞（鼎）
1087	鑄子弔黑臣鼎	鑄子弔黑臣肇乍寶貞（鼎）

卜
叫
貞

	1102	無大邑魯生鼎	無大邑魯生乍壽母朕(媵)貞(鼎)
	1205.	遹鼎	朕乍文考胤白尊鼎(貞)
	1225	鄬大史申鼎	乍其造貞(鼎)十
貞	1238	曾子仲宣鼎	自乍寶貞(鼎)
用	1461	黿來佳鼎	黿來佳乍貞(鼎)
	1662	寶甗	其萬年子子孫孫永寶用貞
	2274	強白乍自為鼎毁	強白乍自為貞毁
	6727	貞盤	貞乍寶盤
	6793	矢人盤	豆人虞丂、彔貞、師氏、右眚
	7664	元年奠命槍□矛	坐庫工帀皮□治尹貞造
	7665	三年奠令槍□矛	坐庫工帀皮□治尹貞造
	7666	七年奠令□豳矛	左庫工帀□□治尹貞造
			小計：共 42 筆

用 0563

0598	弔我乍用鼎	弔我乍用
0776	遣弔乍旅鼎	遣弔乍旅鼎用
0798	緐還鼎	緐還乍寶用鼎
0825	強乍井姬鼎	強乍井姬用鼎
0842	鼎乍父己鼎	鼎其用乍父己寶鼎
0847	用貝乍母辛鼎	貝用乍母辛彝[ab]
0860	__鼎	ne乍尊彝、用匄永福
0883	曾侯乙鼎	曾侯乙詐(乍)時甬(用)冬(終)
0907	小臣氏樊尹鼎	小臣氏樊尹乍寶用
0916	__鼎	rs乍寶鼎、子孫永用
0918	盜叔鼎	盜弔之行貞(鼎)永用之
0919	盅鼎	其永用之
0921	余子鼎	百載用之
0928	穌衛妃乍旅鼎一	穌衛改乍旅鼎其永用
0929	穌衛妃乍旅鼎二	穌衛改乍旅鼎其永用
0930	穌衛妃乍旅鼎三	穌衛改乍旅鼎其永用
0931	穌衛妃乍旅鼎四	穌衛改乍旅鼎其永用
0935	季念乍旅鼎	季念乍旅鼎其永寶用
0937	內公乍鑄從鼎一	內(芮)公乍鑄從鼎永寶用
0938	內公乍鑄從鼎二	內公乍鑄從鼎永寶用
0939	內公乍鑄從鼎三	內公乍鑄從鼎永寶用
0940	乍寶鼎	乍寶鼎子子孫永寶用
0944	至乍寶鼎	至乍寶鼎其萬年永寶用
0955	霍乍己公鼎	霍乍己公寶鼎其萬年用
0956	鄭同媿乍旅鼎	鄭同媿乍旅鼎其永寶用
0957	弔盂父鼎	弔盂父乍尊鼎其永寶用
0958	弔師父鼎	弔師父乍尊鼎其永寶用
0959	藥鼎	藥乍寶鼎其萬年永寶用
0960	大__弔姜鼎	大□乍弔姜鼎其永寶用
0961	乙未鼎	用乍__彝
0962	亙乍寶鼎	亙乍寶鼎子子孫永寶用
0963	白旬乍尊鼎	白旬乍尊鼎萬年永寶用
0964	萬仲鼎	萬中□□乍用鼎

0964	萬仲鼎	子孫永寶用
0967	樊___乍文父甲鼎	p5u3用乍文父甲寶尊彝[樊]
0968	走馬吳買乍雝鼎	sz父之走馬吳買乍雝貞(鼎)用
0969	從鼎	從用乍寶鼎 用
0970	蔡侯鼎	其萬年永寶用
0971	內大子鼎一	子孫永用享
0972	內大子鼎二	子孫永用享
0973	白__乍妣羞鼎一	其永寶用
0974	白__乍妣羞鼎二	其永寶用
0975	白__乍妣羞鼎三	其永寶用
0976	白__乍妣羞鼎四	其永寶用
0978	弔猷父鼎	其萬年永寶用
0979	__君鼎	其萬年永寶用
0980	__君鼎	pi君婦媿霝乍旅__其子孫用
0981	德鼎	用乍寶尊彝
0982	己華父鼎	子子孫永用
0986	中乍且癸鼎	用乍且癸寶鼎
0987	朋仲鼎	其萬年寶用
0988	白矩鼎	用言王出內事人
0989	仲宦父鼎	子子孫永寶用
0990	__白歸鼎	其萬年用享
0991	交鼎	王易貝、用乍寶彝
0992	蘦討鼎	子子孫孫永寶用
0993	隞生隺鼎	孫子其永寶用
0995	內公飤鼎	子孫永寶用享
0996	子遹鼎	子子孫孫永寶用
0997	__父鼎一	用乍乎寶尊彝
0998	__父鼎二	用乍乎寶尊彝
0999	__父鼎三	用乍乎寶尊彝
1000	郜造鼎	子子孫孫用享
1001	鄭子石鼎	子孫永寶用
1006	鎬鼎	釁壽□□□孫用之
1009	鄦侯籠鼎	商、用乍旅鼎
1010	榮有嗣再鼎	用媵嬴𩏂母
1011	彥乍父丁鼎	用乍父丁尊彝
1013	滔__秉方鼎	其萬年永寶用
1015	□大師虎鼎	其永寶用
1016	廟孱鼎	其子子孫孫永寶用
1017	刺鼎	其用盟鬻宄媿日辛
1018	𩁹屯乍父己鼎一	用乍鬻彝、父己[𩁹]
1019	__屯乍父己鼎二	用乍鬻彝、父己[𩁹]
1020	鄭𨛭原父鼎	其萬年子孫永用
1021	虢弔大父鼎	其萬年永寶用
1022	白宓父旅鼎	用鄉王逆逸吏人
1023	從乍寶鼎	其萬年子孫孫永寶用
1024	大師人__乎鼎	其子孫孫用
1025	奠姜白寶鼎	子子孫孫其永寶用
1026	奄望鼎	用夙夕眚公各
1028	央__鼎	央__姬昌乍孟田用___鼎
1029	罴乍且乙鼎	用乍且乙尊[田告亞]

用

1030	鄣子員鼎	其永壽用止
1031	周_騌鼎	周_騌乍用寶鼎
1031	周_騌鼎	其萬年永寶用
1032	𦣻乍父丁鼎	乙_□□_貝□用乍父丁彝、才六月
1034	仲殷父鼎一	其萬年子子孫寶用
1035	仲殷父鼎二	其萬年子子孫寶用
1036	史宜父鼎	其萬年子子孫永寶用
1037	乍冊峀鼎	用乍寶彝
1038	白䣄父鼎	其子子孫孫永用[井]
1039	兼咯父旅鼎	子子孫孫其永寶用
1040	弔荼父鼎	子孫孫其萬年永寶用
1041	且方鼎	用乍㲋□□寶䵼尊鼎
1041	且方鼎	用㲋□□宮
1042	白庛父鼎	其萬年孫子永寶用
1044	寶_生乍成媿鼎	其子孫永寶用
1045	專車季鼎	其子孫永寶用
1046	圍方鼎	用乍寶尊彝
1048	鼭乍母乙鼎	其萬年子孫孫永寶用
1049	靜弔乍旅鼎	其萬年釁壽永寶用
1050	白筍父鼎一	其萬年子孫永寶用
1051	白筍父鼎二	其萬年子子孫孫永寶用
1052	褱自乍𥓓䰜_	其釁壽無期、永保用之
1053	白考父鼎	其萬年子子孫永寶用
1054	杞白每亡鼎一	子子孫永寶用
1055	杞白每亡鼎二	子子孫永寶用
1056	曾白從寵鼎	曾白從寵自乍寶鼎用
1057	會娟鼎	其萬年子子孫永寶用享
1058	復鼎	復用乍父乙寶尊彝[㷭]
1059	旂乍父戊鼎	旂用乍父戊寶尊彝
1060	輔白𦞅父鼎	子子孫永寶用
1061	交君子_鼎	祈釁壽、萬年永寶用
1062	𧘝鼎	其萬年子孫永寶用享
1063	鄧公乘鼎	永保用之
1064	武生_弔羞鼎一	子子孫孫永寶用之
1065	武生_弔羞鼎二	子子孫孫寶用之
1066	穌吿妊鼎	子子孫孫永寶用
1067	雁公方鼎一	用夙夕䵼享
1068	雁公方鼎二	用夙夕䵼享
1069	雁公方鼎三	用夙夕䵼享
1071	鼄白御戎鼎	子子孫孫永寶用
1072	瘵乍其鬻鼎	子孫永寶用之
1074	奠戒句父鬲	其子孫孫永寶用
1075	黃季乍季嬴鼎	其萬年子孫永寶用享
1076	王伯姜鼎	季姬其永寶用
1077	曾仲子_鼎	曾中子_用其吉金自乍寶鼎
1077	曾仲子_鼎	子孫永用喜
1078	犀白魚父旅鼎一	其萬年子子孫孫永寶用
1079	犀白魚父旅鼎二	其萬年子子孫孫永寶用
1080	華仲義父鼎一	其子子孫孫永寶用[華]
1081	華仲義父鼎二	其子子孫孫永寶用[華]

1082	華仲義父鼎三	其子子孫孫永寶用[華]
1083	華仲義父鼎四	其子子孫孫永寶用[華]
1084	華仲義父鼎五	其子子孫孫永寶用[華]
1085	曾者子乍鬻鼎	曾者子鑄用乍鬻鼎 用
1085	曾者子乍鬻鼎	用享于且、子子孫永壽
1086	內子仲□鼎	子子孫孫永寶用
1087	鑄子弔黑臣鼎	其萬年釁壽永寶用
1088	師麻斿弔旅鼎	其萬年子子孫孫永寶用
1089	女夔方鼎	用乍夔尊彝
1092	小臣建鼎	用乍寶尊彝
1093	奠登白鼎	其子子孫孫永寶用之
1094	魯大左司徒元善鼎	其萬年釁壽永寶用之
1095	函皇父鼎	子子孫孫其永寶用
1096	弗奴父鼎	其釁壽萬年永寶用
1097	白庸父乍羊鼎	其子子孫孫萬年永寶用享
1098	善夫白辛父鼎	其萬年子子孫永寶用
1099	仲旳父鼎	其萬年子子孫孫永寶用享
1101	亞受乍父丁方鼎	用乍父丁尊[亞受]
1102	無大邑魯生鼎	其萬年釁壽永寶用
1103	臣卿乍父乙鼎	用乍父乙寶彝
1104	辛中姬皇母鼎	其子子孫孫用享孝于宗老
1105	戲季乍嬴氏行鼎	子子孫其釁壽萬年永用享
1106	曾孫無期乍飤鼎	子孫永寶用之
1107	番仲吳生鼎	用亯用孝
1107	番仲吳生鼎	子子孫孫永寶用
1108	師賸父鼎	其萬年子子孫孫永寶用
1109	師眉乍鬻鼎	其萬年子子孫孫永寶用[cx]
1110	鼬白原鼎	子子孫孫其萬年永用亯
1111	□魯宰鼎	其子子孫孫永寶用之
1116	晉司徒白郘父鼎	其萬年永寶用
1117	豊乍父丁鼎	丁亥、豊用乍父乙齍彝[亞亯]
1118	宋莊公之孫趨亥鼎	子子孫孫永壽用之
1119	曆方鼎	其用夙夕鬻亯
1120	澙白鼎	子孫永寶用之
1122	昶白乍石鬻	子子孫孫永寶用
1123	伯夏父鼎	永寶用亯
1123	番□伯者鼎	其萬年子孫永寶用□
1124	玧乍父庚鼎一	用乍父庚彝[天黽]
1125	玧乍父庚鼎二	用乍父庚彝[天黽]
1126	弔夜鼎	用鬻用烹
1126	弔夜鼎	用旂釁壽無疆
1127	鬲鼎	用乍父□□□
1128	__白氏鼎	其永寶用
1129	寒姒好鼎	其萬年子子孫孫永寶用
1130	虢文公子𢦚鼎一	子孫永寶用亯
1131	虢文公子𢦚鼎二	子子孫孫永寶用亯
1132	郣白祀乍善鼎	子子孫永寶用亯
1133	郣白乍孟妊善鼎	子子孫孫永寶用
1134	鄦侯鼎	其永壽用之
1135	獻侯乍丁侯鼎	用乍丁侯尊彝[天黽]

用

1136	獻侯乍丁侯鼎二	用乍丁侯尊彝[天黽]
1137	匽侯旨鼎一	用乍姒(始)寶尊彝
1138	白陶乍父考宮弔鼎	用丐永福
1139	寓鼎	用乍尊彝
1140	衛鼎	衛其萬年子子孫孫永寶用
1141	善夫旅白鼎	其萬年子子孫孫永寶用亯
1142	杞白每亡鼎	子子孫孫永寶用亯
1143	曾子仲謱鼎	用其吉金
1143	曾子仲謱鼎	子子孫孫其永用之
1144	__獸鼎	獸其萬年永寶用
1145	舍父鼎	用乍寶鼎
1146	□者生鼎一	□者生□辰用吉金乍寶鼎
1146	□者生鼎一	其萬年子子孫孫永寶用亯
1147	□者生鼎二	□者生□辰用吉金乍寶鼎
1147	□者生鼎二	其萬年子子孫孫永寶用亯
1148	龕姜白鼎一	子子孫孫永寶用
1149	龕姜白鼎二	子子孫孫永寶用
1150	小臣缶方鼎	缶用乍享大子乙家祀尊
1151	㠱侯鼎	其萬年子子孫孫永寶用
1153	白頵父鼎	其萬年子子孫孫永寶用
1154	黃孫子蜎君弔單鼎	子子孫孫永寶用亯
1155	戜者乍旅鼎	用丐偁魯福
1155	戜者乍旅鼎	用妥髮彔
1155	戜者乍旅鼎	用乍文考宮白寶尊彝
1156	亳鼎	用乍尊鼎
1157	禽鼎	禽用乍寶彝
1158	小子__鼎	Jn用乍父己寶尊[虢]
1159	辛鼎一	用昏孚剌多友
1160	辛鼎二	用昏孚剌多友
1161	白吉父鼎	其萬年子子孫孫永寶用
1162	乃子克鼎	用乍父辛寶尊彝
1163	齊陳__鼎蓋	永保用之[吳]
1164	旂乍文父日乙鼎	旂用乍文父日乙寶尊彝[虢]
1165	大師鐘白乍石鼒	其子子孫永寶用之
1166	玆太子鼎	子子孫永寶用之
1171	魯白車鼎	子子孫孫永寶用亯
1172	征人乍父丁鼎	用乍父丁尊彝[天黽]
1173	羌乍文考鼎	用乍文考寡弔鬻彝
1174	昜乍旅鼎	昜用乍寶旅鼎
1175	白鮮乍旅鼎一	用亯孝于文且
1175	白鮮乍旅鼎一	子子孫孫永寶用
1176	白鮮乍旅鼎二	用亯孝于文且
1176	白鮮乍旅鼎二	子子孫孫永寶用
1177	白鮮乍旅鼎三	用亯孝于文且
1177	白鮮乍旅鼎三	子子孫孫永寶用
1178	宗婦鄁嬰鼎一	永寶用
1179	宗婦鄁嬰鼎二	永寶用
1180	宗婦鄁嬰鼎三	永寶用
1181	宗婦鄁嬰鼎四	永寶用
1182	宗婦鄁嬰鼎五	永寶用

1183	宗婦鄁嫛鼎六	永寶用
1184	德方鼎	用乍寶尊彝
1185	強白乍井姬鼎一	隹強白乍井姬用鼎、𣪘
1186	強白乍井姬鼎二	隹強白乍井姬用鼎、𣪘
1187	員乍父甲鼎	用乍父甲𩰫彝[𦣻]
1188	旃弔樊乍易姚鼎	用亯孝于朕文且
1188	旃弔樊乍易姚鼎	子子孫永寶用
1189	諆鼎	子孫孫永寶用亯
1190	內史鼎	其萬年用為考寶尊
1191	堇乍大子癸鼎	用乍大子癸寶尊𩰫[句冊句]
1192	亞□伐＿乍父乙鼎	用乍父乙齍[bp]
1193	新邑鼎	用乍寶彝
1194	郐王𦙶鼎	郐王𦙶用其良金
1194	郐王𦙶鼎	用𦎫pk腊
1195	戈弔朕鼎一	子子孫孫永寶用之
1196	戈弔朕鼎二	子子孫孫永寶用之
1197	戈弔朕鼎三	子子孫孫永寶用之
1198	姬𩰫彝鼎	用烝用嘗
1198	姬𩰫彝鼎	用孝用亯
1198	姬𩰫彝鼎	用匄𩟄壽無　彊
1198	姬𩰫彝鼎	其萬年子子孫孫永寶用
1199	虢宣公子白鼎	用孝亯于皇且考
1199	虢宣公子白鼎	用□𩟄□
1199	虢宣公子白鼎	子子孫孫永用□寶
1204	淮白鼎	其用＿蒸大牢
1205.	遤鼎	遤其萬年子子孫孫永寶用
1206	𢉅鼎	用對王休
1207	眉＿鼎	用為寶器
1207	眉＿鼎	其用享于氒帝考
1208	乙亥乍父丁方鼎	用乍父丁彝
1209	𡜍方鼎	用乍母己尊𩰫
1210	𡨦＿鼎	用乍父乙尊[羊冊]
1211	庚兒鼎一	用征用行
1211	庚兒鼎一	用龢用J3
1212	庚兒鼎二	用征用行
1212	庚兒鼎二	用龢用J3
1213	師𧻚鼎一	＿其萬年子孫永寶用
1214	師𧻚鼎二	＿其萬年子孫永寶用
1215	麥鼎	用乍鼎
1215	麥鼎	用從井侯征事
1215	麥鼎	用鄉多者(諸)友
1216	貿鼎	公貿用揚休𩁹
1216	貿鼎	用乍寶彝
1217	毛公𣪘方鼎	我用𩰫厚眔我友
1217	毛公𣪘方鼎	𩚵其用畜(友)
1217	毛公𣪘方鼎	是用壽考
1218	𡩜兒鼎	永保用之
1219	戍嗣子鼎	用乍父癸寶𩰫
1220	鄁公鼎	鄁公湯用其吉金
1220	鄁公鼎	子子孫孫永寶用亯

用

1221	井鼎	用乍寶尊鼎
1222	寂鼎一	用乍寶鼎
1223	寂鼎二	用乍寶鼎
1224	王子吳鼎	子子孫孫永保用之
1225	屬大史申鼎	用征台迮
1226	師餘鼎	孫子子寶用
1227	衛鼎	用桒壽、匃永福
1227	衛鼎	乃用鄉出入吏人
1228	𢽴𪔀方鼎	用乍己公寶尊彝
1229	厚趠方鼎	趠用乍𠂤文考父辛寶尊齍
1230	師器父鼎	用亯孝于宗室
1230	師器父鼎	用旂釁壽黃句(耇)吉康
1230	師器父鼎	子子孫孫永寶用
1233	__鼎	用乍寶尊彝
1234	旅鼎	旅用乍父尊彝
1235	不𣄰方鼎一	用乍寶𪓔彝
1236	不𣄰方鼎甲二	用乍寶𪓔彝
1238	曾子仲宣鼎	曾子中宣__用其吉金
1238	曾子仲宣鼎	宣__用饔其者(諸)父者(諸)兄
1238	曾子仲宣鼎	子子孫孫永寶用
1239	__鼎一	nt用乍窴公寶尊鼎
1240	__鼎二	nt用乍窴公寶尊鼎
1241	禁大師腆鼎	用旂釁壽萬年無彊
1241	禁大師腆鼎	子子孫孫永寶用之
1242	𡑞方鼎	用乍尊鼎
1243	仲__父鼎	用乍寶鼎
1243	仲__父鼎	其萬年子子孫孫永寶用
1244	瘨鼎	用乍皇且文考盂鼎
1244	瘨鼎	瘨萬年永寶用
1245	仲師父鼎一	其用亯用考于皇且帝考
1245	仲師父鼎一	用易釁壽無彊
1245	仲師父鼎一	其子子孫萬年永寶用亯
1246	仲師父鼎二	其用亯用考于皇且帝考
1246	仲師父鼎二	用易釁壽無彊
1246	仲師父鼎二	其子子孫萬年永寶用亯
1247	函皇父鼎	琱娟其萬年子子孫孫永寶用
1248	庚贏鼎	用乍寶
1249	寓鼎	用乍召白父辛寶尊彝
1249	寓鼎	光用大保
1250	曾子斿鼎	用鑄vJ彝
1250	曾子斿鼎	用考用亯
1255	作冊大鼎一	用乍且丁寶尊彝[鳥冊]
1256	作冊大鼎二	用乍且丁寶尊彝[鳥冊]
1257	作冊大鼎三	用乍且丁寶尊彝[鳥冊]
1258	作冊大鼎四	用乍且丁寶尊彝[鳥冊]
1259	郜公𩞄鼎	用追亯丂于皇且考
1259	郜公𩞄鼎	用气(乞)釁壽萬年無彊
1259	郜公𩞄鼎	子子孫孫永寶用
1260	我方鼎	用乍父己寶尊彝
1261	我方鼎二	用乍父己寶尊彝

1262	㝬鼎	用乍朕文考釐弔尊鼎
1263	呂方鼎	用乍寶䵼
1263	呂方鼎	其子子孫孫永用
1264	螀鼎	對揚、用乍寶尊
1265	𣪕弔鼎	其用享于文且考
1266	郜公平侯鼎一	用追孝于氒皇且晨公
1266	郜公平侯鼎一	用賜釁壽
1266	郜公平侯鼎一	子子孫孫永寶用亯
1267	郜公平侯鼎二	用追孝于氒皇且晨公
1267	郜公平侯鼎二	用賜釁壽
1267	郜公平侯鼎二	子子孫孫永寶用亯
1268	梁其鼎一	用亯孝于皇且考
1268	梁其鼎一	用旂多福
1268	梁其鼎一	其子子孫孫永寶用
1269	梁其鼎二	用亯孝于皇且考
1269	梁其鼎二	用旂多福
1269	梁其鼎二	其子子孫孫永寶用
1270	小臣𡙜鼎	用乍季娟（妘）寶尊彝
1271	史獸鼎	用乍父庚永寶尊彝
1272	剌鼎	王啻、用牡于大室
1272	剌鼎	用乍黃公尊𩰫彝
1272	剌鼎	其孫孫子子永寶用
1273	師湯父鼎	其萬年孫孫子子永寶用
1274	哀成弔鼎	永用禋祀
1275	師同鼎	判用iz王羞于黽
1275	師同鼎	用鑄茲尊鼎
1275	師同鼎	子子孫孫其永寶用
1276	__季鼎	曰、用又（左）右俗父嗣寇
1276	__季鼎	用乍寶鼎
1276	__季鼎	其萬年子子孫孫永用
1277	七年趞曹鼎	用乍寶鼎
1277	七年趞曹鼎	用鄉倗友
1278	十五年趞曹鼎	用乍寶鼎
1278	十五年趞曹鼎	用卿倗友
1280	康鼎	用乍朕文考釐白寶尊鼎
1280	康鼎	子子孫孫其萬　年永寶用
1281	史頌鼎一	用乍𩰫彝
1281	史頌鼎一	子子孫孫永寶用
1282	史頌鼎二	用乍𩰫彝
1282	史頌鼎二	子子孫孫永寶用
1283	微䜌鼎	䜌用享孝于朕皇考
1283	微䜌鼎	用易康勴魯休
1283	微䜌鼎	䜌子子孫永寶用享
1284	尹姞鼎	用乍寶䵼
1285	㦰方鼎一	用乍寶𩰫尊鼎
1285	㦰方鼎一	其用夙夜享孝于氒文且乙公
1286	大夫始鼎	用乍文考日己寶鼎
1286	大夫始鼎	孫孫子子永寶用
1290	利鼎	易女赤θ市、䜌旂、用事
1290	利鼎	用作朕文考__白尊鼎

用

1290	利鼎	利其萬年子孫永寶用
1291	善夫克鼎一	克其日用䵼朕辟魯休
1291	善夫克鼎一	用匄康勵屯右
1291	善夫克鼎一	克其子子孫孫永寶用
1292	善夫克鼎二	克其日用䵼朕辟魯休
1292	善夫克鼎二	用匄康勵屯右
1292	善夫克鼎二	克其子子孫孫永寶用
1293	善夫克鼎三	克其日用䵼朕辟魯休
1293	善夫克鼎三	用匄康勵屯右
1293	善夫克鼎三	克其子子孫孫永寶用
1294	善夫克鼎四	克其日用䵼朕辟魯休
1294	善夫克鼎四	用匄康勵屯右
1294	善夫克鼎四	克其子子孫孫永寶用
1295	善夫克鼎五	克其日用䵼朕辟魯休
1295	善夫克鼎五	用匄康勵屯右
1295	善夫克鼎五	克其子子孫孫永寶用
1296	善夫克鼎六	克其日用䵼朕辟魯休
1296	善夫克鼎六	用匄康勵屯右
1296	善夫克鼎六	克其子子孫孫永寶用
1297	善夫克鼎七	克其日用䵼朕辟魯休
1297	善夫克鼎七	用匄康勵屯右
1297	善夫克鼎七	克其子子孫孫永寶用
1299	䣄侯鼎一	其萬年子孫永寶用
1300	南宮柳鼎	用乍朕刺考尊鼎
1300	南宮柳鼎	其萬年子子孫永寶用
1301	大鼎一	用乍朕刺考己白盂鼎
1301	大鼎一	大其子子孫孫萬年永寶用
1302	大鼎二	用乍朕刺考己白盂鼎
1302	大鼎二	大其子子孫孫萬年永寶用
1303	大鼎三	用乍朕刺考己白盂鼎
1303	大鼎三	大其子子孫孫萬年永寶用
1304	王子午鼎	用享以考于我皇且文考
1304	王子午鼎	用祈釁壽
1305	師𡨦父鼎	用嗣乃父官友
1305	師𡨦父鼎	用追考于刺仲
1305	師𡨦父鼎	用乍尊鼎
1305	師𡨦父鼎	用匄釁壽黃耇吉康
1305	師𡨦父鼎	師𡨦父其萬年子子孫孫永寶用
1306	無叀鼎	用乍尊鼎
1306	無叀鼎	用享于朕刺考
1306	無叀鼎	用割釁壽萬年
1306	無叀鼎	子孫永寶用
1307	師望鼎	用辟于先王
1307	師望鼎	王用弗忘聖人之後
1307	師望鼎	用乍朕皇考宄公尊鼎
1307	師望鼎	師望其萬年子子孫孫永寶用
1308	白晨鼎	用夙夜事
1308	白晨鼎	用乍朕文考h8公宮尊鼎
1308	白晨鼎	子子孫孫其萬年永寶用
1309	寰鼎	用乍朕皇考鄭白姬尊鼎

1309	寰鼎	寰其萬年子子孫孫永寶用
1310	鬲攸從鼎	鬲攸从其萬年子子孫孫永寶用
1311	師晨鼎	用乍朕文且辛公尊鼎
1311	師晨鼎	子子孫孫其永寶用
1312	此鼎一	用乍朕皇考癸公尊鼎
1312	此鼎一	用享孝于文申（ 神 ）用
1312	此鼎一	子子孫孫永寶用
1313	此鼎二	用乍朕朕皇考癸公尊鼎
1313	此鼎二	用享孝于文申（ 神 ）
1313	此鼎二	用丐釁壽
1313	此鼎二	子子孫孫永寶用
1314	此鼎三	用乍朕朕皇考癸公尊鼎
1314	此鼎三	用享孝于文申（ 神 ）、用丐釁壽
1314	此鼎三	子子孫孫永寶用
1315	善鼎	易女乃且旂、用事
1315	善鼎	用乍宗室寶尊
1315	善鼎	唯用妥福唬前文人
1315	善鼎	余其用各我宗子雩百生
1315	善鼎	余用丐純魯雩萬年
1315	善鼎	其永寶用之
1316	戜方鼎	王用肇事乃子戜率虎臣禦淮戎
1316	戜方鼎	用乍文母日庚寶尊鬻彝
1316	戜方鼎	用穆穆夙夜尊享孝妥福
1317	善夫山鼎	用乍𡩜、司賈
1317	善夫山鼎	用乍朕皇考叔碩父尊鼎
1317	善夫山鼎	用旂丐釁壽綽綰
1317	善夫山鼎	子子孫孫永寶用
1318	晉姜鼎	用召匹辞辟
1318	晉姜鼎	用乍寶尊鼎
1318	晉姜鼎	用康醆
1318	晉姜鼎	晉姜用旂綽綰釁壽
1318	晉姜鼎	用㫚用德
1319	頌鼎一	賈用宮御
1319	頌鼎一	易女玄衣黹屯、赤市朱黃、緣旂攸勒、用事
1319	頌鼎一	用乍朕皇考龔弔
1319	頌鼎一	用追孝
1319	頌鼎一	子子孫孫寶用
1320	頌鼎二	賈用宮御
1320	頌鼎二	易女玄衣黹屯、赤市朱黃、緣旂攸勒、用事
1320	頌鼎二	用乍朕皇考龔弔
1320	頌鼎二	用追孝
1320	頌鼎二	子子孫孫寶用
1321	頌鼎三	賈用宮御
1321	頌鼎三	易女玄衣黹屯、赤市朱黃、緣旂攸勒、用事
1321	頌鼎三	用乍朕皇考龔弔
1321	頌鼎三	用追孝
1321	頌鼎三	子子孫孫寶用
1322	九年裘衛鼎	衛用乍朕文考寶鼎
1322	九年裘衛鼎	衛其萬年永寶用
1323	師訊鼎	用乃孔德孫屯

用

1323	師訇鼎	乃用心引正乃辟安德
1323	師訇鼎	用井乃聖且考隰明
1323	師訇鼎	用臣皇辟
1323	師訇鼎	用保王身
1323	師訇鼎	用㝬剌且牙已
1323	師訇鼎	用妥
1324	禹鼎	用天降大喪于下或
1324	禹鼎	用乍大寶鼎
1324	禹鼎	其萬年子子孫孫寶用
1325	五祀衛鼎	衛用乍朕文考寶鼎
1325	五祀衛鼎	衛其萬年永寶用
1326	多友鼎	隹十、月用厰𤞷放興
1326	多友鼎	用倗用友
1326	多友鼎	其子子孫孫永寶用
1327	克鼎	敬夙夜用事
1327	克鼎	用乍朕文且師華父寶𩰫彝
1327	克鼎	子子孫孫永寶用
1328	盂鼎	用𨘢
1328	盂鼎	盂用對王休
1328	盂鼎	用乍南公寶鼎
1329	小字盂鼎	□□用牲
1330	曶鼎	易女赤θ□、用事
1330	曶鼎	舀（曶）用絲金乍朕文孝穽白𩰫牛鼎
1330	曶鼎	舀（曶）其萬□用祀
1330	曶鼎	用匹馬束絲限𢖍曰
1330	曶鼎	用𠾌𢓊𧷸絲五夫、用百守
1330	曶鼎	王人迺𧷸用□
1330	曶鼎	用致絲人
1330	曶鼎	用五田、用眔一夫曰嗌
1330	曶鼎	用臣曰𡿪
1330	曶鼎	用絲四夫
1330	曶鼎	迺或即舀（曶）用田二
1330	曶鼎	凡用即舀（曶）田七田、人五夫
1332	毛公鼎	用印（仰）卲皇天
1332	毛公鼎	女母（毋）弗帥用先王乍明井（型）
1332	毛公鼎	用歲用政
1332	毛公鼎	用乍尊鼎
1332	毛公鼎	子子孫孫永寶用
1429	魯姬乍尊鬲	魯姬乍尊鬲永寶用
1436	王白姜尊鬲一	王白姜乍尊鬲永寶用
1437	王白姜尊鬲二	王白姜乍尊鬲永寶用
1438	王白姜尊鬲三	王白姜乍尊鬲永寶用
1439	王白姜尊鬲四	王白姜乍尊鬲其萬年永寶用
1444	黃虎梌鬲	唯黃虎梌用吉金乍鬲
1448	白章父鬲一	永寶用
1449	白墉父鬲二	永寶用
1450	庚姬乍弔娗尊鬲一	其永寶用
1451	庚姬乍弔娗尊鬲二	其永寶用
1452	庚姬乍弔娗尊鬲三	其永寶用
1453	nu嬇鬲	其萬年永寶用

1455	榮白鬲	其萬年寶用
1456	京姜鬲	其永缶（寶）用
1457	衛夫人行鬲	衛夫人文君弔姜乍其行鬲用
1458	庶鬲	其萬年子孫永寶用
1459	白上父乍姜氏鬲	其永寶用
1460	奠羌白乍季姜鬲	其永寶用
1461	龕來隹鼎	萬壽匄其年無疆用
1462	榮有嗣爯鬲	用朕（媵）嬴女𤔲母
1463	呂王尊鬲	子子孫孫永寶用亯
1464	王乍姬□母女尊鬲	子子孫孫永寶用
1465	魯侯獄鬲	用亯鬻䧹文考魯公
1466	亞䣄犨母辛鬲	用乍又（䧹）母辛尊彝
1467	呂䵼姬乍鬲	其子子孫孫寶用
1468	白家父乍孟姜鬲	其子孫永寶用
1469	戲白𩁹鬲一	其萬年子子孫永寶用
1470	戲白𩁹鬲二	其萬年子子孫永寶用
1471	魯白愈父鬲一	其永寶用
1472	魯白愈父鬲二	其永寶用
1473	魯白愈父鬲三	其永寶用
1474	魯白愈父鬲四	其永寶用
1475	魯白愈父鬲五	其永寶用
1476	龕白乍朕鬲	其萬年子子孫孫永寶用
1477	右戲仲夏父豐鬲	子子孫永寶用
1478	齊不趞鬲	子子孫永寶用
1479	召仲乍生妣奠鬲一	其子子孫永寶用
1480	召仲乍生妣奠鬲二	其子子孫永寶用
1481	咏仲無龍寶鼎一	其子子孫永寶用亯
1482	咏仲無龍寶鼎二	其萬年子子孫永寶用亯
1483	虢季氏子組鬲	子子孫孫永寶用亯
1484	江𨸏叔鬲	子子孫孫永寶用之
1485	白矩鬲	用乍父戊尊彝
1486	宰駟父鬲	其萬年永寶用
1487	白先父鬲一	其子子孫孫永寶用
1488	白先父鬲二	其子子孫孫永寶用
1489	白先父鬲三	其子子孫孫永寶用
1490	白先父鬲四	其子子孫孫永寶用
1491	白先父鬲五	其子子孫孫永寶用
1492	白先父鬲六	其子子孫孫永寶用
1493	白先父鬲七	其子子孫孫永寶用
1494	白先父鬲八	其子子孫孫永寶用
1495	白先父鬲九	其子子孫孫永寶用
1496	白先父鬲十	其子子孫孫永寶用
1497	虢仲乍虢妃鬲	其萬年子子孫孫永寶用
1498	龕友父鬲	其𩁹壽永寶用
1499	□季鬲	其萬年子子孫用
1500	_白鬲	其萬年子子孫孫永寶用
1501	虢季氏子䩨鬲	子子孫孫永寶用享
1502	成白孫父鬲	子子孫孫永寶用
1503	御鬲	用乍父彝
1504	奠師□父鬲	永寶用

用

1506	杜白乍弔嫞鬲	其萬年子子孫孫永寶用
1507	善夫吉父乍京姬鬲一	其子子孫孫永寶用
1508	善夫吉父乍京姬鬲二	其子子孫孫永寶用
1509	虢文公子牧乍弔妃鬲	其萬年子孫永寶用亯
1510	内公鑄弔姬鬲一	子子孫孫永寶用享
1511	内公鑄弔姬鬲二	子子孫孫永寶用亯
1512	虢白乍姬夊母鬲	其萬年子子孫孫永寶用
1513	睽土父乍㜏妃鬲	其萬年子子孫孫永寶用
1514	白夏父乍畢姬鬲一	其萬年子子孫孫永寶用亯
1515	白夏父乍畢姬鬲二	其萬年子子孫孫永寶用亯
1516	白夏父乍畢姬鬲三	其萬年子子孫孫永寶用亯
1517	白夏父乍畢姬鬲四	其萬年子子孫孫永寶用亯
1518	白夏父乍畢姬鬲六	其萬年子子孫孫永寶用亯
1519	白夏父乍畢姬鬲五	其萬年子子孫孫永寶用亯
1520	奠白荀父鬲	其萬年子子孫孫永寶用
1521	單白遼父鬲	子子孫孫其萬年永寶用享
1522	孟辛父乍孟姞鬲一	其萬年子子孫孫永寶用
1523	孟辛父乍孟姞鬲二	其萬年子子孫孫永寶用
1524	囗大嗣攻鬲	子子孫孫永保用之
1525	隮子奠白尊鬲	子子孫孫永寶用
1526	琱生乍完仲尊鬲	琱生其萬年子子孫孫用寶用享
1528	公姞鬲鼎	用乍鬲鼎
1529	仲枏父鬲一	用敢卿（饗）孝于皇且丂
1529	仲枏父鬲一	用祈釁壽萬年
1529	仲枏父鬲一	子孫其永寶用
1530	仲枏父鬲二	用敢卿（饗）孝于皇且丂
1530	仲枏父鬲二	用祈釁壽萬年
1530	仲枏父鬲二	子孫其永寶用
1531	仲枏父鬲三	用敢卿（饗）孝于皇且丂
1531	仲枏父鬲三	用祈釁壽萬年
1531	仲枏父鬲三	子孫其永寶用
1532	仲枏父鬲四	用敢卿（饗）孝于皇且丂
1532	仲枏父鬲四	用祈釁壽萬年
1532	仲枏父鬲四	子孫其永寶用
1533	尹姞寶鬲一	用乍寶齍
1534	尹姞寶鬲二	用乍寶齍
1620	虢白甗	虢白乍婦獻用
1627	強伯甗	強白自為用甗
1636	弔𦨶寶甗	弔𦨶乍寶彝永用
1639	強白乍井姬甗	強白乍井姬用甗
1641	比甗	从（比）乍寶獻（甗）其萬年用
1645	孚公𤜶甗	孚公𤜶乍旅甗永寶用
1646	乍寶甗	其萬年永寶用
1647	井乍寶甗	㽙乍旅甗子孫孫永寶用、豐井
1648	奠白筍父甗	奠公筍父乍寶獻（甗）永寶用
1651	仲伐父甗	中伐父乍姬尚母旅獻（甗）其永用
1652	弔碩父旅甗	子子孫孫永寶用
1653	㲋父甗	其萬年子子孫永寶用
1654	子邦父旅甗	其子子孫孫永寶用
1655	奠氏白高父旅甗	其萬年子子孫孫永寶用

1656	尌仲甗	用征用行
1656	尌仲甗	子子孫孫永寶用
1657	圉甗	用乍寶尊彝
1658	奠大師小子甗	子子孫孫永寶用
1659	白鮮旅甗	子子永寶用
1660	曾子仲訨旅甗	隹曾子中訨用其吉金
1660	曾子仲訨旅甗	子子孫孫其永用之
1661	乍冊般甗	用乍父己尊[來冊]
1662	寶甗	其萬年子子孫孫永寶用貞
1663	鬸五世孫矩甗	子子孫孫永寶用之
1664	邍子良人歆甗	其萬年無彊、其子子孫永寶用
1665	王孫壽飤甗	子子孫孫永保用之
1666	遹乍旅甗	用乍旅甗
1667	陳公子弔邍父甗	用征用行
1667	陳公子弔邍父甗	用(蒸)饗稻粱
1667	陳公子弔邍父甗	用旂釁壽、萬年無彊
1668	中甗	用乍父乙寶彝
2018	用乍寶彝段	用乍寶彝
2075	作寶用段	乍寶用段
2202	白乍寶用𨝡彝段一	白乍寶用尊段
2203	白乍寶用𨝡彝段二	白乍寶用尊段
2222	季姒乍用段	季始(姒)乍用段[䀠]
2240	用段	用乍父乙尊彝
2262	逨乍寶段	逨乍寶段用日亯
2265	旝乍寶段	旝乍寶尊彝用餗
2275	強白乍旅用鼎段一	強白乍旅用鼎段
2276	強白乍旅用鼎段二	強白乍旅用鼎段
2307	睘段	睘乍寶段其永寶用
2310	旅乍寶段	旅乍寶段其萬年用
2320	猇乍尊段一	猇乍尊段其壽考寶用
2321	猇乍尊段二	猇乍尊段其壽考寶用
2324	孟𦘔父段	孟肅父乍寶段其永用
2325	同自乍旅段	同自乍旅段其萬年用
2329	内公段	内公乍鑄從用段永寶
2330	史趞段	史趞乍寶段其萬年用
2332	白_乍婐氏旅段	白p1乍婐氏旅用追考(孝)
2333	妹弔昏段	義弔聞(昏)肇乍彝用鄉賓
2337	𠨍乍寶段	𠨍乍寶段用鄉王逆逈事
2339	敔烏乍且癸段	㚸易烏玉、用乍且癸彝[敔]
2340	弔䢅父段	弔䢅父乍尊段、其萬年用
2341	仲乍寶段	中乍寶尊彝其萬年永用
2345	穌公乍王妃羊段	穌公乍王改羊(羞)盂段永寶用
2346	_乍餗段	用乍餗段
2347	䊸䍜頁駒乍父乙段	䍜頁駒用乍父乙尊彝[䊸]
2348	仲再段	中再乍又寶彝用鄉王逆逈
2351	仲自父乍好旅段一	中自父乍好旅段其用萬年
2352	仲自父乍好旅段二	中自父乍好旅段其用萬年
2354	仲网父段一	中网父乍段其萬年永寶用
2355	仲网父段二	其萬年永寶用
2356	仲网父段三	中网父乍段其萬年永寶用

用

2357	膚冊𢍰𡠧𢾭𣪘	𢍰𡠧𢾭用乍𡨦辛𢾭𣪘[膚冊]
2358	陈侯為季姬𣪘	其萬年用
2359	𢼄乍氒𣪘	其萬年用鄉賓
2360	白乍寶𣪘	子子孫孫永寶用
2361	乍寶尊𣪘	孫孫子子其萬年用
2362	_𣪘	_子子孫其萬年用享
2363	保攸母旅𣪘	用乍旅彝
2364	㣔𣪘	用乍寶尊彝
2365	中白𣪘	其萬年寶用
2366	白者父𣪘	用鄉王逆逾
2367	散白乍夨姬𣪘一	其厲(萬)年永用
2368	散白乍夨姬𣪘二	其厲(萬)年永用
2369	散白乍夨姬𣪘三	其厲(萬)年永用
2370	散白乍夨姬𣪘四	其厲(萬)年永用
2371	散白乍夨姬𣪘五	其厲(萬)年永用
2372	夆乍豐𣪘𣪘	子子孫孫永用
2373	始休𣪘	用乍隮寶彝
2374	白庶父𣪘	彶(及)姞氏永寶用
2375	旂𣪘	其子子孫孫永寶用
2376	□□𣪘	其萬年子子孫孫寶用
2378	辰乍𩚨𣪘	其子子孫孫永寶用
2379	中友父𣪘一	子子孫永寶用
2380	中友父𣪘二	子子孫永寶用
2381	友父𣪘一	子子孫孫永寶用
2382	友父𣪘二	子子孫孫永寶用
2384	鄧公𣪘一	其永寶用
2385	鄧公𣪘二	其永寶用
2386	白_乍白幽𣪘二	子子孫孫永用喜
2387	白_乍白幽𣪘一	世子孫孫寶用
2388	大保乍父丁𣪘	用乍父丁尊彝
2389	䲨𡚬妊乍寶𣪘	子孫孫永寶用喜
2390	吹乍寶𣪘二	其萬年子子孫孫永用
2391	𡨦乍寶𣪘一	其萬年子子孫孫永用
2393	白喬父𩛥𣪘	子子孫孫永寶用
2394	己侯乍姜縈𣪘一	子子孫其永寶用
2395	丂保子達𣪘	其子子孫永用[丂]
2396	仲競𣪘	其萬年子子孫永用
2397	_乍父辛𣪘	用旅𣪘
2398	𢀛弔山父𣪘一	其永寶用
2399	𢀛弔山父𣪘二	其永寶用
2400	𢀛弔山父𣪘三	其永寶用
2401	陳侯乍王媯媵𣪘	其萬年永寶用
2402	敔𣪘	用𩚨氒孫子
2403	遽白還𣪘	用貝十朋又四朋
2404	效父𣪘一	用乍氒寶尊彝[五八六]
2405	效父𣪘二	用乍氒寶尊彝[五八六]
2406	五八六效父𣪘三	用乍氒寶尊彝[五八六]
2407	白開乍尊𣪘一	其子子孫孫萬年寶用
2408	白開乍尊𣪘二	其子子孫孫萬年寶用
2409	𠨧父丁𣪘	𠨧用乍父丁尊彝

2415	降人𩛥寶毀	其子子孫孫萬年用
2416	降人𩛥寶毀	其子子孫孫萬年用
2417	齊嬀姬寶毀	其萬年子子孫孫永用
2418	乎乍姞氏毀	子子孫孫其永寶用
2419	白喜父乍洹𩞁毀一	洹其萬年永寶用
242.0	雁侯毀	其萬年永寶用
2420	白喜父乍洹𩞁毀二	洹其萬年永寶用
2420.	改敨毀一	子子孫孫其永寶用
2420.	改敨毀二	子子孫孫其永寶用
2421	舟宍𢽾乍父乙毀	用乍父乙寶尊彝[舟宍]
2422	舟洹泰乍且乙毀	其萬年子孫寶用[舟]
2423	亘_戮毀	用匽辥其皇且癸文考
2423	亘_戮毀	其永寶用
2424	白𦬁寶毀	其萬年子子孫孫永寶用
2425	兮仲寶毀一	其萬年子子孫孫永寶用
2426	兮仲寶毀二	其萬年子子孫孫永寶用
2427	兮仲寶毀三	其萬年子子孫孫永寶用
2428	兮仲寶毀四	其萬年子子孫孫永寶用
2429	兮仲寶毀五	其萬年子子孫孫永寶用
2430	倗白_尊毀	其子子孫孫永寶用亯
2431	_弔侯父乍尊毀一	其子子孫孫永寶用
2432	_弔侯父乍尊毀二	其子子孫孫永寶用
2433	害弔乍尊毀一	其萬年子子孫孫永寶用
2434	害弔乍尊毀二	其萬年子子孫孫永寶用
2439	寺季故公毀一	子子孫孫永寶用亯
2440	寺季故公毀二	子子孫孫永寶用亯
2441	姑衍毀	其萬年子子孫孫永寶用
2442	𩰫𩰫遣生旅毀	其萬年子孫永寶用
2443	孟弜父毀一	其萬年子子孫永寶用
2444	孟弜父毀二	其萬年子子孫孫永寶用
2445	孟弜父毀三	其萬年子子孫孫永寶用
2446	亞古乍父己毀	用乍父己尊彝[亞古]
2447	白沕父乍嬶姞毀一	子子孫孫永寶用
2448	白沕父乍嬶姞毀二	子子孫孫永寶用
2449	白沕父乍嬶姞毀三	子子孫孫永寶用
2451	過白毀	用乍宗室寶尊彝
2452	女𩰫毀	用作𩰫尊彝
2453	亞𢽾乍且丁毀	章用乍且丁彝
2454	亢僕乍父己毀	子子孫其萬年永寶用
2456	㫚白迹毀一	期(箕其)萬年孫孫子子其永用
2457	㫚白迹毀二	其萬年孫子其永用
2458	孟奠父毀一	其萬年子子孫孫永寶用
2459	孟奠父毀二	其萬年子子孫孫永寶用
2460	孟奠父毀三	其萬年子子孫孫永寶用
2461	白家父乍孟姜毀	其子子孫孫永寶用
2462	弔向父乍婞姒毀一	其子子孫孫永寶用
2463	弔向父乍婞姒毀二	其子子孫孫永寶用
2464	弔向父乍婞姒毀三	其子子孫孫永寶用
2465	弔向父乍婞姒毀四	其子子孫孫永寶用
2466	弔向父乍婞姒毀五	其子子孫孫永寶用

用

2467	妣__母乍南旁𣪘	子子孫孫其永寶用
2468	齊癸姜尊𣪘	其萬年子子孫永寶用
2469	森乍王母媿氏諫𣪘一	媿氏其饗壽萬年用
2470	森乍王母媿氏諫𣪘二	媿氏其饗壽萬年用
2471	森乍王母媿氏諫𣪘三	媿氏其饗壽萬年用
2472	毳乍王母媿氏諫𣪘四	媿氏其饗壽萬年用
2473	__乍皇母尊𣪘一	其子子孫孫萬年永寶用
2474	__乍皇母尊𣪘二	其子子孫孫萬年永寶用
2475	衛始𣪘	子子孫孫其萬年永寶用
2476	董𣪘	其子子孫孫萬年永用[eL]
2477	董父丁𣪘	其子子孫孫萬年永用[eL]
2478	白賓父𣪘(器)一	其萬年子子孫孫永寶用
2479	白賓父𣪘二	其萬年子子孫孫永寶用
2480	是要𣪘	其子孫永寶用
2481	是要𣪘	其子孫永寶用
2482	敶侯乍嘉姬𣪘	其萬年子子孫孫永寶用
2484	伯綁父𣪘	子子孫萬年其永寶用
2484.	夨王𣪘	子子孫孫其萬年永寶用
2485	陵仲孝𣪘	子子孫其永寶用[主]
2486	□□且辛𣪘	其萬年孫孫子子永寶用[𧶠]
2487	白𦉢乍文考幽仲𣪘	𦉢其萬年寶、用鄉孝
2488	杞白每亡𣪘一	子子孫孫永寶用亯
2489	杞白每亡𣪘二	子子孫孫永寶用亯
2490	杞白每亡𣪘三	子子孫孫永寶用亯
2491	杞白每亡𣪘四	子子孫孫永寶用亯
2492	杞白每亡𣪘五	子子孫孫永寶用亯
2493	鄦其肇乍𣪘一	子子孫孫永寶用
2494	鄦其肇乍𣪘二	子子孫孫永寶用
2495	季__父徹𣪘	其萬年子子孫孫永寶用
2496	廣乍弔彭父𣪘	其萬年子子孫孫永寶用
2501	旛嫼乍尊𣪘一	旛嫼其萬年子子孫孫永寶用
2502	旛嫼乍尊𣪘二	旛嫼其萬年子子孫孫永寶用
2503	旛嫼乍尊𣪘三	旛嫼其萬年子子孫孫永寶用
2504	旛賸𣪘	子子孫孫永寶用
2505	白疑父乍𡢁𣪘	其萬年子子孫孫永寶用
2505.	井姜大宰𣪘	子子孫孫永寶用亯
2506	奠牧馬受𣪘一	其子子孫孫萬年永寶用
2507	尊牧馬受𣪘二	其子子孫孫萬年永寶用
2508	攸𣪘	攸用乍父戊寶尊彝
2509	旅仲𣪘	其萬年子子孫孫永用亯孝
2510	臣卿乍父乙𣪘	用乍父乙寶彝
2511	夨王𣪘	子子孫孫其年永寶用
2512	乙自乍歆𨦫	永保用之
2513	再乍季日乙𡠗𣪘一	用乍季日乙𡠗
2513	再乍季日乙𡠗𣪘一	子子孫孫永寶用
2514	再乍季日乙𡠗𣪘二	用乍季日乙𡠗
2514	再乍季日乙𡠗𣪘二	子子孫孫永寶用
2515	小子𤔲乍父丁𣪘	用乍父丁尊𣪘[𨚕]
2516	鄧公𥫩𣪘	其萬年子子孫孫永壽用之
2517	是□乍乙公𣪘	子子孫孫永寶用[鼎]

2518	白田父𣪘	其萬年子子孫孫永寶用
2519	周𩰫生媵𣪘	其孫孫子子永寶用[eL]
2520	大𠂤事良父𣪘	其萬年子子孫孫永寶用
2521	姞氏自乍媿𣪘	其邁(萬)年子子孫孫永寶用
2522	孟弜父𣪘	其萬年子子孫孫永寶用
2523	孟弜父𣪘	其萬年子子孫孫永寶用
2524	仲幾文𣪘	用㝵賓、乍丁寶𣪘
2525	𡩜敄𣪘	用乍且癸寶尊
2526	弔𢓜𣪘	用乍寶尊彝
2527	東仲𡨦父𣪘	其萬年子子孫永寶用亯
2528	魯白大父乍媵𣪘	其萬年釁壽永寶用
2529	豐井弔乍白姬𣪘	其萬年子子孫孫永寶用
2529.	__生𣪘	uw生乍寶尊𣪘、uw生其壽考萬年子孫永寶用
2530	𨗨姬乍父辛𣪘	用乍乃後御
2531	魯白大父乍孟囗姜𣪘	其萬年釁壽永寶用亯
2532	魯白大父乍仲姬俞𣪘	其萬年釁壽永寶用亯
2533	己侯貉子𣪘	己姜石用𩞁用匄萬年
2534	魯大宰邍父𣪘一	其萬年釁壽永寶用
2534.	魯大宰邍父𣪘二	其萬年釁壽永寶用
2535	仲殷父𣪘一	用朝夕亯孝宗室
2535	仲殷父𣪘一	其子子孫孫永用
2536	仲殷父𣪘二	用朝夕亯孝宗室
2536	仲殷父𣪘二	其子子孫孫永用
2537	仲殷父𣪘三	用朝夕亯孝宗室
2537	仲殷父𣪘三	其子子孫孫永用
2537	仲殷父𣪘四	用朝夕亯孝宗室
2537	仲殷父𣪘四	其子子孫孫永寶用
2538	仲殷父𣪘五	用朝夕亯孝宗室
2538	仲殷父𣪘五	其子子孫孫永用
2539	仲殷父𣪘六	用朝夕亯孝宗室
2539	仲殷父𣪘六	其子子孫孫永寶用
2540	仲殷父𣪘六	用朝夕亯孝宗室
2540	仲殷父𣪘六	其子子孫孫永寶用
2541	仲殷父𣪘七	用朝夕亯孝宗室
2541	仲殷父𣪘七	其子子孫孫永寶用
2541.	仲殷父𣪘七	用朝夕亯孝宗室
2541.	仲殷父𣪘七	其子子孫孫永寶用
2541.	仲殷父𣪘八	用朝夕亯孝宗室
2541.	仲殷父𣪘八	其子子孫孫永寶用
2543	𢦔敃𣪘	用作父戊寶尊彝[吳]
2544	亞𠫑乍父乙𣪘	用乍父乙彝
2545	季𩰫乍井弔𣪘	子子孫孫其永寶用
2546	聖𣪘	用乍大子丁[䝟]
2547	格白乍晉姬𣪘	子子孫孫其永寶用
2548	仲恵父𨽍𣪘一	其萬年子子孫孫永寶用
2549	仲恵父𨽍𣪘二	其萬年子子孫孫永寶用
2550	兌乍弔氏𣪘	兌其萬年子子孫孫永寶用
2551	弔角父乍宕公𣪘一	其子子孫孫永寶用[cx]
2552	弔角父乍宕公𣪘二	其子子孫孫永寶用[cx]
2553	虢季氏子組𣪘一	子子孫孫永寶用亯

2554	虢季氏子組殷二	子子孫孫永寶用亯
2555	虢季氏子組殷三	子子孫孫永寶用亯
2556	復公子白舍殷一	永壽用之
2557	復公子白舍殷二	永壽用之
2558	復公子白舍殷三	永壽用之
2559	白中父殷	用乍氒寶尊殷
2560	吳彭父殷一	其萬年子子孫孫永寶用
2561	吳彭父殷二	其萬年子子孫孫永寶用
2562	吳彭父殷三	其萬年子子孫孫永寶用
2563	德克乍文且考殷	克其萬年子子孫孫永寶用亯
2564	𦎫且日庚乃孫殷一	用世亯孝
2564	𦎫且日庚乃孫殷一	其子子孫孫永寶用[𦎫]
2565	且日庚乃孫殷二	用世亯孝
2565	且日庚乃孫殷二	其子子孫孫永寶用[𦎫]
2566	寧殷一	其用各百神
2566	寧殷一	用妥多福
2567	寧殷二	其用各百神
2567	寧殷二	用妥多福
2567.	戊寅殷	用乍父丁寶尊彝
2568	__引乍父辛殷	用乍父辛尊彝[__]
2569	鼎卓林父殷	用亯用孝、旛釁壽
2569	鼎卓林父殷	其子子孫孫永寶用[鼎]
2570	㮚殷	用乍寶尊彝
2571	穌公子癸父甲殷	子子孫孫永寶用亯
2571.	穌公子癸父甲殷二	子子孫孫永寶用亯
2572	毛白㗊父殷	子子孫孫永寶用亯
2573	泆白寺殷	用易釁壽
2573	泆白寺殷	其萬年子子孫孫永寶用亯
2574	豐兮殷一	夷其萬年子孫永寶、用亯孝
2575	豐兮殷二	夷其萬年子子孫永寶、用亯考
2576	白倔□寶殷	用夙夜亯于宗室
2576	白倔□寶殷	子子孫孫永寶用
2577	害客殷	客其萬年子子孫孫永寶用
2578	兮吉父乍仲姜殷	子子孫孫永寶用亯
2579	白喜乍文考剌公殷	喜其萬年子子孫孫其永寶用
2580	翌乍北子殷	用ue氒且父日乙
2581	曹伯狄殷	子子孫孫永寶用亯
2582	內弔__殷	用孝用易釁壽
2582	內弔__殷	子子孫孫永寶用
2583	鄁公殷	鄁公白盄用吉金
2583	鄁公殷	用乍寶殷
2583	鄁公殷	子子孫孫永用亯
2584	邾正衛殷	用乍父戊寶尊彝
2585	禽殷	禽用乍寶彝
2588	毛关殷	其子子孫孫萬年永寶用
2589	孫弔多父乍孟姜殷一	其萬年子子孫孫永寶用
2590	孫弔多父乍孟姜殷二	其萬年子子孫孫永寶用
2591	孫弔多父乍孟姜殷三	其萬年子子孫孫永寶用
2592	鄧公殷	用為夫人尊諆殷
2593	弔䵼父乍旅殷一	其夙夜用亯孝于皇君

2593	弔䵼父乍旅毁一	其萬年永寶用
2594	弔䵼父乍旅毁二	其夙夜用亯孝于皇君
2594	弔䵼父乍旅毁二	其萬年永寶用
2594.	弔䵼父乍旅毁三	其夙夜用亯孝于皇君
2594.	弔䵼父乍旅毁三	其萬年永寶用
2595	奠虢仲毁一	子子孫孫彶永用
2596	奠虢仲毁二	子子孫孫彶永用
2597	奠虢仲毁三	子子孫孫彶永用
2598	燮乍宮仲念器	用乍宮中念器
2599	宰甶毁	用乍寶鬻
2600	白羣父毁	其萬年子子孫孫永寶用
2601	向齎乍旅毁一	孫子子永寶用
2602	向齎乍旅毁二	孫子永寶用
2603	白吉父毁	其萬年子孫孫永寶用
2604	黃君毁	用易釁壽黃耇萬年
2604	黃君毁	子子孫孫永寶用亯
2605	邿__毁	用追孝于其父母
2605	邿__毁	用易永壽
2605	邿__毁	子子孫孫永寶用亯
2605	邿__毁	用追孝于其父母
2605	邿__毁	用易永壽
2605	邿__毁	子子孫孫永寶用亯
2606	易__乍父丁毁一	對氒休、用乍父丁尊彝
2607	易__乍父丁毁二	用乍父丁尊彝
2608	官差父毁	孫孫子子永寶用
2609	筥小子毁一	徒用乍氒文考尊毁
2609	筥小子毁一	其萬年子子孫孫永寶用
2610	筥小子毁二	徒用乍氒文考尊毁
2610	筥小子毁二	其萬年子子孫孫永寶用
2612	不壽毁	對揚王休、用乍寶
2613	白椃乍宄寶毁	用追孝于氒皇考
2613	白椃乍宄寶毁	唯用䜌柔萬年
2614	宗婦鄁嬰毁一	永寶用、以降大福
2615	宗婦鄁嬰毁二	永寶用、以降大福
2616	宗婦鄁嬰毁三	永寶用、以降大福
2617	宗婦鄁嬰毁四	永寶用、以降大福
2618	宗婦鄁嬰毁五	永寶用、以降大福
2619	宗婦鄁嬰毁六	永寶用、以降大福
2620	宗婦鄁嬰毁七	永寶用、以降大福
2621	雁侯毁	其萬年子子孫孫永寶用
2622	琱伐父毁一	用亯于皇且文考
2622	琱伐父毁一	用易釁壽
2622	琱伐父毁一	子子孫孫永寶用
2623	琱伐父毁二	用亯于皇且文考
2623	琱伐父毁二	用易釁壽
2623	琱伐父毁二	子子孫孫永寶用
2623.	琱伐父毁	用亯于皇且文考
2623.	琱伐父毁	用易釁壽
2623.	琱伐父毁	子子孫孫永寶用
2623.	琱伐父毁	用亯于皇且文考

用

2623.	琱伐父設	用易釁壽
2623.	琱伐父設	子子孫孫永寶用
2624	琱伐父設三	用喜于皇且文考
2624	琱伐父設三	用易釁壽
2624	琱伐父設三	子子孫孫永寶用
2625	曾白文設	用易釁壽黃耇
2625	曾白文設	其萬年子子孫孫永寶用喜
2626	奢乍父乙設	用乍父乙寶彝
2627	伊設	用乍父丁尊彝
2628	畢鮮設	用旛釁壽魯休
2628	畢鮮設	鮮其萬年子子孫永寶用
2629	牧師父設一	其萬年子子孫孫永寶用喜
2630	牧師父設二	其萬年子子孫孫永寶用喜
2631	牧師父設三	其萬年子子孫孫永寶用喜
2633	相侯設	告于文考、 用乍尊設
2633.	食生走馬谷設	唯食生走馬谷自乍吉金用尊設
2633.	食生走馬谷設	用易其良壽萬年
2633.	食生走馬谷設	子孫永寶用喜
2634	鈇叔設	用喜孝于其姑公
2634	鈇叔設	子子孫孫其萬年永寶用
2635	賢設一	用乍寶彝
2636	賢設二	用乍寶彝
2637	賢設三	用乍寶彝
2638	賢設四	用乍寶彝
2639	遞設	遞其萬年子子孫孫永寶用
2640	弔皮父設	其萬年子子孫永寶用［引］
2641	伯椃虘設一	用喜用孝
2642	伯椃虘設二	用喜用孝
2643	史族設	其朝夕用喜于文考
2643	史族設	其子子孫孫永寶用
2643	史族設	其朝夕用喜于文考
2643	史族設	其子子孫孫永寶用
2644	命設	用乍寶彝
2644.	伯椃虘設	用喜用孝
2645	周客設	用為寶器
2645	周客設	其用喜于啐帝考
2646	仲辛父設	子孫孫永寶用喜
2647	魯士商獻設	子子孫孫永寶用喜
2648	仲獻父設一	其萬年子子孫孫永寶用喜于宗室
2649	仲獻父設二	其萬年子子孫孫永寶用喜于宗室
2650	仲獻父設三	其萬年子子孫孫永寶用喜于宗室
2651	內白多父設	用喜于皇且文考
2651	內白多父設	用易釁壽
2651	內白多父設	其萬年子子孫孫永寶用喜
2652	__設	用孝于宗室
2653	散設	散用從永揚公休
2653.	弔__孫父設	子子孫永寶用喜
2654	嫚乍文父丁設	□□用乍文父丁尊彝
2655	小臣靜設	用乍父丁寶尊彝
2656	師害設一	子子孫孫永寶用

2657	師害𣪘二	子子孫孫永寶用
2658	白𣄰𣪘	隹用妥神褱唬前文人
2658.	大𣪘	用乍朕皇考剌𣪘
2658.	大𣪘	其子子孫永寶用
2659	郾侯庫𣪘	用司乘__
2660	彔乍辛公𣪘	用乍文且辛公寶䵼𣪘
2661	競𣪘一	用乍父乙寶尊彝𣪘
2662	競𣪘二	用乍父乙寶尊彝𣪘
2662.	宴𣪘一	宴用乍朕文考日己寶𣪘
2662.	宴𣪘一	子子孫孫永寶用
2662.	宴𣪘二	宴用乍朕文考日己寶𣪘
2662.	宴𣪘二	子子孫孫永寶用
2663	宴𣪘一	用乍朕文考日己寶𣪘
2663	宴𣪘一	子子孫孫永寶用
2664	宴𣪘二	用乍朕文考日己寶𣪘
2664	宴𣪘二	子子孫孫永寶用
2665	__弔𣪘	用乍寶𣪘
2665	__弔𣪘	子子孫孫其萬年永寶用
2666	鑄弔皮父𣪘	其妻子用亯考于弔皮父
2666	鑄弔皮父𣪘	萬年永用
2667	尌仲𣪘	用亯用孝、勶匄眉壽
2667	尌仲𣪘	子子孫孫永寶用
2669	__妊小𣪘	用乍妊小寶𣪘
2669	__妊小𣪘	其子子孫孫永寶用[cx]
2670	楀侯𣪘	用永皇方身
2670	楀侯𣪘	用乍文母楀妊寶𣪘
2671	利𣪘	用乍旃公寶尊彝
2672	伯芀父𣪘	其子子孫孫永寶用
2672	伯芀父𣪘	用乍妊小寶𣪘
2672	伯芀父𣪘	其子子孫孫永寶用[cx]
2673	□弔買𣪘	其用追孝于朕皇且啻考
2673	□弔買𣪘	用易黃耇眉壽
2673	□弔買𣪘	買其子子孫孫永寶用亯
2674	弔䜌𣪘	用侃喜百生倗友眾子婦{ 子孫 }永寶用
2675	大保𣪘	用絲彝、對令
2676	旅肄乍父乙𣪘	用乍父乙寶彝
2678	函皇父𣪘一	琱娟其萬年子子孫孫永寶用
2679	函皇父𣪘二	琱娟其萬年子子孫孫永寶用
2680	函皇父𣪘三	琱娟其萬年子子孫孫永寶用
2680.	函皇父𣪘四	琱娟其萬年子子孫孫永寶用
2681	鄜侯𣪘	永保用亯
2683	白家父𣪘	迺用吉金
2683	白家父𣪘	用亯于其皇文考
2683	白家父𣪘	用易害(丏)眉壽黃耇
2683	白家父𣪘	子孫永寶用亯
2684	__寵乎𣪘	用聖夙夜
2684	__寵乎𣪘	用亯孝皇且文考
2684	__寵乎𣪘	用匄眉壽永令
2684	__寵乎𣪘	乎其萬人永用[戕]
2685	仲柟父𣪘一	用敢鄉考于皇且丂

用

用

2685	仲枏父𣪘一	用祈𩛥壽
2685	仲枏父𣪘一	其萬年子孫孫其永寶用
2686	仲枏父𣪘二	用敢鄉考子皇且
2686	仲枏父𣪘二	用旟
2686	仲枏父𣪘二	其永寶用
2687	敔𣪘	用乍文考父丙𩰫彝
2688	大𣪘	曰：用啻于乃考
2688	大𣪘	用乍朕皇考大中尊𣪘
2689	白康𣪘一	用鄉倗友
2689	白康𣪘一	用饎王父王母
2689	白康𣪘一	用夙夜無怠
2690	白康𣪘二	用鄉倗友
2690	白康𣪘二	用饎王父王母
2690	白康𣪘二	用夙夜無怠
2690.	相侯𣪘	用乍尊𣪘
2690.	相侯𣪘	其萬年子孫孫用啚侯
2691	善夫梁其𣪘一	用追啚孝
2691	善夫梁其𣪘一	用匄𩛥壽
2691	善夫梁其𣪘一	孫子子孫孫永寶用啚
2692	善找梁其𣪘二	用追啚孝
2692	善找梁其𣪘二	用匄𩛥壽
2692	善找梁其𣪘二	孫子子孫孫永寶用啚
2693	𧊒𣪘	用乍辛公𣪘
2694	㝤乍且考𣪘	用乍且考寶尊彝
2695	𩰫兌𣪘	用祈𩛥壽萬年無彊多寶
2695	𩰫兌𣪘	子子孫孫永寶用啚
2696	盂𣪘一	用室丝彝乍
2697	盂𣪘二	用室丝彝乍
2698	陳貯𣪘	用追孝□我皇𩐁(和)鎗(會)
2699	公臣𣪘一	鐘五、金、用吏
2699	公臣𣪘一	用乍尊𣪘
2699	公臣𣪘一	公臣其萬年用寶丝休
2700	公臣𣪘二	鐘五、金、用吏
2700	公臣𣪘二	用乍尊𣪘
2700	公臣𣪘二	公臣其萬年用寶丝休
2701	公臣𣪘三	鐘五、金、用吏
2701	公臣𣪘三	用乍尊𣪘
2701	公臣𣪘三	公臣其萬年用寶丝休
2702	公臣𣪘四	鐘五、金、用吏
2702	公臣𣪘四	用乍尊𣪘
2702	公臣𣪘四	公臣其萬年用寶丝休
2703	免乍旅𣪘	用乍旅𩰫彝
2703	免乍旅𣪘	免其萬年永寶用
2704	穆公𣪘	用乍寶皇𣪘
2705	君夫𣪘	用乍文父丁𩰫彝
2705	君夫𣪘	子子孫孫其永用止
2706	鄀公敄人𣪘	用啚孝于氒皇且、于氒皇丂
2706	鄀公敄人𣪘	用賜𩛥壽
2706	鄀公敄人𣪘	子子孫孫永寶用啚
2707	小臣守𣪘一	用乍鑄引中寶𣪘

2707	小臣守毁一	子子孫孫永寶用
2708	小臣守毁二	用乍鑄引中寶毁
2708	小臣守毁二	子子孫孫永寶用
2709	小臣守毁三	用乍鑄引中寶毁
2709	小臣守毁三	子子孫孫永寶用
2710	肄自乍寶器一	用保乃邦
2710	肄自乍寶器一	用自乍寶器
2710	肄自乍寶器一	萬年以氒孫子寶用
2711	肄自乍寶器二	用保乃邦
2711	肄自乍寶器二	用自乍寶器
2711	肄自乍寶器二	萬年以氒孫子寶用
2711.	乍冊般毁	用乍父丁寶尊彝
2712	虢姜毁	用禪追孝于皇考叀中
2712	虢姜毁	子子孫孫永寶用
2713	瘐毁一	用辟先王
2713	瘐毁一	不敢弗帥用夙夕
2714	瘐毁二	用辟先王
2714	瘐毁二	不敢弗帥用夙夕
2715	瘐毁三	用辟先王
2715	瘐毁三	不敢弗帥用夙夕
2716	瘐毁四	用辟先王
2716	瘐毁四	不敢弗帥用夙夕
2717	瘐毁五	用辟先王
2717	瘐毁五	不敢弗帥用夙夕
2718	瘐毁六	用辟先王
2718	瘐毁六	不敢弗帥用夙夕
2719	瘐毁七	用辟先王
2719	瘐毁七	不敢弗帥用夙夕
2720	瘐毁八	用辟先王
2720	瘐毁八	不敢弗帥用夙夕
2721	𦍒毁	用乍尊毁季姜
2722	窒弔乍豐姞旅毁	豐姞憼用宿夜亯孝于敔公
2722	窒弔乍豐姞旅毁	子孫其永寶用
2723	沓毁	用乍氒文考尊毁
2724	𩛥白𠭰毁	用乍朕文考寶尊毁
2724	𩛥白𠭰毁	其萬年子子孫孫其永寶用
2725	師毛父毁	用乍寶毁
2725	師毛父毁	其萬年子子孫其永寶用
2725.	𦯞星毁	其用卲亯(享)于朕皇考
2725.	𦯞星毁	用旟康匄屯右通彔魯令
2725.	𦯞星毁	子子孫孫永寶用亯
2726	曶毁	曰：用嗣乃且考吏
2726	曶毁	用乍寶毁
2727	蔡姞乍尹弔毁	尹弔用妥多福于皇考德尹惠姬
2727	蔡姞乍尹弔毁	用旟匄𩛥壽
2727	蔡姞乍尹弔毁	子子孫孫永寶用亯
2728	恆毁一	易女䜌旂、用吏
2728	恆毁一	用乍文考公弔寶毁
2728	恆毁一	其萬年世子子孫虞寶用
2729	恆毁二	易女䜌旂、用吏

用

2729	恆段二	用乍文考公弔寶段
2729	恆段二	其萬年世子子孫虞寶用
2731	小臣宅段	用乍乙公尊彝
2731	小臣宅段	其萬年用鄉王出入
2732	曾仲大父蛕蛟段	曾中大父蛕迺用吉攸䤊䤴金
2732	曾仲大父蛕蛟段	用自乍寶段
2732	曾仲大父蛕蛟段	蛕其用追孝于其皇考
2732	曾仲大父蛕蛟段	用易眉壽黃耇霝冬
2732	曾仲大父蛕蛟段	其萬年子子孫孫永寶用亯
2733	何段	用乍寶段
2733	何段	子子孫孫其永寶用
2734	遹段	用乍文考父乙尊彝
2735	㕓敖段	㕓敖用環用璧
2735	㕓敖段	用佁hf
2735	㕓敖段	㕓敖堇用□弔于吏盂
2735	㕓敖段	用乍寶段
2736	師遽段	用乍文考旄弔尊段
2736	□自父壺	其用友眔㠯倗友歃
2737	段段	敢對揚王休、用乍段
2737	段段	孫孫子子萬年用亯祀
2738	衛段	用乍朕文且考寶尊段
2738	衛段	衛其萬年子子孫孫永寶用
2739	無㠱段一	無㠱用乍朕皇且釐季尊段
2739	無㠱段一	無㠱其萬年子孫永寶用
2740	無㠱段二	無㠱用乍朕皇且釐季尊段
2740	無㠱段二	無㠱其萬年子孫永寶用
2741	無㠱段三	無㠱用乍朕皇且釐季尊段
2741	無㠱段三	無㠱其萬年子孫永寶用
2742	無㠱段四	無㠱用乍朕皇且釐季尊段
2742	無㠱段四	無㠱其萬年子孫永寶用
2742.	無㠱段五	無㠱用乍朕皇且釐季尊段
2742.	無㠱段五	無㠱其萬年子孫永寶用
2742.	無㠱段五	無㠱用乍朕皇且釐季尊段
2742.	無㠱段五	無㠱其萬年子孫永寶用
2743	𩰫段	用事
2743	𩰫段	用乍寶段
2743	𩰫段	其子子孫孫寶用
2744	五年師旋段一	用乍寶段
2744	五年師旋段一	子子孫孫永寶用
2745	五年師旋段二	用乍寶段
2745	五年師旋段二	子子孫孫永寶用
2746	追段一	用乍朕皇且考尊段
2746	追段一	用亯孝于前文人
2746	追段一	用旂匃眉壽永令
2746	追段一	追其萬年子子孫孫永寶用
2747	追段二	用乍朕皇且考尊段
2747	追段二	用亯孝于前文人
2747	追段二	用旂匃眉壽永令
2747	追段二	追其萬年子子孫孫永寶用
2748	追段三	用乍朕皇且考尊段

2748	追設三	用亯孝于前文人
2748	追設三	用旟匄釁壽永令
2748	追設三	追其萬年子子孫孫永寶用
2749	追設四	用乍朕皇且考尊設
2749	追設四	用亯孝于前文人
2749	追設四	用旟匄釁壽永令
2749	追設四	追其萬年子子孫孫永寶用
2750	追設五	用乍朕皇且考尊設
2750	追設五	用亯孝于前文人
2750	追設五	用旟匄釁壽永令
2750	追設五	追其萬年子子孫孫永寶用
2751	追設六	用乍朕皇且考尊設
2751	追設六	用亯孝于前文人
2751	追設六	用旟匄釁壽永令
2751	追設六	追其萬年子子孫孫永寶用
2752	史頌設一	用乍䵼彝
2752	史頌設一	子子孫孫永寶用
2753	史頌設二	用乍䵼彝
2753	史頌設二	子子孫孫永寶用
2754	史頌設三	用乍䵼彝
2754	史頌設三	子子孫孫永寶用
2755	史頌設四	用乍䵼彝
2755	史頌設四	子子孫孫永寶用
2756	史頌設五	用乍䵼彝
2756	史頌設五	子子孫孫永寶用
2757	史頌設六	用乍䵼彝
2757	史頌設六	子子孫孫永寶用
2758	史頌設七	用乍䵼彝
2758	史頌設七	子子孫孫永寶用
2759	史頌設八	用乍䵼彝
2759	史頌設八	子子孫孫永寶用
2759	史頌設九	用乍䵼彝
2759	史頌設九	子子孫孫永寶用
2760	小臣謎設一	用乍寶尊彝
2761	小臣謎設二	用乍寶尊彝
2762	免設	易女赤Θ市、用史
2762	免設	用乍尊設
2762	免設	免其萬年永寶用
2763	弔向父禹設	用醽（緟）圝奠保我邦阴我家
2763	弔向父禹設	禹其萬年永寶用
2764	艾設	用典王令
2765	敹設	四日、用大蒱于五邑
2765	敹設	用乍寶設
2765	敹設	其萬年子子孫孫永寶用
2766	三兒設	其□又之□□皝孥吉金用乍□寶設
2766	三兒設	用□□_羊□□□其遾盂□□廿脣
2766	三兒設	用旟萬年釁壽
2766	三兒設	子子孫永保用亯
2767	虘設一	用乍寶設
2767	虘設一	虘其萬年永寶用

用

2768	楚段	用乍尊段
2768	楚段	其子子孫孫萬年永寶用
2769	師耤段	攸勒、繺旂五日、用吏
2769	師耤段	弭白用乍尊段
2769	師耤段	其萬年子孫永寶用
2770	截段	楚徒馬、取遺五寽、用吏
2770	截段	用乍朕文考寶段
2770	截段	其子子孫孫永用
2771	弭弔師求段一	用楚弭白
2771	弭弔師求段一	用乍朕文且寶段
2771	弭弔師求段一	弭弔其萬年子子孫孫永寶用
2772	弭弔師求段二	用楚弭白
2772	弭弔師求段二	用乍朕文且寶段
2772	弭弔師求段二	弭弔其萬年子子孫孫永寶用
2773	即段	曰：嗣琱宮人虢旛、用吏
2773	即段	用乍朕文考幽弔寶段
2773	即段	即其萬年子子孫孫永寶用
2774	臣諫段	隹用囗康令于皇辟侯
2774.	南宮弔段	天子嗣(司)賜(賜)女繺旂、用狩
2774.	南宮弔段	用戌 ??用政
2774.	南宮弔段	用乍尊彝
2775	裘衛段	用乍朕文且考寶段
2775	裘衛段	衛其子子孫孫永寶用
2775.	害段一	用__乃且考
2775.	害段一	命用乍文考寶段
2775.	害段一	其子子孫孫永寶用
2775.	害段二	用__乃且考
2775.	害段二	命用乍文考寶段
2775.	害段二	其子子孫孫永寶用
2776	走段	易女赤θ市、繺旂、用吏
2776	走段	用自乍寶尊段
2776	走段	徒其眾卑子子孫孫萬年永寶用
2778	格白段一	鑄保段、用典格白田
2778	格白段一	其萬年子子孫孫永保用[eL]
2778	格白段一	鑄保段、用典格白田
2778	格白段一	其萬年子子孫孫永保用[eL]
2779	格白段二	鑄保段、用典格白田
2779	格白段二	其萬年子子孫孫永保用[eL]
2780	格白段三	鑄保段、用典格白田
2780	格白段三	其萬年子子孫孫永保用[eL]周
2781	格白段四	鑄保段、用典格白田
2781	格白段四	其萬年子子孫孫永保用[eL]周
2782	格白段五	鑄保段、用典格白田
2782	格白段五	其萬年子子孫孫永保用[eL]周
2782.	格白段六	鑄保段、用典格白田
2782.	格白段六	其萬年子子孫孫永保用[eL]周
2783	趞段	易女赤市、幽亢、繺旂、用事
2783	趞段	用乍季姜尊彝
2783	趞段	其子子孫孫萬年寶用
2784	申段	繺旂用事

2784	申毁	用乍朕皇考孝孟尊毁
2784	申毁	申其萬年用
2785	王臣毁	戈畫戚、厚必、彤沙、用事
2785	王臣毁	用乍朕文考易中尊毁
2785	王臣毁	王臣其永寶用
2787	望毁	易女赤θ市、鑾、用吏
2787	望毁	用乍朕皇且白廿tx父寶毁
2787	望毁	其萬年子子孫孫永寶用（蓋）
2787	望毁	用吏
2787	望毁	用乍朕皇且白甲父寶毁
2787	望毁	望萬年子子孫孫永寶用（器）
2788	靜毁	用乍文母外姞尊毁
2788	靜毁	子子孫孫其萬年用
2789	同毁一	用乍朕文丂叀中尊寶毁
2789	同毁一	其萬年子子孫孫永寶用
2790	同毁二	用乍朕文丂叀中尊寶毁
2790	同毁二	其萬年子子孫孫永寶用
2791	豆閉毁	用倴乃且考吏
2791	豆閉毁	用乍朕文考釐弔寶毁
2791	豆閉毁	用易礐壽萬年
2791	豆閉毁	永寶用于宗室
2791.	史密毁	用乍朕文考乙白尊毁
2791.	史密毁	子子孫孫其永寶用
2792	師俞毁	用乍寶毁
2793	元年師旋毁一	敬夙夕用吏（事）
2793	元年師旋毁一	用乍朕文且益中尊毁
2793	元年師旋毁一	其萬年子子孫孫永寶用
2794	元年師旋毁二	敬夙夕用吏（事）
2794	元年師旋毁二	用乍朕文且益中尊毁
2794	元年師旋毁二	其萬年子子孫孫永寶用
2795	元年師旋毁三	敬夙夕用吏（事）
2795	元年師旋毁三	用乍朕文且益中尊毁
2795	元年師旋毁三	其萬年子子孫孫永寶用
2796	諫毁	用乍朕文考叀公尊毁
2796	諫毁	諫其萬年子子孫孫永寶用（蓋）
2796	諫毁	用乍朕文考叀公尊毁
2796	諫毁	諫其萬年子子孫孫永寶用（器）
2797	輔師嫠毁	鑾旂五日、用事
2797	輔師嫠毁	用乍寶毁
2797	輔師嫠毁	嫠其萬年子子孫孫永寶用吏
2798	師瘨毁一	用乍朕文考外季尊毁
2798	師瘨毁一	用亯于宗室
2799	師瘨毁二	用乍朕文考外季尊毁
2799	師瘨毁二	用亯于宗室
2800	伊毁	鑾旂攸勒、用史
2800	伊毁	伊用乍朕不顯文且皇考徲弔寶蠶彝
2800	伊毁	子子孫孫永寶用亯
2802	六年召白虎毁	用獄Jſ為白
2802	六年召白虎毁	用乍朕剌且召公嘗毁
2802	六年召白虎毁	其萬年子子孫孫寶用亯于宗

用

2803	師酉𣪘一	用作朕文考乙白宄姬尊𣪘
2803	師酉𣪘一	酉其萬年子子孫孫永寶用
2804	師酉𣪘二	用作朕文考乙白宄姬尊𣪘
2804	師酉𣪘二	酉其萬年子子孫孫永寶用（蓋）隹王元年正月
2804	師酉𣪘二	用作朕考乙白宄姬尊𣪘
2804	師酉𣪘二	酉其萬年子子孫孫永寶用（器）
2805	師酉𣪘三	用作朕文考乙白宄姬尊𣪘
2805	師酉𣪘三	酉其萬年子子孫孫永寶用
2806	師酉𣪘四	用作朕文考乙白宄姬尊𣪘
2806	師酉𣪘四	酉其萬年子子孫孫永寶用
2806.	師酉𣪘五	用作朕文考乙白宄姬尊𣪘
2806.	師酉𣪘五	酉其萬年子子孫孫永寶用
2807	𨟻𣪘一	易女赤市冋黃、䜌旂、用吏
2807	𨟻𣪘一	鄧用作朕皇考龏白尊𣪘
2807	𨟻𣪘一	子子孫孫永寶用享
2808	𨟻𣪘二	易女赤市冋黃、䜌旂、用吏
2808	𨟻𣪘二	鄧用作朕皇考龏白尊𣪘
2808	𨟻𣪘二	子子孫孫永寶用享
2809	𨟻𣪘三	易女赤市冋黃、䜌旂、用吏
2809	𨟻𣪘三	鄧用作朕皇考龏白尊𣪘
2809	𨟻𣪘三	子子孫孫永寶用享
2809	𨟻𣪘三	子子孫孫永寶用享
2810	揚𣪘一	余用作朕剌考𡨦白寶𣪘
2810	揚𣪘一	子子孫孫其萬年永寶用
2811	揚𣪘二	余用作朕剌考𡨦白寶𣪘
2811	揚𣪘二	子子孫孫其萬年永寶用
2812	大𣪘一	用作朕皇考剌白尊𣪘
2812	大𣪘一	其子子孫孫永寶用
2813	大𣪘二	用作朕皇考剌白尊𣪘
2813	大𣪘二	其子子孫孫永寶用
2814	鳥冊夨令𣪘一	用諂後人享
2814	鳥冊夨令𣪘一	令用弇展于皇王
2814	鳥冊夨令𣪘一	用作丁公寶𣪘
2814	鳥冊夨令𣪘一	用尊史于皇宗
2814	鳥冊夨令𣪘一	用鄉王逆造
2814	鳥冊夨令𣪘一	用饇寮人婦子
2814.	夨令𣪘二	用諂後人享
2814.	夨令𣪘二	令用弇展于皇王
2814.	夨令𣪘二	用作丁公寶𣪘
2814.	夨令𣪘二	用尊史于皇宗
2814.	夨令𣪘二	用鄉王逆造
2814.	夨令𣪘二	用饇寮人婦子
2815	師𣪕𣪘	敬乃夙夜用吏
2815	師𣪕𣪘	用作朕文考乙中𩰫𣪘
2815	師𣪕𣪘	㝬其萬年子子孫孫永寶用享
2816	彔白𢦏𣪘	用作朕皇考釐王寶尊𣪘
2816	彔白𢦏𣪘	余其萬年寶用
2817	師𩒨𣪘	易女赤市朱黃、䜌旂攸勒、用事
2817	師𩒨𣪘	用作朕文考尹白尊𣪘
2817	師𩒨𣪘	師𩒨其萬年子子孫孫永寶用

2818	此毁一	用乍朕皇考癸公尊毁
2818	此毁一	用亯孝于文申
2818	此毁一	用匄鬠壽
2818	此毁一	子子孫孫永寶用
2819	此毁二	用乍朕皇考癸公尊毁
2819	此毁二	用亯孝于文申
2819	此毁二	用匄鬠壽
2819	此毁二	子子孫孫永寶用
2820	此毁三	用乍朕皇考癸公尊毁
2820	此毁三	用亯孝于文申
2820	此毁三	用匄鬠壽
2820	此毁三	子子孫孫永寶用
2821	此毁四	用乍朕皇考癸公尊毁
2821	此毁四	用亯孝于文申
2821	此毁四	用匄鬠壽
2821	此毁四	子子孫孫永寶用
2822	此毁五	用乍朕皇考癸公尊毁
2822	此毁五	用亯孝于文申
2822	此毁五	用匄鬠壽
2822	此毁五	子子孫孫永寶用
2823	此毁六	用乍朕皇考癸公尊毁
2823	此毁六	用亯孝于文申
2823	此毁六	用匄鬠壽
2823	此毁六	子子孫孫永寶用
2824	此毁七	用乍朕皇考癸公尊毁
2824	此毁七	用亯孝于文申
2824	此毁七	用匄鬠壽
2824	此毁七	子子孫孫永寶用
2825	此毁八	用乍朕皇考癸公尊毁
2825	此毁八	用亯孝于文申
2825	此毁八	用匄鬠壽
2825	此毁八	子子孫孫永寶用
2826	師寰毁一	余用乍朕後男巤尊毁
2826	師寰毁一	其萬年子子孫孫永寶用亯（蓋）王若曰：師寰rt.
2826	師寰毁一	余用乍朕後男巤尊毁
2826	師寰毁一	其萬年子子孫孫永寶用亯（器）
2827	師寰毁二	余用乍朕後男巤尊毁
2827	師寰毁二	其萬年子子孫孫永寶用亯
2829	師虎毁	易女赤舃、用吏
2829	師虎毁	用乍朕剌考日庚尊毁
2829	師虎毁	子子孫孫其永寶用
2830	三年師兌毁	用乍朕皇考釐公䵼毁
2830	三年師兌毁	師兌其萬年子子孫孫永寶用
2831	元年師兌毁一	用乍皇且城公䵼毁
2831	元年師兌毁一	師兌其萬年子子孫孫永寶用
2832	元年師兌毁二	用乍皇且城公䵼毁
2832	元年師兌毁二	師兌其萬年子子孫孫永寶用
2834	㝬毁	用配皇天
2834	㝬毁	用康惠朕皇文剌且考
2834	㝬毁	用㪤保我家

用

2834	㝬毁	用楽壽、匄永令
2835	訇毁	繇旂攸勒、用吏
2835	訇毁	用乍文且乙白同姬尊毁
2835	訇毁	訇萬年子子孫永寶用
2836	或毁	用乍文母日庚寶尊毁
2836	或毁	用夙夜尊亯孝于氒文母
2837	敔毁一	用乍尊毁
2837	敔毁一	敔其萬年子子孫孫永寶用
2838	師𤔲毁一	易女弔市金黃、赤舄攸勒、用吏
2838	師𤔲毁一	用乍朕皇考輔白尊毁
2838	師𤔲毁一	𤔲其萬年子子孫永寶用(蓋)
2838	師𤔲毁一	易女弔市金黃、赤舄攸勒、用吏
2838	師𤔲毁一	用乍朕皇考輔白尊毁
2838	師𤔲毁一	𤔲其萬年子子子孫孫永寶用(器)
2839	師𤔲毁二	易女弔市金黃、赤舄攸勒、用吏
2839	師𤔲毁二	用乍朕皇考輔白尊毁
2839	師𤔲毁二	𤔲其萬年子子孫永寶用(蓋)
2839	師𤔲毁二	易女弔市金黃、赤舄攸勒、用吏
2839	師𤔲毁二	用乍朕皇考輔白尊毁
2839	師𤔲毁二	𤔲其萬年子子子孫孫永寶用(器)
2840	番生毁	用䌛(緟)圝大令
2840	番生毁	用諫四方
2840	番生毁	用乍毁、永寶
2841	𣎳白毁	用乍朕皇考武𣎳幾王尊毁
2841	𣎳白毁	用好宗廟
2841	𣎳白毁	用旛屯彔永命魯壽子孫
2841	𣎳白毁	歸夆其萬年日用亯于宗室
2842	卯毁	不淑取我家窒用喪
2842	卯毁	用乍寶尊毁
2842	卯毁	卯其萬年子子孫孫永寶用
2843	沈子它毁	用𩁹卿己公
2843	沈子它毁	用咎多公
2843	沈子它毁	用水霝令、用妥公唯壽
2843	沈子它毁	它用褱㚟我多弟子我孫
2844	頌毁一	監𤔲(司)新寤(造)賈用宮御
2844	頌毁一	繇旂鋚勒、用吏
2844	頌毁一	用乍朕皇考龏弔
2844	頌毁一	用追孝旛匄康𩁹屯右
2844	頌毁一	子子孫孫永寶用(器蓋)
2845	頌毁二	監𤔲(司)新寤(造)賈用宮御
2845	頌毁二	繇旂鋚勒、用吏
2845	頌毁二	用乍朕皇考龏弔
2845	頌毁二	用追孝旛匄康𩁹屯右
2845	頌毁二	子孫孫永寶用(蓋)
2845	頌毁二	監𤔲(司)新寤(造)賈用宮御
2845	頌毁二	繇旂鋚勒、用吏
2845	頌毁二	用乍朕皇考龏弔
2845	頌毁二	用追孝旛匄康𩁹屯右
2845	頌毁二	子子孫孫永寶用(器)
2846	頌毁三	監𤔲(司)新寤(造)賈用宮御

2846	頌毁三	䜌旂鋚勒、用吏
2846	頌毁三	用乍朕皇考龔弔
2846	頌毁三	用追孝旂匄康𧻚屯右
2846	頌毁三	子子孫孫永寶用
2847	頌毁四	監嗣(司)新寤(造)賈用宮御
2847	頌毁四	䜌旂鋚勒、用吏
2847	頌毁四	用乍朕皇考龔弔
2847	頌毁四	用追孝旂匄康𧻚屯右
2847	頌毁四	子孫永寶用
2848	頌毁五	監嗣(司)新寤(造)賈用宮御
2848	頌毁五	䜌旂鋚勒、用吏
2848	頌毁五	用乍朕皇考龔弔
2848	頌毁五	用追孝旂匄康𧻚屯右
2848	頌毁五	子子孫孫永寶用(蓋)
2849	頌毁六	監嗣(司)新寤(造)賈用宮御
2849	頌毁六	䜌旂鋚勒、用吏
2849	頌毁六	用乍朕皇考龔弔
2849	頌毁六	用追孝旂匄康𧻚屯右
2849	頌毁六	子子孫孫永寶用
2850	頌毁七	監嗣(司)新寤(造)賈用宮御
2850	頌毁七	䜌旂鋚勒、用吏
2850	頌毁七	用乍朕皇考龔弔
2850	頌毁七	用追孝旂匄康𧻚屯右
2850	頌毁七	子子孫孫永寶用(蓋)
2851	頌毁八	監嗣(司)新寤(造)賈用宮御
2851	頌毁八	䜌旂鋚勒、用吏
2851	頌毁八	用乍朕皇考龔弔
2851	頌毁八	用追孝旂匄康𧻚屯右
2851	頌毁八	子子孫孫永寶用(蓋)
2852	不嬰毁一	用從乃事
2852	不嬰毁一	用乍朕皇且公白孟姬尊毁
2852	不嬰毁一	用匄多福
2852	不嬰毁一	子子孫孫其永寶用亯
2853	不嬰毁二	用從乃事
2853	不嬰毁二	用作朕皇且公白孟姬尊毁
2853	不嬰毁二	用匄多福
2853	不嬰毁二	子子孫孫其永寶用亯
2853.	__弔毁	用乍且考寶尊彝
2854	禁毁	用乍寶尊毁
2854	禁毁	子孫永寶用
2856	師訇毁	乍氒□□用夾召氒辟
2856	師訇毁	用乍朕剌且乙白咸益姬寶毁
2856	師訇毁	子子孫孫永寶用
2857	牧毁	不用先王乍井
2857	牧毁	王曰：牧、女母敢弗帥用先王乍明井
2857	牧毁	用雩乃訊庶右粦
2857	牧毁	用乍朕皇文考益白尊毁
2857	牧毁	牧其萬年壽考子子孫孫永寶用
2877	函交仲旅匠	函交中乍旅匠、寶用
2889	魯士孚父飤匠一	魯士孚父乍飤匠、永寶用

用

2890	魯士浮父飤匿三	魯士浮父乍飤匿、永寶用
2891	魯士浮父飤匿四	魯士浮父乍飤匿、永寶用
2892	魯士浮父飤匿二	魯士浮父乍飤匿、永寶用
2893	隱侯𢀛逆匿	隱侯𢀛逆之匿、永壽用之
2898	白旅魚父旅匿	用倗旨飤
2900	史免簠	其萬年永寶用
2901	白□父匡	其萬年永寶用
2902	白矩食匿	其萬年永寶用
2903	弄匿	其子子孫孫永寶用
2905	吉__匽	子子孫孫永寶用
2906	白薦父匿	其萬年永寶用
2907	王子申匿	其釁壽期、永保用
2911	奢虎匿一	子子孫孫永寶用
2912	奢虎匿二	子子孫孫永寶用
2913	旅虎匿一	子子孫孫永寶用
2914	旅虎匿二	子子孫孫永寶用
2915	旅虎匿三	子子孫孫永寶用
2916	窑姒旅匿	其子子孫孫永寶用
2917	冑乍餗匿	其子子孫孫永寶用喜
2918	內大子白匿	其萬年子子孫永用
2919	鑄弔乍贏氏匿	其萬年釁壽永寶用
2920	脺子仲安旅匿	其子子孫永寶用喜
2920.	白多父匿	其永寶用喜
2921	__弔乍吳姬匿	其萬年子子孫孫永寶用
2922	魯白俞父匿一	其萬年釁壽永寶用
2923	魯白俞父匿二	其萬年釁壽永寶用
2924	魯白俞父匿三	其萬年釁壽永寶用
2925	交君子__匿一	其釁壽萬年永寶用
2926	交君子__匿二	其釁壽萬年永寶用
2927	商丘弔旅匿一	其萬年子子孫孫永寶用
2928	商丘弔旅匿一二	其萬年子子孫孫永寶用
2929	師麻孝弔旅匿(匡)	其萬年子子孫孫永寶用
2930	尹氏賈良旅匿(匡)	其萬年子子孫孫永寶用
2931	鑄子弔黑臣匿一	其萬年釁壽永寶用
2932	鑄子弔黑臣匿二	萬年釁壽永寶用
2933	鑄子弔黑臣匿三	萬年釁壽永寶用
2935	夆侯乍弔姬寺男賸匿	子子孫孫永寶用喜
2936	走馬脺仲赤匿	子子孫孫永保用喜
2937	仲義昃乍縣妃𩰫一	其萬年子子孫孫永寶用之
2938	仲義昃乍縣妃𩰫二	其萬年子子孫孫永寶用之
2939	季良父乍宗媰賸匿一	其萬年子子孫孫永寶用
2940	季良父乍宗媰賸匿二	其萬年子子孫孫永寶用
2941	季良父乍宗媰賸匿三	其萬年子子孫孫永寶用
2945	□仲虎匿	用自乍寶匿
2945	□仲虎匿	其子孫永寶用喜
2946	曾子□匿	子孫永保用之
2947	季宮父乍賸匿	其萬年子子孫孫永寶用
2948	番君召餗匿一	用喜用孝
2948	番君召餗匿一	用祈釁壽
2948	番君召餗匿一	子子孫孫永寶用

2949	番君召簠匿二	用亯用孝
2949	番君召簠匿二	用祈眉壽
2949	番君召簠匿二	子子孫孫永寶用
2950	番君召簠匿三	用亯用孝
2950	番君召簠匿三	用祈眉壽
2950	番君召簠匿三	子子孫孫永寶用
2951	番君召簠匿四	用亯用孝
2951	番君召簠匿四	用祈眉壽
2951	番君召簠匿四	子子孫孫永寶用
2952	番君召簠匿五	用亯用孝
2952	番君召簠匿五	用祈眉壽
2952	番君召簠匿五	子子孫孫永寶用
2953	白其父慶旅祜	用易眉壽萬年
2953	白其父慶旅祜	子子孫孫永寶用之
2954	史免旅匿	用盛稻粱
2954	史免旅匿	其子子孫孫永寶用亯
2955	齊陳＿匿一	乍皇考獻弔簠逸永保用匿
2956	齊陳曼匿二	乍皇考獻弔簠般永保用匿
2957	子季匿	子子孫孫永保用之
2958	陳公子匿	用旛眉壽
2958	陳公子匿	子子孫孫永壽用之
2959	鑄公乍朕匿一	子子孫孫永寶用
2960	鑄公乍朕匿二	子子孫孫永寶用
2961	陳侯乍媵匿一	用旛眉壽無彊
2961	陳侯乍媵匿一	永壽用之
2962	陳侯乍媵匿二	用旛眉壽無彊
2962	陳侯乍媵匿二	永壽用之
2963	陳侯匿	用旛眉壽無彊
2963	陳侯匿	永壽用之
2964	曾□□簠匿	子子孫孫孫永寶用之
2964.	弔邦父匿	用征用行
2964.	弔邦父匿	用諆君王
2965	曾侯乍弔姬賸器䵼彝	其子子孫孫其永用之
2966	蜡公諴旅匿	用追孝于皇祖皇考
2966	蜡公諴旅匿	用易眉壽萬年
2966	蜡公諴旅匿	子子孫孫永寶用
2967	陳侯乍孟姜朕匿	用旛眉壽
2967	陳侯乍孟姜朕匿	永壽用之
2968	奠白大嗣工召弔山父旅匿一	用亯用孝
2968	奠白大嗣工召弔山父旅匿一	用匄眉壽
2968	奠白大嗣工召弔山父旅匿一	子子孫孫用為永寶
2969	奠白大嗣工召弔山父旅匿二	用亯用孝
2969	奠白大嗣工召弔山父旅匿二	用匄眉壽
2970	考弔脂父尊匿一	子子孫孫永寶用之
2971	考弔脂父尊匿二	子子孫孫永寶用之
2972	弔家父乍仲姬匿	用成稻粱
2972	弔家父乍仲姬匿	用速先＿者(諸)兄
2972	弔家父乍仲姬匿	用旛眉考無彊
2973	楚屈子匿	子子孫孫永保用之
2974	上鄀府匿	子子孫孫永寶用之

用

2975	鄦子妝𠥄	用鑄其𠥄
2975	鄦子妝𠥄	用賸(媵)孟姜秦嬴
2975	鄦子妝𠥄	其子子孫孫羕(永)保用之
2976	㽙公𠥄	子子孫孫永寶用
2977	□孫弔左餗𠥄	子子孫孫永寶用之
2978	樂子敬辅䑇𠥄	子子孫孫永保用之
2979	弔朕自乍薦𠥄	子子孫孫永寶用之
2979.	弔朕自乍薦𠥄二	子子孫孫永寶用之
2980	鼄大宰餗𠥄一	其釁壽、用餗萬年無曩
2980	鼄大宰餗𠥄一	子子孫孫永寶用之
2981	鼄大宰餗𠥄二	其釁壽、用餗萬年無曩
2981	鼄大宰餗𠥄二	子子孫孫永寶用之
2982	長子□臣乍媵𠥄	子子孫孫永保用之
2982	長子□臣乍媵𠥄	子子孫孫永保用之
2982.	甲午𠥄	用__易命臣炳臣師戉
2982.	甲午𠥄	永寶用亯
2983	弭仲寶𠥄	用成秫䅉(稻)穛粱
2983	弭仲寶𠥄	用鄉大正
2984	伯公父盬	用成穛稻稬粱
2984	伯公父盬	我用召卿吏辟王
2984	伯公父盬	用召者考者兄
2984	伯公父盬	用旂釁壽
2984	伯公父盬	其子子孫孫永寶用亯(蓋)
2984	伯公父盬	用成穛稻稬粱
2984	伯公父盬	我用召卿吏辟王
2984	伯公父盬	用召者考者兄
2984	伯公父盬	用旂釁壽
2984	伯公父盬	其子子孫孫永寶用亯(器)
2985	陳逆𠥄一	子子孫孫羕(永)保用
2985.	陳逆𠥄二	子子孫孫羕(永)保用
2985.	陳逆𠥄三	子子孫孫羕(永)保用
2985.	陳逆𠥄四	子子孫孫羕(永)保用
2985.	陳逆𠥄五	子子孫孫羕(永)保用
2985.	陳逆𠥄六	子子孫孫羕(永)保用
2985.	陳逆𠥄七	子子孫孫羕(永)保用
2985.	陳逆𠥄八	子子孫孫羕(永)保用
2985.	陳逆𠥄九	子子孫孫羕(永)保用
2985.	陳逆𠥄十	子子孫孫羕(永)保用
2986	曾白霥旅𠥄一	余用自乍旅𠥄
2986	曾白霥旅𠥄一	用盛稻粱
2986	曾白霥旅𠥄一	用孝用亯于我皇文考
2986	曾白霥旅𠥄一	子子孫孫永寶用之亯
2987	曾白霥旅𠥄二	余用自乍旅𠥄
2987	曾白霥旅𠥄二	用盛稻粱
2987	曾白霥旅𠥄二	用孝用亯于我皇文考
2987	曾白霥旅𠥄二	子子孫孫永寶用之亯
2990	登白盨	登白乍re盨用
2993	中白乍嬬姬旅盨一	中白乍嬬姬旅盨用
2994	中白乍嬬姬旅盨二	中白乍嬬姬旅盨用
2995	彔盨一	其永寶用

2996	彔盨二	其永寶用
2997	彔盨三	其永寶用
2998	彔盨四	其永寶用
2999	史𩁹旅盨一	其永寶用
3000	史𩁹旅盨二	其永寶用
3001	白鮮旅𣪘(盨)一	其永寶用
3002	白鮮旅𣪘(盨)二	其永寶用
3003	白鮮旅𣪘(盨)三	其永寶用
3004	白鮮旅𣪘(盨)	其永寶用
3005	弔謙父旅盨𣪘一	其永用
3005.	弔謙父旅盨𣪘二	其永用
3006	白多父旅盨一	其永寶用
3007	白多父旅盨二	其永寶用
3008	白多父旅盨三	其永寶用
3009	白多父旅盨四	其永寶用
3010	立為旅須	子子孫孫永寶用
3011	弔姞旅𨱏	其萬年永寶用
3012	仲義父旅盨一	其永寶用[華]
3013	仲義父旅盨二	其永寶用[華]
3014	弭弔旅盨	其萬年永寶用
3015	仲彤盨一	子子孫孫永寶用
3016	仲彤盨二	子子孫孫永寶用
3017	白大師旅盨一	其萬年永寶用
3018	白大師旅盨(器)二	其萬年永寶用
3019	弔賓父盨	子子孫永用
3020	𠛬弔旅盨	子子孫永寶用
3021	乍遣盨	乍遣盨用追考
3022	白車父旅盨(器)一	其萬年永寶用
3023	白車父旅盨(器)二	其萬年永寶用
3024	仲大師旅盨	中大師子為其旅永寶用
3025	白公父旅盨(蓋)	其萬年永寶用
3026	□□為甫人行盨	用征用行萬歲用尚
3027	仲鑠旅盨	其萬年永寶用
3028	虢弔行盨	子子孫孫永寶用享
3029	周駱旅盨	子子孫孫永寶用
3030	奠義白旅盨(器)	子子孫孫其永寶用
3031	奠義羌父旅盨一	子子孫孫永寶用
3032	奠義羌父旅盨二	子子孫孫永寶用
3032.	奠登弔旅盨	奠登弔及子子孫孫永寶用
3033	昜弔旅盨	其子子孫孫永寶用享
3034	白孝_旅盨	永其萬年子子孫孫寶用白孝kd鑄旅盨(須)
3034	白孝_旅盨	其萬年子子孫孫永寶用
3035	魯嗣徒旅𣪘(盨)	萬年永寶用
3036	奠井弔康旅盨	子子孫孫其永寶用
3036.	奠井弔康旅盨二	子子孫孫其永寶用
3037	華季嗌乍寶𣪘(盨)	其萬年子子孫永寶用
3038	鬲弔興父旅盨	其子子孫永寶用
3039	白多父盨	其永寶用享
3040	白庶父盨𣪘(蓋)	其萬年子子孫孫永寶用
3041	諫季獻旅須	其萬年子孫孫永寶用

用

3042	項燹旅盨	其萬年子子孫孫永寶用亯
3043	遣弔吉父旅須一	子子孫孫永寶用
3044	遣弔吉父旅須二	子子孫孫永寶用
3045	遣弔吉父旅須三	子子孫孫永寶用
3046	筍白大父寶盨	其子子孫永寶用
3047	改乍乙公旅盨(蓋)	子子孫孫永寶用
3048	鑄子弔黑臣盨	其萬年覺壽永寶用
3049	單子白旅盨	其子子孫孫萬年永寶用
3050	甹弔乍旅盨	甹弔其萬年永及中姬寶用
3051	兮白吉父旅盨(蓋)	其萬年無疆子子孫孫永寶用
3052	走亞虢孟延盨一	延其萬年永寶子子孫孫用
3053	走亞虢孟延盨二	延其萬年永寶子子孫孫用
3054	滕侯穌乍旅毁	其子子孫萬年永寶用
3056	師趛乍檇姬旅盨	子孫其萬年永寶用
3056	師趛乍檇姬旅盨	子孫其萬年永寶用
3057	仲自父鎓(盨)	其用亯用孝于皇且文考
3057	仲自父鎓(盨)	用□覺壽無疆
3057	仲自父鎓(盨)	其子孫萬年永寶用亯
3058	曼龏父盨一	曼龏父乍寶盨用亯孝宗室
3058	曼龏父盨一	其萬年無疆子子孫孫永寶用
3059	曼龏父盨三	用亯孝宗室、用匄覺壽
3059	曼龏父盨三	子子孫孫永寶用
3060	曼龏父盨二	用亯孝宗室、用匄覺壽
3060	曼龏父盨二	子子孫孫永寶用
3061	弭弔旅盨	其子子孫孫永寶用
3062	乘父毁(盨)	其萬年覺壽永寶用
3063	遡乍姜淠盨	用亯孝于姑公
3063	遡乍姜淠盨	用旃覺壽屯魯
3063	遡乍姜淠盨	子子孫永寶用
3063	遡乍姜淠盨	用亯孝于姑公
3063	遡乍姜淠盨	用旃覺壽屯魯
3063	遡乍姜淠盨	子子孫永寶用
3068	白寬父盨一	子子孫孫永用
3069	白寬父盨二	子子孫孫永用
3070	杜白盨一	其用亯孝于皇申且考、于好倗友
3070	杜白盨一	用桒壽、匄永令
3070	杜白盨一	其萬年永寶用
3071	杜白盨二	其用亯孝于皇申且考、于好倗友
3071	杜白盨二	用桒壽、匄永令
3071	杜白盨二	其萬年永寶用
3072	杜白盨三	其用亯孝于皇申且考、于好倗友
3072	杜白盨三	用桒壽、匄永令
3072	杜白盨三	其萬年永寶用
3073	杜白盨四	其用亯孝于皇申且考、于好倗友
3073	杜白盨四	用桒壽、匄永令
3073	杜白盨四	其萬年永寶用
3074	杜白盨五	其用亯孝于皇申且考、于好倗友
3074	杜白盨五	用桒壽、匄永令
3074	杜白盨五	其萬年永寶用
3075	白汈其旅盨一	用亯用孝、用匄覺壽多福

3075	白汈其旅盨一	子子孫孫永寶用
3076	白汈其旅盨二	用亯用孝、用匃𩛥壽多福
3076	白汈其旅盨二	子子孫孫永寶用
3077	弔尃父乍奠季盨一	奠季其子子孫孫永寶用
3078	弔尃父乍奠季盨二	奠季其子子孫孫永寶用
3079	弔尃父乍奠季盨三	奠季其子子孫孫永寶用
3080	弔尃父乍奠季盨四	奠季其子子孫孫永寶用
3081	翏生旅盨一	用對剌翏生眔大妘
3082	翏生旅盨二	用對剌翏生眔大妘
3082	翏生旅盨二	用對剌翏生眔大妘
3083	𤸫𣪘（盨）一	用乍文考寶𣪘
3084	𤸫𣪘（盨）二	用乍文考寶𣪘
3085	駒父旅盨（蓋）	駒父其萬年永用多休
3086	善夫克旅盨	用乍旅盨
3086	善夫克旅盨	隹用獻于師尹、倗友、婚（聞）遘
3086	善夫克旅盨	克其用朝夕亯于皇且考
3086	善夫克旅盨	子子孫孫永寶用
3087	鬲从盨	其子子孫孫永寶用［丫］
3088	師克旅盨一（蓋）	用乍旅盨
3088	師克旅盨一（蓋）	克其萬年子子孫孫永寶用
3089	師克旅盨二	用乍旅盨
3089	師克旅盨二	克其萬年子子孫孫永寶用
3090	𡚇盨（器）	用辟我一人
3090	𡚇盨（器）	用乍寶盨
3090	𡚇盨（器）	弔邦父、弔姞萬年子子孫孫永寶用
3092	齊侯乍飤𦎫一	其萬年永保用
3093	齊侯乍飤𦎫二	其萬年永保用
3094	□公克錞	永保用之
3095	拍乍祀彝（蓋）	用祀永枼毋出
3096	齊侯乍孟姜善𦎫	用旂𩛥壽、萬年無彊
3096	齊侯乍孟姜善𦎫	子子孫孫永保用之
3099	十年陳侯午𦎫（器）	用乍平壽造器𦎫台登台嘗
3100	陳侯因𬮿錞	用乍孝武𧺯公祭器錞
3109	周生豆一	周生乍尊豆用亯于宗室
3110	周生豆二	周生乍尊豆用亯于宗室
3110.	弔賓父豆?	子子孫孫永用
3110.	孟_旁豆	𩛥壽萬年永寶用
3111	大師盧豆	用卲洛朕文且考
3111	大師盧豆	用祈多福
3111	大師盧豆	用匃永令
3111	大師盧豆	盧其永寶用亯
3114	穌貉笛	穌貉乍小用
3116	劉公鋪	劉公乍杜嬭尊簠永寶用
3118	魯大嗣徒厚氏元善匵一	子孫永寶用之
3119	魯大嗣徒厚氏元善匵二	子孫永寶用之
3120	魯大嗣徒厚氏元善匵三	子孫永寶用之
3127	仲枏父匕	中枏父乍匕永寶用
3505	用乙爵	［用］乙
4198	𨺅乍父甲爵	公易𨺅貝、用乍父甲寶彝
4202	魯侯爵	用尊v9盟

用

用

4202.	___爵	用乍尊彝
4203	御正良爵	用乍父辛尊彝[__]
4204	盂爵	用乍父寶尊彝
4239	天黿皇乍父癸角	用乍父癸尊彝[天黽]
4240	亞未乍父辛角	用乍父辛彝[亞矣]
4241	箙亞__乍父癸角	用乍父癸彝[蟬]
4242	庸冊宰桃乍父丁角	用乍父丁尊彝
4343	亞矣小臣邑斝	用乍母癸尊彝
4344	嘉仲父斝	子子孫孫永寶用
4420	白__自乍用盉	白ny自乍用盉
4431	史孔盉	子子孫孫永寶用
4432.	鬲盉	用乍王尹__盉
4433	甲盉	其萬年用鄉賓
4434	師子旅盉	萬年永寶用
4435	__君盉	其□年孫用
4435.	靈終盉	用追孝
4436	堯盉	用萬年
4436	堯盉	用楚保眔叔堯
4437	王乍豐妊盉	其萬年永寶用
4440	白章父盉	其萬年子子孫孫永寶用
4442	季良父盉	其萬年子子孫孫永寶用
4443	王仲皇父盉	其萬年子子孫孫永寶用
4446	麥盉	用從邢侯征吏
4446	麥盉	用奔走夙夕、鬲御吏
4447	臣辰冊冊夕乍冊父癸盉	用乍父癸寶尊彝
4448	長甶盉	用肇乍尊彝
4449	裘衛盉	衛用乍朕文考惠孟寶般
4449	裘衛盉	衛其萬年永寶用
4809	強白匄井姬羊形尊	強白匄井姬用盂鑵
4814	偖乍父癸尊	偖乍父癸寶尊彝用旅
4818	季盀尊	季盀乍寶尊彝用桒__
4824	引為慰膚尊	引為慰膚寶尊彝用永孝
4831	倗乍皁考尊	倗乍皁考寶尊彝用萬年吏
4836	__䍐乍父乙尊	䍐罰吏□用乍父乙旅尊彝[冊ap]
4837	鬲乍父甲尊	鬲易貝于王、用乍父甲寶尊彝
4838	執乍父□尊	易聿孔用乍父□尊彝
4840	平龀方尊	平龀易貝于王始用乍寶尊彝
4842	啟乍文父辛尊	用乍文父辛尊彝[奘]
4844	□乍父癸尊	孫孫子子永用
4846	禁尊	用乍宗彝
4847	小子夫尊	用乍父己尊彝[捏]
4848	舟岦㓨乍父乙尊	用乍父乙寶尊彝[舟岦]
4850	㨖劫尊	用乍□□且缶尊彝
4852	□□乍其為皁考尊	用匄壽萬年永寶
4853	復尊	用乍父乙寶尊彝[奘]
4854	__車㚖乍公日辛尊	用乍公日辛寶彝[st]
4856	季受尊	用乍考__父尊彝
4857	乍文考日己尊	其子子孫孫萬年永寶用[天]
4858	甾田尊	其萬年子孫永寶用亯
4860	魯侯尊	用乍旅彝

4861	敃士卿尊	用乍父戊尊彝
4862	燅能匋尊	能匋用乍文父日乙寶尊彝[燅]
4863	㝅乍父乙尊	用乍父乙寶尊彝
4864	乍冊𠬝尊	用乍父乙寶尊彝
4865	㽙方尊	其用夙夜亯于㽙大宗
4865	㽙方尊	其用匄永福萬年子孫
4867	鑿睘尊	尸白賓用貝、布
4867	鑿睘尊	用乍朕文考日癸旅寶[鑿]
4868	趞乍姞尊	用乍姞寶彝
4869	次尊	用乍寶彝
4870	燅商尊	用乍文辟日丁寶尊彝[燅]
4871	耤奉豐尊	用乍父辛寶尊彝
4873	臣辰冊𠂤冊乍父癸尊	用乍父寶尊彝
4874	萬諆尊	用亯囗尹＿歆
4874	萬諆尊	用＿侃多友
4874	萬諆尊	用寧室人
4874	萬諆尊	用乍念于多友
4875	㸒折尊	用乍父乙尊
4876	保尊	用乍文父癸宗寶尊彝
4877	小子生尊	用乍𣪕寶尊彝
4877	小子生尊	用對揚王休
4877	小子生尊	用鄉出內事人
4878	召尊	用u8不杯・召多用追炎不杯白懋父友
4878	召尊	用乍團宮旅彝
4879	彔茲尊	用乍文考乙公寶尊彝
4880	免尊	用乍尊彝
4880	免尊	免其萬年永寶用
4881	䍙方尊	用乍辛公寶尊彝
4881	䍙方尊	用夙＿宗
4882	匽乍文考日丁尊	用乍文考日丁寶彝
4882	匽乍文考日丁尊	其子子孫孫永寶用
4884	臤尊	用乍父乙寶尊彝
4884	臤尊	其子子孫孫永用
4885	效尊	效對公休、用乍寶尊彝
4886	趩尊	趩蔑歷、用乍寶尊彝
4887	蔡侯𤔲尊	用詐(乍)大孟姬賸彝＿
4887	蔡侯𤔲尊	永保用之
4888	盠駒尊一	余用乍朕文考大中寶尊彝
4890	盠方尊	曰、用𤔲六𠂤
4890	盠方尊	用乍朕文祖益公寶尊彝
4891	何尊	用乍叀公寶尊彝
4892	麥尊	劑用王乘車馬
4892	麥尊	用龏義寧侯
4892	麥尊	麥揚、用乍寶尊彝
4892	麥尊	用鬲侯逆造
4892	麥尊	冬用造德
4893	矢令尊	甲申、明公用牲于京宮
4893	矢令尊	乙酉、用牲于康宮
4893	矢令尊	咸既、用牲于王
4893	矢令尊	曰、用𡍮

用

用

4893	夨令尊	日、用桒
4893	夨令尊	用乍父丁寶尊彝、敢追明公賞于父丁[鳥冊]
4926	吳㹌馭觥(蓋)	用乍父戊寶尊彝
4927	乍文考日己觥	其子子孫孫萬年永寶用[天]
4928	折觥	用乍父乙尊
4967	弔龜方彝	用乍寶尊彝
4971	_乍父癸方彝(蓋)	用乍父癸寶彝
4973	■乍文考日工夫方彝	其子子孫孫萬年永寶用[天]
4974	_方彝	用乍高文考父癸寶尊彝
4974	_方彝	用𨛭文考剌
4975	麥方彝	用乍尊彝
4975	麥方彝	用鬲(嗝)井侯出入遅令、孫孫子子其永寶
4976	折方彝	用乍父乙尊
4977	師遽方彝	用乍文且它公寶尊彝
4977	師遽方彝	用匄萬年無疆
4978	吳方彝	用乍青尹寶尊彝
4978	吳方彝	吳其世子孫永寶用
4979	盠方彝一	曰：用𤔲六𠂤
4979	盠方彝一	用乍朕文祖益公寶尊彝
4980	盠方彝二	曰：用𤔲六𠂤
4980	盠方彝二	用乍朕文祖益公寶尊彝
4981	鳥冊令方彝	甲申、明公用牲于京宮
4981	鳥冊令方彝	乙酉、用牲于康宮
4981	鳥冊令方彝	咸既、用牲于王
4981	鳥冊令方彝	曰、用桒
4981	鳥冊令方彝	曰、用桒
4981	鳥冊令方彝	用乍父丁寶尊彝
4981	鳥冊令方彝	用光父丁[鳥冊]
5078	用征卣	用征
5399	子_乍父丁卣	子_用乍父丁彝
5419	_高卣	王易_高■、用乍彝
5424	束乍父辛卣	公賞束、用乍父辛于彝
5427	偖乍父癸卣	偖乍父癸寶尊彝、用旅
5429	仲乍好旅卣一	其用萬年
5430	仲乍好旅卣二	其用萬年
5438	敾乍旅彝卣	孫子用言出入
5439	小臣豐乍父乙卣	用乍父乙彝
5443	亞㠱侯矣𠨘卣	𠨘易孝用乍且丁彝[亞㠱侯矣]
5445	㢑寓卣	用乍凡彝[㢑]
5448	天黿𩓨乍父癸卣	子易𩓨用乍父癸尊彝[天黽]
5449	伽乍皁考卣	用萬年事
5450	天黿盄乍父辛卣	用乍父辛尊彝[天黽]
5453	_卣	用乍母乙彝
5455	𠭯乍丁師卣	𠭯𣡒用乍丁師彝
5457	小臣系乍且乙卣一	用乍且乙尊
5458	小臣系乍且乙卣二	用乍且乙尊
5459	榮弔卣	用匄壽、萬年永寶
5460	䣄御乍父己卣	用乍父己尊彝
5460	䣄御乍父己卣	用乍父己尊彝
5461	寓乍幽尹卣	用乍幽尹寶尊彝

5461	寓乍幽尹卣	其永寶用
5462	帚白乍父乙卣一	用乍父乙寶尊彝
5463	帚白乍父乙卣二	用乍父乙寶尊彝
5464	刀耳乍父乙卣	用乍父乙寶尊彝[刀]
5465	員卣	員孚金、用乍旅彝
5466	顯乍母辛卣一	顯易婦rb、日用謊于乃姑宑
5467	顯乍母辛卣二	顯易婦rb、日用謊于乃姑宑
5469	白ns卣	用乍寶尊彝
5470	__盂乍父丁卣	用乍父丁寶尊彝[fk]
5471	奘小子省乍父己卣	用乍父己寶彝[奘]
5471	奘小子省乍父己卣	用乍父己寶彝[奘]
5472	乍毓且丁卣	用乍毓且丁尊[卬]
5472	乍毓且丁卣	用乍毓且丁尊[卬]
5473	同乍父戊卣	用乍父戊寶尊彝
5474	㽙卣	用乍父乙寶尊彝
5474	㽙卣	用乍父乙寶尊彝
5475	六祀邲其卣	用乍且癸尊彝
5476	趞乍姑寶卣	用乍姑寶彝
5478	次卣	用乍寶彝
5479	奘商乍文辟日丁卣	商用乍文辟日丁寶尊彝[奘]
5480	冊𡏳冊豐卣	用乍父辛寶尊彝[冊𡏳]
5480	冊𡏳冊豐卣	用乍父辛寶尊彝[冊𡏳]
5481	叔卣一	用乍寶尊彝
5482	叔卣二	用乍寶尊彝
5483	周乎卣	用亯于文考庚中
5483	周乎卣	用匄永福
5483	周乎卣	孫孫子子其永寶用[eL]
5483	周乎卣	用亯于文考庚中
5483	周乎卣	用匄永福
5483	周乎卣	孫子子其永保用周[eL]
5484	乍冊睘卣	用乍文考癸寶尊器
5484	乍冊睘卣	用乍文考癸寶尊器
5485	貉子卣一	用乍寶尊彝
5486	貉子卣二	用乍寶尊彝
5487	靜卣	用乍宗彝
5487	靜卣	其子子孫孫永寶用
5488	靜卣二	用乍宗彝
5488	靜卣二	其子子孫孫永寶用
5489	戉箙畝卣	用匄魯福
5489	戉箙畝卣	用夙夜事[戚箙]
5490	戉稱卣	用乍文考日乙寶尊彝
5490	戉稱卣	用乍文考日乙寶尊彝
5493	召乍__宮旅卣	用乍杦宮旅彝
5494	奘鬻乍母辛卣	鬻用乍母辛彝
5495	保卣	用乍文父癸宗寶尊彝
5495	保卣	用乍文父癸宗寶尊彝
5496	召卣	用u8不杯召多
5496	召卣	用追于炎、不鬹白懋父友
5496	召卣	用乍團宮旅彝
5498	彔玆卣	用乍文考乙公寶尊彝

用

用

5499	彔茲卣二	用乍文考乙公寶尊彝
5500	免卣	用乍尊彝
5500	免卣	免其萬年永寶用
5501	臣辰冊冊彡卣一	用乍父癸寶尊彝[臣辰冊彡]
5502	臣辰冊冊彡卣二	用乍父癸寶尊彝[臣辰冊彡]
5503	競卣	用乍父乙寶尊彝
5504	庚贏卣一	用乍亐文姑寶尊彝
5504	庚贏卣一	其子子孫孫萬年永寶用
5505	庚贏卣二	用乍亐文姑寶尊彝
5505	庚贏卣二	其子子孫孫萬年永寶用
5506	小臣傳卣	用乍朕考日甲寶
5507	乍冊虪卣	用乍日己旅尊彝
5508	弔趩父卣一	女其用鄉乃辟軝侯逆遀出內事人
5508	弔趩父卣一	唯用其徙女
5509	棥卣	曩侯吴其子子孫孫寶用
5510	乍冊嗌卣	用乍大禦于亐且考父母多申
5511	效卣一	用乍寶尊彝
5580	洺＿罍	子子孫孫永寶用享
5581	㽙𣐼罍	其萬年子孫永寶用享
5582	對罍	用匃𩛥壽敬冬[舟]
5583	不白夏子罍一	用旛𩛥壽無彊
5583	不白夏子罍一	子子孫孫永寶用之
5584	不白夏子罍二	用旛𩛥壽無彊
5584	不白夏子罍二	子子孫孫永寶用之
5597	次甑	用乍寶彝
5702	＿侯壺	＿侯乍旅壺永寶用
5703	內公鑄從壺一	內公乍鑄從壺永寶用
5704	內公鑄從壺二	內公乍鑄從壺永寶用
5705	內公鑄從壺三	內公乍鑄從壺永寶用
5706	子弔乍弔姜壺一	子弔乍弔姜尊壺永用
5707	子弔乍弔姜壺二	子弔乍弔姜尊壺永用
5709	白魚父旅壺	白魚父乍旅壺永寶用
5710	賓車父壺一	賓車父乍寶壺永用享(器蓋)
5711	賓車父壺二	賓車父乍寶壺永用享(器蓋)
5712	白山父方壺	萬年寶用
5713	孟上父尊壺	其永寶用[dr]
5715	白多父行壺	用子孫永
5716	安白曩生旅壺	其永寶用
5718	曾仲斿父壺	曾中斿父用吉金
5718	曾仲斿父壺	曾中斿父用吉金
5719	湌弔壺一	□□吉□湌弔永用之
5720	湌弔壺二	□□吉□湌弔永用之
5721	蔡侯壺	子子孫永保用享
5722	白庶父醴壺	＿□氏永寶用
5723	王白姜壺一	其萬年永寶用
5724	王白姜壺二	其萬年永寶用
5725	吕王＿乍內姬壺	其永寶用享
5729	陳侯乍媯穌朕壺	其萬年永寶用
5730	保𦃃母壺	揚始休、用乍寶壺
5731	邛君婦龢壺	子子孫孫永寶用之

5732	鄧孟乍監嫚壺	子子孫孫永寶用
5734	咼乍旅壺	其萬年子子孫孫永用(器蓋)
5735	內大子白壺	萬子孫永用享(蓋)
5735	內大子白壺	子子孫用(器)
5738	____壺	其萬年孫孫子子永寶用
5739	鄭楙弔賓父醴壺	子子孫孫永寶用
5740	嗣寇良父壺	子子孫永保用
5743	齊良壺	子孫永寶用
5744	仲南父壺一	其萬年子子孫孫永寶用
5745	仲南父壺二	其萬年子子孫孫永寶用
5746	史僕壺一	其萬年子子孫孫永寶用享
5747	史僕壺二	其萬年子子孫孫永寶用享
5748	虢季子組壺	子孫孫永寶其用享
5749	矩弔乍仲姜壺一	其萬年子子孫孫永用
5750	矩弔乍仲姜壺二	其萬年子子孫孫永用
5751	白公父乍弔姬醴壺	萬年子子孫孫永寶用
5752	陳侯壺	用旂釁壽無疆
5753	大師小子師聖壺	其萬年子孫孫永寶用
5755	散氏車父壺一	其萬年子子孫孫永寶用
5756	中白乍熊壺一	其萬年子子孫孫永寶用
5757	中白乍熊壺二	其萬年子子孫孫永寶用
5758	匽君壺	永保用之
5760	蓮花壺蓋	用賜(賜)釁壽
5760	蓮花壺蓋	子子孫孫其永用之
5761	兮熬壺	其萬年子子孫孫永用
5762	呂行壺	用乍寶尊彝
5763	殷句壺	用典甫丙
5763	殷句壺	其萬年子子孫孫永寶用享
5764	杞白每亡壺一	子子孫永寶用享
5765	杞白每亡壺二	子子孫永寶用享
5766	周𡘇壺一	其用享于宗
5766	周𡘇壺一	其子子孫孫萬年永寶用[eL](器蓋)
5767	周𡘇壺二	其用享于宗
5767	周𡘇壺二	其子子孫孫萬年永寶用[eL](器蓋)
5768	虞嗣寇白吹壺一	用享用孝
5768	虞嗣寇白吹壺	用旂釁壽
5768	虞嗣寇白吹壺一	子子孫孫永寶用之(器蓋)
5769	虞嗣寇白吹壺二	用享用孝
5769	虞嗣寇白吹壺二	用旂釁壽
5769	虞嗣寇白吹壺二	子子孫孫永寶用之(器蓋)
5770	宗婦鄁嬰壺一	永寶用
5771	宗婦鄁嬰壺二	永寶用
5774	楸車父壺	用逆姞氏
5775	禁公子壺	子子孫孫萬年永寶用享
5776	㠱公壺	子孫永保用之
5777	孫弔師父行具	子子孫永寶用之
5778	番匊生鑄賸壺	用賸𠂤元子孟改𦘔
5778	番匊生鑄賸壺	子子孫孫永寶用
5780	公孫窹壺	用祈釁壽萬年
5780	公孫窹壺	子子孫孫兼保用之

用

用

5781	曾姬無卹壺一	甬(用)乍宗彝尊壺
5781	曾姬無卹壺一	後嗣甬(用)之
5782	曾姬無卹壺二	甬(用)乍宗彝尊壺
5782	曾姬無卹壺二	後嗣甬(用)之
5783	曾白陭壺	隹曾白陭廼用吉金鐈鋚
5783	曾白陭壺	用自乍醴壺
5783	曾白陭壺	用鄉賓客
5783	曾白陭壺	用孝用享
5783	曾白陭壺	用易釁壽
5783	曾白陭壺	子子孫孫用受大福無彊
5785	史懋壺	用乍父丁寶壺
5786	曼季良父壺	用盛旨酉
5786	曼季良父壺	用享孝于兄弔婚媾者老
5786	曼季良父壺	用旟匄釁壽
5787	沏其壺一	用享考于皇且考
5787	沏其壺一	用旟多福釁壽
5787	沏其壺一	其百子千孫永寶用
5787	沏其壺一	其子子孫永寶用
5788	沏其壺二	用享考于皇且考
5788	沏其壺二	用旟多福釁壽
5788	沏其壺二	其百子千孫永寶用
5788	沏其壺二	其子子孫永寶用
5789	命瓜君厚子壺一	其永用之
5790	命瓜君厚子壺二	其永用之
5793	幾父壺一	用乍朕剌考尊壺
5793	幾父壺一	幾父用追孝
5793	幾父壺一	其萬年孫孫子子永寶用
5794	幾父壺二	用乍朕剌考尊壺
5794	幾父壺二	幾父用追孝
5794	幾父壺二	其萬年孫孫子子永寶用
5795	白克壺	用乍朕穆考後中尊壺
5795	白克壺	克用匄釁壽無彊
5795	白克壺	克克其子子孫孫永寶用享
5796	三年瘐壺一	用乍皇且文考尊壺
5797	三年瘐壺二	用乍皇且文考尊壺
5798	曶壺	攸勒、䜌旂、用事
5798	曶壺	用乍朕文考釐公尊壺
5798	曶壺	曶用匄萬年釁壽
5799	頌壺一	監嗣新造賈用宮御
5799	頌壺一	䜌旂、攸勒、用事
5799	頌壺一	用乍朕皇考龏弔
5799	頌壺一	用追孝
5799	頌壺一	子子孫孫寶用
5800	頌壺二	監嗣新造賈用宮御
5800	頌壺二	䜌旂、攸勒、用事
5800	頌壺二	用乍朕皇考龏弔
5800	頌壺二	用追孝
5800	頌壺二	子子孫寶用
5801	洹子孟姜壺一	于上天子用璧玉備一嗣(笥)
5801	洹子孟姜壺一	于大無嗣折于大嗣命用璧

5801	洹子孟姜壺一	于南宮子用璧二備
5801	洹子孟姜壺一	瑾nz無用從爾大樂
5801	洹子孟姜壺一	用鑄爾羞銅
5801	洹子孟姜壺一	用御天子之事
5801	洹子孟姜壺一	洹子孟姜用嘉命
5801	洹子孟姜壺一	用祈眉壽
5801	洹子孟姜壺一	用御爾事
5802	洹子孟姜壺二	于上天子用璧玉備一嗣
5802	洹子孟姜壺二	于大無嗣折于與大嗣命用璧
5802	洹子孟姜壺二	于南宮子用璧二備
5802	洹子孟姜壺二	瑾nz無用從爾大樂
5802	洹子孟姜壺二	用鑄爾羞銅
5802	洹子孟姜壺二	用御天子之事
5802	洹子孟姜壺二	洹子孟姜用嘉命
5802	洹子孟姜壺二	用祈眉壽
5802	洹子孟姜壺二	用御爾事
5805	中山王嚳方壺	用隹朕所放
5805	中山王嚳方壺	不用禮宜
5805	中山王嚳方壺	其永保用亡疆
5808	孟城行鈃	子子孫孫永寶用之
5809	弘乍旅鈃	其眉壽、子子孫孫永寶用
5810	喪鈃	用征用行
5810	喪鈃	用旛眉壽
5811	曾白文𩰫	用征行
5812	仲義父𩰫一	其萬年子子孫孫永寶用
5813	仲義父𩰫二	其萬年子子孫孫永寶用
5814	白夏父𩰫一	其萬年子子孫孫永寶用
5815	白夏父𩰫二	其萬年子子孫孫永寶用
5816	奠義白𩰫	我用以___永歲
5816	奠義白𩰫	以譖狩用
5816.	伯亞臣𩰫	用政
5816.	伯亞臣𩰫	用祈眉壽萬年無疆
5824	孟賸姬𣄰缶	永保用之
5826	國差𦉜	用實旨酉
5826	國差𦉜	子子孫孫永保用之
6277	貝隹乍父乙觚	貝鳥易用乍父乙尊彝[天黽]
6278	啟㚸用_日義觚	用乍pd日乙尊彝[啟]
6281	天口逐攸宁觚	天口逐攸宁用乍父辛寶尊彝
6282	召乍父戊觚	子子孫孫其永寶用
6628	鳥冊何般貝宁父乙觶	[何般貝宁]用乍父乙寶尊彝[鳥]
6631	小臣單觶一	用乍寶尊彝
6633	靳乍文考觶	用乍文考尊彝、永寶
6634	郐王義楚祭耑	用享于皇天
6635	中觶	王曰用先
6635	中觶	用乍父乙寶尊彝
6663	白公父金勺一	用獻用酌
6663	白公父金勺一	用亯用孝
6663	白公父金勺一	用旂眉壽
6663	白公父金勺一	子孫永寶用耇
6703	𩵦白盤二	𩵦白乍用_

用

6708	白𩛥父乍用器盤	白𩛥父自乍用器
6719	京弔盤	子孫永寶用
6720	來_乍_盤	孫孫子子其寶用
6721	曾中盤	子孫永寶用之
6724	周棘生盤	金用口邦
6724	周棘生盤	孫子寶用
6726	筍侯乍弔姬盤	其永寶用鄉
6727	貞盤	其萬年子子孫孫永寶用
6728	虢孄口盤	子子孫孫永寶用
6729	奠登弔旅盤	及子子孫孫永寶用
6730	仲虎盤	用乍中寶器
6731	奠白盤	其子子孫孫永寶用
6732	陶子盤	用乍寶尊彝
6733	史頌盤	其萬年子孫孫永寶用
6734	才盤	用萬年用楚保眾弔堯
6735	虢金氐孫盤	子子孫孫永寶用
6736	魯白愈父盤一	其永寶用
6737	魯白愈父盤二	其永寶用
6738	魯白愈父盤三	其永寶用
6739	中友父盤	其萬年子子孫孫永寶用
6740	白駟父盤	子子孫孫永寶用
6741	衪盤	其萬年子孫永寶用亯
6742	弔五父盤	其萬年子子孫孫永寶用
6743	霝盤	媿氏其釁壽萬年用
6744	穌吉妊盤	子子孫孫永寶用之
6745	白考父盤	其萬年子子孫孫永寶用
6747	師奐父盤	其萬年子子孫孫永寶用
6748	德盤	子子孫孫永寶用
6749	弔高父盤	其萬年子子孫孫永寶用
6750	白侯父盤	用旛釁壽萬年用之
6751	衪白章盤	子孫永寶用亯
6752	取膚子商盤	用賸之麗奴
6752	取膚子商盤	子子孫永寶用
6753	仲叡父盤	用揚譖中氏皂
6754	楚季苟盤	其子子孫孫永寶用亯
6755	毛叔盤	子子孫孫永保用
6756	番君白龏盤	佳番君白龏用其赤金自鑄盤
6756	番君白龏盤	萬年子孫永用之亯
6757	干氏弔子盤	子子孫孫永寶用之
6759	殷殼盤二	子子孫孫永壽用之
6760	中子化盤	中子化用保楚王
6760	中子化盤	用正莒
6760	中子化盤	用羼其吉金
6761	白者君盤	其萬年子孫永寶用亯
6762	薛侯盤	子子孫孫永寶用
6763	句它盤	子子孫孫永寶用亯
6764	般仲_盤	子子孫孫永寶用之
6765	齊弔姬盤	子子孫孫永受大福用
6766	黃韋艅父盤	子子孫孫其永用之
6767	齊縈姬之孄盤	子子孫孫永寶用亯

6770	醫白盤	其萬年子子孫孫永用之
6771	宗婦鄁嫛盤	永寶用
6772	魯少司寇封孫宅盤	永寶用之
6773	__湯弔盤	其萬年無用之彊
6774	__右盤	唯qe右自乍用其吉金寶盤
6774	__右盤	迺用萬年□孫永寶用喜□用之
6775	__仲乍父丁盤	用乍父丁寶尊彝
6777	邛仲之孫白戔盤	用旟鬻壽萬年無彊
6777	邛仲之孫白戔盤	子子孫孫永寶用之
6778	免盤	用乍般盉
6778	免盤	其萬年寶用
6779	齊侯盤	用祈鬻壽萬年無彊
6779	齊侯盤	子子孫孫永保用之
6780	黃大子白克盤	用旟鬻壽萬年無彊
6780	黃大子白克盤	子子孫孫永寶用之
6781	筝弔盤	永保用之
6782	者尚余卑盤	用旟鬻壽萬年
6782	者尚余卑盤	子子孫孫永寶用之
6783	函皇父盤	琱娟其萬年子子孫孫永寶用
6784	三十四祀盤（裸盤）	對王休、用乍子孫其永寶
6785	守宮盤	用乍且乙尊
6785	守宮盤	其百世子子孫孫永寶用奔走
6786	__弔多父盤	用易屯祿、受害福
6786	__弔多父盤	用及孝婦嫼氏百子千孫
6786	__弔多父盤	子子孫孫永寶用
6787	走馬休盤	用乍朕文考日丁尊般
6788	蔡侯𩰫盤	用詐大孟姬賸彝盤
6788	蔡侯𩰫盤	永保用之
6789	寰盤	用乍朕皇考奠白奠姬寶盤
6789	寰盤	寰其萬年子子孫孫永寶用
6790	虢季子白盤	是用左王
6790	虢季子白盤	賜用弓、彤矢其央
6790	虢季子白盤	賜用戉
6790	虢季子白盤	用政蠻方
6791	兮甲盤	敢不用令
6791	兮甲盤	子子孫孫永寶用
6792	史墻盤	用肇徹周邦
6792	史墻盤	用乍寶尊彝
6792	史墻盤	其萬年永寶用
6793	矢人盤	用矢薄散邑
6793	矢人盤	迺即散用田履
6807	乍子□匜	乍子□□匜永寶用
6816	白庶父乍𥨶匜	白庶父乍𥨶永寶用
6817	匽白聖匜	匽白聖乍正它、永用
6819	__匜	__乍寶匜、用子孫喜
6822	奠義白乍季姜匜	奠義白乍季姜寶它（匜）用
6823	長湯匜	長湯白18乍它、永用之
6827	甫人父乍旅匜一	甫人父乍旅匜、萬人（年）用
6828	甫人父乍旅匜二	甫人父乍旅匜、萬人（年）用
6829	黃仲匜	永寶用喜

用

6830	召樂父匜	召樂父乍媁妃寶它、永寶用
6831	杞白每亡匜	其萬年永寶用
6832	保弔黑臣匜	其永寶用
6833	囗弔穀匜	萬年用之
6834	__周匜	｛子孫｝永寶用
6835	匽公匜	萬年永寶用
6836	史頌匜	其萬年子子孫孫永寶用
6837	虢金氐孫匜	子子孫孫永寶用
6838	荀侯匜	其萬壽、子孫永寶用
6839	函皇父乍周娟匜	其子子孫孫永寶用
6840	__子匜	子孫永保用
6841	魯白愈父匜	其永寶用
6842	王婦曩孟姜旅匜	其萬年釁壽用之
6843	白吉父乍京姬匜	其子子孫孫永寶用
6844	中友父匜	其萬年子子孫孫永寶用
6845	弔__父乍師姬匜	其萬年子子孫永寶用
6846	白正父旅它	其萬年子子孫孫永寶用
6848	魯乍王母媿氏匜	媿氏其釁壽萬年用
6849	袖白匜	其萬年子子孫孫永寶用享
6850	弔高父匜一	其萬年子子孫孫永寶用
6851	弔高父匜二	其萬年子子孫孫永寶用
6852	__邑戥白匜	子子孫孫永寶用之
6853	取膚__商它	用賸之麗妠子孫永寶用
6854	辭馬南弔匜	子子孫孫永寶用享
6855	貯子匜	其子子孫孫永用
6856	番仲燦匜	其萬年子子孫永寶用享
6857	蔡白獬匜	子子孫永用之
6858	樊君首匜	樊君C5用吉自乍匜
6858	樊君首匜	子子孫孫其永寶用享
6859	白者君匜一	其萬年子孫永寶用享tG
6860	陳白元匜	永壽用之
6861	曩甫人匜	子子孫孫永寶用
6862	蘚侯乍弔妊朕匜	子子孫永寶用
6863	白君黃生匜	其萬年子子孫孫永寶用
6864	番__匜	唯番hhvi用士（吉）金乍自寶匜
6864	番__匜	其萬年子子孫永寶用享
6865	楚嬴匜	其萬年子孫永用享
6866	齊侯乍虢孟姬匜	子子孫孫永寶用
6867	弔男父乍為霍姬匜	其子子孫孫其萬年永寶用［井］
6868	大師子大孟姜匜	用享用孝
6868	大師子大孟姜匜	用祈釁壽
6868	大師子大孟姜匜	子子孫孫用為元寶
6869	浮公之孫公父宅匜	其萬年子子孫永寶用之
6870	寡公孫惜父匜	子子孫孫永寶用之
6871	陳子匜	用旛釁壽萬年無疆
6871	陳子匜	永壽用之
6872	魯大嗣徒子仲白匜	子子孫孫永保用之
6873	齊侯乍孟姜盥匜	用祈釁壽萬年無疆
6873	齊侯乍孟姜盥匜	子子孫孫永用之
6874	鄭大內史弔上匜	子子孫孫永寶用之

6875	慶弔匜	子子孫孫兼保用之
6876	夆弔乍季妃盥盤(匜)	永保用之
6877	儩乍旅盉	儩用乍旅盉
6887	𨜴陵君王子申鑑	永甬(用)之官
6888	吳王光鑑一	用亯用孝
6889	吳王光鑑二	用亯用孝
6900	乍父丁盂	其萬年永寶用享宗彝
6901	白盂	其萬年孫孫子子永寶用亯
6902	白公父旅盂	其萬年子子孫孫永寶用
6903	魯大嗣徒元歙盂	萬年釁壽永寶用
6904	善夫吉父盂	其萬年子子孫孫永寶用
6905	要君餗盂	用祈釁壽無彊
6906	王子申盞盂	永保用之
6907	齊侯乍朕子仲姜盂	子子孫孫永保用之
6908	郐宜同歙盂	孫子永壽用之
6909	遡盂	用乍文且己公尊盂
6909	遡盂	其永寶用
6910	師永盂	永用乍朕文考乙白尊盂
6910	師永盂	孫孫子子永其率寶用
6916	樊君夔盆	樊君C5用其吉金自乍寶盆
6917	郹子行飤盆	永寶用之
6918	曾孟孀諫盆	其釁壽用之
6919	子弔嬴內君寶器	子孫永用
6920	曾大保旅盆	曾大保uq譶弔亟用其吉金
6920	曾大保旅盆	子子孫永用之
6921	鄧子仲盆	子子孫孫永寶用之
6923	庚午簋	子子孫孫永寶用之
6924	江仲之孫白戔肆簋	永保用之(蓋)
6924	江仲之孫白戔肆簋	子子孫孫永保用之(器)
6926	杞白每亡盈	其子子孫孫永寶用
6964	用享鐘	用享
6966	永寶用編鐘	永寶用
6974	糜侯鐘	糜侯自乍龢鐘用
6975	魯邍鐘	魯邍乍龢鐘用亯考
6978	鄭井弔鐘	鄭井弔乍靈龢鐘用妥賓
6979	鄭井弔鐘二	鄭井弔乍靈龢鐘用妥賓
6980	內公鐘	子孫永寶用
6999	昆疕王鐘	昆疕王用貝乍龢鐘
7000	邾君鐘	用自乍其龢鐘鈴
7000	邾君鐘	用處大政
7001	嘉賓鐘	用樂嘉賓父兄
7002	鑄侯求鐘	其子子孫孫永享用之
7003	舍武編鐘	用樂嘉賓父兄
7008	通彔鐘	用寓光我家受
7009	兮仲鐘一	其用追孝于皇考己白
7009	兮仲鐘一	用侃喜前文人
7009	兮仲鐘一	子孫永寶用亯
7010	兮仲鐘二	其用追孝于皇考己白
7010	兮仲鐘二	用侃喜前文人
7010	兮仲鐘二	子孫永寶用亯

用

7011	兮仲鐘三	其用追孝于皇考己白
7011	兮仲鐘三	用侃喜前
7012	兮仲鐘四	其用追孝于皇考己白
7012	兮仲鐘四	用侃喜前文人
7012	兮仲鐘四	子子孫孫永寶用亯
7013	兮仲鐘五	其用追孝于皇考己白
7013	兮仲鐘五	用侃喜前文人
7013	兮仲鐘五	子子孫孫永寶用亯
7014	兮仲鐘六	其用追孝于皇考己白
7014	兮仲鐘六	用侃喜前
7015	兮仲鐘七	其用追孝于皇考己白
7015	兮仲鐘七	用侃喜前文人
7015	兮仲鐘七	子子孫孫永寶用亯
7016	楚王鐘	子孫永保用之
7017	楚王酓章鐘一	其永時用亯穆商、商
7018	楚王酓章鐘二	其永時用亯□羽反、宮反
7019	邾太宰鐘	用□譽壽多福
7019	邾太宰鐘	子孫孫永保用享
7020	單伯鐘	用保奠
7021	虘鐘一	用追孝于己白
7021	虘鐘一	用享大宗
7021	虘鐘一	用濼(樂)好宗
7021	虘鐘一	用卲大宗
7022	虘鐘二	用追孝于己白
7022	虘鐘二	用享大宗
7022	虘鐘二	用濼(樂)好宗
7022	虘鐘二	用卲大宗
7023	虘鐘三	用追孝于己白
7023	虘鐘三	用享大宗
7023	虘鐘三	用濼(樂)好宗
7023	虘鐘三	用卲大宗
7024	虘鐘四	用追孝于己白
7024	虘鐘四	用享大宗
7024	虘鐘四	用濼(樂)
7026	邾弔鐘	邾叔止白□羅辝吉金用乍其龢鐘
7026	邾弔鐘	□用旂譽壽無疆
7026	邾弔鐘	子子孫孫永寶用亯
7027	邾公釛鐘	用敬卹盟祀
7027	邾公釛鐘	用樂我嘉賓、及我正卿
7037	遲父鐘	用卲乃穆
7037	遲父鐘	乃用儋匃多福
7039	應侯見工鐘二	用乍朕皇且應侯大林鐘
7039	應侯見工鐘二	用易譽壽永命
7039	應侯見工鐘二	子子孫孫永寶用
7043	克鐘四	用乍朕皇且考白寶林鐘
7043	克鐘四	用匃屯叚永令
7044	克鐘五	用乍朕皇且考白寶林鐘
7044	克鐘五	用匃屯叚永令
7047	井人鐘	得屯用魯
7047	井人鐘	妄不敢弗帥用文且皇考穆穆秉德

7048	井人鐘二	得屯用魯
7048	井人鐘二	妄不敢弗帥用文且皇考穆穆秉德
7049	井人鐘三	用追孝侃前文人
7049	井人鐘三	妄其萬年子子孫孫永寶用享
7050	井人鐘四	用追孝侃前文人
7050	井人鐘四	妄其萬年子子孫孫永寶用享
7051	子璋鐘一	用匽以喜
7051	子璋鐘一	用樂父兄者諸士
7052	子璋鐘二	用匽以喜
7052	子璋鐘二	用樂父兄者諸士
7053	子璋鐘三	用匽以喜
7053	子璋鐘三	用樂父兄者諸士
7054	子璋鐘四	用匽以喜
7054	子璋鐘四	用樂父兄者諸士
7055	子璋鐘五	用匽以喜
7055	子璋鐘五	用樂父兄者諸士
7056	子璋鐘六	用匽以喜
7056	子璋鐘六	用樂父兄者諸士
7057	子璋鐘八	用匽以喜
7057	子璋鐘八	用樂父兄者諸士
7058	邾公孫班鐘	用喜于其皇且
7058	邾公孫班鐘	子子孫孫永保用之
7059	師臾鐘	用喜侃前文人
7059	師臾鐘	用뼭屯魯永令
7059	師臾鐘	用匄釁壽無彊
7059	師臾鐘	師臾其萬年永寶用享
7060	炅生鐘一	戳生用乍__公大薔鐘
7060	炅生鐘一	用祈多福
7060	炅生鐘一	用喜侃前文人
7060	炅生鐘一	用뼭康龢屯魯、用受
7062	柞鐘	用乍大薔鐘
7063	柞鐘二	用乍大薔鐘
7064	柞鐘三	用乍大薔鐘
7065	柞鐘四	用乍大薔鐘
7070	者沏鐘二	女其用茲
7075	者沏鐘七	用受刺__光之于聿
7075	者沏鐘七	女其用茲
7078	者沏鐘十	用__烈__
7078	者沏鐘十	女其用茲
7080	者沏鐘十二	用__刺__
7080	者沏鐘十二	女其用茲
7082	齊鞄氏鐘	用亯台孝
7082	齊鞄氏鐘	用匽用喜
7082	齊鞄氏鐘	用樂嘉賓
7083	鮮鐘	用乍朕皇考薔鐘
7083	鮮鐘	用利鼓之
7083	鮮鐘	用樂嘉賓
7083	鮮鐘	□□用享
7088	士父鐘一	用喜侃皇考
7088	士父鐘一	用廣啟士父身

用

用

7088	士父鐘一	用享于宗
7089	士父鐘二	用喜侃皇考
7089	士父鐘二	用廣啟士父身
7089	士父鐘二	用享于宗
7090	士父鐘三	用喜侃皇考
7090	士父鐘三	用廣啟士父身
7090	士父鐘三	用享于宗
7091	士父鐘四	用喜侃皇考
7091	士父鐘四	用廣啟士父身
7091	士父鐘四	用享于宗
7092	𠫑羌鐘一	用明則之于銘
7093	𠫑羌鐘二	用明則之于銘
7094	𠫑羌鐘三	用明則之于銘
7095	𠫑羌鐘四	用明則之于銘
7096	𠫑羌鐘五	用明則之于銘
7108	旟弔之仲子平編鐘一	子子孫孫永保用之
7109	旟弔之仲子平編鐘二	子子孫孫永保用之
7110	旟弔之仲子平編鐘三	子子孫孫永保用之
7111	旟弔之仲子平編鐘四	子子孫孫永保用之
7112	者減鐘一	用祈釁壽緐纕
7113	者減鐘二	用祈釁壽緐纕
7114	者減鐘三	子子孫孫永保用之
7115	者減鐘四	子子孫孫永保用之
7116	南宮乎鐘	用乍朕皇且南公
7117	邻𠭯兒鐘一	孫子用之
7119	邻膚兒鐘三	孫子用之
7120	邻膚兒鐘四	孫子用之
7122	梁其鐘一	用天子寵、蔑汈其
7122	梁其鐘一	用乍朕皇且考龢鐘
7123	梁其鐘二	用天子寵、蔑汈其
7123	梁其鐘二	用乍朕皇
7124	沇兒鐘	用盤歆酉
7135	逆鐘	用𣪘于公室僕庸臣妾
7135	逆鐘	用粤朕身
7150	虢叔旅鐘一	用乍朕皇考吏弔大醬龢鐘
7150	虢叔旅鐘一	旅其萬年子子孫孫永寶用亯
7151	虢叔旅鐘二	用乍朕皇考吏弔大醬龢鐘
7151	虢叔旅鐘二	旅其萬年子子孫孫永寶用亯
7152	虢叔旅鐘三	用乍朕皇考吏弔大醬龢鐘
7152	虢叔旅鐘三	旅其萬年子子孫孫永寶用亯
7153	虢叔旅鐘四	用乍朕皇考吏弔大醬龢鐘
7153	虢叔旅鐘四	旅其萬年子子孫孫永寶用亯
7155	虢叔旅鐘六	用乍朕
7156	虢叔旅鐘七	旅其萬年子子孫孫永寶用亯
7157	邾公華鐘一	用鑄氒龢鐘
7157	邾公華鐘一	子子孫孫永保用享
7158	𤼈鐘一	用辟先王
7158	𤼈鐘一	用追孝𢑓祀
7159	𤼈鐘二	用卲各喜侃樂前文人
7159	𤼈鐘二	用𣎴壽、匄永令

7159	瘋鐘二	用寓光瘋身
7160	瘋鐘三	用辟先王
7160	瘋鐘三	用追孝𩟄祀
7161	瘋鐘四	用辟先王
7161	瘋鐘四	用追孝𩟄祀
7162	瘋鐘五	用辟先王
7162	瘋鐘五	用追孝𩟄祀
7164	瘋鐘七	肇乍龢林鐘用
7168	瘋鐘十一	用寓光瘋身
7175	王孫遺者鐘	用亯台孝
7175	王孫遺者鐘	用旟釁壽
7175	王孫遺者鐘	用匽台喜
7175	王孫遺者鐘	用樂嘉賓父兄
7176	㝬鐘	用卲各不顯且考先王
7183	叔夷編鐘二	尸敢用拜韻首
7184	叔夷編鐘三	余用登屯厚乃命
7185	叔夷編鐘四	尸用或敢再拜韻首
7187	叔夷編鐘六	尸用乍鑄其寶鐘
7187	叔夷編鐘六	用享于其皇祖皇妣皇母皇考
7187	叔夷編鐘六	用旂釁壽
7188	叔夷編鐘七	子孫永保用亯
7201	楚王酓章乍曾侯乙鎛	其永時用亯
7204	克鎛	用乍朕皇且考白寶𬴿鐘
7204	克鎛	用匄屯叚永令
7213	𬊤鎛	用旟侯氏永命萬年
7213	𬊤鎛	用享用孝于皇祖聖弔
7213	𬊤鎛	用祈壽老母死
7213	𬊤鎛	用求丂命彌生
7213	𬊤鎛	子孫永保用享
7214	叔夷鎛	尸敢用拜韻首
7214	叔夷鎛	余用登屯厚乃命
7214	叔夷鎛	尸用或敢再拜韻首
7214	叔夷鎛	用乍鑄其寶鎛
7214	叔夷鎛	用享于其皇祖皇妣皇母皇考
7214	叔夷鎛	用旂釁壽
7214	叔夷鎛	子孫永保用亯
7215	其次勾鑃一	用旟萬壽
7215	其次勾鑃一	子子孫孫永保用之
7216	其次勾鑃二	用旟萬壽
7216	其次勾鑃二	子子孫孫永保用之
7217	姑馮勾鑃	子子孫孫永保用之
7220	喬君鉦	其萬年用亯用考
7220	喬君鉦	用旂釁壽
7220	喬君鉦	子子孫孫永寶用之
7223	遄沇鐸	其萬年永寶用
7299	用戈	[用]
7346	用戈	用__
7395	自乍用戈	自乍用戈
7396	鳥篆戈一	□□用戈
7397	鳥篆戈二	翏用之

用

7398	鳥篆戈	□□公子□□用
7427	子賏之用戈	子賏之用戈
7431	右買之用戈	右買之用戈
7449	蔡侯[illegible]之用戈	蔡侯[illegible]之用戈
7450	蔡公子果之用戈一	蔡公子果之用
7451	蔡公子果之用戈二	蔡公子果之用戈
7452	蔡公子果之用戈三	蔡公子果之用
7453	蔡公子加戈	蔡公子加之用
7454	蔡加子之用戈	蔡公子加之用
7462	楚王孫漁戈	楚王孫漁之用
7464	曾侯乙之用戈	曾侯乙之用戟
7476	周王叚戈	周王叚之元用戈
7477	王子玫戈	王子玫之用戈、q5
7492	滕司徒戈	滕司徒乍□用
7494	方寅戈一	方寅用鍛金乍吉用
7495	方寅戈二	方寅用鍛金乍吉用
7500	邗王是埜戈	邗王是野乍為元用
7506	郐王之子戈	郐王之子__之元用__
7516	攻敔王夫差戈	攻敔王夫差自乍其用戈
7537	汈白戈	梁白乍宮行元用
7545	秦子戈	秦子乍造公族元用左右市御用逸宜_
7554	楚王酓璋戈	以卲昜文武之戊(茂)用
7650	越王州勾矛	越王州句自乍用矛
7651	秦子矛	秦子乍□公族元用
7651	秦子矛	左右市冶用逸□
7685	__侯武弔之用劍	p4侯武弔之用
7689	蔡侯產劍	蔡侯產之用劍
7690	蔡公子永之用劍	蔡公子永之用
7690	蔡公子永之用劍	蔡公子永之用
7697	越王勾踐劍	越王句踐自乍用劍
7702	越王州勾劍一	越王州句自乍用鐱
7703	越王州勾劍二	越王州句自乍用鐱
7704	越王州勾劍三	越王州句自乍用鐱
7705	越王州勾劍四	越王州句自乍用鐱
7706	越王州勾劍五	越王州句自乍用鐱
7707	越王州勾劍六	越王州句自乍用鐱
7709	攻敔王光劍	攻敔王光自乍用鐱
7711	楚王酓章劍	用□□用征
7714	攻敔王劍	攻敔王光自乍用劍
7715	攻敔王夫差劍一	攻敔王夫差自乍其元用
7716	攻敔王夫差劍二	攻敔王夫差自乍其元用
7717	吳季子之子劍	吳季子之子逞之永用劍
7718	脽公劍	者匋用之
7722	吳王光劍	攻敔王光自乍用劍
7723	__公劍	其以作為用元劍
7735	少虡劍一	乍為元用
7736	少虡劍二	乍為元用玄鏐鈇呂
7743	越王丌北古劍	唯越王丌北自乍元之用之劍
7743	越王丌北古劍	自乍用之自
7743	越王丌北古劍	自乍用之自

7744	工獻太子劍	自乍元用	用
7744	工獻太子劍	以用以獲	
7822	距末一	用乍距__	
7871	子禾子釜一	如關人不用命	
7874	蔡太史鉌	永保用	
7886	新郪虎符	用兵五十人以上	
7887	杜虎符	用兵五十八以上	
7930	衵用乍寶缶一	鄭帚大衵用乍寶缶	
7930	衵用乍寶缶一	其萬年子子孫永寶用享	
7931	衵□乍寶缶二	大衵用乍寶缶	
7931	衵□乍寶缶二	其萬年子子孫永寶用享	
7990	季老□	子子孫孫其萬年永寶用	
M030	剛劫卣	用乍□祟□且缶尊彝	
M126	圂卣	用乍寶尊彝	
M143	顯壺	用鬻于乃姑宊	
M171	小臣靜卣	用乍父□寶尊彝	
M177.	𢦏𣪘	子子孫孫其萬年永寶用[co]	
M191	𦃃卣	用乍文考辛公寶尊彝	
M236	單昊生豆	單昊生乍羞豆、用喜	
M252	免簠	用乍旅鬻彝	
M252	免簠	免其萬年永寶用	
M282	師䏿尊	用乍𤔲文考寶彝	
M299	白大師釐盨	其萬年永寶用	
M340	魯伯悆盨	魯伯悆用公龏	
M340	魯伯悆盨	悆□□用追孝	
M340	魯伯悆盨	用祈多福	
M340	魯伯悆盨	永寶用喜	
M341	魯中齊鼎	子子孫孫永寶用喜	
M342	魯中齊甗	子子孫孫永寶用	
M343	魯司徒中齊盨	子子孫孫永寶用喜	
M344	魯司徒中齊盤	其萬年永寶用喜	
M345	魯司徒中齊匜	子子孫孫永寶用喜	
M349	己侯壺	事小臣用汲	
M349	己侯壺	永寶用	
M361	井伯南𣪘	日用喜考	
M379	夆伯鬲	其萬年子子孫孫永寶用□	
M423.	趞鼎	䜌旂、攸勒、用事	
M423.	趞鼎	用乍朕皇考𩵦白、奠姬寶鼎	
M457	鄭虢仲悆鼎	鄭虢中悆肇用乍皇且文考寶鼎	
M457	鄭虢仲悆鼎	子子孫孫永寶用	
M466	鄦男鼎	子子孫孫永寶用	
M478	大宰巳𣪘	子子孫孫永寶用喜	
M487	魯司徒伯吳𣪘	萬年永寶用	
M508	虞侯政壺	其萬年子子孫孫永寶用	
M541	大王光戈	大王光逌自乍用戈	
M545	配兒勾鑃	子孫用之	
M553	越王者旨於睗鐘	用之勿相	
M561	越王大子□鬭矛	乍元用矛	
M581	陳公子中慶簠蓋	用祈顧壽萬年無彊子子孫孫永壽用之	
M582	陳公孫𢉩父瓶	用祈𩕄壽萬年無彊	

M582	陳公孫結父鉼	永壽用之
M602	蔡侯匜	用祈釁壽
M602	蔡侯匜	子子孫孫永寶用之、匜
M612	鄦子鐘	用匽以喜
M612	鄦子鐘	用樂嘉賓大夫及我倗友
M616	番休伯者君盤	隹番休伯者君用其吉金
M616	番休伯者君盤	盤永寶用之
M617	番白享匜	子孫永寶用
M693	曾大工尹戈	季怡之用
M695	曾伯宮父鬲	隹曾伯宮父穆迺用吉金
M697	曾朶戲戈	曾中之孫朶戲用戈
M816	魯大左司徒元鼎	其萬年釁壽永寶用之
		小計：共　2795 筆

甫　0564

3026	□□為甫人行盨	□□為甫人行盨
3112	邵陵君王子申豆一	兼甫之
3113	邵陵君王子申豆二	兼甫之
3115.	曾仲斿父甫二	曾中斿父自乍寶甫（莆）
4169	乍甫丁爵	乍甫丁寶尊彝
4882	匡乍文考日丁尊	匡甫象＿二
5763	殷句壺	用典甫丙
6714	穌甫人槃	穌甫人乍嫚改襄賸般（盤）
6825	穌甫人匜	穌甫人乍嫚改襄賸匜
6827	甫人父乍旅匜一	甫人父乍旅匜、萬人（年）用
6828	甫人父乍旅匜二	甫人父乍旅匜、萬人（年）用
6861	曩甫人匜	曩甫人余余王＿戲孫兹乍寶匜
		小計：共　12 筆

庯　0565

1331	中山王譽鼎	寡人庸其悳（德）
1331	中山王譽鼎	庸其工（功）
1331	中山王譽鼎	後人其庸庸之
1332	毛公鼎	庸又聞
2801	五年召白虎設	余老止公僕庸土田多諫
2835	訇設	先虎臣後庸
5803	胤嗣釨蚉壺	以追庸先王之工剌（烈）
7135	逆鐘	用䜌于公室僕庸臣妾
		小計：共　8 筆

葡　0566

2765	殺設	四日、用大葡于五邑
1332	毛公鼎	金踵、金豙、勅䡇、金簟弼、魚葡
2840	番生設	金簟弼、魚葡

4241	箙亞__乍父癸角	丙申王易箙(葡)亞jb奚貝、才虁
		小計：共　4 筆

爻 0567

0129	爻鼎	[爻]
0532	爻父乙方鼎	[爻]父乙
1308	白晨鼎	畫hd、幬爻(較)、虎幃，
1586	爻乍彝甗	爻乍彝
1852	爻父乙段	[爻]父乙
1853	爻父乙段	[爻]父乙
1875	爻父丁段	[爻]父丁
3369	爻爵	[爻]
3868	爻父己爵	[爻]父己
3978	爻匕辛爵	[爻]妣辛
4021	爻父丁爵	[爻]父丁
4235	肘史父乙爻角	[肘史]父乙[爻]
4308	爻且丁斝	[爻]且丁
4346	爻盉	[爻]
4974	__方彝	孫子寶[爻]
5209	爻父丁卣	[爻]父丁
5457	小臣系乍且乙卣一	[爻][肘史]
5458	小臣系乍且乙卣二	[爻][肘史]
6206	爻父丁觚	[爻]父丁
6322	爻觶	[爻]
6535	爻父丁觶	[爻]父丁
		小計：共　21 筆

爾 0568

1331	中山王譽鼎	母(毋)忘尒(爾)邦
1331	中山王譽鼎	尒(爾)母(毋)大而恀(肆)
4891	何尊	昔才爾考公氏
4891	何尊	烏虖、爾有唯小子亡識
5477	單光豆乍父癸肇卣	其目父癸夙夕鄉爾百婚遘[單光]
5801	洹子孟姜壺一	日：朞(期)則爾朞(期)
5801	洹子孟姜壺一	爾其躋受御
5801	洹子孟姜壺一	瑾nz無用從爾大樂
5801	洹子孟姜壺一	用鑄爾羞銅
5801	洹子孟姜壺一	用御爾事
5802	洹子孟姜壺二	朞(期)則爾朞(期)
5802	洹子孟姜壺二	爾其躋受御
5802	洹子孟姜壺二	瑾nz無用從爾大樂
5802	洹子孟姜壺二	用鑄爾羞銅
5802	洹子孟姜壺二	用御爾事
6792	史墻盤	受牆爾𪓊福懷
6925	晉邦盦	整辥爾家
7159	𤼈鐘二	弋皇且考高對爾烈
7159	𤼈鐘二	褱受余爾𪓊福
7166	𤼈鐘九	褱受余爾𪓊福霝冬

	M685	曾子伯__鼎	𩁹永祐福
			小計：共 21 筆
𩁹 爽	0569		
爽	2676	旅肄乍父乙段	遘于{ 匕戊 }武乙爽、豕一[旅]
	2762	免段	王才周、昧爽
	2855	班段一	隹乍卲考爽益曰大政
	2855.	班段二	隹乍卲考爽益曰大政
	4855	弔爽父乍𩐨白尊	弔爽父乍文考𩐨白尊彝
	4893	矢令尊	奭(爽?)左右于乃寮以乃友事
	4981	𪈍冊令方彝	奭左右于乃寮、㠯(以)乃友事
	5491	亞㠱二祀𠨘其卣	才正月遘于匕丙彡日大乙爽
	6793	矢人盤	有爽、實余有散氏心賊
	6793	矢人盤	余又爽𤔲
	7526	卅四年屯丘令戈	卅四年屯丘命爽左工帀𣲅冶□
			小計：共 11 筆
			第三卷總計：11112 筆

旻 0570

4144	癸旻乍考戊爵	癸旻乍考戊
		小計：共 1 筆

目 0571

3300	目爵	[目]
4093	屰目父癸爵三	[屰目]父癸
4094	屰目父癸爵一	[屰目]父癸
4095	屰目父癸爵二	[屰目]父癸
4128.	目__且壬爵	目tm且壬
4129	目乍且乙彝爵	目乍且乙彝
4938	目方彝	[目]
6081	目__觚	[目♦大]
7355	敄亞又戈一	[目、養亞又]
7356	敄亞又戈二	[目、養亞又]
7357	敄亞又戈三	[目、養亞又]
7358	敄亞又戈四	[目、養亞又]
7359	敄亞又戈五	[目、養亞又]
7360	敄亞又戈六	[目、養亞又]
7871	子禾子釜一	□□目其Lu
7960	寰小器一	牙八王遣(睘?)
		小計：共 17 筆

眡 0572

1170	信安君鼎	眡(視)事司馬欨、冶王石
1170	信安君鼎	眡(視)事欨、冶瘠
1187	員乍父甲鼎	王獸于眡ko
7975	中山王墓兆域圖	丌葬棺(棺)中棺眡悆后
7975	中山王墓兆域圖	丌葬眡悆后
7975	中山王墓兆域圖	葬棺中棺眡悆后
		小計：共 6 筆

盱 0573

5784	林氏壺	盱我室家
		小計：共 1 筆

睘 0574

1004	鑄客鼎	鑄客為集膴、伸膴、睘肪膴為之
2307	睘毀	睘乍寶毀其永寶用
2403	遣白還毀	s4白睘乍寶尊彝

睘 罘

2840	番生毁	易朱市悤黄、鞞鞍、玉睘、玉琮
3085	駒父旅盨（蓋）	四月、睘（還）至于蔡、乍旅盨
4867	盭睘尊	才庈、君令余乍冊睘安尸（夷）白
5417	白睘卣一	白睘乍氒室寶尊彝
5418	白睘卣二	白睘乍氒室寶尊彝
5418	白睘卣二	白睘乍室尊寶彝［冈］
5484	乍冊睘卣	王姜令乍冊睘安尸白
5484	乍冊睘卣	尸白賓睘貝布
5484	乍冊睘卣	王姜令乍冊睘安尸白
5484	乍冊睘卣	尸白賓睘貝布
6845	弔＿父乍師姬匜	弔＿父乍睘㠯姬寶它
7611	＿睘矛	＿睘
7740	四年春平相邦劍	右庫工帀睘軫＿冶臣成執齊
7983	睘鍵	睘

小計：共 16 筆

罘 0575

1025	虘鐘五	好賓虘罘蔡姬
1217	毛公旛方鼎	我用㪤厚罘我友
1227	衛鼎	罘多倗友
1239	＿鼎一	溓公令nt罘史旅日
1239	＿鼎一	以師氏罘有嗣後或䟫伐Ld
1240	＿鼎二	溓公令nt罘史旅日
1240	＿鼎二	以師氏罘有嗣後或䟫伐Ld
1265	㝬弔鼎	㝬弔罘仲姬其易壽考
1288	令鼎一	有嗣罘師氏小子卿射
1288	令鼎一	令罘奮先馬走
1288	令鼎一	王日：令罘奮乃克至
1289	令鼎二	王射、有嗣罘師氏小子卿射
1289	令鼎二	令罘奮先馬走
1289	令鼎二	王日：令罘奮乃克至
1311	師晨鼎	隹小臣善夫、守□、官犬、罘奠人、善夫、官
1322	九年裘衛鼎	矩迺罘㴸粦令
1322	九年裘衛鼎	壽商罘啻日
1322	九年裘衛鼎	罘受
1325	五祀衛鼎	氒逆彊罘厲田
1325	五祀衛鼎	氒東彊罘散田
1325	五祀衛鼎	氒南彊罘散田
1325	五祀衛鼎	罘政父田
1325	五祀衛鼎	氒西彊罘厲田
1325	五祀衛鼎	邦君厲罘付裘衛田
1329	小字盂鼎	□白告咸盂目□侯罘侯田□□□□盂征
1330	曶鼎	迺䛒又䛐罘䞐金
1330	曶鼎	昔饉歲匡罘氒臣廿夫
2611	毌渣嗣土吴毁	渣司土吴罘啚乍氒考尊彝［毌］
2640	弔皮父毁	罘朕文母季姬尊毁
2674	弔𡚬毁	罘中氏萬年
2674	弔𡚬毁	用侃喜百生倗友罘子婦{子孫}永寶用

2696	盂設一	盂曰：朕文考眔毛公遣中征無需
2697	盂設二	盂曰：朕文考眔毛公遣中征無需
2703	免乍旅設	眔吳眔牧
2721	萳設	王命萳眔弔緣父歸吳姬飴器
2723	沓設	友眔氒子孫永寶
2743	虢設	眔者侯、大亞
2760	小臣謎設一	小臣謎蔑曆、眔易貝
2761	小臣謎設二	小臣謎蔑曆、眔易貝
2764	笑設	隹三月、王令榮眔內吏曰
2776	走設	徒其眔氒子子孫孫萬年永寶用
2784	申設	官嗣豐人眔九戲祝
2786	縣妃設	我不能不眔縣白萬年保
2788	靜設	小子眔服眔小臣眔氒僕學射
2810	揚設一	官司量田甸、眔司应
2810	揚設一	眔司L8、眔司寇
2810	揚設一	眔司工司
2811	揚設二	官司量田甸、眔司应
2811	揚設二	眔司L8、眔司寇
2811	揚設二	眔司工事
2826	師寰設一	今敢博氒眔段
2826	師寰設一	今敢博氒眔段
2827	師寰設二	今敢博氒眔段
2838	師嫠設一	今女嗣乃且舊官小輔眔鼓鐘
2839	師嫠設二	今女嗣乃且舊官小輔眔鼓鐘
2854	蔡設	令女眔曶：飘足對各
3081	翏生旅盨一	用對剌翏生眔大妘
3082	翏生旅盨二	用對剌翏生眔大妘
3082	翏生旅盨二	用對剌翏生眔大妘
3087	鬲从盨	u5（其）邑彶眔句商兒眔讎戈
4436	堯盂	用楚保眔叔堯
4447	臣辰冊冊彡乍冊父癸盉	王令士上眔史寅殷于成周
4447	臣辰冊冊彡乍冊父癸盉	眔賞卣鬯貝
4449	裘衛盉	嗣馬單旅、司工邑人服眔受田燹趙
4890	盠方尊	飘嗣六自眔八自埶
4893	矢令尊	眔卿事寮
4893	矢令尊	眔者尹
4893	矢令尊	眔里君
4893	矢令尊	眔百工
4893	矢令尊	眔者侯、侯、田、男
4893	矢令尊	亢眔矢
4978	吳方彝	嗣旂眔叔金
4979	盠方彝一	飘嗣六自眔八自埶
4980	盠方彝二	飘嗣六自眔八自埶
4981	鳥冊令方彝	眔卿事寮、眔者尹
4981	鳥冊令方彝	眔里君、眔百工
4981	鳥冊令方彝	眔者侯：侯、田、男
4981	鳥冊令方彝	今我唯令女二人、亢眔矢
5350	買王眔尊彝卣	買王眔尊彝
5501	臣辰冊冊彡卣一	王令士上眔史黃殷于成周
5502	臣辰冊冊彡卣二	王令士上眔史黃殷于成周

5502	臣辰冊冊夕卣二	眔賞卣鬯貝
5802	洹子孟姜壺二	齊侯女雷眔聞陵_
6251	医王眔尊彝觚一	医王眔尊彝
6252	医王眔尊彝觚二	医王眔尊彝
6734	才盤	用萬年用楚保眔弔堯
6910	師永盂	眔師俗父田
6910	師永盂	氒眔公出氒命
7021	虘鐘一	虘眔蔡姬永寶
7022	虘鐘二	虘眔蔡姬永寶
7023	虘鐘三	虘眔蔡姬永寶
7037	遲父鐘	侯父眔齊萬年眉壽
7088	士父鐘一	父其眔萬年
7089	士父鐘二	父其眔萬年
7090	士父鐘三	父其眔萬年
7091	士父鐘四	父其眔萬年
M252	免簠	嗣奠還散眔吳眔牧

小計：共　97 筆

暌　0576

1513	暌士父乍蓼妃鬲	暌士士父乍蓼改尊鬲
2658.	大段	賓暌口
2812	大段一	易趣暌里
2812	大段一	王令善夫豖日趣暌日
2812	大段一	暌賓豖章
2812	大段一	暌令豖日天子
2812	大段一	豖目暌履大易里
2812	大段一	賓暌訊章、帛束
2813	大段二	易趣暌里
2813	大段二	王令善夫豖日趣暌日
2813	大段二	暌賓豖章
2813	大段二	暌令豖日天子
2813	大段二	豖目暌履大易里
2813	大段二	賓暌訊章、帛束

小計：共　14 筆

旬　0577

0963	白旬乍尊鼎	白旬乍尊鼎萬年永寶用

小計：共　1 筆

相　0578

2633	相侯段	相侯休于氒臣殳
2690.	相侯段	相侯休于氒臣口
4197.	相爵	相乍父丁彝
4875	斦折尊	令乍冊斦（折）兄望土于栕（相?）侯

5804	齊侯壺	__伐陸寅其王駟執方__賸相
5804	齊侯壺	相乘駐
5805	中山王嚳方壺	中山王嚳命相邦貯擇郾吉金
5805	中山王嚳方壺	以輔相氒身
7460	宮氏自子戈二	宮氏白子元相
7509	丞相觸戈	__年丞相觸造、咸□工币葉工、武
7518	四年呂不韋戈	四年相邦呂不韋
7529	十四年相邦冉戈	十四年秦相邦冉造
7540	卅一年相邦冉戈	卅一年相邦冉雝工币、雝壞德
7543	四年相邦樛游戈	四年相邦樛游之造
7564	五年相邦呂不韋戈	五年相邦呂不韋造
7565	八年相邦呂不韋戈	八年相邦呂不韋造
7566	十三年相邦義戈	十三年相邦義之造
7567	廿九年相邦肖□戈	廿九年相邦肖__邦
7658	五年春平侯矛	五年相邦□平侯邦司寇__
7659	元年春平侯矛	元年相邦□平侯
7660	十□年相邦春平侯矛	十□年相邦春平侯
7661	三年建躬君矛	三年相邦建躬君
7662	八年建躬君矛	八年相邦建躬君
7724	二年春平侯劍	二年相邦春平侯
7725	元年劍	元年坐相邦王褱
7726	八年相邦建躬君劍一	八年相邦建躬君
7727	八年相邦建躬君劍二	八年相邦建躬君
7728	八年相邦建躬君劍三	八年相邦建躬君
7729	守相杜波劍	守相杜波邦右庫徙
7730	十五年守相杜波劍一	十五年守相杜波
7737	十五年劍	十五年相邦春平侯
7738	十七年相邦春平侯劍	十七年相邦春平侯
7740	四年春平相邦劍	四年春平相邦都及
7742	十三年劍	十三年右守相□□□□□
7868	商鞅方升	乃詔丞相狀綰
M553	越王者旨於賜鐘	用之勿相
		小計：共 35 筆

賜 0579

1174	易乍旅鼎	寔白于成周休賜（賜）小臣金
1324	禹鼎	賜（賜）共朕辟之命
2706	都公敄人毁	用賜釁壽
2774.	南宮弔毁	又賜（賜）女邦__百人
2784	弔毁	賜女赤市縈黃
2853.	__弔毁	賜（賜）貝五朋
2986	曾白霥旅匿一	天賜（賜）之福
2987	曾白霥旅匿二	天賜（賜）之福
4878	召尊	白懋父賜（賜）召白馬奸（每?）黃猶（髮）微
5496	召卣	白懋父賜召白馬
5760	蓮花壺蓋	用賜（賜）釁壽
6790	虢季子白盤	王賜乘馬
6790	虢季子白盤	賜用弓、彤矢其央
6790	虢季子白盤	賜用戉

	7372	高陽左戈一	高陽左
	7520	越王者旨於賜戈二	戉王者旨烏於賜、□t7t8□t9ua
	7634	越王者旨於賜矛	越王者旨於賜(賜)
	7699	越王者旨於賜劍一	越王者旨於賜王越
	7700	越王者旨於賜劍二	越王者旨於賜王越
	7701	越王者旨於賜劍三	越王者旨於賜王越
	M553	越王者旨於賜鐘	戉王者旨於賜羇𠂤吉金
	M555	越王者旨於賜劍	越王者旨於賜王越
			小計：共 22 筆

賜 眈 罭 罬

眈 0580

1316	㦰方鼎	母又眈于𠂤身
2788	靜𣪘	靜學無眈
2836	㦰𣪘	無眈于㦰身
2855	班𣪘一	眈天畏、否畀屯陟
6791	兮甲盤	休亡眈
M191	繁卣	衣事亡眈
		小計：共 6 筆

罭 0581

4836	_罬乍父乙尊	罬罭吏□用乍父乙旅尊彝[冊ap]
		小計：共 1 筆

罬 0582

4836	_罬乍父乙尊	罬罭吏□用乍父乙旅尊彝[冊ap]
		小計：共 1 筆

0583

0539	田豕父丁鼎	[田豕]父丁
0554	田亞且癸鼎	[田亞]且癸
0600	田闌矧形鬴鼎一	[田cc鬴]
0601	田闌矧形鬴鼎二	[田cc鬴]
0758	田闌矧形父丁鼎	[田cc]父丁
0789	田逘鼎一	[田]逘乍寶尊彝
0790	田逘鼎二	[田]逘乍寶尊彝
0845	田乍父癸鼎	[田]乍父癸寶尊彝
0903	田湷白鼎	[田]湷白□乍寶尊彝
1624	田寮白甗	[田]寮白采乍旅
2222	季姒乍用設	季始(姒)乍用設[田]
2611	田湷嗣土吳設	湷司土吳眾啚乍𠂤考尊彝[田]
3299	田爵	[田]
3618	田湷爵一	[田湷]
3619	田湷爵二	[田湷]
3620	田湷爵三	[田湷]
3638	觶田爵	[觶田]
3699.	田京保爵	[田京保]
4292.	田膚斝	[田膚]
4429	田吳乍𠂤考盉	[田]吳乍𠂤考寶尊彝
4832	田湷白逘尊一	[田]湷白逘乍𠂤彝考寶旅尊
4833	田湷白逘尊二	[田]湷白逘乍𠂤彝考寶旅尊
4858	峀田尊	隹峀田叀□金
5104.	田封卣	[田封]
5446	田湷白逘旅卣一	[田]湷白逘乍𠂤考寶旅尊
5550	__田罍	[__田]乍彝
5581	峀田罍	唯峀田叀于ul
5647	田子弓箙壺	[田子弓箙]
5909	田辛觚	[田辛]
6045	田中觚	[田中]
6609	田疑__觶	疑乍寶尊彝[田]
6711	田逘乍𠂤考盤	[田]逘乍𠂤考寶尊彝
7321	田闌矧形戈	[田__]

小計：共　33 筆

0584

1207	眉__鼎	o0𠂤師眉vw王為周nr
1322	九年裘衛鼎	眉敖者膚(膚)卓吏見于王
2645	周客設	克𠂤師眉廌王為周客
2760	小臣謎設一	伐海眉
2761	小臣謎設二	伐海眉
2841	茾白設	王命益公征眉敖益公至、告
2841	茾白設	二月、眉敖至
7314	夸戈三	[夸、眉]

小計：共　8 筆

釁

釁 0584

1006	鐈鼎	釁壽□□□孫用之
1027	番君召鼎	其萬年釁壽
1049	靜弔乍旅鼎	其萬年釁壽永寶用
1052	衷自乍礪鈮	其釁壽無期、永保用之
1061	交君子__鼎	祈釁壽、萬年永寶用
1063	鄧公乘鼎	其釁壽無期
1087	鑄子弔黑臣鼎	其萬年釁壽永寶用
1094	魯大左司徒元善鼎	其萬年釁壽永寶用之
1096	弗奴父鼎	其釁壽萬年永寶用
1102	無大邑魯生鼎	其萬年釁壽永寶用
1105	徽季乍嬴氏行鼎	子子孫其釁壽萬年永用享
1106	曾孫無期乍飤鼎	釁壽無疆
1126	弔夜鼎	用旂釁壽無疆
1132	邿白祀乍善鼎	其萬年釁壽無疆
1133	邿白乍孟妊善鼎	其萬年釁壽
1142	杞白每亡鼎	其萬年釁壽
1148	鼄姜白鼎一	其萬年釁壽無疆
1149	鼄姜白鼎二	其萬年釁壽無疆
1171	魯白車鼎	車其萬年釁壽
1189	諆鼎	諆其萬年釁壽
1198	姬鬻彝鼎	用匄釁壽無 疆
1199	虢宣公子白鼎	用□釁□
1211	庚兒鼎一	釁壽無疆
1212	庚兒鼎二	釁壽無疆
1218	寬兒鼎	釁壽無期
1224	王子吳鼎	其釁壽無諆（期）
1230	師器父鼎	用旂釁壽黃句（耇）吉康
1241	蔡大師腆鼎	用旂釁壽萬年無疆
1245	仲師父鼎一	用易釁壽無疆
1246	仲師父鼎二	用易釁壽無疆
1259	郘公鼬鼎	用气（乞）釁壽萬年無疆
1266	郘公平侯鼎一	用賜釁壽
1267	郘公平侯鼎二	用賜釁壽
1268	梁其鼎一	釁壽無疆
1269	梁其鼎二	釁壽無疆
1283	微䜌鼎	屯右釁壽、永令霝冬
1291	善夫克鼎一	釁壽永令霝冬
1292	善夫克鼎二	釁壽永令霝冬
1293	善夫克鼎三	釁壽永令霝冬
1294	善夫克鼎四	釁壽永令霝冬
1295	善夫克鼎五	釁壽永令霝冬
1296	善夫克鼎六	釁壽永令霝冬
1297	善夫克鼎七	釁壽永令霝冬
1304	王子午鼎	用祈釁壽
1305	師奎父鼎	用匄釁壽黃耇吉康
1306	無叀鼎	用割釁壽萬年
1312	此鼎一	丐釁壽
1313	此鼎二	用丐釁壽
1314	此鼎三	用享孝于文申（神）、用丐釁壽

1317	善大山鼎	用旂丐釁壽綽綰
1318	晉姜鼎	晉姜用旂綽綰釁壽
1319	頌鼎一	頌其萬年釁壽
1320	頌鼎二	頌其萬年釁壽
1321	頌鼎三	頌其萬年釁壽
1443	宋釁父乍寶子賸鬲	宋釁父乍豐子賸鬲
1461	龕來隹鼎	萬壽釁其年無彊用
1498	龕友父鬲	其釁壽永寶用
1525	隱子奠白尊鬲	其釁壽萬年無彊
1529	仲枏父鬲一	用祈釁壽萬年
1530	仲枏父鬲二	用祈釁壽萬年
1531	仲枏父鬲三	用祈釁壽萬年
1532	仲枏父鬲四	用祈釁壽萬年
1663	鬻五世孫矩甗	其釁壽無彊
1665	王孫壽臥甗	其釁壽無彊、萬年無諆（期）
1667	陳公子弔遼父甗	用旟釁壽、萬年無彊
2469	彝乍王母媿氏餗𣪘一	媿氏其釁壽萬年用
2470	彝乍王母媿氏餗𣪘二	媿氏其釁壽萬年用
2471	彝乍王母媿氏餗𣪘三	媿氏其釁壽萬年用
2472	彝乍王母媿氏餗𣪘四	媿氏其釁壽萬年用
2493	鄦其肇乍𣪘一	其萬年釁壽
2494	鄦其肇乍𣪘二	其萬年釁壽
2512	乙自乍歆鬹	其釁壽無期（箕期）
2528	魯白大父乍賸𣪘	其萬年釁壽永寶用
2531	魯白大父乍孟□姜𣪘	其萬年釁壽永寶用享
2532	魯白大父乍仲姬俞𣪘	其萬年釁壽永寶用享
2534	魯大宰遼父𣪘一	其萬年釁壽永寶用
2534.	魯大宰遼父𣪘二	其萬年釁壽永寶用
2569	鼎卓林父𣪘	用享用孝、旟釁壽
2573	泆白寺𣪘	用易釁壽
2581	曹伯狄𣪘	其萬年釁壽
2582	內弔__𣪘	用孝用易釁壽
2604	黃君𣪘	用易釁壽黃耇萬年
2622	琱伐父𣪘一	用易釁壽
2623	琱伐父𣪘二	用易釁壽
2623.	琱伐父𣪘	用易釁壽
2623.	琱伐父𣪘	用易釁壽
2624	琱伐父𣪘三	用易釁壽
2625	曾白文𣪘	用易釁壽黃耇
2628	畢鮮𣪘	用旟釁壽魯休
2632	陳逆𣪘	以匄羕（永）令釁壽
2641	伯椃虘𣪘一	萬年釁壽
2642	伯椃虘𣪘二	萬年釁壽
2644.	伯椃虘𣪘	萬年釁壽
2647	魯士商瞉𣪘	瞉其萬年釁壽
2651	內白多父𣪘	用易釁壽
2653.	弔__孫父𣪘	____釁壽永安
2667	尌仲𣪘	用享用孝、旟匄釁壽
2673	□弔買𣪘	用易黃耇釁壽
2683	白家父𣪘	用易害（丐）釁壽黃耇

釁

	2684	__寵乎㲃	用匄釁壽永令
	2685	仲柟父㲃一	用祈釁壽
	2689	白康㲃一	康其萬年釁壽
釁	2690	白康㲃二	康其萬年釁壽
	2691	善夫梁其㲃一	用匄釁壽
	2691	善夫梁其㲃一	釁壽無彊
	2692	善找梁其㲃二	用匄釁壽
	2692	善找梁其㲃二	釁壽無彊
	2695	㴛兒㲃	用祈釁壽萬年無彊多寶
	2706	鄀公敄人㲃	用賜釁壽
	2712	虢姜㲃	虢姜其萬年釁壽
	2727	蔡姞乍尹弔㲃	用旛匄釁壽
	2732	曾仲大父蛕𧊒㲃	用易釁壽黃耈霝冬
	2746	追㲃一	用旛匄釁壽永令
	2747	追㲃二	用旛匄釁壽永令
	2748	追㲃三	用旛匄釁壽永令
	2749	追㲃四	用旛匄釁壽永令
	2750	追㲃五	用旛匄釁壽永令
	2751	追㲃六	用旛匄釁壽永令
	2766	三兒㲃	用旛萬年釁壽
	2792	師俞㲃	天子其萬年釁壽黃耈
	2807	鄏㲃一	鄏其釁壽萬年無彊
	2808	鄏㲃二	鄏其釁壽萬年無彊
	2809	鄏㲃三	鄏其釁壽萬年無彊
	2818	此㲃一	用匄釁壽
	2819	此㲃二	用匄釁壽
	2820	此㲃三	用匄釁壽
	2821	此㲃四	用匄釁壽
	2822	此㲃五	用匄釁壽
	2823	此㲃六	用匄釁壽
	2824	此㲃七	用匄釁壽
	2825	此㲃八	用匄釁壽
	2833	秦公㲃	釁壽無彊
	2844	頌㲃一	頌其萬年釁壽無彊
	2845	頌㲃二	頌其萬年釁壽無彊
	2845	頌㲃二	頌其萬年釁壽無彊
	2846	頌㲃三	頌其萬年釁壽無彊
	2847	頌㲃四	頌其萬年釁壽無彊
	2848	頌㲃五	頌其萬年釁壽無彊
	2849	頌㲃六	頌其萬年釁壽無彊
	2850	頌㲃七	頌其萬年釁壽無彊
	2851	頌㲃八	頌其萬年釁壽無彊
	2852	不嬰㲃一	釁壽無彊
	2853	不嬰㲃二	釁壽無彊
	2854	禁㲃	禁其萬年釁壽
	2907	王子申匿	其釁壽期、永保用
	2919	鑄弔乍羸氏匿	其萬年釁壽永寶用
	2922	魯白俞父匿一	其萬年釁壽永寶用
	2923	魯白俞父匿二	其萬年釁壽永寶用
	2924	魯白俞父匿三	其萬年釁壽永寶用

2925	交君子__匠一	其釁壽萬年永寶用
2926	交君子__匠二	其釁壽萬年永寶用
2931	鑄子弔黑臣匠一	其萬年釁壽永寶用
2932	鑄子弔黑臣匠二	萬年釁壽永寶用
2933	鑄子弔黑臣匠三	萬年釁壽永寶用
2948	番君召𨧫匠一	用祈釁壽
2949	番君召𨧫匠二	用祈釁壽
2950	番君召𨧫匠三	用祈釁壽
2951	番君召𨧫匠四	用祈釁壽
2952	番君召𨧫匠五	用祈釁壽
2953	白其父麐旅祜	用易釁壽萬年
2958	陳公子匠	用旟釁壽
2959	鑄公乍朕匠一	其萬年釁壽
2960	鑄公乍朕匠二	其萬年釁壽
2961	陳侯乍媵匠一	用旟釁壽無彊
2962	陳侯乍媵匠二	用旟釁壽無彊
2963	陳侯匠	用旟釁壽無彊
2964	曾□□𨧫匠	其釁壽無彊
2964.	弔邦父匠	其萬年釁壽無彊
2966	蛤公諴旅匠	用易釁壽萬年
2967	陳侯乍孟姜朕匠	用旟釁壽
2968	奠白大嗣工召弔山父旅匠一	用匄釁壽
2969	奠白大嗣工召弔山父旅匠二	用匄釁壽
2970	考弔㫚父尊匠一	其釁壽萬年無彊
2971	考弔㫚父尊匠二	其釁壽萬年無彊
2972	弔家父乍仲姬匠	用旟釁考無彊
2973	楚屈子匠	其釁壽無彊
2974	上鄀府匠	其釁壽無記
2976	𥂴公匠	目旟釁壽
2977	□孫弔左𨧫匠	其萬年釁壽無彊
2978	樂子敬𤜲𠉍匠	其釁壽萬年無諆（期）
2979	弔朕自乍薦匠	弔朕釁壽
2979.	弔朕自乍薦匠二	弔朕釁壽
2980	䵼大宰𨧫匠一	其釁壽、用𨧫萬年無異
2981	䵼大宰𨧫匠二	其釁壽、用𨧫萬年無異
2982	長子□臣乍媵匠	其釁壽萬年無期
2982	長子□臣乍媵匠	其釁壽萬年無期
2983	弭仲寶匠	其釁其幺其黃
2984	伯公父𥁰	用旂釁壽
2984	伯公父𥁰	用旂釁壽
2985	陳逆匠一	釁壽萬年
2985.	陳逆匠二	釁壽萬年
2985.	陳逆匠三	釁壽萬年
2985.	陳逆匠四	釁壽萬年
2985.	陳逆匠五	釁壽萬年
2985.	陳逆匠六	釁壽萬年
2985.	陳逆匠七	釁壽萬年
2985.	陳逆匠八	釁壽萬年
2985.	陳逆匠九	釁壽萬年
2985.	陳逆匠十	釁壽萬年

釁

	2986	曾白霥旅匿一	釁壽無彊
	2987	曾白霥旅匿二	釁壽無彊
	3048	鑄子弔黑臣盨	其萬年釁壽永寶用
釁	3057	仲𠂤父盨（盨）	用□釁壽無彊
	3059	曼龔父盨三	用亯孝宗室、用匃釁壽
	3060	曼龔父盨二	用亯孝宗室、用匃釁壽
	3062	乘父毀（盨）	其萬年釁壽永寶用
	3063	𨘧乍姜湨盨	用旛釁壽屯魯
	3063	𨘧乍姜湨盨	用旛釁壽屯魯
	3064	曩白子妊父征盨一	割釁壽無疆、慶其以臧曩白子妊父乍其征盨
	3064	曩白子妊父征盨一	割釁壽無疆、慶其以臧
	3065	曩白子妊父征盨二	割釁壽無疆、慶其以臧曩白子妊父乍其征盨
	3065	曩白子妊父征盨二	割釁壽無疆、慶其以臧
	3066	曩白子妊父征盨三	割釁壽無疆、慶其以臧曩白子妊父乍其征盨
	3066	曩白子妊父征盨三	割釁壽無疆、慶其以臧
	3067	曩白子妊父征盨四	割釁壽無疆、慶其以臧曩白子妊父乍其征盨
	3067	曩白子妊父征盨四	割釁壽無疆、慶其以臧
	3075	白汈其旅盨一	用亯用孝、用匃釁壽多福
	3076	白汈其旅盨二	用亯用孝、用匃釁壽多福
	3081	翏生旅盨一	萬年釁壽永寶
	3082	翏生旅盨二	萬年釁壽永寶王征南淮夷
	3082	翏生旅盨二	萬年釁壽永寶
	3086	善夫克旅盨	釁壽永令
	3096	齊侯乍孟姜善敦	用旛釁壽、萬年無彊
	3110.	孟□旁豆	釁壽萬年永寶用
	3118	魯大嗣徒厚氏元善匯一	其釁壽萬年無彊
	3119	魯大嗣徒厚氏元善匯二	其釁壽萬年無彊
	3120	魯大嗣徒厚氏元善匯三	其釁壽萬年無彊
	3121.	大宰歸父鑪	以旛釁壽
	4344	嘉仲父斝	其釁壽萬年無彊
	4887	蔡侯䌛尊	穆穆釁釁
	5582	對罍	用匃釁壽敬冬[㒳]
	5583	不白夏子罍一	用旛釁壽無彊
	5584	不白夏子罍二	用旛釁壽無彊
	5743	齊良壺	其釁壽無期
	5752	陳侯壺	用旛釁壽無彊
	5760	蓮花壺蓋	用賜（賜）釁壽
	5764	杞白每亡壺一	其萬年釁壽
	5765	杞白每亡壺二	萬年釁壽
	5768	虞嗣寇白吹壺一	用旛釁壽
	5769	虞嗣寇白吹壺二	用旛釁壽
	5775	蔡公子壺	其釁壽無彊
	5776	曩公壺	釁壽萬年
	5777	孫弔師父行具	釁壽萬年無彊
	5780	公孫𥨓壺	用祈釁壽萬年
	5783	曾白陭壺	用易釁壽
	5786	叟季良父壺	用旛匃釁壽
	5787	汈其壺一	用旛多福釁壽
	5788	汈其壺二	用旛多福釁壽
	5795	白克壺	克用匃釁壽無彊

5798	曶壺	曶用匄萬年釁壽
5799	頌壺一	頌其萬年釁壽
5800	頌壺二	頌其萬年釁壽
5801	洹子孟姜壺一	用祈釁壽
5802	洹子孟姜壺二	用祈釁壽
5808	孟城行鈃	其釁壽無疆
5809	弘乍旅鈃	其釁壽、子子孫孫永寶用
5810	喪鈃	用旛釁壽
5816	奠義白𦉜	易釁壽、孫子＿永寶
5816.	伯亞臣𦉜	用祈釁壽萬年無疆
5825	䜌書缶	㞕以祈釁壽
5826	國差𦉜	侯氏受福釁壽
6663	白公父金勺一	用旂釁壽
6743	𧊒盤	媿氏其釁壽萬年用
6746	齊侯乍孟姬盤	其萬年釁壽無疆
6748	德盤	其萬年釁壽
6750	白侯父盤	用旛釁壽萬年用之
6755	毛叔盤	其萬年釁壽無疆
6762	薛侯盤	其釁壽萬年
6764	般仲＿盤	其萬年釁壽無疆
6767	齊縈姬之嬺盤	其釁壽萬年無疆
6768	齊大宰歸父盤一	台旛釁壽
6769	齊大宰歸父盤二	台旛釁壽
6772	魯少司寇封孫宅盤	其釁壽萬年
6777	邛仲之孫白戔盤	用旛釁壽萬年無疆
6779	齊侯盤	用祈釁壽萬年無疆
6780	黃大子白克盤	用旛釁壽萬年無疆
6781	夆弔盤	其釁壽萬年
6782	者尚余卑盤	用旛釁壽萬年
6786	＿弔多父盤	其吏＿多父釁壽丂
6788	蔡侯𧽊盤	穆穆釁釁
6791	兮甲盤	其釁壽萬年無疆
6792	史墻盤	天子釁無匄
6842	王婦曩孟姜旅匜	其萬年釁壽用之
6848	𧊒乍王母媿氏匜	媿氏其釁壽萬年用
6862	薛侯乍弔妊朕匜	其釁壽萬年
6868	大師子大孟姜匜	用祈釁壽
6870	䢅公孫𢍰父匜	其釁壽無疆
6871	𨻰子匜	用旛釁壽萬年無疆
6872	魯大𤔲徒子仲白匜	其釁壽萬年無疆
6873	齊侯乍孟姜盥匜	用祈釁壽萬年無疆
6875	慶弔匜	其釁壽萬年
6876	夆弔乍季妃盥盤(匜)	其釁壽萬年
6888	吳王光鑑一	釁壽無疆
6889	吳王光鑑二	釁壽無疆
6903	魯大𤔲徒元𩚄盂	萬年釁壽永寶用
6905	要君𩚄盂	用祈釁壽無疆
6906	王子申盞盂	其釁壽無期
6907	齊侯乍朕子仲姜盂	其釁壽萬年
6918	曾孟㜛諫盆	其釁壽用之

釁

釁

6921	邵子仲盆	其釁壽無疆
6924	江仲之孫白戔鉎盞	其釁壽萬年無疆
6991	眉壽鐘一	龕吏朕辟皇王釁壽永寶
6992	眉壽鐘二	龕吏朕辟皇王釁壽永寶
7005	鄀公鐘	釁壽萬年無疆
7007	梁其鐘	龕臣皇王釁壽永寶
7016	楚王鐘	其釁壽無疆
7019	邾太宰鐘	用□釁壽多福
7026	邾弔鐘	□用旂釁壽無疆
7027	邾公釛鐘	旂年釁壽
7037	遲父鐘	侯父眔齊萬年釁壽
7039	應侯見工鐘二	用易釁壽永命
7045	□□自乍鐘一	其釁□無疆
7051	子璋鐘一	其釁壽無基
7052	子璋鐘二	其釁壽無基
7053	子璋鐘三	其釁壽無基
7054	子璋鐘四	其釁壽無基
7055	子璋鐘五	其釁壽無基
7056	子璋鐘六	其釁壽無基
7057	子璋鐘八	其釁壽無基
7058	邾公孫班鐘	其萬年釁壽
7059	師臾鐘	用匄釁壽無疆
7108	鬳弔之仲子平編鐘一	其受此釁壽
7109	鬳弔之仲子平編鐘二	其受此釁壽
7110	鬳弔之仲子平編鐘三	其受此釁壽
7111	鬳弔之仲子平編鐘四	其受此釁壽
7112	者減鐘一	用祈釁壽每纘
7113	者減鐘二	用祈釁壽每纘
7116	南宮乎鐘	天子其萬年釁壽
7121	郐王子旃鐘	釁壽無諆
7124	沇兒鐘	釁壽無期
7136	郘鐘一	以祈釁壽
7137	郘鐘二	以祈釁壽
7138	郘鐘三	以祈釁壽
7139	郘鐘四	以祈釁壽
7140	郘鐘五	以祈釁壽
7141	郘鐘六	以祈釁壽
7142	郘鐘七	以祈釁壽
7143	郘鐘八	以祈釁壽
7144	郘鐘九	以祈釁壽
7145	郘鐘十	以祈釁壽
7146	郘鐘十一	以祈釁壽
7147	郘鐘十二	以祈釁壽
7148	郘鐘十三	以祈釁壽
7149	郘鐘十四	以祈釁壽
7157	邾公華鐘一	戠公釁壽
7158	瘐鐘一	釁壽霝冬
7160	瘐鐘三	釁壽霝冬
7161	瘐鐘四	釁壽霝冬
7162	瘐鐘五	釁壽霝冬

7174	秦公鐘	𩜁壽無疆
7175	王孫遺者鐘	用旛𩜁壽
7178	秦公及王姬編鐘二	𩜁壽無疆
7187	叔夷編鐘六	用旂𩜁壽
7209	秦公及王姬鎛	𩜁壽無疆
7210	秦公及王姬鎛二	𩜁壽無疆
7211	秦公及王姬鎛三	𩜁壽無疆
7212	秦公鎛	𩜁壽無疆
7214	叔夷鎛	用旂𩜁壽
7218	邻諳尹征城	𩜁壽無疆
7220	喬君鉦	用旂𩜁壽
M340	魯伯愈盨	愈其萬年𩜁壽
M341	魯中齊鼎	其萬年𩜁壽
M342	魯中齊甗	其萬年𩜁壽
M343	魯司徒中齊盨	其萬年𩜁壽
M345	魯司徒中齊匜	其萬年𩜁壽
M423.	趞鼎	其𩜁壽萬年
M582	陳公孫指父鼎	用祈𩜁壽萬年無疆
M602	蔡侯匜	用祈𩜁壽
M612	鄦子鐘	𩜁壽母己
M816	魯大左司徒元鼎	其萬年𩜁壽永寶用之
		小計：共 370 筆

省 0585

1103	臣卿乍父乙鼎	公違省自東、才新邑
1192	亞□伐＿乍父乙鼎	于省隹反
1210	𡨦＿鼎	庚午王命𡨦＿省北田四品
1233	＿鼎	省于氒身、孚戈
1251	中先鼎一	王令中先省南或（國）
1252	中先鼎二	王令中先省南或（國）
1270	小臣夌鼎	令小臣夌先省楚㕯
1328	盂鼎	雩我其遹省先王受民受疆土
1331	中山王𠱃鼎	省其行
1668	中甗	王令中先省南或貫行
1668	中甗	中省自方
J1488	𢐗省𣪘	（拓本未見）
2777	天亡𣪘	不顯王乍省
2828	宜侯夨𣪘	王省珷（武）王、成王伐商圖
2828	宜侯夨𣪘	祉省東或圖
4866	小臣艅尊	丁巳、王省夒且
5471	䢅小子省乍父己卣	甲寅子商小子省貝五朋
5471	䢅小子省乍父己卣	省揚君商
5471	䢅小子省乍父己卣	甲寅子商小子省貝五朋
5471	䢅小子省乍父己卣	省揚君商
6225	省乍父丁觚	[省]乍父丁
6635	中觶	王大省公族于庚農旅
7176	㝬鐘	王肇遹省文武堇疆土
7684	□命劍	子申□省尹命

省
告
盾
自

M900	梁十九年鼎	徂省朔旁(方)
		小計：共 25 筆

告 0585 同省

1310	鬲攸從鼎	王令告史南㠯即虢旅
1322	九年裘衛鼎	矩取告車較衆、函虎冟、蔡幃、畫轉
1330	曶鼎	曰陪、曰恒、曰秝、曰𩛥、曰告
2510	臣卿乍父乙毁	公違告自東、才新邑
2791	豆閉毁	唯王二月既告霸
2810	揚毁一	隹王九月既告霸庚寅
2811	揚毁二	隹王九月既告霸庚寅
6793	矢人盤	豆人虞丂、彔貞、師氏、右告
		小計：共 8 筆

盾 0586

2744	五年師旋毁一	盾生皇畫內、戈琱戟
2745	五年師旋毁二	盾生皇畫內、戈琱戟
2836	㦰毁	孚戎兵盾、矛、戈、弓、備、矢、裨、胄
		小計：共 3 筆

自 0587

0355	自父乙鼎	[自]父乙
0817	王子臺鼎	王子臺自酢(乍)飤貞(鼎)
0881	㜏乍父庚鼎	隹□□□氏自乍□鬲
0949	江小仲鼎	江小中母生自乍甬鬲
0965	曾侯仲子斿父鼎	曾侯中子游父自乍䵼彝
1008	虎嗣君鼎	自乍旅彝
1027	番君召鼎	番君召自乍鼎
1052	褱自乍𥓬𩑟	褱自乍飤𥓬𩑟
1056	曾白從寵鼎	曾白從寵自乍寶鼎用
1063	鄧公乘鼎	鄧公乘自乍飤𩰫
1074	奠𠭯句父鬲	奠𠭯句父自乍飤鐈
1077	曾仲子_鼎	曾中子_用其吉金自乍寶鼎
1103	臣卿乍父乙鼎	公違省自東、才新邑
1106	曾孫無期乍飤鼎	曾孫無箕自乍飤𩰫
1118	宋莊公之孫趄亥鼎	宋莊公之孫趄亥自乍會鼎
1122	䢅白乍石𩑟	隹䢅白鮝自乍寶□𩑟
1123.	番□伯者鼎	隹番□伯者自乍寶鼎
1143	曾子仲誨鼎	自乍䵼彝
1154	黃孫子𥎦君弔單鼎	唯黃孫子𥎦君弔單自乍鼎
1165	大師鐘自乍石𩑟	大師鐘白侵自乍𥓬𩑟
1171	魯白車鼎	魯白車自乍文考遣靜鼎
1184	德方鼎	征武福自蒿、咸
1193	新邑鼎	□自新邑于柬

自

1195	戠弔朕鼎一	戠弔朕自乍𩞁鼎
1196	戠弔朕鼎二	戠弔朕自乍𩞁鼎
1197	戠弔朕鼎三	戠弔朕自乍𩞁鼎
1211	庚兒鼎一	郐王之子庚兒自乍飤鲦
1212	庚兒鼎二	郐王之子庚兒自乍飤鲦
1218	𦣞兒鼎	自乍飤鲦
1220	鄁公鼎	自乍__鼎
1224	王子吳鼎	自乍飤鼎
1238	曾子仲宣鼎	自乍寶貞(鼎)
1247	函皇父鼎	自豕鼎降十又二、𣪘八、兩罍、兩壺
1266	鄀公平侯鼒一	鄀公平侯自乍尊鼒
1267	鄀公平侯鼒二	鄀公平侯自乍尊鼒
1288	令鼎一	王歸自諆田
1289	令鼎二	王歸自諆田
1299	䣄侯鼎一	唯還自征
1304	王子午鼎	自乍[illegible]鼎
1323	師𧱏鼎	白大師不自乍
1328	盂鼎	人鬲自馭至于庶人六百又五十又九夫
1328	盂鼎	人鬲千又五十夫𢓊nx𨑢自氒土、王曰：盂
1332	毛公鼎	厤自今
1505	番君酌白鼎	隹番君酌白自乍寶鼎
1627	㒸伯甗	㒸白自為用甗
1660	曾子仲訨旅甗	自乍旅甗
1664	邕子良人歆甗	邕子良人罪其吉金自乍飤𤫊(甗)
1665	王孫壽飤甗	自乍飤甗
1668	中甗	中省自方
1668	中甗	白買父以自氒人戍漢中州
2139	丮自乍旅𣪘	丮自乍旅𣪘
2269	仲義昌乍食簋	中義昌自乍食簋
2274	㒸白乍自為鼎𣪘	㒸白乍自為貞𣪘
2303	䣄侯𣪘	䣄侯uo季自𣪘𣪘
2392	__白𣪘	隹九月初吉叡龍白自乍其寶𣪘
2430	倗白__尊𣪘	倗白__自乍尊𣪘
2510	臣卿乍父乙𣪘	公違眚自東、才新邑
2512	乙自乍歆簋	十月丁亥，乙自乍飤簋
2516	鄧公𩞁𣪘	鄧公午□自乍𩞁𣪘
2521	姞氏自牧𣪘	姞氏自牧(作)為寶尊𣪘
2542	辰才寅□□𣪘	□□自乍寶𣪘
2573	洜白寺𣪘	洜白寺自乍寶𣪘
2576	白倔□寶𣪘	白倔自乍____寶𣪘
2584	钔正衛𣪘	懋父賞钔(御)正衛馬匹自王
2599	宰甫𣪘	王來獸自豆彔
2625	曾白文𣪘	唯曾白文自乍寶𣪘
2633.	食生走馬谷𣪘	唯食生走馬谷自乍吉金用尊𣪘
2660	彔乍辛公𣪘	白雝父來自㝬
2673	□弔買𣪘	ky弔買自乍尊𣪘
2678	函皇父𣪘一	自豕鼎降十又二
2679	函皇父𣪘二	自豕鼎降十又二
2680	函皇父𣪘三	自豕鼎降十又二
2680.	函皇父𣪘四	自豕鼎降十又二

自

2683	白家父段	自乍寶毀
2696	孟毀一	毛公易朕文考臣自氒工
2697	孟毀二	毛公易朕文考臣自氒工
2704	穆公毀	迺自商自復還至于周口
2710	肄自乍寶器一	用自乍寶器
2711	肄自乍寶器二	用自乍寶器
2732	曾仲大父蛕𣪘毀	用自乍寶毀
2760	小臣謎毀一	遣自𩁹𠂤
2760	小臣謎毀一	白懋父承王令易𠂤逹征自五齵貝
2761	小臣謎毀二	遣自𩁹𠂤
2761	小臣謎毀二	白懋父承王令易𠂤逹征自五齵貝
2776	走毀	用自乍寶尊毀
2786	縣妃毀	其自今日孫孫子子母敢朢白休
2789	同毀一	自淲東至于河
2790	同毀二	自淲東至于河
2816	彔白㦰毀	繇自乃且考
2841	芇白毀	異自它邦
2843	沈子它毀	烏虖隹考取丑念自先王先公
2868	射南匠二	射南自乍其匠
2869	射南匠一	射南自乍其匠
2879	大𤔲馬飤匠	大𤔲(司)馬孝述自乍飤匠
2894	曾子㔻行器一	曾子㔻自作行器
2895	曾子㔻行器二	曾子㔻自乍行器
2896	曾子㔻行器三	曾子㔻自乍行器
2902	白矩食匠	白矩自乍食匠
2903	箕匠	箕自乍匠
2917	青乍𩟧匠	青自乍𩟧匠
2918	內大子白匠	內(芮)大子自乍匠
2936	走馬脺仲赤匠	走馬薛中赤自乍其匠
2945	口仲虎匠	用自乍寶匠
2946	曾子口匠	曾子口自作飤匠
2957	子季匠	自乍飤匠
2958	陳公子匠	陳公子中慶自乍匡匠
2964	曾口口𩟧匠	曾口口口睪其吉金自乍𩟧匠
2970	考弔㸒父尊匠一	考弔㸒父自乍尊匠
2971	考弔㸒父尊匠二	考弔㸒父自乍尊匠
2976	𥂕公匠	自乍飤匠
2977	口孫弔左𩟧匠	自乍𩟧匠
2978	樂子敬䎽飤匠	自乍飤匠
2979	弔朕自乍薦匠	自乍薦匠
2979.	弔朕自乍薦匠二	自乍薦匠
2986	曾白霥旅匠一	余用自乍旅匠
2987	曾白霥旅匠二	余用自乍旅匠
3115	曾仲斿父甫	曾中斿父自乍寶簠
3115.	曾仲斿父甫二	曾中斿父自乍寶甫(莆)
3122	__君之孫𧇊(者旨𨟻盤)	睪其吉金自乍𧇊盤
3134	自爵	[自]
3609	自出爵	[自出]
4344	嘉仲父盨	自乍寶尊彝
4420	白__自乍用盉	白ny自乍用盉

4807	王子啟疆尊	王子啟疆自乍酉彝
4858	峀畾尊	自乍寶彝
4891	何尊	復禹珷王豐福自天
4891	何尊	自之辥民
4893	矢令尊	明公歸自王
4981	鳥冊令方彝	明公歸自王
5493	召乍＿宮旅卣	休王自穀𢾅事
5581	峀畾罍	自乍寶𦉥（罍）
5583	不白夏子罍一	不白夏子自乍尊𦉥（罍）
5584	不白夏子罍二	不白夏子自乍尊𦉥（罍）
5668	天姬自乍壺	矢姬自乍壺
5697	右走馬嘉行壺	右走馬嘉自乍行壺
5718	曾仲斿父壺	自乍寶尊壺（蓋左行）
5718	曾仲斿父壺	自乍寶尊壺（器右行）
5726	華母𩐁壺	華母自乍𩐁壺
5728	楚夫人壺	自乍行壺
5734	尚乍旅壺	尚（尚）自乍旅壺
5783	曾白陭壺	用自乍醴壺
5784	林氏壺	自頌既好
5810	喪鈃	䚄史賞自乍鈃
5811	曾白文𦉜	唯曾白父自乍𦉜pe𦉜
5816.	伯亞臣𦉜	黃孫馬pr子白亞臣自乍𦉜
5824	孟縢姬賸缶	自乍浴缶
6634	郐王義楚祭耑	自酢（乍）祭耑
6635	中觶	王易中馬自＿侯四＿、南宮兄
6702	𢐗白盤一	𢐗白自乍盤榮
6708	白𨸏父乍用器盤	白𨸏父自乍用器
6721	曾中盤	曾中自乍旅盤
6725	郐王義楚盤	徐王義楚羼其吉金自乍䀇盤
6751	𧦝白賁盤	𧦝白賁自乍寶監
6754.	徐令尹者旨𦉢爐盤	自乍盧盤
6756	番君白𩰫盤	隹番君白𩰫用其赤金自鑄盤
6760	中子化盤	自乍䀇盤
6761	白者君盤	隹番hJ白者君自乍寶槃
6766	黃韋𩜁父盤	黃韋俞父自乍飤器
6774	＿右盤	唯qc右自乍用其吉金寶盤
6777	邛仲之孫白戔盤	邛中之孫白戔自乍顫盤
6782	者尚余卑盤	自乍鑄其般
6783	函皇父盤	自豕鼎降十又一
6793	矢人盤	自濡涉以南
6793	矢人盤	自根木道左至于井邑封
6803	自乍吳姬賸匜	自乍吳姬賸它（匜）
6813	蔡子□自乍會匜	蔡子□自乍會尊匜
6821	楚夫人匜	楚夫人𩰫𧸊自乍行它（匜）
6824	曾子白匜	隹曾子白及父自乍尊匜
6829	黃仲匜	黃中自乍賸它
6833	□弔𣪕匜	□子弔𣪕自乍賸匜
6852	＿邑戈白匜	隹＿邑戈白自乍寶匜
6856	番仲𤇾匜	唯番中up自乍寶它
6858	楚君首匜	楚君G5用吉自乍匜

自

	6859	白者君匜一	隹番hj白者尹自乍寶它
	6863	白君黃生匜	唯有白君堇生自乍它
	6864	番_匜	唯番hhvi用士(吉)金乍自寶匜
自	6870	箕公孫㛗父匜	箕公孫㛗父自乍盥匜
	6877	儹乍旅盂	自今余敢vv乃小大事
	6885	吳王夫差御鑑一	自乍御監
	6886	吳王夫差御鑑二	自乍御監
	6905	要君肆盂	要君白居自乍肆盂
	6916	樊君夒盆	樊君G5用其吉金自乍寶盆
	6917	郳子行飤盆	郳子行自乍飤盆
	6920	曾大保旅盆	自乍旅盆
	6921	鄧子仲盆	自乍饋盆
	6923	庚午盞	□□子季□□□自乍鑄_
	6924	江仲之孫白戔肆盞	邛中之孫白戔自乍肆盞
	6924	江仲之孫白戔肆盞	邛中之孫白戔自乍肆盞
	6968	自乍其走鐘	自乍其走鐘
	6974	㝬侯鐘	㝬侯自乍龢鐘用
	6994	楚公冡鐘一	楚公冡自鑄鍚鐘
	6995	楚公冡鐘二	楚公冡自乍寶大𩐨鐘
	6996	楚公冡鐘三	楚公冡自乍寶大𩐨鐘
	6997	楚公冡鐘四	楚公自乍寶大𩐨鐘
	6998	楚公冡鐘五	楚公冡自鑄鍚鐘
	7000	邾君鐘	用自乍其龢鐘鈴
	7004	楚王頷鐘	楚王頷自乍鈴鐘
	7017	楚王酓章鐘一	返自西昜
	7019	邾太宰鐘	鼄大宰欉子懿自乍其御鐘
	7028	臧孫鐘	自乍龢鐘
	7029	臧孫鐘二	自乍龢鐘
	7030	臧孫鐘三	自乍龢鐘
	7031	臧孫鐘四	自乍龢鐘
	7032	臧孫鐘五	自乍龢鐘
	7033	臧孫鐘六	自乍龢鐘
	7034	臧孫鐘七	自乍龢鐘
	7035	臧孫鐘八	自乍龢鐘
	7036	臧孫鐘九	自乍龢鐘
	7038	應侯見工鐘一	王歸自成周
	7045	□□自乍鐘一	□□自乍永命
	7051	子璋鐘一	自乍龢鐘
	7052	子璋鐘二	自乍龢鐘
	7053	子璋鐘三	自乍龢鐘
	7054	子璋鐘四	自乍龢鐘
	7055	子璋鐘五	自乍龢鐘
	7056	子璋鐘六	自乍龢鐘
	7057	子璋鐘八	自乍龢鐘
	7082	齊鞄氏鐘	自乍龢鐘
	7084	邾公牼鐘一	自乍龢鐘
	7085	邾公牼鐘二	自乍龢鐘
	7086	邾公牼鐘三	自乍龢鐘
	7087	邾公牼鐘四	自乍龢鐘
	7108	篖弔之仲子平編鐘一	筥弔之中子平自乍鑄游鐘

7109	𨛭弔之仲子平編鐘二	筥弔之中子平自乍鑄游鐘
7110	𨛭弔之仲子平編鐘三	筥弔之中子平自乍鑄游鐘
7111	𨛭弔之仲子平編鐘四	筥弔之中子平自乍鑄游鐘
7112	者減鐘一	自乍__鐘
7113	者減鐘二	自乍__鐘
7114	者減鐘三	工𫊸王皮然之子者減自乍__鐘
7115	者減鐘四	工𫊸王皮然之子者減自乍__鐘
7121	郘王子旃鐘	自乍龢鐘
7124	沇兒鐘	自乍龢鐘
7125	蔡侯𨩿編鐘一	自乍訶鐘
7126	蔡侯𨩿編鐘二	自乍訶鐘
7131	蔡侯𨩿編鐘七	自乍訶鐘
7132	蔡侯𨩿編鐘八	自乍訶鐘
7133	蔡侯𨩿編鐘九	自乍訶鐘
7134	蔡侯𨩿甬鐘	自乍訶鐘
7175	王孫遺者鐘	自乍龢鐘
7201	楚王酓章乍曾侯乙鎛	返自西昜
7202	楚公逆鎛	楚公逆自乍夜雨䨓(雷)鎛
7205	蔡侯𨩿編鎛一	自乍訶鐘
7206	蔡侯𨩿編鎛二	自乍訶鐘
7207	蔡侯𨩿編鎛三	自乍訶鐘
7208	蔡侯𨩿編鎛四	自乍訶鐘
7217	姑馮勾鑃	自乍商句鑃
7218	郐䛄尹征城	郐䛄尹者故__自乍征城
7395	自乍用戈	自乍用戈
7443	攻敔王光戈一	攻敔王光自、戈q5
7444	攻敔王光戈二	攻自乍
7463	新弨戈	新弨自命弗戟
7516	攻敔王夫差戈	攻敔王夫差自乍其用戈
7539	伺戈	荊陲公伺之自所造
7552	__生戈	郾侯庫乍戎__䍐生不祗□無□□□自洹來
7650	越王州勾矛	越王州句自乍用矛
7696	__劍	__自乍保弘吉之
7697	越王勾踐劍	越王句踐自乍用劍
7702	越王州勾劍一	越王州句自乍用鐱
7703	越王州勾劍二	越王州句自乍用鐱
7704	越王州勾劍三	越王州句自乍用鐱
7705	越王州勾劍四	越王州句自乍用鐱
7706	越王州勾劍五	越王州句自乍用鐱
7707	越王州勾劍六	越王州句自乍用鐱
7709	攻敔王光劍	攻敔王光自乍用鐱
7714	攻敔王劍	攻敔王光自乍用劍
7715	攻敔王夫差劍一	攻敔王夫差自乍其元用
7716	攻敔王夫差劍二	攻敔王夫差自乍其元用
7718	脽公劍	脽公圃自乍元鐱
7721	__劍	自之田
7721	__劍	自之心
7721	__劍	自之紀
7721	__劍	自之□
7722	吳王光劍	攻敔王光自乍用劍

自

7723	＿公劍	L7公自睪吉和金
7743	越王丌北古劍	唯越王丌北自乍元之用之劍
7743	越王丌北古劍	自乍用之自
7743	越王丌北古劍	自乍用之自
7744	工[illegible]太子劍	自乍元用
7899	鄂君啟車節	自鄂往、適陽丘、適方城
7900	鄂君啟舟節	自鄂市、逾油、上漢
M360	㴶伯鎣	㴶白自乍般鎣
M541	大王光戈	大王光逭自乍用戈
M545	配兒勾鑃	自乍勹鑃
M553	越王者旨於賜鐘	自祝禾□□
M581	陳公子中慶簠蓋	陳公子中慶自乍匡匿
M612	鄦子鐘	自乍鈴鐘
M616	番休伯者君盤	自乍旅盤
M617	番白享匜	隹番白畗自乍匜
M695	曾伯宮父鬲	自乍寶尊鬲

小計：共　289 筆

𦇧 0588

1379	𦇧鬲	𦇧乍寶尊彝

小計：共　　1 筆

白 0589

0467	白乍彝鼎一	白乍彝
0468	白乍彝鼎二	白乍彝
0469	白旅鼎	白旅鼎
0470	白乍鼎	白乍鼎
0471	白公乍鼎一	白公乍
0472	白公乍鼎二	白公乍
0488	乍寶鼎	白乍寶
0599	戕白乍彝鼎	戕白乍彝
0604	北白乍尊鼎	北白乍尊
0614	白乍寶鼎	白乍寶鼎
0621	白乍旅鼎	白乍旅鼎
0630	白乍寶彝鼎一	白乍寶彝
0631	白乍寶彝鼎二	白乍寶彝
0632	白乍寶彝鼎三	白乍寶彝
0649	白乍旅彝鼎	白乍旅彝
0666	亞白禾嬰乍鼎	亞白禾嬰乍
0692	閔白乍寶鼎	閔白乍寶鼎
0693	__白乍旅鼎	kn白乍旅鼎
0712	白旂乍寶鼎	白旂乍寶鼎
0739	伯□鼎	白□乍寶鼎
0740	伯父方鼎	白父乍寶鼎
0768	堇白乍鬻鼎	堇白乍旅尊彝
0772	白魚鼎	白魚乍寶尊彝
0774	白卿鼎	白卿乍寶尊彝
0813	白遲父乍雜鼎	白遲父乍雜貞(鼎)
0824	陵白方鼎	陵白乍寶尊彝
0826	白指乍鬻鼎	白指乍旅尊鼎
0885	井姬㚸鼎	強白乍井姬㚸鼎
0889	伯𢦏方鼎	白𢦏乍㕚父寶尊彝
0900	季無乍宮白方鼎	季𤔲(無)乍宮白寶尊甗
0901	白六辭方鼎	白六辭乍祈寶尊甗
0903	毌濬白鼎	[毌]濬白□乍寶尊彝
0954	白__乍㕚宗方鼎	白m0乍㕚宗寶尊彝v8
0963	白旬乍尊鼎	白旬乍尊鼎萬年永寶用
0969	從鼎	白姜易從貝{ 三十朋 }
0973	白__乍妣羞鼎一	白oq乍嫀(曹)妹oq羞鼎
0974	白__乍妣羞鼎二	白oq乍嫀(曹)妹oq羞鼎
0975	白__乍妣羞鼎三	白oq乍嫀(曹)妹oq羞鼎
0976	白__乍妣羞鼎四	白oq乍嫀(曹)妹oq羞鼎
0988	白矩鼎	白矩乍寶彝
0990	__白肆鼎	L9白肆乍pz寶鼎
1022	白宓父旅鼎	白宓父乍旅鼎
1025	奠姜白寶鼎	奠姜白乍寶鼎
1038	白氧父鼎	白氧父乍寶鼎
1042	白庙父鼎	白庙父乍比鼎
1047	䣄白鼎	王令䣄白啚于出為宮
1047	䣄白鼎	䣄白乍寶尊彝
1050	白筍父鼎一	白筍父乍寶鼎

白

白

1051	白筍父鼎二	白筍父乍寶鼎
1053	白考父鼎	白考父乍寶鼎
1054	杞白每亡鼎一	杞白每亡乍鼄婞（曹）寶貞（鼎）
1055	杞白每亡鼎二	杞白每亡乍鼄婞（曹）寶貞（鼎）
1056	曾白從寵鼎	曾白從寵自乍寶鼎用
1060	輔白雁父鼎	輔白雁父乍豐孟妘賸鼎
1062	昶鼎	昶白乍寶鼎
1071	鼄白御戎鼎	鼄白御戎乍滕姬寶貞（鼎）
1073	白鼎	隹白殷□八自寇年
1076	王伯姜鼎	王白姜乍季姬寶尊鼎
1078	犀白魚父旅鼎一	犀白魚父乍旅鼎
1079	犀白魚父旅鼎二	犀白魚父乍旅鼎
1093	奠登白鼎	奠登白彶弔嫞乍寶鼎
1097	白䖍父乍羊鼎	白䖍父乍羊鼎
1098	善夫白辛父鼎	善夫白辛父乍尊鼎
1100	白尚鼎	白尚肇其乍寶鼎
1110	䣄白原鼎	䣄白原乍寶鼎
1116	晉司徒白郄父鼎	晉𤔲徒白郄父乍周姬寶尊鼎
1120	渫白鼎	唯渫白友□林乍鼎
1122	昶白乍石鼏	隹昶白䵼自乍寶□鼏
1123	伯夏父鼎	白夏父乍畢姬尊鼎
1128	__白氏鼎	白氏姒（始）氏乍wjrmp8賸鼎
1132	邿白祀乍善鼎	邿白祀乍善鼎
1133	邿白乍孟妊善鼎	邿白肇乍孟妊善寶鼎
1138	白陶乍父考宮弔鼎	白陶乍氒文考宮弔寶鬻彝
1141	善夫旅白鼎	善夫旅白乍毛中姬尊鼎
1142	杞白每亡鼎	杞白每亡乍鼄曹寶鼎
1148	鼄姜白鼎一	鼄姜白乍此贏尊鼎
1149	鼄姜白鼎二	鼄姜白乍此贏尊鼎
1153	白頵父鼎	白頵父乍朕皇考屖白吳姬寶鼎
1155	戜者乍旅鼎	用乍文考宮白寶尊彝
1161	白吉父鼎	白吉父乍毅尊鼎
1162	乃子克鼎	效辛白蔑乃子克曆
1162	乃子克鼎	辛白其並受☒
1165	大師鐘白乍石鼏	大師鐘白侵自乍碩鼏
1171	魯白車鼎	魯白車自乍文考造靜鼎
1174	昜乍旅鼎	寏白于成周休賜小臣金
1175	白鮮乍旅鼎一	白鮮乍旅鼎
1176	白鮮乍旅鼎二	白鮮乍旅鼎
1177	白鮮乍旅鼎三	白鮮乍旅鼎
1185	𢐗白乍井姬鼎一	隹𢐗白乍井姬用鼎、毁
1186	𢐗白乍井姬鼎二	隹𢐗白乍井姬用鼎、毁
1199	虢宣公子白鼎	虢宣公子白乍尊鼎
1200	散白車父鼎一	㪔白車父乍郘姞尊鼎
1201	㪔白車父鼎二	㪔白車父 乍郘姞尊鼎
1202	㪔白車父鼎三	㪔白車父乍郘姞尊鼎
1203	㪔白車父鼎四	㪔白車父乍郘姞尊鼎
1204	淮白鼎	淮白乍鄁__寶尊__
1205.	逋鼎	簇乍文考胤白尊鼎（貞）
1216	貿鼎	弔氏事貿安㠱白賓貿馬車乘

1242	㽙方鼎	豐白、尃古咸𢦏
1243	仲__父鼎	周白__及仲__父伐南淮夷
1249	𤔲鼎	用乍召白父辛寶尊彝
1255	作冊大鼎一	公賞乍冊大白馬
1256	作冊大鼎二	公賞乍冊大白馬
1257	作冊大鼎三	公賞乍冊大白馬
1258	作冊大鼎四	公賞乍冊大白馬
1276	__季鼎	白俗父右uJ季
1277	七年趞曹鼎	井白入右趞曹立中廷、北鄉
1280	康鼎	榮白內右康
1280	康鼎	用乍朕文考釐白寶尊鼎
1290	利鼎	井白內右利立中廷、北鄉
1290	利鼎	用作朕文考__白尊鼎
1298	師旂鼎	雷事氒友引以告于白懋父
1298	師旂鼎	白懋父迺罰得㚖古三百寽
1301	大鼎一	用乍朕剌考己白盂鼎
1302	大鼎二	用乍朕剌考己白盂鼎
1303	大鼎三	用乍朕剌考己白盂鼎
1305	師奎父鼎	𤔲馬井白右師奎父
1309	寰鼎	用乍朕皇考鄭白姬尊鼎
1323	師䣄鼎	休白大師肩𦖞
1323	師䣄鼎	白大師不自乍
1323	師䣄鼎	白亦克款古先且㙼孫子一𦖞皇辟懿德
1323	師䣄鼎	白大師武臣保天子
1325	五祀衛鼎	衛目邦君君厲告于井白
1325	五祀衛鼎	白邑父、定白、琼白、白俗父曰、厲曰：余執
1325	五祀衛鼎	井白、白邑父、定白、琼白、白俗父迺顜
1328	盂鼎	易女邦𤔲四白
1328	盂鼎	易夷𤔲王臣十又三白
1329	小字盂鼎	□趞白□□䑣旛䡅目新□從、咸
1329	小字盂鼎	盂告、劃白即立
1329	小字盂鼎	劃□□□□□于明白
1329	小字盂鼎	𨼈白
1329	小字盂鼎	□白告咸盂目□侯眔侯田□□□□盂征
1330	曶鼎	曶（曶）用絲金乍朕文考究白𩰫牛鼎
1366	北白鬲	北白乍彝
1380	白__鬲	白uf乍尊彝
1382	敚白乍𩰫鬲一	敚白乍𩰫鬲
1383	敚伯鬲二	敚白乍𩰫鬲
1384	敚伯鬲三	敚白乍𩰫鬲
1385	敚伯鬲四	敚白乍𩰫鬲
1386	敚伯鬲五	敚白乍𩰫鬲
1388	㣈白乍𩰫鼎	㣈白乍𩰫鼎□
1405	白邦父乍𩰫鼎	白邦父乍𩰫鬲
1415	𢦏鬲	[𢦏𡿺]白乍父乙彝
1421	時白鬲一	時白乍□中□㚇鬲
1422	時白鬲二	時白乍□中□㚇鬲
1423	時白鬲三	時白乍□中□㚇鬲
1427	鄭興白乍弔𡢁𩰫鬲一	鄭興白乍弔𡢁𩰫鬲
1428	鄭興伯乍弔𡢁𩰫鬲二	鄭興白乍弔𡢁𩰫鬲

白

1433	召白毛尊鬲	召白毛乍王母尊鬲
1436	王白姜尊鬲一	王白姜乍尊鬲永寶用
1437	王白姜尊鬲二	王白姜乍尊鬲永寶用
1438	王白姜尊鬲三	王白姜乍尊鬲永寶用
1439	王白姜尊鬲四	王白姜乍尊鬲其萬年永寶用
1446	白狺父乍井姬鬲	白狺父乍井姬季姜尊鬲
1447	弔鼏鬲	弔鼏乍己白父丁寶尊彝
1448	白章父鬲一	白章父乍弔姬鬲
1449	白墉父鬲二	白章父乍弔姬鬲
1455	榮白鬲	榮白鑄鬲于qa
1459	白上父乍姜氏鬲	白上父乍姜氏尊鬲
1460	奠羌白乍季姜鬲	鄭羌白乍季姜尊鬲
1468	白家父乍孟姜鬲	白家父乍孟姜媵鬲
1469	戲白餗鬲一	戲白乍餗齍
1470	戲白餗鬲二	戲白乍餗齍
1471	魯白愈父鬲一	魯白愈乍鼄姬仁朕(賸)羞鬲
1472	魯白愈父鬲二	魯白愈父乍鼄姬仁媵(賸)羞鬲
1473	魯白愈父鬲三	魯白愈父乍鼄姬仁媵(賸)羞鬲
1474	魯白愈父鬲四	魯白愈父乍鼄姬仁媵(賸)羞鬲
1475	魯白愈父鬲五	魯白愈父乍鼄姬仁媵(賸)羞鬲
1476	鼄白乍朕鬲	鼄白乍塍(賸)鬲
1478	齊不超鬲	齊不超乍床白尊鬲
1485	白矩鬲	匽侯易白矩貝
1487	白先父鬲一	白先父乍𡚬尊鬲
1488	白先父鬲二	白先父乍𡚬尊鬲
1489	白先父鬲三	白先父乍𡚬尊鬲
1490	白先父鬲四	白先父乍𡚬尊鬲
1491	白先父鬲五	白先父乍𡚬尊鬲
1492	白先父鬲六	白先父乍𡚬尊鬲
1493	白先父鬲七	白先父乍𡚬尊鬲
1494	白先父鬲八	白先父乍𡚬尊鬲
1495	白先父鬲九	白先父乍𡚬尊鬲
1496	白先父鬲十	白先父乍𡚬尊鬲
1500	_白鬲	□白乍弔姬尊鬲
1502	成白孫父鬲	成白孫父乍浸嬴尊鬲
1505	番君酌白鼎	隹番君酌白自乍寶鼎
1506	杜白乍弔嫞鬲	杜白乍叔嫞尊鬲
1512	虢白乍姬大母鬲	虢白乍姬大母尊鬲
1514	白夏父乍畢姬鬲一	白夏父畢姬尊鬲
1515	白夏父乍畢姬鬲二	白夏父乍畢姬尊鬲
1516	白夏父乍畢姬鬲三	白夏父乍畢姬尊鬲
1517	白夏父乍畢姬鬲四	白夏父乍畢姬尊鬲
1518	白夏父乍畢姬鬲六	白夏父乍畢姬尊鬲
1519	白夏父乍畢姬鬲五	白夏父乍畢姬尊鬲
1520	奠白荀父鬲	奠白荀父乍弔姬尊鬲
1521	單白邍父鬲	單白邍父乍中姞尊鬲
1525	䧅子奠白尊鬲	䧅子子奠白乍尊鬲
1581	白乍彝甗一	白乍彝
1583	白乍彝甗二	白乍彝
1601	白乍寶甗	白乍寶彝

1605	白乍旅甗	白乍旅甗
1610	井白甗	井白乍甗
1612	白𢉅甗	白𢉅乍尊彝
1614	白真乍䵼甗	白真乍旅獻
1616	夨白乍旅甗	夨白乍旅彝
1620	虢白甗	虢白乍婦獻用
1621	夆白甗	夆白命乍旅彝
1624	毌寮白甗	[毌]寮白采乍旅
1625	白□䵼甗	白＿乍寶旅獻
1627	𢐗伯甗	𢐗白自為用甗
1630	伯矩甗	白矩乍寶尊彝
1639	𢐗白乍井姬甗	𢐗白乍井姬用甗
1642	尹白乍且辛甗	尹白乍且辛寶尊彝
1655	奠氏白高父旅甗	奠氏白□父乍旅獻(甗)
1659	白鮮旅甗	白鮮乍旅獻(甗)
1668	中甗	白買父以自厥人戍漢中州
1902	□白陪設	耳白陪
1903	白乍彝設一	白乍彝
1904	白乍彝設二	白乍彝
1905	白乍彝設三	白乍彝
1928	白乍彝設一	白乍彝
1929	白乍彝設二	白乍彝
1930	白乍彝方座設三	白乍彝
1947	白八毌設	白八[毌]
2019	白乍寶彝設一	白乍寶彝
2020	白乍寶彝設二	白乍寶彝
2026	白乍旅彝設一	白乍旅彝
2027	白乍旅彝設二	白乍旅彝
2028	白乍旅彝設三	白乍旅彝
2034	白乍寶設一	白乍寶設
2035	白乍寶設二	白乍寶設
2036	白乍寶設三	白乍寶設
2037	白乍寶設四	白乍寶設
2038	白乍寶設五	白乍寶設
2039	白乍旅設一	白乍旅設
2040	白乍旅設二	白乍旅設
2060	白姬乍＿設	白姬乍cx
2065	白乍寶彝設	白乍寶彝
2089	白魚乍寶彝設	白魚乍寶彝
2099	𦨶白乍寶彝設	𦨶白乍寶彝
2114	吳乍白旅彝	吳乍白旅
2119	白𨚕乍旅𣪕	白𨚕乍旅設
2120	白到乍孰設	白到乍孰設
2125	縈白乍旅設	縈白乍旅設
2132	白乍寶尊設	白乍寶尊設
2134	白乍寶障彝設一	白乍寶尊彝
2135	白乍寶障彝設二	白乍寶尊彝
2136	白乍寶障彝設三	白乍寶尊彝
2142	白㦰乍旅設	白㦰乍旅設
2143	□白乍寶設	□白乍寶設

白

2174	白魚乍寶隮毁	白魚乍寶尊彝
2175	白矩乍寶隮毁	白矩乍寶尊彝
2176	白__父乍鬻毁	白L4父乍鬻彝
2177	白艦乍寶毁	白艦乍寶尊彝
2178	白丙乍寶毁	白丙乍寶尊彝
2193	艅白乍寶毁	艅白乍寶尊彝
2195	白魚乍寶毁一	白魚乍寶尊彝
2196	白魚乍寶毁二	白魚乍寶尊彝
2197	白魚乍寶毁三	白魚乍寶尊彝
2198	白魚乍寶毁四	白魚乍寶尊彝
2199	白矩乍寶毁一	白矩乍寶尊彝
2200	白矩乍寶毁二	白矩乍寶尊彝
2201	白要府乍寶毁	白要府乍寶毁
2202	白乍寶用隮彝毁一	白乍寶用尊毁
2203	白乍寶用隮彝毁二	白乍寶用尊毁
2209	㐬白乍姬寶毁	㐬白乍姬寶毁
2210	屖乍蘿白寶毁	屖乍蘿白寶毁
2231	白乍南宮毁	白乍南宮□毁
2234	白乍乙公隮毁	白乍乙公尊毁
2235	陵白乍寶毁	陵白乍寶尊彝
2236	亶白乍寶毁	亶白乍寶尊彝
2250	八五一／堇白乍旅毁	堇白乍旅尊彝[八五一]
2251	比乍白婦__毁	比乍白婦tf尊彝
2254	𦣻𤟤白鼎乍寶毁	𦣻𤟤白鼎乍寶毁
2261	義白乍宂婦陸姞毁	義白乍宂婦陸姞
2264	姆仲乍乙白毁	姆中乍乙白寶毁
2274	䲨白乍自為鼎毁	䲨白乍自為貞毁
2275	䲨白乍旅用鼎毁一	䲨白乍旅用鼎毁
2276	䲨白乍旅用鼎毁二	䲨白乍旅用鼎毁
2295	䟽者乍宮白毁	䟽者乍宮白寶尊彝
2299	白乍𢆶譚子毁	白乍𢆶譚子寶尊彝
2311	白㮚父毁	白㮚父乍母嬉寶毁
2332	白__乍媿氏旅毁	白p1乍媿氏旅用追考(孝)
2358	陎侯為季姬毁	陎侯白為季姬毁
2360	白乍寶毁	白乍寶毁
2365	中白毁	中白乍亲姬䜌彝
2366	白者父毁	白者父乍寶毁
2367	散白乍夨姬毁一	散白乍夨姬寶毁
2368	散白乍夨姬毁二	散白乍夨姬寶毁
2369	散白乍夨姬毁三	散白乍夨姬寶毁
2370	散白乍夨姬毁四	散白乍夨姬寶毁
2371	散白乍夨姬毁五	散白乍夨姬寶毁
2374	白庶父毁	白庶父乍旅毁
2386	白__乍白幽毁二	白Lb乍幽白寶毁
2387	白__乍白幽毁一	白Lb乍白幽寶毁
2392	__白毁	隹九月初吉叡龍白自乍其寶毁
2393	白喬父䬦毁	白喬父乍䬦毁
2403	遽白還毁	s4白睘乍寶尊彝
2407	白閈乍尊毁一	白閈(闢)乍尊毁
2408	白閈乍尊毁二	白閈(闢)乍尊毁

2419	白喜父乍洹𩰫𣪘一	白喜父乍洹𩰫𣪘
2420	白喜父乍洹𩰫𣪘二	白喜父乍洹𩰫𣪘
2424	白𦬊寶𣪘	白𦬊乍寶𣪘
2430	倗白＿尊𣪘	倗白＿自乍尊𣪘
2447	白沕父乍嬶姑𣪘一	白沕父乍嬶姑尊𣪘
2448	白沕父乍嬶姑𣪘二	白沕父乍嬶姑尊𣪘
2449	白沕父乍嬶姑𣪘三	白沕父乍嬶姑尊𣪘
2451	過白𣪘	過白從王伐反荊、孚金
2456	的白迹𣪘一	的（始）白迹乍寶𣪘
2457	的白迹𣪘二	的白迹乍寶𣪘
2461	白家父乍孟姜𣪘	白家父乍｛公孟｝姜媵𣪘
2478	白賓父𣪘（器）一	白賓父乍寶𣪘
2479	白賓父𣪘二	白賓父乍寶𣪘
2484	伯緟父𣪘	白緟父乍周羌尊𣪘
2487	白𩛥乍文考幽仲𣪘	白𩛥（祈）父乍文考幽中尊𣪘
2488	杞白每亡𣪘一	杞白每亡乍鼄婞（曹）寶𣪘
2489	杞白每亡𣪘二	杞白每亡乍鼄婞（曹）寶𣪘
2490	杞白每亡𣪘三	杞白每亡乍鼄婞（曹）寶𣪘
2491	杞白每亡𣪘四	杞白每亡乍鼄婞（曹）寶𣪘
2492	杞白每亡𣪘五	杞白每亡乍鼄婞（曹）寶𣪘
2505	白疑父乍嬑𣪘	白疑父乍嬑寶𣪘
2518	白田父𣪘	白田父乍井r1寶𣪘
2522	孟弢父𣪘	孟弢父乍幻白姬媵𣪘八
2523	孟弢父𣪘	孟弢父乍幻白姬媵𣪘八
2528	魯白大父乍媵𣪘	魯白大父乍季姬rk媵𣪘
2529	豐井弔乍白姬𣪘	豐井弔乍白姬尊𣪘
2531	魯白大父乍孟□姜𣪘	魯白大父乍孟姬姜媵𣪘
2532	魯白大父乍仲姬俞𣪘	魯白大父乍中姬俞媵𣪘
2547	格白乍晉姬𣪘	格白乍晉姬寶𣪘
2556	復公子白舍𣪘一	復公子白舍日
2557	復公子白舍𣪘二	復公子白舍日
2558	復公子白舍𣪘三	復公子白舍日
2559	白中父𣪘	白中父夙夜吏走考
2572	毛白嘅父𣪘	毛白嘅父乍中姚寶𣪘
2573	洑白寺𣪘	洑白寺自乍寶𣪘
2576	白倔□寶𣪘	白倔自乍＿＿寶𣪘
2579	白喜乍文考剌公𣪘	白喜父乍朕文考剌公尊𣪘
2581	曹伯狄𣪘	曹白狄乍夙妸公尊𣪘
2583	鄁公𣪘	鄁公白韭用吉金
2600	白𣪕父𣪘	白𣪕父乍朕皇考屖白吳姬尊𣪘
2603	白吉父𣪘	白吉父乍毅尊𣪘
2613	白椃乍完寶𣪘	白椃乍𢀛完室寶𣪘
2625	曾白文𣪘	唯曾白文自乍寶𣪘
2634	㝬叔𣪘	㝬弔㝬姬乍白媿媵𣪘
2639	遡𣪘	遡乍朕文考胤白尊𣪘
2644.	伯椃虘𣪘	白椃虘肇乍皇考剌公尊𣪘
2648	仲𠭯父𣪘一	中𠭯父乍朕皇考遲白
2649	仲𠭯父𣪘二	中𠭯父乍朕皇考遲白
2650	仲𠭯父𣪘三	中𠭯父乍朕皇考遲白
2651	內白多父𣪘	內白多父乍寶𣪘

白

2653	㝬𣪘	白氏宦𢿍
2658	白䟌𣪘	白䟌肇其作西宮寶
2660	条乍辛公𣪘	白𨸏父來自㝬
2660	条乍辛公𣪘	對揚白休
2661	競𣪘一	白屖父蔑御史競曆、賞金
2661	競𣪘一	競揚白屖父休
2662	競𣪘二	白屖父蔑御史競曆、賞金
2662	競𣪘二	競揚白屖父休
2669	＿妊小𣪘	白艿父吏＿＿尹人于齊𠂤
2672	伯艿父𣪘	白艿父吏＿＿尹人于齊𠂤
2683	白家父𣪘	隹白家父部
2689	白康𣪘一	白康乍寶𣪘
2690	白康𣪘二	白康乍寶𣪘
2694	㝬乍且考𣪘	公白易氒臣弟㝬井五mG
2694	㝬乍且考𣪘	㝬弗敢望公白休
2694	㝬乍且考𣪘	對揚白休
2724	𩫖白𩁹𣪘	易𩫖（鄘）白𩁹貝十朋
2725	師毛父𣪘	井白右、大史冊命
2730	獻𣪘	𣖕白于遘王
2730	獻𣪘	𣖕白令氒臣獻金車
2731	小臣宅𣪘	令宅吏白懋父
2731	小臣宅𣪘	白易小臣宅畫干戈九
2731	小臣宅𣪘	揚公白休
2760	小臣謎𣪘一	白懋父㠯殷八𠂤征東尸（夷）
2760	小臣謎𣪘一	白懋父承王令易𠂤達征自五齵貝
2761	小臣謎𣪘二	白懋父㠯殷八𠂤征東尸（夷）
2761	小臣謎𣪘二	白懋父承王令易𠂤達征自五齵貝
2765	救𣪘	井白內、右救立中廷北鄉
2769	師𣓚𣪘	榮白內、右師𣓚即立中廷
2769	師𣓚𣪘	弭白用乍尊𣪘
2771	弭弔師求𣪘一	用楚弭白
2772	弭弔師求𣪘二	用楚弭白
2773	即𣪘	定白入、右即
2775	裘衛𣪘	南白入、右裘衛入門、立中廷、北鄉
2776	走𣪘	司馬井白入、右徒
2778	格白𣪘一	格白取良馬乘于倗生
2778	格白𣪘一	則析、格白iL
2778	格白𣪘一	𣪕妊彶仡氒從格白安彶甸
2778	格白𣪘一	鑄保𣪘、用典格白田
2778	格白𣪘一	格白取良馬乘于倗生
2778	格白𣪘一	則析、格白iL
2778	格白𣪘一	𣪕妊彶仡氒從格白安彶甸
2778	格白𣪘一	鑄保𣪘、用典格白田
2779	格白𣪘二	格白取良馬乘于倗生
2779	格白𣪘二	鑄保𣪘、用典格白田
2780	格白𣪘三	格白取良馬乘于倗生
2780	格白𣪘三	則析、格白iL
2780	格白𣪘三	𣪕妊彶仡氒從格白安彶甸
2780	格白𣪘三	鑄保𣪘、用典格白田
2781	格白𣪘四	格白取良馬乘于倗生

2781	格白𣪘四	則析、格白iL
2781	格白𣪘四	𢻱妊彶佗㚔從格白安彶甸
2781	格白𣪘四	鑄保𣪘、用典格白田
2782	格白𣪘五	格白取良馬乘于倗生
2782	格白𣪘五	則析、格白iL
2782	格白𣪘五	𢻱妊彶佗㚔從格白安彶甸
2782	格白𣪘五	鑄保𣪘、用典格白田
2782.	格白𣪘六	格白取良馬乘于倗生
2782.	格白𣪘六	則析、格白iL
2782.	格白𣪘六	𢻱妊彶佗㚔從格白安彶甸
2782.	格白𣪘六	鑄保𣪘、用典格白田
2786	縣妃𣪘	白屖父休于縣妃曰
2786	縣妃𣪘	㪤、乃任縣白室
2786	縣妃𣪘	縣妃每揚白屖父休
2786	縣妃𣪘	曰：休白哭Lm卹縣白室
2786	縣妃𣪘	我不能不眔縣白萬年保
2786	縣妃𣪘	其自今日孫孫子子毋敢望白休
2787	望𣪘	用乍朕皇且白廿lx父寶𣪘
2787	望𣪘	用乍朕皇且白甲父寶𣪘
2789	同𣪘一	榮白右同立中廷、北鄉
2790	同𣪘二	榮白右同立中廷、北鄉
2791	豆閉𣪘	井白入
2791.	史密𣪘	率族人、釐白、僰、眉
2791.	史密𣪘	用乍朕文考乙白尊𣪘
2797	輔師嫠𣪘	榮白入、右輔師嫠
2798	師瘨𣪘一	𤔲馬井白親右師瘨入門立中廷
2799	師瘨𣪘二	𤔲馬井白親右師瘨入門立中廷
2801	五年召白虎𣪘	弋白氏從許
2801	五年召白虎𣪘	召白虎曰
2802	六年召白虎𣪘	召白虎告曰
2802	六年召白虎𣪘	用獄Jf為白
2802	六年召白虎𣪘	亦我考幽白姜令
2802	六年召白虎𣪘	白氏則報璧琱生
2803	師酉𣪘一	用乍朕文考乙白宄姬尊𣪘
2804	師酉𣪘二	用乍朕文考乙白宄姬尊𣪘
2804	師酉𣪘二	用乍朕考乙白宄姬尊𣪘
2805	師酉𣪘三	用乍朕文考乙白宄姬尊𣪘
2806	師酉𣪘四	用乍朕文考乙白宄姬尊𣪘
2806.	師酉𣪘五	用乍朕文考乙白宄姬尊𣪘
2807	𩵋𣪘一	毛白內門
2807	𩵋𣪘一	𩵋用乍朕皇考龏白尊𣪘
2808	𩵋𣪘二	毛白內門
2808	𩵋𣪘二	𩵋用乍朕皇考龏白尊𣪘
2809	𩵋𣪘三	毛白內門
2809	𩵋𣪘三	𩵋用乍朕皇考龏白尊𣪘
2810	揚𣪘一	𤔲徒單白內、右揚
2810	揚𣪘一	余用乍朕剌考𡩜白寶𣪘
2811	揚𣪘二	𤔲徒單白內、右揚
2811	揚𣪘二	余用乍朕剌考𡩜白寶𣪘
2812	大𣪘一	用乍朕皇考剌白尊𣪘

白

2813	大𣪘二	用乍朕皇考剌白尊𣪘
2814	鳥冊夨令𣪘一	隹王于伐楚白、才炎
2814	鳥冊夨令𣪘一	公尹白丁父兄（貺）于戍
2814.	夨令𣪘二	隹王于伐楚白、才炎
2814.	夨令𣪘二	公尹白丁父兄（貺）于戍
2815	師𣪘𣪘	白龢父若曰
2816	彔白𢦚𣪘	王若曰：彔白𢦚
2816	彔白𢦚𣪘	彔白𢦚敢拜手䭫首
2817	師頮𣪘	嗣工液白入右師頮
2817	師頮𣪘	用乍朕文考尹白尊𣪘
2828	宜侯夨𣪘	易奠七白
2829	師虎𣪘	井白內、右師虎即立中廷北鄉
2830	三年師兌𣪘	𩛥白右師兌入門、立中廷
2835	𠭰𣪘	用乍文且乙白同姬尊𣪘
2837	敔𣪘一	畐于榮白之所
2838	師䝨𣪘一	用乍朕皇考輔白尊𣪘
2838	師䝨𣪘一	用乍朕皇考輔白尊𣪘
2839	師䝨𣪘二	用乍朕皇考輔白尊𣪘
2839	師䝨𣪘二	用乍朕皇考輔白尊𣪘
2841	茾白𣪘	己未、王命中到歸茾白or裘
2841	茾白𣪘	王若曰：茾白
2841	茾白𣪘	茾白拜手䭫首天子休
2842	卯𣪘	榮白乎令卯曰
2842	卯𣪘	敢對揚榮白休
2852	不嬰𣪘一	白氏曰：不嬰
2852	不嬰𣪘一	白氏曰：不嬰、女小子
2852	不嬰𣪘一	用乍朕皇且公白孟姬尊𣪘
2853	不嬰𣪘二	白氏曰：不嬰
2853	不嬰𣪘二	白氏曰：不嬰、女小子
2853	不嬰𣪘二	用作朕皇且公白孟姬尊𣪘
2855	班𣪘一	王令毛白更虢城公服
2855	班𣪘一	王令吳白曰
2855	班𣪘一	王令呂白曰
2855.	班𣪘二	王令毛白更虢城公服
2855.	班𣪘二	王令吳白曰
2855.	班𣪘二	王令呂白曰
2856	師𠭰𣪘	用乍朕剌且乙白咸益姬寶𣪘
2857	牧𣪘	用乍朕皇文考益白尊𣪘
2862	剳白鋁	剳白乍孟姬鋁
2897	白彊行器	白彊為皇氏白行器
2898	白旅魚父旅匿	白旅魚父乍旅匿
2901	白□父匡	白□父乍寶匿
2902	白矩食匿	白矩自乍食匿
2906	白薦父匿	白薦父乍□匿
2920.	白多父匿	白多父乍戍姬多母霝甹器
2922	魯白俞父匿一	魯白俞父乍姬仁匿
2923	魯白俞父匿二	魯白俞父乍姬仁匿
2924	魯白俞父匿三	魯白俞父乍姬仁匿
2953	白其父廖旅祜	唯白其父廖乍遊祜
2968	奠白大嗣工召弔山父旅匿一	奠白大嗣工召弔山父乍旅匿

2969	奠白大嗣工召弔山父旅匿二	奠白大嗣工召弔山父乍旅匿
2984	伯公父盤	白大師小子白公父乍盤
2984	伯公父盤	白大師小子白公父乍盤
2986	曾白霥旅匿一	曾白霥哲聖元元武武孔黹
2986	曾白霥旅匿一	曾白霥叚不黃耇萬年
2987	曾白霥旅匿二	曾白霥哲聖元元武武孔黹
2987	曾白霥旅匿二	曾白霥叚不黃耇萬年
2989	白筍父旅盨	白筍父乍旅盨
2990	登白盨	登白乍re盨用
2992	白夸父盨	白夸父乍寶盨
2993	中白乍嫡姬旅盨一	中白乍嫡姬旅盨用
2994	中白乍嫡姬旅盨二	中白乍嫡姬旅盨用
3001	白鮮旅毀（盨）一	白鮮乍旅毀
3002	白鮮旅毀（盨）二	白鮮乍旅毀
3003	白鮮旅毀（盨）三	白鮮乍旅毀
3004	白鮮旅毀（盨）	白鮮乍旅毀
3006	白多父旅盨一	白多父乍旅盨（須）
3007	白多父旅盨二	白多父乍旅盨（須）
3008	白多父旅盨三	白多父乍旅盨（須）
3009	白多父旅盨四	白多父乍旅盨（須）
3017	白大師旅盨一	白大師乍旅盨
3018	白大師旅盨（器）二	白大師乍旅盨
3022	白車父旅盨（器）一	白車父乍旅盨
3023	白車父旅盨（器）二	白車父乍旅盨
3025	白公父旅盨（蓋）	白公父乍旅盨
3030	奠義白旅盨（器）	奠義白乍旅盨（彤）
3034	白孝__旅盨	白孝kd鑄旅盨（須）
3034	白孝__旅盨	永其萬年子子孫孫寶用白孝kd鑄旅盨（須）
3035	魯嗣徒旅毀（盨）	魯嗣徒白吳敢肇乍旅毀
3039	白多父盨	白多父乍戍姬多母霝孷器
3040	白庶父盨毀（蓋）	白庶父乍盨毀
3046	筍白大父寶盨	筍白大父乍嬴妃鑄寶盨
3049	單子白旅盨	單子白乍弔姜旅盨
3051	兮白吉父旅盨（蓋）	兮白吉父乍旅尊盨
3062	乘父毀（盨）	乘父士杉其肇乍其皇考白明父寶毀
3064	曩白子妊父征盨一	曩白子妊父乍其征盨
3064	曩白子妊父征盨一	割釁壽無疆、慶其以臧曩白子妊父乍其征盨
3065	曩白子妊父征盨二	曩白子妊父乍其征盨
3065	曩白子妊父征盨二	割釁壽無疆、慶其以臧曩白子妊父乍其征盨
3066	曩白子妊父征盨三	曩白子妊父乍其征盨
3066	曩白子妊父征盨三	割釁壽無疆、慶其以臧曩白子妊父乍其征盨
3067	曩白子妊父征盨四	曩白子妊父乍其征盨
3067	曩白子妊父征盨四	割釁壽無疆、慶其以臧曩白子妊父乍其征盨
3068	白寬父盨一	白寬父乍寶盨
3069	白寬父盨二	白寬父乍寶盨
3070	杜白盨一	杜白乍寶盨
3071	杜白盨二	杜白乍寶盨
3072	杜白盨三	杜白乍寶盨
3073	杜白盨四	杜白乍寶盨
3074	杜白盨五	杜白乍寶盨

白

3075	白汈其旅盨一	白汈其乍旅盨
3076	白汈其旅盨二	白汈其乍旅盨
3117	微伯瘭箭	敚白瘭乍簠
3125	敚白瘭匕二	敚白瘭乍匕
3126	敚白瘭匕一	敚白瘭乍匕
3654	白__爵	白__
4096	白乍父癸爵	白乍父癸
4111	過白乍彝爵	過白乍彝
4154	白韶乍寶彝爵	白韶乍寶彝
4155	白限乍寶彝爵	白限父乍寶彝
4199	穌乍白父辛爵	穌乍召白父辛寶尊彝
4204	盂爵	王令盂寧鄧白、賓貝
4213	白御角	白御
4331.	乍伯弔乙斝	乍白弔乙
4340.	虎白斝	犬白乍父寶尊彝
4392	白彭乍盉	白彭乍
4411	白定盉	白定乍寶彝
4412	白春盉	白春乍寶盉
4418	白矩盉	白矩乍寶尊彝
4420	白__自乍用盉	白ny自乍用盉
4423	陵白盉	陵白乍寶尊彝
4423.	陵白鎣	陵白乍寶尊彝
4424	白鬸乍旅盉	白鬸乍母rd旅盉
4430	白百父乍孟姬朕鎣	白百父乍孟姬朕鎣
4432	白富乍召白父辛盉	白富乍召白父辛寶尊彝
4439	白衛父盉	白衛父乍羸鬻彝
4440	白寶父盉	白寶父乍寶盉
4448	長甶盉	即井白大祝射
4448	長甶盉	穆王蔑長甶以逨即井白氏
4448	長甶盉	井白氏彌不姦
4449	裘衛盉	矩白庶人取瑾章于裘衛
4449	裘衛盉	裘衛乃彘告于白邑父
4449	裘衛盉	榮白、定白、琼白、單白
4449	裘衛盉	白邑父、榮白、定白、琼白
4449	裘衛盉	單白迺令參有司;嗣土散邑
4678	白乍旅彝尊一	白乍旅彝
4679	白乍旅彝尊二	白乍旅彝
4680	白乍寶彝尊	白乍寶彝
4715	事白尊	吏白乍旅彝
4738	艅白尊	艅白乍寶尊彝
4739	白矩尊一	白矩乍寶尊彝
4740	白矩尊二	白矩乍寶尊彝
4741	白矩尊三	白矩乍寶尊彝
4742	白貉尊	白貉乍寶尊彝
4744	白旟尊一	白旟乍寶尊彝
4745	白旟尊二	白旟乍寶尊彝
4746	白旟尊三	白旟乍寶尊彝
4758	濕白尊	濕白乍寶彝尊
4759	陵白尊	陵白乍寶尊彝
4764	__白乍父乙尊	qc白乍父乙寶尊

4780	北白滅尊一	北白滅乍寶尊彝
4781	北白滅尊二	北白滅乍寶尊彝
4782	北白滅尊三	北白滅乍寶尊彝
4809	㝬白匄井姬羊形尊	㝬白匄井姬用盂鑵
4815	白丫薛乍日癸尊	[白丫]薛乍日癸公寶尊彝
4832	田潘白逘尊一	[田]潘白逘乍氒彝考寶旅尊
4833	田潘白逘尊二	[田]潘白逘乍氒彝考寶旅尊
4834	白乍氒文考尊	白乍氒文考尊彝其子孫永寶
4851	黃尊	黃肇乍文考宋白旅尊彝
4855	弔爽父乍韃白尊	弔爽父乍文考韃白尊彝
4867	鼜睘尊	才序、君令余乍冊睘安尸(夷)白
4867	鼜睘尊	尸白賓用貝、布
4872	古白尊	古白日p7邘乍尊彝
4872	古白尊	日古白子日p7v2氒父彝
4878	召尊	白懋父易召白馬每黃猶(髮)微
4878	召尊	用u8不杯・召多用追炎不杯白懋父友
4879	彔𢦏尊	白雝父蔑彔曆
4879	彔𢦏尊	對揚白休
4956	白豐乍旅方彝一	白豐乍旅彝
4957	白豐乍旅方彝二	白豐乍旅彝
4972	過从父彝	過从父乍__白尊彝
5248	白壴父乍卣	白壴父乍
5286	白乍尊彝卣	白乍尊彝
5287	白乍尊彝卣	白乍尊彝
5324	艅白卣	艅白乍寶尊彝
5329	汪白卣	汪白乍寶旅彝
5330	𥫣白卣	𥫣白乍寶尊彝
5331	白魚卣	白魚乍寶尊彝
5333	白矩卣一(蓋)	白矩乍寶尊彝
5334	白矩卣二	白矩乍寶尊彝
5335	白矩卣三	白矩乍寶尊彝
5336	白矩卣四	白矩乍寶尊彝
5337	白貉卣	白貉乍寶尊彝
5361	隧白卣一	隧白乍寶尊彝
5362	㴱白卣一	㴱白乍寶尊彝
5363	㴱白卣二	㴱白乍寶尊彝
5389	矢白隻乍父癸卣	矢白隻乍父癸彝
5390	北白殺卣	北白殺乍寶尊彝
5391	閉乍宄白卣	閉乍宄白寶尊彝
5392	散白乍__父卣一	散白乍ot父尊彝
5392	散白乍__父卣一	散白乍ot父尊彝
5393	散白乍__父卣二	散白乍ot父尊彝
5413	魚狃白罰卣	狃白罰乍尊彝[魚]
5415	白乍文公旅卣	白乍文公寶尊旅彝
5415	白乍文公旅卣	白乍文公寶尊旅彝
5417	白睘卣一	白睘乍氒室寶尊彝
5418	白睘卣二	白睘乍氒室寶尊彝
5418	白睘卣二	白睘乍室尊寶彝[网]
5431	白__乍西宮白卣	白rz乍西宮白寶尊彝
5440	__白日__乍父丙卣	ha白日m4乍父丙寶尊彝

白

白

5446	毌湆白逘旅卣一	[毌]湆白逘乍皁考寶旅尊
5462	㝨白乍父乙卣一	隹王八月、㝨白易貝于姜
5463	㝨白乍父乙卣二	隹王八月、㝨白易貝于姜
5469	白ns卣	白ns父日
5481	叔卣一	賞叔鬱鬯、白金、hx牛
5482	叔卣二	賞叔鬱鬯、白金、hx牛
5484	乍冊睘卣	王姜令乍冊睘安尸白
5484	乍冊睘卣	尸白賓睘貝布
5484	乍冊睘卣	王姜令乍冊睘安尸白
5484	乍冊睘卣	尸白賓睘貝布
5496	召卣	白懋父賜召白馬
5496	召卣	用追于炎、不蠶白懋父友
5497	農卣	王親令白睧日
5498	彔㦰卣	白雝父蔑彔曆
5498	彔㦰卣	對揚白休
5499	彔㦰卣二	白雝父蔑彔曆
5499	彔㦰卣二	對揚白休
5503	競卣	隹白屖父以成𠂤即東
5503	競卣	白屖父皇競各于官
5503	競卣	對揚白休
5506	小臣傳卣	白𡱆父賓小臣傳□□白休
5548	䢅白亶罍	䢅白[亶]覃
5561	白罍	白乍皁寶尊彝
5583	不白夏子罍一	不白夏子自乍尊罏(罍)
5584	不白夏子罍二	不白夏子自乍尊罏(罍)
5642	羽壺	上白、羽、
5657	白乍寶壺一	白乍寶壺
5658	白乍寶壺二	白乍寶壺
5666	白乍姬	白乍姬歙壺
5672	白㦰壺	白㦰乍歙壺
5673	白㦰乍旅彝壺	白㦰乍旅彝
5676	伯矩壺一	白矩乍寶尊彝
5677	伯矩壺二	白矩乍寶尊彝
5679	白瀿父旅壺	白瀿父乍旅壺
5690	白到方壺	白到乍寶尊彝
5695	内白攺乍釐公壺	内白攺乍釐公尊彝
5709	白魚父旅壺	白魚父乍旅壺永寶用
5712	白山父方壺	白山父乍尊壺
5714	同白邦父壺	同白邦父乍弔姜萬人壺
5715	白多父行壺	＿＿白多父非壺
5716	安白異生旅壺	安白異生乍旅壺
5722	白庶父醴壺	白庶父乍尊壺
5723	王白姜壺一	王白姜乍尊壺
5724	王白姜壺二	王白姜乍尊壺
5735	内大子白壺	内大子白乍鑄寶壺
5735	内大子白壺	内大子白乍鑄寶壺、永享
5751	白公父乍弔姬醴壺	白公父乍弔姬醴壺
5756	中白乍朕壺一	中白乍亲姬䜌人媵壺
5757	中白乍朕壺二	中白乍亲姬䜌人媵壺
5762	呂行壺	唯三月、白懋父北征

5764	杞白每亡壺一	杞白母亡乍鼄婎(曹)寶壺
5765	杞白每亡壺二	杞白每亡乍鼄婎(曹)寶壺
5768	虞嗣寇白吹壺一	虞嗣寇白吹乍寶壺
5769	虞嗣寇白吹壺二	虞嗣寇白吹乍寶壺
5774	楸車父壺	白車父其萬年子子孫孫永寶
5783	曾白陭壺	隹曾白陭迺用吉金鐈鋚
5785	史懋壺	王乎伊白易懋貝
5795	白克壺	白大師易白克僕卅夫
5795	白克壺	白克敢對揚天君王白休
5801	洹子孟姜壺一	齊侯命大子乘__來句宗白
5802	洹子孟姜壺二	齊侯命大子乘dw來句宗白聽命于天子
5811	曾白文鐳	唯曾白父自乍氒pe鐳
5814	白夏父鐳一	白夏父乍畢姬尊霝
5815	白夏父鐳二	白夏父乍畢姬尊霝
5816	奠義白鐳	奠義白乍武□鐳
5816.	伯亞臣鐳	黃孫馬pr子白亞臣自乍鐳
6263	亞__皿觚	[亞窦犬]皿白乍尊彝
6388	白夓觶	白夓
6531	白乍彝觶	白乍彝
6540	白乍彝觶	白乍彝
6603	夌白觶	夌白乍寶彝
6623	白乍氒且觶	白乍氒且寶尊彝
6632	白乍蔡姬觶	白乍蔡姬宗彝
6663	白公父金勺一	白公父乍金爵
6702	𢐗白盤一	𢐗白自乍盤鎣
6703	𢐗白盤二	𢐗白乍用__
6708	白𩡡父乍用器盤	白𩡡父自乍用器
6709	癸白矩盤	癸白矩乍寶尊彝
6710	白百父乍孟姬盤	白百父乍孟姬朕盤
6715	㠱白庭父盤	㠱白庭父朕姜無須盤
6717	魯白厚父乍仲姬俞盤一	魯白厚父乍孟姬俞賸盤
6718	魯白厚父乍仲姬俞盤二	魯白厚父乍中姬俞賸盤
6731	奠白盤	奠白乍盤也(匜)
6736	魯白愈父盤一	魯白俞(愈)父乍鼄姬仁朕顫般
6737	魯白愈父盤二	魯白俞(愈)父乍鼄姬仁朕顫般
6738	魯白愈父盤三	魯白俞(愈)父乍鼄姬仁朕顫般
6740	白駟父盤	白駟父乍姬淪朕盤
6745	白考父盤	白考父乍寶盤
6750	白侯父盤	白侯父賸弔媯嬰母槃(盤)
6751	祖白䇄盤	祖白䇄自乍寶監
6756	番君白龏盤	隹番君白龏用其赤金自鑄盤
6761	白者君盤	隹番hj白者君自乍寶槃
6770	䨯白盤	䨯白賸(媵)嬴尹母
6777	邛仲之孫白戔盤	邛中之孫白戔自乍顫盤
6780	黃大子白克盤	黃大子白□乍中19□賸盤
6789	寰盤	用乍朕皇考奠白奠姬寶盤
6790	虢季子白盤	虢季子白乍寶盤
6790	虢季子白盤	不顯子白
6790	虢季子白盤	趄趄子白
6790	虢季子白盤	王孔嘉子白義

白

白

6790	虢季子白盤	王曰：白父
6791	兮甲盤	兮白吏父乍般
6816	白庶父乍肩匜	白庶父乍肩永寶用
6817	匽白聖匜	匽白聖乍正它、永用
6822	奠義白乍季姜匜	奠義白乍季姜寶它(匜)用
6823	長湯匜	長湯白18乍它、永用之
6824	曾子白匜	隹曾子白及父自乍尊匜
6826	員白夝父匜	員白夝父朕姜無顧它
6831	杞白每亡匜	杞白每亡□寶它
6841	魯白愈父匜	魯白愉父乍鼄(邾)姬仁朕顧它
6843	白吉父乍京姬匜	白吉父乍京姬它
6846	白正父旅它	白正父乍旅它
6849	䢅白匜	䢅白vh乍寶匜
6852	__邑戈白匜	隹__邑戈白自乍寶匜
6857	蔡白𥏍匜	隹白𥏍乍寶匜
6859	白者君匜一	隹番hJ白者尹自乍寶它
6860	陳白元匜	陳白vm之子白元乍西孟嬀婤母塍匜
6863	白君黃生匜	唯有白君堇生自乍它
6872	魯大嗣徒子仲白匜	魯大嗣徒子中白其庶女厲孟姬賸它
6877	僩乍旅盂	白揚父迺成貿
6877	僩乍旅盂	白揚父迺或吏牧牛誓曰
6888	吳王光鑑一	隹王五月既字白期吉日初庚
6888	吳王光鑑一	玄銑白銑
6889	吳王光鑑二	隹王五月既字白期吉日初庚
6889	吳王光鑑二	玄銑白銑
6901	白盂	白乍寶尊盂
6902	白公父旅盂	白公父乍旅盂
6905	要君餜盂	要君白居自乍餜盂
6910	師永盂	井白、榮白、尹氏、師俗父遣中
6910	師永盂	永用乍朕文考乙白尊盂
6924	江仲之孫白戔餜𥂴	邛中之孫白戔自乍餜𥂴
6924	江仲之孫白戔餜𥂴	邛中之孫白戔自乍餜𥂴
6926	杞白每亡盆	杞白每亡乍鼄婕(曹)寶盆
7009	兮仲鐘一	其用追孝于皇考己白
7010	兮仲鐘二	其用追孝于皇考己白
7011	兮仲鐘三	其用追孝于皇考己白
7012	兮仲鐘四	其用追孝于皇考己白
7013	兮仲鐘五	其用追孝于皇考己白
7014	兮仲鐘六	其用追孝于皇考己白
7015	兮仲鐘七	其用追孝于皇考己白
7020	單伯鐘	單白斁生曰
7021	虘鐘一	用追孝于己白
7022	虘鐘二	用追孝于己白
7023	虘鐘三	用追孝于己白
7024	虘鐘四	用追孝于己白
7026	邾弔鐘	邾叔止白□羼厗吉金用乍其龢鐘
7038	應侯見工鐘一	艾白內右雁侯見工
7043	克鐘四	用乍朕皇且考白寶薔鐘
7044	克鐘五	用乍朕皇且考白寶薔鐘
7136	郘鐘一	郘白之子

7137	郘鐘二	郘白之子
7138	郘鐘三	郘白之子
7139	郘鐘四	郘白之子
7140	郘鐘五	郘白之子
7141	郘鐘六	郘白之子
7142	郘鐘七	郘白之子
7143	郘鐘八	郘白之子
7144	郘鐘九	郘白之子
7145	郘鐘十	郘白之子
7146	郘鐘十一	郘白之子
7147	郘鐘十二	郘白之子
7148	郘鐘十三	郘白之子
7149	郘鐘十四	郘白之子
7204	克鎛	用乍朕皇且考白寶䵼鐘
7337	白析戈	白析
7404	白之□執戈	尹執白之戈
7459	宮氏白子戈一	宮氏白子元戈__
7460	宮氏白子戈二	宮氏白子元相
7527	__久白戈	__久白文妊為茲戈
7537	汈白戈	梁白乍宮行元用
7587	白矢戟	白矢
7881	白君權	白君西里__右
7990	季老□	季老或乍文考大白□□
M299	白大師釐盨	白大師釐乍旅盨
M343	魯司徒中齊盨	魯司徒中齊肈乍皇考白走公餗盨毁
M345	魯司徒中齊匜	魯司徒中齊肈乍皇考白走父寶匜
M360	漁伯鎣	漁白自乍般鎣
M361	井伯南毁	井南白乍鄭季姚好尊毁
M379	夆伯鬲	夆白乍郜孟姬尊鬲
M423.	趞鼎	用乍朕皇考龔白、奠姬寶鼎
M487	魯司徒伯吳毁	魯司徒白吳敢肈乍旅毁
M617	番白享匜	隹番白𩫖自乍匜
M622	番仲戈	番中乍之造戈、白皇
		小計：共 831 筆

0590

1331	中山王嚳鼎	氏（是）以寡許之謀慮唐（皆）從
5644	皆乍尊壺	皆乍尊壺
5805	中山王嚳方壺	者侯皆賀
7868	商鞅方升	皆明壹之
		小計：共 4 筆

0591

0906	魯內小臣𢊁生鼎	魯內小臣𢊁生乍鼒
1094	魯大左司徒元善鼎	魯大左司徒元乍善鼎
1102	無大邑魯生鼎	無大邑魯生乍壽母朕（賸）貞（鼎）

魯

1111	□魯宰鼎	□魯宰鑄氒其□媵寶鼎
1155	戜者乍旅鼎	用丐俑魯福
1171	魯白車鼎	魯白車自乍文考造靜鼎
1283	微䜌鼎	用易康勵魯休
1291	善夫克鼎一	克其日用䵼朕辟魯休
1292	善夫克鼎二	克其日用䵼朕辟魯休
1293	善夫克鼎三	克其日用䵼朕辟魯休
1294	善夫克鼎四	克其日用䵼朕辟魯休
1295	善夫克鼎五	克其日用䵼朕辟魯休
1296	善夫克鼎六	克其日用䵼朕辟魯休
1297	善夫克鼎七	克其日用䵼朕辟魯休
1305	師奎父鼎	對揚天子不杯魯休
1306	無叀鼎	無叀敢對揚天子不顯魯休
1307	師望鼎	望敢對揚天子不顯魯休
1315	善鼎	余用丐純魯雩萬年
1318	晉姜鼎	魯覃京自
1319	頌鼎一	頌敢對揚天子不顯魯休
1320	頌鼎二	頌敢對揚天子不顯魯休
1321	頌鼎三	頌敢對揚天子不顯魯休
1327	克鼎	敢對揚天子不顯魯休
1399	魯侯乍姬番鬲	魯侯乍姬番鬲
1420	寶鬲	□□□魯□女寶鬲□
1429	魯姬乍尊鬲	魯姬乍尊鬲永寶用
1465	魯侯獄鬲	魯侯獄乍彝
1465	魯侯獄鬲	用亯䵼氒文考魯公
1471	魯白愈父鬲一	魯白愈乍鼄姬仁朕（ 媵 ）羞鬲
1472	魯白愈父鬲二	魯白愈父乍鼄姬仁媵（ 媵 ）羞鬲
1473	魯白愈父鬲三	魯白愈父乍鼄姬仁媵（ 媵 ）羞鬲
1474	魯白愈父鬲四	魯白愈父乍鼄姬仁媵（ 媵 ）羞鬲
1475	魯白愈父鬲五	魯白愈父乍鼄姬仁媵（ 媵 ）羞鬲
1486	宰駟父鬲	魯宰駟父乍姬䦆媵鬲
2528	魯白大父乍媵設	魯白大父乍季姬rk媵設
2531	魯白大父乍孟□姜設	魯白大父乍孟姬姜媵設
2532	魯白大父乍仲姬俞設	魯白大父乍中姬俞媵設
2534	魯大宰遼父設一	魯大宰原父乍季姬牙媵設
2534.	魯大宰遼父設二	魯大宰原父乍季姬牙媵設
2628	畢鮮設	用旛譽壽魯休
2647	魯士商戲設	魯士商戲肇乍朕皇考弔猷父尊設
2725.	㮚星設	用旛康匄屯右通彔魯令
2733	何設	對揚天子魯命
2735	屖放設	而易魯屖放金十鈞
2739	無曩設一	曰敢對揚天子魯休令
2740	無曩設二	曰敢對揚天子魯休令
2741	無曩設三	曰敢對揚天子魯休令
2742	無曩設四	曰敢對揚天子魯休令
2742.	無曩設五	敢對揚天子魯休令
2742.	無曩設五	敢對揚天子魯休令
2764	艾設	拜䭫首、魯天子逆氒瀕福
2792	師俞設	日易魯休
2793	元年師旋設一	敢對揚天子不顯魯休命

魯

2794	元年師旋段二	敢對揚天子不顯魯休命
2795	元年師旋段三	敢對揚天子不顯魯休命
2829	師虎段	對揚天子不杯魯休
2830	三年師兌段	敢對揚天子不顯魯休
2831	元年師兌段一	敢對揚天子不顯魯休
2832	元年師兌段二	敢對揚天子不顯魯休
2833	秦公段	目受屯魯多釐
2834	㝬段	黼(緟)圞皇帝大魯令
2841	茾白段	用牖屯彔永命魯壽子孫
2844	頌段一	頌敢對揚天子不顯魯休
2845	頌段二	頌敢對揚天子不顯魯休
2845	頌段二	頌敢對揚天子不顯魯休
2846	頌段三	頌敢對揚天子不顯魯休
2847	頌段四	頌敢對揚天子不顯魯休
2848	頌段五	頌敢對揚天子不顯魯休
2849	頌段六	頌敢對揚天子不顯魯休
2850	頌段七	頌敢對揚天子不顯魯休
2851	頌段八	頌敢對揚天子不顯魯休
2854	禁段	敢對揚天子不顯魯休
2889	魯士孨父飤匠一	魯士孨父乍飤匠、永寶用
2890	魯士孨父飤匠三	魯士孨父乍飤匠、永寶用
2891	魯士孨父飤匠四	魯士孨父乍飤匠、永寶用
2892	魯士孨父飤匠二	魯士孨父乍飤匠、永寶用
2922	魯白俞父匠一	魯白俞父乍姬仁匠
2923	魯白俞父匠二	魯白俞父乍姬仁匠
2924	魯白俞父匠三	魯白俞父乍姬仁匠
2934	曾子遷彝匠	曾子遷魯為孟姬鄐鑄賸匠
3035	魯嗣徒旅段(盨)	魯嗣徒白吳敢肇乍旅段
3063	邋乍姜淠盨	用旟饗壽屯魯
3063	邋乍姜淠盨	用旟饗壽屯魯
3086	善夫克旅盨	敢對天子不顯魯休揚
3088	師克旅盨一(蓋)	克敢對揚天子不顯魯休
3089	師克旅盨二	克敢對揚天子不顯魯休
3090	甕盨(器)	對揚天子不顯魯休
3118	魯大嗣徒厚氏元善匬一	魯大嗣徒厚氏元乍善簠
3119	魯大嗣徒厚氏元善匬二	魯大嗣徒厚氏元乍善簠
3120	魯大嗣徒厚氏元善匬三	魯大嗣徒厚氏元乍善簠
3121.	大宰歸父鑪	魯__難歲
4202	魯侯爵	魯侯乍L6㘗u9
4754	魯侯乍姜𩿨彤尊	魯侯乍姜亯彝
4846	禁尊	王在魯
4860	魯侯尊	魯侯又卟工
5489	戉箙啟卣	用匃魯福
5509	麩卣	尹其亙萬年受氒永魯
5694	魯侯乍尹弔姬壺	魯侯乍尹弔姬壺
5798	智壺	敢對揚天子不顯魯休令
5799	頌壺一	頌敢對揚天子不顯魯休
5800	頌壺二	頌敢對揚天子不顯魯休
6717	魯白厚父乍仲姬俞盤一	魯白厚父乍孟姬俞賸盤
6718	魯白厚父乍仲姬俞盤二	魯白厚父乍中姬俞賸盤

魯

6736	魯白愈父盤一	魯白俞(愈)父乍鼄姬仁朕顯般
6737	魯白愈父盤二	魯白俞(愈)父乍鼄姬仁朕顯般
6738	魯白愈父盤三	魯白俞(愈)父乍鼄姬仁朕顯般
6772	魯少司寇封孫宅盤	魯少嗣寇封孫宅乍其子孟姬嬰朕般也(匜)
6792	史墻盤	宏魯卲王
6841	魯白愈父匜	魯白愉父乍鼄(邾)姬仁朕顯它
6872	魯大嗣徒子仲白匜	魯大嗣徒子中白其庶女厲孟姬賸它
6903	魯大嗣徒元歙盂	魯大嗣徒元乍歙盂
6975	魯遼鐘	魯遼乍龢鐘用喜考
7047	井人鐘	得屯用魯
7048	井人鐘二	得屯用魯
7059	師臾鐘	用旛屯魯永令
7060	旲生鐘一	用旛康𪈠屯魯、用受
7088	士父鐘一	降余魯多福亡彊
7088	士父鐘一	隹康右屯魯
7089	士父鐘二	降余魯多福亡彊
7089	士父鐘二	隹康右屯魯
7090	士父鐘三	降余魯多福亡彊
7090	士父鐘三	隹康右屯魯
7091	士父鐘四	降余魯多福亡彊
7091	士父鐘四	隹康右屯魯
7116	南宮乎鐘	敢對揚天子不顯魯休
7150	虢叔旅鐘一	旅對天子魯休揚
7151	虢叔旅鐘二	旅對天子魯休揚
7152	虢叔旅鐘三	旅對天子魯休揚
7153	虢叔旅鐘四	旅對天子魯休揚
7155	虢叔旅鐘六	旅對天子魯休揚
7158	痶鐘一	受余屯魯通祿永令
7159	痶鐘二	韍綰猶(祓)祿屯魯
7160	痶鐘三	受余屯魯通祿永令
7161	痶鐘四	受余屯魯通祿永令
7162	痶鐘五	受余屯魯通祿永令
7174	秦公鐘	屯魯多釐
7178	秦公及王姬編鐘二	屯魯多釐
7187	叔夷編鐘六	其萬福屯魯
7209	秦公及王姬鎛	屯魯多釐
7210	秦公及王姬鎛二	屯魯多釐
7211	秦公及王姬鎛三	屯魯多釐
7212	秦公鎛	以受屯魯多釐
7214	叔夷鎛	其萬福屯魯
M339	魯侯盉蓋	魯侯乍姜喜彝
M340	魯伯悆盨	魯伯悆用公龏
M341	魯中齊鼎	魯中齊肇乍皇考𩱧鼎
M342	魯中齊甗	魯中齊乍旅甗
M343	魯司徒中齊盨	魯司徒中齊肇乍皇考白走公𩚫盨設
M344	魯司徒中齊盤	魯司徒中齊肇乍般
M345	魯司徒中齊匜	魯司徒中齊肇乍皇考白走父寶匜
M423.	趩鼎	敢對揚天子不顯魯休
M487	魯司徒伯吳設	魯司徒白吳敢肇乍旅設
M816	魯大左司徒元鼎	魯大左司徒元乍善鼎

M900	梁十九年鼎	穆穆魯辟
		小計：共　154 筆
0592		
0637	今永里者鼎	今永里者
1085	曾者子乍鬻鼎	曾者子鑄用乍鬻鼎
1123.	番□伯者鼎	隹番□伯者自乍寶鼎
1146	□者生鼎一	□者生□辰用吉金乍寶鼎
1147	□者生鼎二	□者生□辰用吉金乍寶鼎
1155	戜者乍旅鼎	戜者乍旅鼎
1169	平安邦鼎	卅三年單父上官{冢子}喜所受坪安君者也(蓋)
1169	平安邦鼎	卅三年單父上官{冢子}喜所受坪安君者也(器)
1189	諆鼎	諆肇乍其皇考皇母者比君鬻鼎
1215	麥鼎	用鄉多者(諸)友
1238	曾子仲宣鼎	宣__用饗其者(諸)父者(諸)兄
1253	平安君鼎	單父上官宰喜所受坪安君者也
1322	九年裘衛鼎	眉敖者膚(膚)卓吏見于王
1322	九年裘衛鼎	衛小子__逆者
1331	中山王嚳鼎	昔者郾君子噲觀(叡)弇夫㹳(悟)
1331	中山王嚳鼎	昔者、盧(吾)先考成王
1331	中山王嚳鼎	昔者、盧(吾)先祖桓王
1331	中山王嚳鼎	昔者、吳人并雩(越)
1643	亞醜諸女甗	[亞醜]者母乍大子尊彝
2295	貮者乍宮白殷	貮者乍宮白寶尊彝
2366	白者父殷	白者父乍寶殷
2682	陳侯午殷	陳侯午台群者侯□鑄乍皇妣□大妃祭器
2743	䚄殷	眔者侯、大亞
2762	免殷	王受乍冊尹者(書)
2841	芾白殷	好倗友雩百者婚遘
2972	弔家父乍仲姬匿	用速先__者(諸)兄
2983	弭仲寶匿	者友歓飤具飽
2984	伯公父盤	用召者考者兄
2984	伯公父盤	用召者考者兄
3085	駒父旅盨(蓋)	南中邦父命駒父即南者侯逵高父見南淮夷
3097	陳侯午錞一	陳侯午台群者侯獻金
3098	陳侯午錞二	陳侯午台群者侯獻金
3099	十年陳侯午錞(器)	陳侯午朝群邦者侯于齊
3099	十年陳侯午錞(器)	者侯亯台吉金
3100	陳侯因脊錞	朝問者侯
3100	陳侯因脊錞	者侯寘薦吉金
3122	__君之孫盧(者旨留盤)	n8君之孫郐命尹者旨留
4197	亞醜方爵	[亞醜]者(諸)始目大子尊彝
4449	裘衛盉	衛 {小子}px逆者其鄉
4806	亞醜方尊	[亞醜]者始以大子尊彝
4825	弅者君乍父乙尊	弅者君乍父乙寶尊彝[cu]
4892	麥尊	巳夕、侯易者𩵦臣二百家
4893	矢令尊	眔者尹
4893	矢令尊	眔者侯、侯、田、男

者

4919	亞醜者姛觥一	[亞醜]者始大子尊彝
4920	亞醜者姛觥二	[亞醜]者始大子尊彝
4981	鳥冊令方彝	眔卿事寮、眔者尹
4981	鳥冊令方彝	眔者侯：侯、田、男
5439	小臣豐乍父乙卣	商小臣者貝
5568	亞醜者姛方罍一	[亞醜]者姛(始)以大子尊彝
5569	亞醜者姛方罍二	[亞醜]者姛(始)以大子尊彝
5758	匹君壺	匹君㓝旅者其成公鑄子孟㚸賸盥壺
5786	旻季良父壺	用享孝于兄弔婚媾者老
5803	㴱嗣好蚉壺	昔者先王㜏愛百每
5804	齊侯壺	執者獻于靈公之所
5804	齊侯壺	__其□□□□□敗者孚
5805	中山王譻方壺	不賈(忌)者侯
5805	中山王譻方壺	而退與者侯齒長於會同
5805	中山王譻方壺	者侯皆賀
6616	者兒觶	者兒乍寶尊彝
6754.	徐令尹者旨㽙爐盤	n8君之孫郐令尹者旨㽙羼其吉金
6761	白者君盤	隹番hJ白者君自乍寶槃
6782	者尚余卑盤	者尚余卑□永既羼其吉金
6786	__弔多父盤	兄弟者子聞(婚)媾無不喜
6791	兮甲盤	其隹我者侯百生
6815	亞醜者姛匜	[亞醜]者始㠯大子尊匜
6859	白者君匜一	隹番hJ白者尹自乍寶它
6925	晉邦盦	□攻龢者
6977	旨賞鐘	者賞□□__之鐘
7051	子璋鐘一	用樂父兄者諸士
7052	子璋鐘二	用樂父兄者諸士
7053	子璋鐘三	用樂父兄者諸士
7054	子璋鐘四	用樂父兄者諸士
7055	子璋鐘五	用樂父兄者諸士
7056	子璋鐘六	用樂父兄者諸士
7057	子璋鐘八	用樂父兄者諸士
7061	能原鐘	之於大□者
7061	能原鐘	小者乍(作)心□
7061	能原鐘	衣(依)余□郕(越)□者、利
7061	能原鐘	大□□連者(諸)尸(夷)
7069	者沵鐘一	王曰：者沵
7070	者沵鐘二	王曰、者沵
7071	者沵鐘三	王曰：者沵
7073	者沵鐘五	王曰：者沵
7084	邾公牼鐘一	以喜者士
7085	邾公牼鐘二	以喜者士
7086	邾公牼鐘三	以喜者士
7087	邾公牼鐘四	以喜者士
7112	者減鐘一	工𫊸王皮然之子者減睪其吉金
7113	者減鐘二	工𫊸王皮然之子者減睪其吉金
7114	者減鐘三	工𫊸王皮然之子者減自乍__鐘
7115	者減鐘四	工𫊸王皮然之子者減自乍__鐘
7121	郐王子旃鐘	及我者□生
7175	王孫遺者鐘	王孫遺者羼其吉金

7203	能原鎛	之於大□者
7203	能原鎛	小者乍(作)心□
7203	能原鎛	衣(依)余□郞(越)□者、利
7203	能原鎛	大□□連者(諸)尸(夷)
7218	釞醻尹征城	釞醻尹者故__自乍征城
7220	喬君鉦	乍無者俞賓sq__
7519	越王者旨於賜戈一	戉王者旨於賜、□t7t8□t9ua
7520	越王者旨於賜戈二	戉王者旨烏於賜、□t7t8□t9ua
7634	越王者旨於賜矛	越王者旨於賜
7699	越王者旨於賜劍一	越王者旨於賜王越
7700	越王者旨於賜劍二	越王者旨於賜王越
7701	越王者旨於賜劍三	越王者旨於賜王越
7718	脽公劍	者匋用之
7868	商鞅方升	法度量則不壹歉疑者
7871	子禾子釜一	子禾子□□內者御命陳得
7871	子禾子釜一	□命者
7975	中山王墓兆域圖	有事者官□之
7975	中山王墓兆域圖	進退逃乏者
7975	中山王墓兆域圖	不行王命者
7975	中山王墓兆域圖	丘平者卌乇
7975	中山王墓兆域圖	丘平者五十乇
7975	中山王墓兆域圖	丘□者五十乇
7975	中山王墓兆域圖	丘平者五十乇
7975	中山王墓兆域圖	丘平者卌乇
7975	中山王墓兆域圖	丘平者卌乇
7975	中山王墓兆域圖	丘平者五十乇
7975	中山王墓兆域圖	丘平者五十乇
7975	中山王墓兆域圖	丘平者卌乇
M545	配兒勾鑃	㠯樂我者父
M553	越王者旨於賜鐘	戉王者旨於賜羼厗吉金
M555	越王者旨於賜劍	越王者旨於賜王越
M616	番休伯者君盤	隹番休伯者君用其吉金

小計：共 126 筆

智 0593

0942	亞竇竹士宮鼎	[亞竇竹宮]智光繖(醬)[卿宁]
1113	梁廿七年鼎一	大梁司寇肖亡智新為量
1114	廿七年大梁司寇肖無智鼎二	大梁司寇肖亡智鑄新量
1331	中山王嚳鼎	寡人幼童未甬(通)智
1331	中山王嚳鼎	使智(知)社稷之任
1331	中山王嚳鼎	旋(事)愚女(如)智
1331	中山王嚳鼎	智施(也)
1331	中山王嚳鼎	智(知)為人臣之宜施(也)
1332	毛公鼎	引唯乃智余非
1332	毛公鼎	引其唯王智
3128	魚鼎匕	下民無智
5805	中山王嚳方壺	余智(知)其忠信施(也)
6880	智君子之弄鑑一	智君子之弄鑑

智
百

6881	智君子之弄鑑二	智君子之弄鑑
7108	㡭弔之仲子平編鐘一	聖智恭䜌
7109	㡭弔之仲子平編鐘二	聖智恭䜌
7110	㡭弔之仲子平編鐘三	聖智恭䜌
7111	㡭弔之仲子平編鐘四	聖智恭䜌
7135	逆鐘	母有不聞智
M900	梁十九年鼎	梁十九年鼎亡智＿兼嗇夫庶魔
		小計：共 20 筆

百 0594

0921	余子鼎	百載用之
1157	禽鼎	王易金百守
1209	㝬方鼎	才穆、朋二百
1242	㝬方鼎	公賞㝬貝百朋
1250	曾子斿鼎	百民是奠
1268	梁其鼎一	其百子千孫
1269	梁其鼎二	其百子千孫
1275	師同鼎	大車廿、羊百
1281	史頌鼎一	灋友里君、百生
1282	史頌鼎二	灋友里君、百生
1298	師旂鼎	白懋父迺罰得䖒古三百守
1315	善鼎	余其用各我宗子雩百生
1324	禹鼎	肆武公迺遣禹率公戎車百乘
1324	禹鼎	斯馭二百
1326	多友鼎	凡邑公車折首二百又□又五人
1326	多友鼎	孚戎車百乘一十又七乘
1326	多友鼎	公車折首百又十又五人
1326	多友鼎	鐈鋚百勻
1328	盂鼎	隹殷邊侯田雩殷正百辟
1328	盂鼎	人鬲自馭至于庶人六百又五十又九夫
1329	小字盂鼎	隻馘四千八百□二馘
1329	小字盂鼎	孚牛三百五十五牛
1329	小字盂鼎	孚馘二百卅七馘
1329	小字盂鼎	孚馬百四匹
1329	小字盂鼎	孚車百□兩
1329	小字盂鼎	征王令賞盂□□□□□弓一、矢百、畫絨一、
1330	曶鼎	用賸征贖絲五夫、用百守
1331	中山王䍆鼎	方譽（數）百里
1528	公姞鬲鼎	吏易公姞魚三百
2515	小子射乍父丁毁	乙未卿旋易小子射貝二百
2526	弔𠇍毁	貝十朋、羊百
2566	寧毁一	其用各百神
2567	寧毁二	其用各百神
2570	榮毁	王爵貝百朋
2585	禽毁	王易金百守
2635	賢毁一	賢百畮、餗
2636	賢毁二	賢百畮、餗
2637	賢毁三	賢百畮、餗

2638	賢設四	賢百晦、餗
2674	弔妣設	用侃喜百生倗友眔子婦{ 子孫 }永寶用
2691	善夫梁其設一	百字千孫
2692	善找梁其設二	百字千孫
2699	公臣設一	虢中令公臣嗣朕百工
2700	公臣設二	虢中令公臣嗣朕百工
2701	公臣設三	虢中令公臣嗣朕百工
2702	公臣設四	虢中令公臣嗣朕百工
2735	屖敖設	戎獻金于子牙父百車
2752	史頌設一	11穌澗友里君百生
2753	史頌設二	11穌澗友里君百生
2754	史頌設三	11穌澗友里君百生
2755	史頌設四	11穌澗友里君百生
2756	史頌設五	11穌澗友里君百生
2757	史頌設六	11穌澗友里君百生
2758	史頌設七	11穌澗友里君百生
2759	史頌設八	11穌澗友里君百生
2759	史頌設九	11穌澗友里君百生
2774.	南宮弔設	又賜(賜)女邦_百人
2791.	史密設	隻百人
2800	伊設	氒官司康宮王臣妾、百工
2814	鳥冊夨令設一	姜商令貝十朋、臣十家、鬲百人
2814.	夨令設二	姜商令貝十朋、臣十家、鬲百人
2815	師毀設	僕馭、百工、牧、臣妾
2828	宜侯夨設	彤弓一、彤矢百、旅弓十、旅矢千
2828	宜侯夨設	易土、氒川三百□
2828	宜侯夨設	氒□百又廿
2828	宜侯夨設	氒□百又卌
2828	宜侯夨設	易宜庶人六百又□六夫
2836	䝿設	隻馘百
2836	䝿設	凡百又卅又五款
2836	䝿設	寽戎孚人百又十又四人
2837	敔設一	長榜蕺首百
2837	敔設一	奪孚人四百
2837	敔設一	敔告禽馘百、訊卌
2841	芇白設	好倗友雩百者婚遘
2854	蔡設	嗣百工、出入姜氏令
2856	師訇設	尸_三百人
2857	牧設	令女辟百寮有同吏
3081	翏生旅盨一	其百男百女千孫
3082	翏生旅盨二	其百男百女千孫
3082	翏生旅盨二	其百男百女千孫
4430	白百父乍孟姬朕鎣	白百父乍孟姬朕鎣
4447	臣辰冊冊多乍冊父癸盉	昔百生豚
4851	黃尊	其{ 百世 }孫孫子子永寶
4873	臣辰冊屮冊乍父癸尊	□百生豚、圈、貝
4892	麥尊	巳夕、侯易者娥臣二百家
4893	夨令尊	眔百工
4974	_方彝	o3敀卿宁百生、揚
4977	師遽方彝	百世孫子永寶

百

百 4981	鳥冊令方彝	眔里君、眔百工
5477	單光壴乍父癸簋卣	其目父癸夙夕鄉爾百婚遘[單光]
5501	臣辰冊冊𠂤卣一	昏百生豚
5502	臣辰冊冊𠂤卣二	易百生豚
5576	重金方罍	百卌八重金＿＿一周鑄
5787	汈其壺一	其百子千孫永寶用
5788	汈其壺二	其百子千孫永寶用
5803	胤嗣好蚉壺	昔者先王絭愛百每
5803	胤嗣好蚉壺	枋(方)譻(數)百里
5803	胤嗣好蚉壺	工qL重一石三百卅九刀之冢(重)
5804	齊侯壺	庚率二百乘舟
6710	白百父乍孟姬盤	白百父乍孟姬朕盤
6778	免盤	令乍冊內史易免鹵百s1
6785	守宮盤	其百世子子孫孫永寶用奔走
6786	＿弔多父盤	用及孝婦嬶氏百子千孫
6790	虢季子白盤	折首{ 五百 }
6791	兮甲盤	其隹我者侯百生
6877	𠑇乍旅盉	鞭女五百
6877	𠑇乍旅盉	罰女三百守
6925	晉邦盦	□□百𢿋
6925	晉邦盦	＿新百䊮
7038	應侯見工鐘一	易彤一、彡百、馬
7046	□□自乍鐘二	百歲之外
7124	沇兒鐘	龢逾百生
7174	秦公鐘	盭百蠻具即其服
7176	𢦚鐘	隹皇上帝百神
7177	秦公及王姬編鐘一	盭百蠻具即其
7183	叔夷編鐘二	其縣三百
7185	叔夷編鐘四	釐僕三百又五十家
7188	叔夷編鐘七	卑百斯男而埶斯字
7209	秦公及王姬鎛	盭百蠻具即其服
7210	秦公及王姬鎛二	盭百蠻具即其服
7211	秦公及王姬鎛三	盭百蠻具即其服
7212	秦公鎛	咸畜百辟胤士
7212	秦公鎛	柔燮百邦
7213	𦅫鎛	侯氏易之邑二百又九十又九邑
7214	叔夷鎛	其縣三百
7214	叔夷鎛	釐僕三百又五十家
7214	叔夷鎛	卑百斯男而埶斯字
7473	＿戈	＿侃乍＿戈三百
7474	郘侯戈	郘侯之造戈五百
7636	郾王戎人矛一	郾王戎人乍百巨率矛
7975	中山王墓兆域圖	兩堂間百乇(尺)
7975	中山王墓兆域圖	王后堂方二百乇
7975	中山王墓兆域圖	兩堂間百乇(尺)
7975	中山王墓兆域圖	王堂方二百乇
7975	中山王墓兆域圖	夫人堂方百五十乇
7975	中山王墓兆域圖	大𧰧宮方百乇
7975	中山王墓兆域圖	執旦宮方百乇
7975	中山王墓兆域圖	五奎宮方百乇

7975	中山王嚳兆域圖	㝨宗宮方百乇
		小計：共　139 筆

百
酭
羽

0594+

1121	唯叔從王南征鼎	隹八月才酭𪨊
		小計：共　　1 筆

0595

5642	羽壺	上白、羽、
7018	楚王酓章鐘二	其永時用喜□羽反、宮反
7107	曾侯乙甬鐘	割肄之羽
7107	曾侯乙甬鐘	妥賓之冬、黃鐘、羽
7107	曾侯乙甬鐘	韋音之變羽
7107	曾侯乙甬鐘	呂其反宣鐘之羽角無鐸之徵曾
M705	曾侯乙編鐘下一・一	新鐘之渻羽
M706	曾侯乙編鐘下一・二	曾侯乙乍時，商、羽曾，
M706	曾侯乙編鐘下一・二	為韋音羽角
M706	曾侯乙編鐘下一・二	為𨟻音羽
M706	曾侯乙編鐘下一・二	割肄之羽曾
M707	曾侯乙編鐘下一・三	坪皇之羽
M707	曾侯乙編鐘下一・三	𪒠孠之羽曾
M707	曾侯乙編鐘下一・三	為犀則羽角
M707	曾侯乙編鐘下一・三	新鐘之羽
M707	曾侯乙編鐘下一・三	為穆音之羽頔下角
M707	曾侯乙編鐘下一・三	剌音之羽曾
M708	曾侯乙編鐘下二・一	穆音之羽
M708	曾侯乙編鐘下二・一	𪒠孠之羽角
M708	曾侯乙編鐘下二・一	犀則之羽曾
M708	曾侯乙編鐘下二・一	坪皇之羽
M708	曾侯乙編鐘下二・一	為無睪之羽頔下角
M708	曾侯乙編鐘下二・一	妥賓之羽
M708	曾侯乙編鐘下二・一	為穆音羽角
M711	曾侯乙編鐘下二・四	曾侯乙乍時，商、羽曾，
M711	曾侯乙編鐘下二・四	割肄之羽曾
M711	曾侯乙編鐘下二・四	為韋音羽角
M711	曾侯乙編鐘下二・四	為𨟻音羽
M712	曾侯乙編鐘下二・五	新鐘之羽
M712	曾侯乙編鐘下二・五	為穆音之羽頔下角
M712	曾侯乙編鐘下二・五	剌音之羽曾
M712	曾侯乙編鐘下二・五	為犀則羽角
M713	曾侯乙編鐘下二・七	曾侯乙乍時，羽、羽角，
M713	曾侯乙編鐘下二・七	割肄之羽
M713	曾侯乙編鐘下二・七	韋音之羽曾
M713	曾侯乙編鐘下二・七	為𨟻音羽曾
M713	曾侯乙編鐘下二・七	割肄之羽角
M713	曾侯乙編鐘下二・七	為文王羽
M713	曾侯乙編鐘下二・七	為𨚍鐘之羽頔下角

羽

M714	曾侯乙編鐘下二・八	大族之羽
M714	曾侯乙編鐘下二・八	妥賓之羽曾
M714	曾侯乙編鐘下二・八	坪皇之羽
M714	曾侯乙編鐘下二・八	嬴孠之羽徵
M714	曾侯乙編鐘下二・八	為大族羽角
M715	曾侯乙編鐘下二・九	濁闕鐘之羽
M715	曾侯乙編鐘下二・九	濁割肄之羽
M716	曾侯乙編鐘下二・十	曾侯乙乍時，商、羽曾，
M716	曾侯乙編鐘下二・十	闕鐘之羽
M716	曾侯乙編鐘下二・十	割肄之羽曾
M716	曾侯乙編鐘下二・十	鄜音之湆羽
M717	曾侯乙編鐘中一・一	曾侯乙乍寺（時），羽反，宮反，羽反，宮反，
M719	曾侯乙編鐘中一・三	曾侯乙乍寺（時），少商，羽曾，
M720	曾侯乙編鐘中一・四	曾侯乙乍時（時），少羽，宮反，
M721	曾侯乙編鐘中一・五	新鐘之羽顀
M722	曾侯乙編鐘中一・六	曾侯乙乍寺（時），商、羽曾，
M723	曾侯乙編鐘中一・七	新鐘之羽
M724	曾侯乙編鐘中一・八	曾侯乙乍時，羽、羽角，
M724	曾侯乙編鐘中一・八	割肄之羽
M724	曾侯乙編鐘中一・八	文王之羽
M725	曾侯乙編鐘中一・九	穆鐘之羽
M725	曾侯乙編鐘中一・九	新鐘之羽顀
M725	曾侯乙編鐘中一・九	新鐘之羽曾
M726	曾侯乙編鐘中一・十	濁闕鐘之羽
M726	曾侯乙編鐘中一・十	濁割肄之羽
M727	曾侯乙編鐘中一・十一	曾侯乙乍時，商、羽曾，
M727	曾侯乙編鐘中一・十一	闕鐘之羽
M727	曾侯乙編鐘中一・十一	割肄之羽曾
M728	曾侯乙編鐘中二・一	曾侯乙乍寺（時），羽、宮反，
M728	曾侯乙編鐘中二・一	割肄之羽反
M730	曾侯乙編鐘中二・三	曾侯乙乍時，少商，羽曾，坪皇之巽反，
M731	曾侯乙編鐘中二・四	曾侯乙乍時，少羽，宮反，
M732	曾侯乙編鐘中二・五	新鐘之羽顀
M733	曾侯乙編鐘中二・六	曾侯乙乍時，商、羽曾，
M734	曾侯乙編鐘中二・七	新鐘之羽
M735	曾侯乙編鐘中二・八	曾侯乙乍時，羽、羽角，
M735	曾侯乙編鐘中二・八	割肄之羽
M735	曾侯乙編鐘中二・八	文王之羽
M736	曾侯乙編鐘中二・九	穆鐘之羽
M736	曾侯乙編鐘中二・九	新鐘之羽顀
M736	曾侯乙編鐘中二・九	新鐘之羽曾
M737	曾侯乙編鐘中二・十	濁闕鐘之羽
M737	曾侯乙編鐘中二・十	濁割肄之羽
M739	曾侯乙編鐘中二・十二	曾侯乙乍寺（時），商、羽曾，
M739	曾侯乙編鐘中二・十二	闕鐘之羽
M739	曾侯乙編鐘中二・十二	割肄之羽曾
M740	曾侯乙編鐘中三・一	曾侯乙乍時，羽、宮，
M740	曾侯乙編鐘中三・一	割肄之少羽
M740	曾侯乙編鐘中三・一	闕鐘之羽角
M742	曾侯乙編鐘中三・三	穆音之羽

M742	曾侯乙編鐘中三・三	新鐘之羽角
M742	曾侯乙編鐘中三・三	屖則之羽曾
M743	曾侯乙編鐘中三・四	曾侯乙乍時，商、羽徵，
M744	曾侯乙編鐘中三・五	曾侯乙乍時，羽、宮，
M744	曾侯乙編鐘中三・五	割肄之羽
M744	曾侯乙編鐘中三・五	黃鐘之羽角
M744	曾侯乙編鐘中三・五	韋音之變羽
M745	曾侯乙編鐘中三・六	為坪皇之羽顧下角
M746	曾侯乙編鐘中三・七	曾侯乙乍時，商、羽徵，
M745	曾侯乙編鐘中三・六	為獸鐘羽
M746	曾侯乙編鐘中三・七	割肄之羽曾
M746	曾侯乙編鐘中三・七	為韋音羽角
M746	曾侯乙編鐘中三・七	為郮音羽
M747	曾侯乙編鐘中三・八	為遅則羽角
M747	曾侯乙編鐘中三・八	新鐘之羽
M747	曾侯乙編鐘中三・八	為穆音之羽顧下角
M747	曾侯乙編鐘中三・八	刺音之羽曾
M748	曾侯乙編鐘中三・九	曾侯乙乍寺（時），羽、羽角，
M748	曾侯乙編鐘中三・九	割肄之羽
M748	曾侯乙編鐘中三・九	韋音之羽曾
M748	曾侯乙編鐘中三・九	割肄之羽角
M748	曾侯乙編鐘中三・九	為文王羽
M748	曾侯乙編鐘中三・九	為獸鐘之羽顧下角
M748	曾侯乙編鐘中三・九	為郮音羽曾
M749	曾侯乙編鐘中三・十	夫族之羽
M749	曾侯乙編鐘中三・十	遅則之羽曾
M749	曾侯乙編鐘中三・十	坪皇之羽
M749	曾侯乙編鐘中三・十	贏孠之羽曾
M749	曾侯乙編鐘中三・十	為夫族羽角
M750	曾侯乙編鐘上一・一	羽曾、羽，
M754	曾侯乙編鐘上一・五	羽角、羽曾，
M756	曾侯乙編鐘上二・一	商曾、羽角，
M757	曾侯乙編鐘上二・二	商角、羽，
M758	曾侯乙編鐘上二・三	商、羽曾，郮音之宮，
M759	曾侯乙編鐘上二・四	商曾、羽角，韋音之宮，
M760	曾侯乙編鐘上二・五	商角、羽，割肄之宮
M761	曾侯乙編鐘上二・六	商、羽曾，黃鐘之宮，
M762	曾侯乙編鐘上三・一	商、羽曾，
		小計：共　127 筆

翟　0596

1007	史喜鼎	史喜乍朕文考翟祭
		小計：共　1 筆

翏　0597

1306	無叀鼎	王乎史翏冊令無叀曰：官嗣Lk王ij側虎臣

翏
隹

1312	此鼎一	王乎史翏冊令此曰
1313	此鼎二	王呼史翏冊令此曰
1314	此鼎三	王呼史翏冊令此曰
2818	此段一	王呼史翏冊令此曰
2819	此段二	王呼史翏冊令此曰
2820	此段三	王呼史翏冊令此曰
2821	此段四	王呼史翏冊令此曰
2822	此段五	王呼史翏冊令此曰
2823	此段六	王呼史翏冊令此曰
2824	此段七	王呼史翏冊令此曰
2825	此段八	王呼史翏冊令此曰
3081	翏生旅盨一	遹翏生從
3081	翏生旅盨一	用對剌翏生眔大妘
3082	翏生旅盨二	遹翏生從
3082	翏生旅盨二	用對剌翏生眔大妘
3082	翏生旅盨二	遹翏生從
3082	翏生旅盨二	用對剌翏生眔大妘
7323	玄翏戈	玄翏
7340	玄鏐戈	玄翏
7397	鳥篆戈二	翏用之
J3817	攻啚戈	（拓本未見）
J3818	蔡啚戈	（拓本未見）

小計：共 23 筆

隹 0598

0881	孋乍父庚鼎	隹□□□氏自乍□鬲
1007	史喜鼎	𢆶日隹乙
1056	曾白從寵鼎	隹王十月既吉
1072	瘵乍其鬻鼎	隹正月初瘵乍其鬻鬲貞貞（鼎）
1073	白鼎	隹白殷□八自寇年
1119	曆方鼎	曆肇對元德考友隹井乍寶尊彝
1121	唯弔從王南征鼎	隹八月才𨛫[illegible]
1121	唯弔從王南征鼎	隹八月才𨛫[illegible]
1122	𧙗白乍石鼎	隹𧙗白䢔自乍寶□鼎
1123.	番□伯者鼎	隹番□伯者自乍寶鼎
1134	𨻰侯鼎	隹正月初吉丁亥
1139	寓鼎	隹二月既生霸丁丑
1143	曾子仲誨鼎	隹曾子中誨
1159	辛鼎一	萬年隹人
1160	辛鼎二	萬年隹人
1161	白吉父鼎	隹十又二月初吉
1165	大師鐘白乍石鼎	隹正月初吉己亥
1166	兹太子鼎	隹九月之初吉丁亥
1167	二父鼎一	隹女率我友以事
1168	二父鼎二	隹女率我友以事
1175	白鮮乍旅鼎一	隹正月初吉庚午
1176	白鮮乍旅鼎二	隹正月初吉庚午
1177	白鮮乍旅鼎三	隹正月初吉庚午

1184	德方鼎	隹三月王才成周
1185	強白乍井姬鼎一	隹強白乍井姬用鼎、段
1186	強白乍井姬鼎二	隹強白乍井姬用鼎、段
1192	亞□伐＿乍父乙鼎	于省隹反
1195	戈弔朕鼎一	隹八月初吉庚申
1196	戈弔朕鼎二	隹八月初吉庚申
1197	戈弔朕鼎三	隹八月初吉庚申
1200	散白車父鼎一	隹王四年八月初吉丁亥
1211	庚兒鼎一	隹正月初吉丁亥
1212	庚兒鼎二	隹正月初吉丁亥
1213	師趛鼎一	隹九月初吉庚寅
1214	師趛鼎二	隹九月初吉庚寅
1215	麥鼎	隹十又一月
1216	貿鼎	隹十又二月初吉壬午
1217	毛公旅方鼎	毛公旅鼎亦隹段
1218	寡兒鼎	隹正八月初吉壬申
1219	戍嗣子鼎	隹王窺闌大室、才九月
1220	鄘公鼎	隹王八月既望
1221	井鼎	隹七月、王才葊京
1222	寏鼎一	隹十又一月
1223	寏鼎二	隹十又一月
1224	王子吳鼎	隹正月初吉丁亥
1225	鄺大史申鼎	隹正月初吉辛亥
1228	瞂鬳方鼎	隹二月初吉庚寅
1229	厚趠方鼎	隹王來各于成周年
1234	旅鼎	隹公大保來伐反尸年
1235	不栺方鼎一	隹八月既望戊辰
1236	不栺方鼎甲二	隹八月既望戊辰
1239	＿鼎一	隹王伐東尸
1240	＿鼎二	隹王伐東尸
1241	蔡大師腆鼎	隹正月初吉丁亥
1242	𠭯方鼎	隹周公于征伐東尸
1244	瘨鼎	隹三年四月庚午
1248	庚贏鼎	隹廿又二年四月既望己酉
1249	寓鼎	隹九月既生霸辛酉、才匽
1251	中先鼎一	隹王令南宮伐反虎方之年
1252	中先鼎二	隹王令南宮伐反虎方之年
1255	作冊大鼎一	隹四月既生霸己丑
1256	作冊大鼎二	隹四月既生霸己丑
1257	作冊大鼎三	隹四月既生霸己丑
1258	作冊大鼎四	隹四月既生霸己丑
1259	郜公𨟬鼎	隹十又四月
1260	我方鼎	隹十月又一月丁亥
1261	我方鼎二	隹十月又一月丁亥
1262	守鼎	隹王九月既望乙巳
1264	螸鼎	隹三月初吉
1265	歆弔鼎	隹王正月初吉乙丑
1266	鄀公平侯鼎一	隹鄀八月初吉癸未
1267	鄀公平侯鼎二	隹鄀八月初吉癸未
1268	梁其鼎一	隹五月初吉壬申

佳

1269	梁其鼎二	隹五月初吉壬申
1273	師湯父鼎	隹十又二月初吉丙午
1274	哀成弔鼎	嘉是隹哀成弔
1276	＿季鼎	隹五月既生霸庚午
1277	七年趞曹鼎	隹七年十月既生霸
1278	十五年趞曹鼎	隹十又五年五月既生霸壬午
1279	中方鼎	隹十又三月庚寅
1279	中方鼎	隹臣尚中臣
1281	史頌鼎一	隹三年五月丁子（巳）
1282	史頌鼎二	隹三年五月丁子（巳）
1283	微䜌鼎	隹王廿又三年九月
1284	尹姞鼎	隹六月既生霸乙卯
1285	㦰方鼎一	隹九月既望乙丑、才𡨦自
1286	大夫始鼎	隹三月初吉甲寅、王才龢宮
1291	善夫克鼎一	隹王廿又三年九月
1292	善夫克鼎二	隹王廿又三年九月
1293	善夫克鼎三	隹王廿又三年九月
1294	善夫克鼎四	隹王廿又三年九月
1295	善夫克鼎五	隹王廿又三年九月
1296	善夫克鼎六	隹王廿又三年九月
1297	善夫克鼎七	隹王廿又三年九月
1300	南宮柳鼎	隹王五月初吉甲寅
1301	大鼎一	隹十又五年三月既霸丁亥
1302	大鼎二	隹十又五年三月既霸丁亥
1303	大鼎三	隹十又五年三月既霸丁亥
1304	王子午鼎	隹正月初吉丁亥
1305	師奎父鼎	隹六月既生霸庚寅
1306	無叀鼎	隹九月既望甲戌
1308	白晨鼎	隹王八月辰才丙午
1309	寰鼎	隹廿又八年五月既望庚寅
1310	鬲攸從鼎	隹卅又一年三月初吉壬辰
1311	師晨鼎	隹三年三月初吉甲戌
1311	師晨鼎	隹小臣善夫、守口、官犬、眔奠人、善夫、官
1312	此鼎一	隹十又七年十又二月既生霸乙卯
1313	此鼎二	隹十又七年十又二月既生霸乙卯
1314	此鼎三	隹十又七年十又二月既生霸乙卯
1317	善夫山鼎	隹卅又七年正月初吉庚戌
1318	晉姜鼎	隹王九月乙亥
1318	晉姜鼎	晉姜曰：余隹司朕先姑君晉邦
1319	頌鼎一	隹三年五月既死霸甲戌
1320	頌鼎二	隹三年五月既死霸甲戌
1321	頌鼎三	隹三年五月既死霸甲戌
1322	九年裘衛鼎	隹九年正月既死霸庚辰
1325	五祀衛鼎	隹正月初吉庚戌
1325	五祀衛鼎	隹王五祀
1326	多友鼎	隹十、月用厰𩛥放興
1327	克鼎	今余隹䌛京乃令
1328	盂鼎	隹九月、王才宗周、令盂
1328	盂鼎	隹殷邊侯田雩殷正百辟
1328	盂鼎	余隹即朕小學

1328	盂鼎	今我隹即井亩于玟王正德
1328	盂鼎	今余隹令女盂召榮敬雝德巠
1328	盂鼎	隹王廿又三祀
1329	小字盂鼎	隹八月□□□□□昧喪
1329	小字盂鼎	隹王卅又五祀
1330	曶鼎	隹王元年六月既望乙亥
1330	曶鼎	隹王四月既生霸、辰才丁酉
1331	中山王嚳鼎	隹十四年中山王嚳詐（乍、作）鼎、于銘曰
1331	中山王嚳鼎	隹傅母氏（是）從
1331	中山王嚳鼎	考宅隹型
1331	中山王嚳鼎	其隹（誰）能之
1331	中山王嚳鼎	其隹（誰）能之
1331	中山王嚳鼎	隹𠪚（吾）老貯
1331	中山王嚳鼎	隹（雖）有死辠
1461	𪚥來隹鼎	𪚥來隹乍貞（鼎）
1504	奠師□父鬲	隹五月初吉丁酉
1505	番君酌白鼎	隹番君酌白自乍寶鼎
1527	𪟝先父鬲	隹十又二月初吉
1528	公姞鬲鼎	隹十二月既生霸
1529	仲柟父鬲一	隹六月初吉
1530	仲柟父鬲二	隹六月初吉
1531	仲柟父鬲三	隹六月初吉
1532	仲柟父鬲四	隹六月初吉
1533	尹姞寶鬲一	隹六月既生霸乙卯
1534	尹姞寶鬲二	隹六月既生霸乙卯
1659	白鮮旅甗	隹正月初吉庚寅
1660	曾子仲訁旅甗	隹曾子中訁用其吉金
1665	王孫壽甗	隹正月初吉丁亥
1666	遹乍旅甗	隹六月既死霸丙寅
1667	陳公子弔遼父甗	隹九月初吉丁亥
1978	吳方彝	隹王二祀
2344	季㱿乍旅㱿	季㱿乍旅㱿隹子孫乍寶
2392	__白㱿	隹九月初吉㪥龍白自乍其寶㱿
2450	禾乍皇母孟姬㱿	隹正月己亥
2480	是要㱿	隹十月是要乍文考寶㱿
2481	是要㱿	隹十月是要乍文考寶㱿
2542	辰才寅□□㱿	隹七月既生霸辰才寅
2547	格白乍晉姬㱿	隹三月初吉
2548	仲惠父𩠹㱿一	隹王正月 中叀父乍𩠹㱿
2549	仲惠父𩠹㱿二	隹王正月中叀父乍𩠹㱿
2559	白中父㱿	隹五月辰才壬寅
2567.	戍寅㱿	隹王八月、才貝、戍寅
2568	__幵乍父辛㱿	隹八月甲申、公中才宗周
2570	榮㱿	隹正月甲申榮各
2588	毛关㱿	隹大月初吉丙申
2592	鄧公㱿ㅤ	隹𢍰（鄧）九月初吉
2595	奠虢仲㱿一	隹十又一月既生霸庚戌
2596	奠虢仲㱿二	隹十又一月既生霸庚戌
2597	奠虢仲㱿三	隹十又一月既生霸庚戌
2598	燮乍宫仲念器	隹八月初吉庚午

隹

2601	向𣪕乍旅𣪕一	隹王五月甲寅
2602	向𣪕乍旅𣪕二	隹王五月甲寅
2608	官差父𣪕	隹王正月既死霸乙卯
2612	不壽𣪕	隹九月初吉戊辰
2621	雁侯𣪕	隹正月初吉丁亥
2626	𦣻乍父乙𣪕	隹十月初吉辛巳
2633	相侯𣪕	隹五月乙亥
2643	史族𣪕	隹三月既望乙亥
2643	史族𣪕	隹三月既望
2644	命𣪕	隹十又一月初吉甲申
2652	__𣪕	隹八月既生霸
2653	𣪕𣪕	隹八月初吉丁亥
2654	𡚬乍文父丁𣪕	隹囗令伐尸方冩
2655	小臣靜𣪕	隹十又三月
2658	白㦰𣪕	隹用妥神襄唬前文人
2658	白㦰𣪕	隹匄萬年
2661	競𣪕一	隹六月既死霸壬申
2662	競𣪕二	隹六月既死霸壬申
2662.	宴𣪕一	隹正月初吉庚寅
2662.	宴𣪕二	隹正月初吉庚寅
2663	宴𣪕一	隹正月初吉庚寅
2664	宴𣪕二	隹正月初吉庚寅
2665	__弔𣪕	隹王三月初吉癸卯
2666	鑄弔皮父𣪕	隹一月初吉
2668	散季𣪕	隹王四年八月初吉丁亥
2671	利𣪕	隹甲子朝
2676	旅𨽍乍父乙𣪕	才十月一、隹王廿祀劦日
2681	鄦侯𣪕	隹五年正月丙午
2682	陳侯午𣪕	隹十又四年
2683	白家父𣪕	隹白家父郜
2684	__寵乎𣪕	隹正二月既死霸壬戌
2685	仲柟父𣪕一	隹六月初吉
2686	仲柟父𣪕二	隹六月初吉
2687	敔𣪕	隹四月初吉丁亥
2690.	相侯𣪕	隹五月乙亥
2693	䵼𣪕	隹正月初吉
2695	𤔲兒𣪕	隹正月初吉甲午
2698	陳財𣪕	隹王五月元日丁亥
2703	免乍旅𣪕	隹三月既生霸乙卯
2704	穆公𣪕	隹王初女__
2706	郜公敄人𣪕	隹郜正二月初吉乙丑
2707	小臣守𣪕一	隹五月既死霸辛未
2708	小臣守𣪕二	隹五月既死霸辛未
2709	小臣守𣪕三	隹五月既死霸辛未
2711.	乍冊般𣪕	隹正月初吉戊辰
2723	𦣻𣪕	隹四月初吉丁卯
2724	章白𠭯𣪕	隹王伐逨魚
2725	師毛父𣪕	隹六月既生霸戊戌
2725.	𣓀星𣪕	隹一月既望丁亥
2726	㫚𣪕	隹元年三月丙寅

2730	獻𣪘	隹九月既望庚寅
2731	小臣宅𣪘	隹五月壬辰
2733	何𣪘	隹三月初吉庚午
2734	遹𣪘	隹六月既生霸
2736	師遽𣪘	隹王三祀四月既生霸辛酉
2738	衛𣪘	隹八月初吉丁亥
2739	無𧷤𣪘一	隹十又三年正月初吉壬寅
2740	無𧷤𣪘二	隹十又三年正月初吉壬寅
2741	無𧷤𣪘三	隹十又三年正月初吉壬寅
2742	無𧷤𣪘四	隹十又三年正月初吉壬寅
2742.	無𧷤𣪘五	隹十又三年正月初吉壬寅
2742.	無𧷤𣪘五	隹十又三年正月初吉壬寅
2744	五年師旋𣪘一	隹王五年九月既生霸壬午
2745	五年師旋𣪘二	隹王五年九月既生霸壬午
2752	史頌𣪘一	隹三年五月丁巳
2753	史頌𣪘二	隹三年五月丁巳
2754	史頌𣪘三	隹三年五月丁巳
2755	史頌𣪘四	隹三年五月丁巳
2756	史頌𣪘五	隹三年五月丁巳
2757	史頌𣪘六	隹三年五月丁巳
2758	史頌𣪘七	隹三年五月丁巳
2759	史頌𣪘八	隹三年五月丁巳
2759	史頌𣪘九	隹三年五月丁巳
2762	免𣪘	隹十又二月初吉
2764	艾𣪘	隹三月、王令榮眔內史曰
2765	𣪘𣪘	隹二月初吉
2766	三兒𣪘	隹王二年□月初吉丁巳
2767	虘𣪘一	隹十又二年
2769	師𧽊𣪘	隹八月初吉戊寅
2770	𢦏𣪘	隹正月乙巳
2771	弭弔師求𣪘一	隹五月初吉甲戌
2772	弭弔師求𣪘二	隹五月初吉甲戌
2773	即𣪘	隹王三月初吉庚申
2774	臣諫𣪘	隹戎大出于軝
2774	臣諫𣪘	隹用□康令于皇辟侯
2774	南宮弔𣪘	隹三月初吉□卯
2775	裘衛𣪘	隹廿又七年三月既生霸戊戌
2775.	害𣪘一	隹四月初吉
2775.	害𣪘二	隹四月初吉
2776	走𣪘	隹王十又二年三月既望庚寅
2777	天亡𣪘	隹朕又蔑
2778	格白𣪘一	隹正月初吉癸巳
2778	格白𣪘一	隹正月初吉癸巳
2779	格白𣪘二	隹正月初吉癸巳
2780	格白𣪘三	隹正月初吉癸巳
2781	格白𣪘四	隹正月初吉癸巳
2782	格白𣪘五	隹正月初吉癸巳
2782.	格白𣪘六	𣪘隹正月初吉癸巳
2784	申𣪘	隹正月初吉丁卯
2785	王臣𣪘	隹二年三月初吉庚寅

佳

2786	縣妃𣪘	隹十又二月既望辰才壬午
2786	縣妃𣪘	易君、我隹易壽
2787	望𣪘	隹王十又三年六月初吉戊戌
2787	望𣪘	隹王十又三年六月初吉戊戌
2788	靜𣪘	隹六月初吉
2789	同𣪘一	隹十又二月初吉丁丑
2790	同𣪘二	隹十又二月初吉丁丑
2791.	史密𣪘	隹十又二月
2793	元年師旋𣪘一	隹王元年四月既生霸
2794	元年師旋𣪘二	隹王元年四月既生霸
2795	元年師旋𣪘三	隹王元年四月既生霸
2796	諫𣪘	隹五年三月初吉庚寅
2796	諫𣪘	今余隹或嗣命女
2796	諫𣪘	隹五年三月初吉庚寅
2796	諫𣪘	今余隹或嗣命女
2797	輔師𠭰𣪘	隹王九月既生霸甲寅
2798	師痕𣪘一	隹二月初吉戊寅
2799	師痕𣪘二	隹二月初吉戊寅
2800	伊𣪘	隹王廿又七年正月既望丁亥
2801	五年召白虎𣪘	隹五正月己丑
2802	六年召白虎𣪘	隹六年四月甲子
2803	師酉𣪘一	隹王元年正月
2804	師酉𣪘二	隹王元年正月
2804	師酉𣪘二	酉其萬年子子孫孫永寶用（蓋）隹王元年正月
2805	師酉𣪘三	隹王元年正月
2806	師酉𣪘四	隹王元年正月
2806.	師酉𣪘五	隹王元年正月
2807	𨞨𣪘一	隹二年正月初吉
2807	𨞨𣪘一	今余隹緟京乃命
2808	𨞨𣪘二	隹二年正月初吉
2808	𨞨𣪘二	今余隹緟京乃命
2809	𨞨𣪘三	隹二年正月初吉
2809	𨞨𣪘三	今余隹緟京乃命
2810	揚𣪘一	隹王九月既眚霸庚寅
2811	揚𣪘二	隹王九月既眚霸庚寅
2812	大𣪘一	隹十又二年三月既生霸丁亥
2813	大𣪘二	隹十又二年三月既生霸丁亥
2814	鳥冊夨令𣪘一	隹王于伐楚白、才炎
2814	鳥冊夨令𣪘一	隹九月既死霸丁丑
2814	鳥冊夨令𣪘一	隹丁公報
2814.	夨令𣪘二	隹王于伐楚白、才炎
2814.	夨令𣪘二	隹九月既死霸丁丑
2814.	夨令𣪘二	隹丁公報
2815	師𣪕𣪘	隹王元年正月初吉丁亥
2815	師𣪕𣪘	女有隹小子
2816	彔白𢦚𣪘	隹王正月辰才庚寅
2817	師頯𣪘	隹王元年九月既朢丁亥
2817	師頯𣪘	今余隹肇𤔲乃令
2818	此𣪘一	隹十又七年十又二月既生霸乙卯
2819	此𣪘二	隹十又七年十又二月既生霸乙卯

2820	此𣪘三	隹十又七年十又二月既生霸乙卯
2821	此𣪘四	隹十又七年十又二月既生霸乙卯
2822	此𣪘五	隹十又七年十又二月既生霸乙卯
2823	此𣪘六	隹十又七年十又二月既生霸乙卯
2824	此𣪘七	隹十又七年十又二月既生霸乙卯
2825	此𣪘八	隹十又七年十又二月既生霸乙卯
2828	宜侯夨𣪘	隹四月辰才丁未
2829	師虎𣪘	隹六年六月既望甲戌
2829	師虎𣪘	今余隹帥井先令
2830	三年師兌𣪘	隹三年二月初吉丁亥
2830	三年師兌𣪘	今余隹醽(緟)京乃令
2831	元年師兌𣪘一	隹元年五月初吉甲寅
2832	元年師兌𣪘二	隹元年五月初吉甲寅
2834	㝬𣪘	王曰：有余隹{ 小子 }
2834	㝬𣪘	隹王十又二祀
2836	𢦏𣪘	隹六月初吉乙酉、才堂(𨸏)𠂤
2837	敔𣪘一	隹王十月、王才成周
2837	敔𣪘一	隹王十又一月
2838	師𢽟𣪘一	隹十又一年九月初吉丁亥
2838	師𢽟𣪘一	隹十又一年九月初吉丁亥
2838	師𢽟𣪘一	今余隹醽(緟)京乃令
2839	師𢽟𣪘二	隹十又一年九月初吉丁亥
2839	師𢽟𣪘二	隹十又一年九月初吉丁亥
2839	師𢽟𣪘二	今余隹醽(緟)京乃令
2841	芇白𣪘	隹王九年九月甲寅
2842	卯𣪘	隹王十又一月既生霸丁亥
2842	卯𣪘	今余隹令女死𤔲(司)𦺈宮𦺈人
2843	沈子它𣪘	烏虖隹考取丑念自先王先公
2844	頌𣪘一	隹三年五月既死霸甲戌
2845	頌𣪘二	隹三年五月既死霸甲戌
2845	頌𣪘二	隹三年五月既死霸甲戌
2846	頌𣪘三	隹三年五月既死霸甲戌
2847	頌𣪘四	隹三年五月既死霸甲戌
2848	頌𣪘五	隹三年五月既死霸甲戌
2849	頌𣪘六	隹三年五月既死霸甲戌
2850	頌𣪘七	隹三年五月既死霸甲戌
2851	頌𣪘八	隹三年五月既死霸甲戌
2853.	__弔𣪘	隹王三月初吉辛卯
2853.	尹𣪘	隹二月
2854	禁𣪘	隹元年既望丁亥
2854	禁𣪘	今余隹醽京乃令
2855	班𣪘一	隹八月初吉才宗周甲戌
2855	班𣪘一	隹民亡偕才
2855	班𣪘一	允才顯、隹敬德、亡攸違
2855	班𣪘一	隹乍卲考爽益曰大政
2855.	班𣪘二	隹八月初吉
2855.	班𣪘二	隹民亡偕才
2855.	班𣪘二	隹敬德亡逌違
2855.	班𣪘二	隹乍卲考爽益曰大政
2856	師訇𣪘	隹王身厚賴

佳

2856	師訇殷	今余佳𤔲京乃令
2856	師訇殷	佳元年二月既望庚寅
2857	牧殷	佳王七年又三月既生霸甲寅
2857	牧殷	今余佳𤔲京乃命
2934	曾子遽彝匿	佳九月初吉庚申
2942	楚子＿臥匿一	佳八月初吉庚申
2943	楚子＿臥匿二	佳八月初吉庚申
2944	楚子＿臥匿三	佳八月初吉庚申
2945	□仲虎匿	佳□中虎罪其吉金
2946	曾子□匿	佳正月初吉丁亥
2961	敶侯乍媵匿一	佳正月初吉丁亥
2962	敶侯乍媵匿二	佳正月初吉丁亥
2963	陳侯匿	佳正月初吉丁亥
2964	曾□□肄匿	佳正吉乙亥
2967	敶侯乍孟姜朕匿	佳正月初吉丁亥
2970	考弔脂父尊匿一	佳正月初吉丁亥
2971	考弔脂父尊匿二	佳正月初吉丁亥
2973	楚屈子匿	佳正月初吉丁亥
2974	上鄀府匿	佳正六月初吉丁亥
2975	鄦子妝匿	佳正月初吉丁亥
2976	盥公匿	佳王正月初吉丁亥
2977	□孫弔左肄匿	佳正月初吉丁亥
2978	樂子敬豧臥匿	佳正月初吉丁亥
2979	弔朕自乍薦匿	佳十月初吉庚午
2980	鼄大宰肄匿一	佳正月初吉
2981	鼄大宰肄匿二	佳正月初吉
2982	長子□臣乍媵匿	佳正月初吉丁亥
2982	長子□臣乍媵匿	佳正月初吉丁亥
2984	伯公父盙	佳鐈佳鑪
2984	伯公父盙	佳鐈佳鑪
2985	陳逆匿一	佳王正月初吉丁亥
2985.	陳逆匿二	佳王正月初吉丁亥
2985.	陳逆匿三	佳王正月初吉丁亥
2985.	陳逆匿四	佳王正月初吉丁亥
2985.	陳逆匿五	佳王正月初吉丁亥
2985.	陳逆匿六	佳王正月初吉丁亥
2985.	陳逆匿七	佳王正月初吉丁亥
2985.	陳逆匿八	佳王正月初吉丁亥
2985.	陳逆匿九	佳王正月初吉丁亥
2985.	陳逆匿十	佳王正月初吉丁亥
2986	曾白霥旅匿一	佳王九月初吉庚午
2987	曾白霥旅匿二	佳王九月初吉庚午
3056	師趛乍檷姬旅盨	佳王正月既望
3056	師趛乍檷姬旅盨	佳王正月既望
3061	弭弔旅盨	佳五月既生霸庚午
3068	白寬父盨一	佳卅又三年八月既死辛卯
3069	白寬父盨二	佳卅又三年八月既死辛卯
3077	弔專父乍奠季盨一	佳王元年
3078	弔專父乍奠季盨二	佳王元年
3079	弔專父乍奠季盨三	佳王元年

3080	弔專父乍奠季盨四	隹王元年
3083	瘐毀（盨）一	隹四年二月既生霸戊戌
3084	瘐毀（盨）二	隹四年二月既生霸戊戌
3086	善夫克旅盨	隹十又八年十又二月初吉庚寅
3086	善夫克旅盨	隹用獻于師尹、倗友、婚（聞）遘
3087	鬲从盨	隹王廿又五年七月既□□□
3088	師克旅盨一（蓋）	則隹乃先且考又Jr于周邦
3088	師克旅盨一（蓋）	余隹巠乃先且考
3088	師克旅盨一（蓋）	今余隹𤕌（緟）京乃令
3089	師克旅盨二	則繇隹乃先且考又Jr于周邦
3089	師克旅盨二	余隹巠乃先且考
3089	師克旅盨二	今余隹𤕌（緟）京乃令
3090	㝨盨（器）	則隹輔天降喪不□唯死
3095	拍乍祀彝（蓋）	隹正月吉日乙丑
3097	陳侯午錞鎛一	隹十又四年
3098	陳侯午錞鎛二	隹十又四年
3099	十年陳侯午𦎫（器）	隹十年
3100	陳侯因𬮤錞	隹正六月癸未
3110.	元祀豆	隹旅其典祀
3121.	大宰歸父鐳	隹王八月丁亥
3173	隹爵	［隹］
3174	隹爵	［隹］
3718.	隹壺爵	隹壺
3998	長隹壺爵一	長隹壺
3999	長隹壺爵二	長隹壺
3999.	長隹壺爵三	長隹壺
3999.	長隹壺爵四	長隹壺
4183	貝隹易爵一	貝隹易、［天黽］父乙
4184	貝隹易爵二	貝隹易、［天黽］父乙
4203	御正良爵	隹四月既望丁亥
4204	盂爵	隹王初𣪘于成周
4242	𢊁冊宰椃乍父丁角	才六月隹王廿祀昱又五
4291	隹𠬝斝	［隹𠬝］
4343	亞㠱小臣邑斝	隹王六祀彡日、才四月［亞㠱］
4344	嘉仲父斝	隹元年正月初吉丁亥
4447	臣辰冊冊夕乍冊父癸盉	隹王大龠于宗周
4448	長甶盉	隹三月初吉丁亥
4449	裘衛盉	隹三年三月既生霸壬寅
4632	長隹壺尊	長隹壺
4793	隹乍父己尊	隹乍父己寶彝［戚箙］
4858	甾畾尊	隹甾畾叀□金
4860	魯侯尊	隹王令明公遣三族伐東或、才vq
4863	𠭯乍父乙尊	隹公pw于宗周
4864	乍冊𦉢尊	隹明保殷成周年
4866	小臣艅尊	隹王來正尸（夷）方
4866	小臣艅尊	隹王十祀又五彡日
4868	趞乍姞尊	隹十又三月辛卯、王才㡯
4869	次尊	隹二月初吉丁卯
4870	𡚬商尊	隹五月辰才丁亥
4871	𤔲䇂豊尊	隹六月既生霸乙卯

佳

4872	古白尊	丙日佳母入于公
4873	臣辰冊肯冊乍父癸尊	佳王大龠于宗周徭寰葊京年
4875	㫃折尊	佳五月王才序、戊子
4875	㫃折尊	佳王十又九祀
4877	小子生尊	佳王南征才□
4878	召尊	佳九月才炎㠯、甲午
4880	免尊	佳六月初吉
4882	匽乍文考日丁尊	佳四月初吉甲午
4883	耳尊	佳六月初吉辰才辛卯
4884	敺尊	佳十又三月既生霸丁卯
4885	效尊	佳四月初吉甲午
4886	趩尊	佳三月初吉乙卯
4886	趩尊	佳王二祀
4888	盠駒尊一	佳王十又三月、辰才甲申
4891	何尊	佳王初鄹宅于成周
4891	何尊	佳珷王既克大邑商
4891	何尊	佳王五祀
4893	夨令尊	佳八月、辰才甲申
4893	夨令尊	佳十月月吉癸未
4928	折觥	佳五月王才序、戊子
4928	折觥	佳王十又九祀
4976	折方彝	佳五月王才序、戊子
4976	折方彝	佳王十又九祀
4977	師遽方彝	佳正月既生霸丁酉
4978	吳方彝	佳二月初吉丁亥
4981	矢冊令方彝	佳八月、辰才甲申
4981	矢冊令方彝	佳十月月吉癸未
5462	帛白乍父乙卣一	佳王八月、帛白易貝于姜
5463	帛白乍父乙卣二	佳王八月、帛白易貝于姜
5473	同乍父戊卣	佳十又一月
5474	㽙卣	佳明保殷成周年
5474	㽙卣	[fL]佳明保殷成周年
5475	六祀𠨘其卣	才六月佳王六祀昱日[亞獏]
5476	趞乍姞寶卣	佳十又三月辛卯
5478	次卣	佳二月初吉丁卯
5479	䂞商乍文辟日丁卣	佳五月辰才丁亥
5480	冊𡴀冊豐卣	佳六月既生霸乙卯
5480	冊𡴀冊豐卣	佳六月既生霸乙卯
5481	叔卣一	佳王𥁕于宗周
5482	叔卣二	佳王𥁕于宗周
5483	周乎卣	佳九月既生霸乙亥
5483	周乎卣	佳九月既生霸乙亥
5484	乍冊睘卣	佳十又九年王才序
5484	乍冊睘卣	佳十又九年王才序
5487	靜卣	佳四月初吉丙寅
5488	靜卣二	佳四月初吉丙寅
5491	亞獏二祀𠨘其卣	佳王二祀
5492	亞獏四祀𠨘其卣	才四月佳王四祀昱日
5493	召乍_宮旅卣	佳十又二月初吉丁卯
5497	農卣	佳正月甲午、王才s2㡯

5500	免卣	隹六月初吉、王才鄭、丁亥
5501	臣辰冊冊𠨘卣一	隹王大龠于宗周
5502	臣辰冊冊𠨘卣二	隹王大龠于宗周
5503	競卣	隹白犀父以成𠂤即東
5504	庚嬴卣一	隹王十月既望辰才己丑
5505	庚嬴卣二	隹王十月既望辰才己丑
5506	小臣傳卣	隹五月既望甲子
5507	乍冊䰧卣	隹公大史見服于宗周年
5509	麩卣	隹十又二月
5509	麩卣	隹麩揚尹休
5511	效卣一	隹四月初吉甲午
5583	不白夏子罍一	隹正月初吉丁亥
5584	不白夏子罍二	隹正月初吉丁亥
5597	次甗	隹二月初吉丁卯
5726	華母薦壺	隹正月初吉庚午
5772	陳璋方壺	隹王五年奠陳旻再立事歲
5775	禁公子壺	隹正月初吉庚午
5777	孫弔師父行具	隹王正月初吉甲戌
5778	番匊生鑄賸壺	隹廿又六年十月初吉己卯
5781	曾姬無卹壺一	隹王廿又六年
5782	曾姬無卹壺二	隹王廿又六年
5783	曾白陭壺	隹曾白陭迺用吉金鐈鋚
5785	史懋壺	隹八月既死霸戊寅
5787	汈其壺一	隹五月初吉壬申
5788	汈其壺二	隹五月初吉壬申
5789	命瓜君厚子壺一	隹十年四月吉日
5790	命瓜君厚子壺二	隹十月四吉日
5791	十三年瘭壺一	隹十又三年九月初吉戊寅
5792	十三年瘭壺一	隹十又三年
5793	幾父壺一	隹五月初吉庚午
5794	幾父壺二	隹五月初吉庚午
5795	白克壺	隹十又六年七月既生霸乙未
5796	三年瘭壺一	隹三年九月丁子
5797	三年瘭壺二	隹三年九月丁子
5798	曶壺	隹正月初吉丁亥
5799	頌壺一	隹三年五月既死霸甲戌
5800	頌壺二	隹三年五月既死霸甲戌
5803	𠳵嗣𡚱蚉壺	以憂氒民之隹不辜
5803	𠳵嗣𡚱蚉壺	隹司馬賈訢諮戰怒
5803	𠳵嗣𡚱蚉壺	隹邦之幹
5803	𠳵嗣𡚱蚉壺	隹朕先王
5804	齊侯壺	隹王正月初吉丁亥
5805	中山王礜方壺	隹十四年
5805	中山王礜方壺	隹朕皇祖文武
5805	中山王礜方壺	用隹朕所放
5805	中山王礜方壺	隹逆生禍
5805	中山王礜方壺	隹順生福
5805	中山王礜方壺	隹德匔(附)民
5805	中山王礜方壺	隹宜可長
5816.	伯亞臣鐳	隹正月初吉丁亥

隹

佳

5824	孟縢姬膹缶	佳正月初吉丁亥
6633	斮乍文考觶	佳四月
6634	郐王義楚祭耑	佳正月吉日丁酉
6756	番君白龏盤	佳番君白龏用其赤金自鑄盤
6758	殷穀盤一	佳正月初吉
6759	殷穀盤二	佳正月初吉
6761	白者君盤	佳番hJ白者君自乍寶槃
6763	句它盤	佳句它弔乍寶般
6764	般仲_盤	佳般中_乍其盤
6766	黃韋艅父盤	佳元月初吉庚申
6768	齊大宰歸父盤一	佳王八月丁亥
6769	齊大宰歸父盤二	佳王八月丁亥
6770	囂白盤	佳正月初吉庚午
6773	_湯弔盤	佳正月初吉壬午
6777	邛仲之孫白戔盤	佳王月初吉丁亥
6778	免盤	佳五月初吉
6780	黃大子白克盤	佳王正月初吉丁亥
6781	夆弔盤	佳王正月初吉丁亥
6782	者尚余卑盤	佳王正月初吉丁亥
6784	三十四祀盤(祼盤)	佳王卅又四祀唯五月既望戊午
6785	守宮盤	佳正月既生霸乙未
6787	走馬休盤	佳廿年正月既望甲戌
6789	寰盤	佳廿又八年五月既望庚寅
6790	虢季子白盤	佳十又二年正月初吉丁亥
6791	兮甲盤	佳五年三月既死霸庚寅
6791	兮甲盤	其佳我者侯百生
6792	史墻盤	佳寏南行
6792	史墻盤	佳辟孝友
6824	曾子白匜	佳曾子白及父自乍尊匜
6847	蚍_匜	佳蚍si_其乍_鼎其匜
6852	_邑戕白匜	佳_邑戕白自乍寶匜
6855	貯子匜	佳王二月
6857	蔡白鄰匜	佳白鄰乍寶匜
6859	白者君匜一	佳番hJ白者尹自乍寶它
6865	楚嬴匜	佳王正月初吉庚午
6870	䢅公孫詣父匜	佳正月初吉庚午
6871	陳子匜	佳正月初吉丁亥
6874	鄭大內史弔上匜	佳十又二月初吉乙巳
6876	夆弔乍季妃盥盤(匜)	佳王正月初吉丁亥
6877	僃乍旅盉	佳三月既死霸甲申
6888	吳王光鑑一	佳王五月既字白期吉日初庚
6889	吳王光鑑二	佳王五月既字白期吉日初庚
6905	要君餗盂	佳正月初吉
6908	郐宜同歙盂	佳正月初吉日己酉
6909	遹盂	佳正月初吉
6910	師永盂	佳十又二年初吉丁卯
6921	鄧子仲盆	佳八月初吉丁亥
6923	庚午盨	佳正九月初吉庚午
6924	江仲之孫白戔餗盨	佳八月初吉庚午
6925	晉邦盨	佳王正月初吉丁亥

6925	晉邦盦	晉邦隹翰
6990	嘼篙鐘	隹嘼篙屈栾
7004	楚王頷鐘	隹王正月初吉丁亥
7005	鄀公鐘	隹鄀正四月□□
7016	楚王鐘	隹正月初吉丁亥
7017	楚王酓章鐘一	隹王五十又六祀
7021	虘鐘一	隹正月初吉丁亥
7022	虘鐘二	隹正月初吉丁亥
7023	虘鐘三	隹正月初吉丁亥
7026	邾阡鐘	隹王六初吉壬午
7028	臧孫鐘	隹王正月初吉丁亥
7029	臧孫鐘二	隹王正月初吉丁亥
7030	臧孫鐘三	隹王正月初吉丁亥
7031	臧孫鐘四	隹王正月初吉丁亥
7032	臧孫鐘五	隹王正月初吉丁亥
7033	臧孫鐘六	隹王正月初吉丁亥
7034	臧孫鐘七	隹王正月初吉丁亥
7035	臧孫鐘八	隹王正月初吉丁亥
7036	臧孫鐘九	隹王正月初吉丁亥
7038	應侯見工鐘一	隹正二月初吉
7040	克鐘一	隹十又六年九月初吉庚寅
7041	克鐘二	隹十又六年九月初吉庚寅
7042	克鐘三	隹十又六年九月初吉庚寅
7045	□□自乍鐘一	隹王正月初吉庚申
7051	子璋鐘一	隹正七月初吉丁亥
7052	子璋鐘二	隹正七月初吉丁亥
7053	子璋鐘三	隹正七月初吉丁亥
7054	子璋鐘四	隹正七月初吉丁亥
7055	子璋鐘五	隹正七月初吉丁亥
7056	子璋鐘六	隹正七月初吉丁亥
7057	子璋鐘八	隹正七月初吉丁亥
7058	邾公孫班鐘	隹王正月
7061	能原鐘	隹余□尸（夷）□□邾日之
7062	柞鐘	隹王三年四月初吉甲寅
7063	柞鐘二	隹王三年四月初吉甲寅
7064	柞鐘三	隹王三年四月初吉甲寅
7065	柞鐘四	隹王三年四月初吉甲寅
7066	柞鐘五	隹王三年四月初吉甲寅
7069	者汈鐘一	隹戉（越）十有九年
7070	者汈鐘二	隹戉十有九年
7072	者汈鐘四	隹戉十有九年、王曰
7073	者汈鐘五	隹戉十有九年
7076	者汈鐘八	隹王命
7079	者汈鐘十一	隹王命
7080	者汈鐘十二	隹王命元＿乃德
7082	齊鞄氏鐘	隹正月初吉丁亥
7084	邾公牼鐘一	隹王正月初吉
7085	邾公牼鐘二	隹王正月初吉
7086	邾公牼鐘三	隹王正月初吉
7087	邾公牼鐘四	隹王正月初吉

隹

7088	士父鐘一	隹康右屯魯
7089	士父鐘二	隹康右屯魯
7090	士父鐘三	隹康右屯魯
7091	士父鐘四	隹康右屯魯
7108	簷弔之仲子平編鐘一	隹正月初吉庚午
7109	簷弔之仲子平編鐘二	隹正月初吉庚午
7110	簷弔之仲子平編鐘三	隹正月初吉庚午
7111	簷弔之仲子平編鐘四	隹正月初吉庚午
7112	者減鐘一	隹正月初吉丁亥
7113	者減鐘二	隹正月初吉丁亥
7114	者減鐘三	隹正月初吉丁亥
7115	者減鐘四	隹正月初吉丁亥
7117	郐𪓐兒鐘一	隹正九月初吉丁亥
7118	郐儔兒鐘二	隹正九月初吉丁亥
7121	郐王子旃鐘	隹正月初吉元日癸亥
7124	沇兒鐘	隹正月初吉丁亥
7125	蔡侯𨭉紐鐘一	隹正五月初吉孟庚
7126	蔡侯𨭉紐鐘二	隹正五月初吉孟庚
7132	蔡侯𨭉紐鐘八	隹正五月初吉孟庚
7133	蔡侯𨭉紐鐘九	隹正五月初吉孟庚
7134	蔡侯𨭉甬鐘	隹正五月初吉孟庚
7136	郘𪔈一	余不敢為喬隹王正月初吉丁亥
7137	郘𪔈二	隹王正月初吉丁亥
7138	郘𪔈三	隹王正月初吉丁亥
7139	郘𪔈四	隹王正月初吉丁亥
7140	郘𪔈五	隹王正月初吉丁亥
7141	郘𪔈六	隹王正月初吉丁亥
7142	郘𪔈七	隹王正月初吉丁亥
7143	郘𪔈八	隹王正月初吉丁亥
7144	郘𪔈九	隹王正月初吉丁亥
7145	郘𪔈十	隹王正月初吉丁亥
7146	郘𪔈十一	隹王正月初吉丁亥
7147	郘𪔈十二	隹王正月初吉丁亥
7148	郘𪔈十三	隹王正月初吉丁亥
7149	郘𪔈十四	隹王正月初吉丁亥
7157	邾公華鐘一	隹王正月初吉乙亥
7175	王孫遺者鐘	隹正月初吉丁亥
7176	㝬鐘	隹皇上帝百神
7176	㝬鐘	我隹司配皇天
7176	㝬鐘	參壽隹利
7182	叔夷編鐘一	隹王五月辰才戊寅
7186	叔夷編鐘五	伊少臣隹輔
7201	楚王酓章乍曾侯乙鎛	隹王五十又六祀
7202	楚公逆鎛	隹八月甲申
7203	能原鎛	隹余□尸（夷）□□邾日之
7204	克鎛	隹十又六年九月初吉庚寅
7205	蔡侯𨭉編鎛一	隹正五月初吉孟庚
7206	蔡侯𨭉編鎛二	隹正五月初吉孟庚
7207	蔡侯𨭉編鎛三	隹正五月初吉孟庚
7208	蔡侯𨭉編鎛四	隹正五月初吉孟庚

7213	龤鎛	隹王五月初吉丁亥
7214	叔夷鎛	隹王五月辰才戊寅
7214	叔夷鎛	伊少臣隹輔
7215	其次勾鑃一	隹正初吉丁亥
7216	其次勾鑃二	隹正初吉丁亥
7217	姑馮勾鑃	隹王正月初吉丁亥
7219	冉鉦鋮(南疆征)	隹正月初吉丁亥
7874	蔡太史鉀	隹王正月初吉壬午
7888	騎傳馬節	騎傳隹
M160	口貯毁	隹巢來攸王令東宮追目六自之年
M171	小臣靜卣	隹十又三月
M191	繁卣	隹九月初吉癸丑
M252	免簠	隹三月既生霸乙卯
M361	井伯南毁	隹八月初吉壬午
M423.	趞鼎	隹十又九年四月既望辛卯
M508	虞侯政壺	隹王二月初吉壬戌
M553	越王者旨於賜鐘	隹正月王春吉日丁亥
M602	蔡矦匜	隹正月初吉丁亥
M616	番休伯者君盤	隹番休伯者君用其吉金
M617	番白享匜	隹番白畗自乍匜
M695	曾伯宮父鬲	隹曾伯宮父穆迺用吉金

小計：共　744 筆

0599

0660	__隻父乙鼎	[d8隻]父乙
0698	丂隻鼎	丂隻乍尊彝
0752	__乍且丁鼎	kL乍且丁盟彝(隻?)
1009	鄀侯鸌鼎	鄀侯隻(獲)巢
1231	楚王酓忓鼎一	楚王酓忓戰隻銅
1232	楚王酓忓鼎二	楚王酓忓戰隻銅
1324	禹鼎	休隻氒君馭方
1329	小字盂鼎	隻聝四千八百口二聝
2205	仲隻父乍寶毁	中隻父乍寶毁
2791.	史密毁	隻百人
2836	琙毁	隻馘百
3590.	亞隻爵	[亞隻]
3945	隻父癸爵	[隻]父癸
4161	__隻乍鸌彝爵	__隻乍旅彝
5049	隻卣	[隻]
5050.	隻䚄卣	[隻䚄]
5158	帚隻父庚卣	[帚隻]、父庚、父辛[酉]
5312	師隻卣(蓋)	師隻乍尊彝
5389	矢白隻乍父癸卣	矢白隻乍父癸彝
5772	陳璋方壺	大壯孔陳璋內伐匽亳邦之隻
5992	亞隻觚	[亞隻]
6202	隻父癸觚	[隻]父癸
6776	楚王酓志盤	楚王酓志戰隻兵銅
7744	工獻太子劍	以用以隻(獲)

7996.	上官登	富子之上官隻之畵sp□鉄┤
		小計：共 25 筆

雒 0600

3029	周𩚺旅盨	周雒乍旅須
		小計：共 1 筆

闇 0600+

2104	闇乍寶隮彝設	闇乍寶尊彝
		小計：共 1 筆

雁 0601

0638	雁＿乍旅鼎	雁ux乍旅
0690	雁公乍簟彝鼎一	雁公乍旅彝
0691	雁公乍簟彝鼎二	雁公乍旅彝
0773	雁公方鼎	雁公乍寶尊彝
0782	雁弔乍寶鼎	雁弔乍寶尊齍
1067	雁公方鼎一	雁公乍寶尊彝
1068	雁公方鼎二	雁公乍寶尊彝
1069	雁公方鼎三	雁公乍寶尊彝
1273	師湯父鼎	王呼宰雁易□弓
1301	大鼎一	王召走馬雁令取k3𩢍卅二匹易大
1302	大鼎二	王召走馬雁令取k3𩢍卅二匹易大
1303	大鼎三	王召走馬雁令取k3𩢍卅二匹易大
1629	應監甗	雁監乍寶尊彝
2097	雁公乍旅彝設一	雁公乍旅彝
2098	雁公乍旅彝設二	雁公乍旅彝
2384	鄧公設一	豨（ 鄧 ）公乍雁嫚𡚬朕設
2385	鄧公設二	豨（ 鄧 ）公乍雁嫚𡚬朕設
242.0	雁侯設	雁侯乍姬原母尊彝
2621	雁侯設	雁侯乍生杙姜尊設
2841	芇白設	雁（ 膺 ）受大命
3088	師克旅盨一（ 蓋 ）	師克不顯文武、雁受大令、匍有四方
3089	師克旅盨二	師克不顯文武、雁受大令、匍有四方
4750	雁公旅尊	雁公乍旅彝
4751	雁公尊	雁公乍寶尊彝
5675	雁公壺	雁公乍寶尊彝
7038	應侯見工鐘一	雁侯見工遺王于周
7038	應侯見工鐘一	艾白內右雁侯見工
7039	應侯見工鐘二	用乍朕皇且雁侯大𪔛鐘
7174	秦公鐘	夾雁受大命
7178	秦公及王姬編鐘二	夾雁受大命
7183	叔夷編鐘二	女雁鬲公家
7184	叔夷編鐘三	雁卹余于

7185	叔夷編鐘四	雁受君公之易光
7185	叔夷編鐘四	尸雁典其先舊及其高祖
7209	秦公及王姬鎛	夾雁受大命
7210	秦公及王姬鎛二	夾雁受大命
7211	秦公及王姬鎛三	夾雁受大命
7214	叔夷鎛	女雁鬲公家
7214	叔夷鎛	雁卹余于盟卹
7214	叔夷鎛	雁受君公之易光
7214	叔夷鎛	尸雁典其先舊及其高祖
7532	九年我□令雁戈	高望、九年戈丘命雁工市_冶_
		小計：共　42 筆

0602

1020	鄭雝原父鼎	鄭雝邍（原）父鑄鼎
1047	雝白鼎	王令雝白啚于出為宮
1047	雝白鼎	雝白乍寶尊彝
1048	雝乍母乙鼎	雝乍母乙尊鼎
1110	雝白原鼎	雝白原乍寶鼎
1159	辛鼎一	其亡彊氒家雝德舄
1160	辛鼎二	其亡彊氒家雝德舄
1194	郳王䊳鼎	雝賓客
1222	寢鼎一	師雝父省道至于𤞷、寢從
1223	寢鼎二	師雝父省道至于𤞷、寢從
1259	䢼公雝鼎	下䢼雝公諴乍尊鼎
1318	晉姜鼎	巠雝明德
1328	盂鼎	今余隹令女盂召榮敬雝德巠
1332	毛公鼎	雝我邦小大猷
1332	毛公鼎	勿雝lo庶□kl
1666	遇乍旅甗	師雝父戍才古師
1666	遇乍旅甗	遇從師雝父肩吏
2182	雝嬰設	雝嬰乍寶尊彝
2660	彔乍辛公設	白雝父來自𤞷
2834	𤞷設	巠雝先王
2854	蔡設	王才雝应
2856	師訇設	令女叀雝我邦小大猷
4879	彔𢦏尊	白雝父蔑彔曆
4884	臤尊	臤从師雝父戍于古𠂤之年
4892	麥尊	于若昱日才璧雝
5490	戉稽卣	稽從師雝父戍于古𠂤
5490	戉稽卣	對揚師雝父休
5490	戉稽卣	稽從師雝父戍于古𠂤
5490	戉稽卣	對揚師雝父休
5498	彔𢦏卣	白雝父蔑彔曆
5499	彔𢦏卣二	白雝父蔑彔曆
6708	白雝父乍用器盤	白雝父自乍用器
6909	遹盂	君才雝、即宮
6925	晉邦𥂴	□攻雝者
7108	𨜏弔之仲子平編鐘一	乃為之音____雝雝

	7109	簷弔之仲子平編鐘二	乃為之音___䶂䶂
	7110	簷弔之仲子平編鐘三	乃為之音___䶂䶂
	7111	簷弔之仲子平編鐘四	乃為之音___䶂䶂
䶂	7174	秦公鐘	霝音徹徹䶂䶂
雜	7176	㪤鐘	k4k4䶂䶂
琟	7178	秦公及王姬編鐘二	霝音徹徹䶂䶂
㲃	7181	秦公及王姬編鐘六	霝音徹徹䶂䶂
	7187	叔夷編鐘六	徹徹䶂䶂
	7209	秦公及王姬鎛	霝音徹徹䶂䶂
	7210	秦公及王姬鎛二	霝音徹徹䶂䶂
	7211	秦公及王姬鎛三	霝音徹徹䶂䶂
	7212	秦公鎛	其音sLsL䶂䶂孔煌
	7214	叔夷鎛	徹徹䶂䶂
	7401	䶂之田戈	䶂之田戈
	7438	䶂王戈	䶂王其所馬
	7540	卅一年相邦冉戈	卅一年相邦冉䶂工帀、䶂環德
	7547	廿六年蜀守武戈	武、廿六年蜀守武造東工䶂宦丞耒工箎
	7669	四年□雍令矛	四年□䶂命韓匡司寇□宅

小計：共 53 筆

雜 0603

0813	白遲父乍雜鼎	白遲父乍雜貞（鼎）
0968	走馬吳買乍雜鼎	sz父之走馬吳買乍雜貞（鼎）用

小計：共 2 筆

琟 0604

6793	矢人盤	以西至于琟莫
6793	矢人盤	豐父、琟人有嗣荆丂

小計：共 2 筆

㲃 0605

2344	季㲃乍旅㲃	季㲃乍旅㲃隹子孫乍寶

小計：共 1 筆

0606

6925	晉邦盦	公曰：余锥小子
6925	晉邦盦	锥今小子
		小計：共 3 筆

0607

6587	逄父甲觶	[逄]父甲
		小計：共 1 筆

0607+

1486	宰駟父鬲	魯宰駟父乍姬雝媵鬲
		小計：共 1 筆

0608

2302	䴉季奞父段	䴉(咢)季奞父乍寶尊彝
3650	鬲奞爵	[鬲奞]
3725	鬲天鳥爵	[鬲奞]
		小計：共 3 筆

0609

0924	𦊧奪乍父丁鼎一	奪乍父丁寶尊彝[𦊧]
1326	多友鼎	復奪京㠯之孚
2054	奪乍寶段	奪乍寶段
2837	敔段一	奪孚人四百
3090	𨟭盨(器)	爰奪叡行道
5699	𦊧奪乍父丁壺	奪乍父丁寶尊彝[𦊧]
		小計：共 6 筆

0610

1288	令鼎一	令眔奮先馬走
1288	令鼎一	王曰：令眔奮乃克至
1289	令鼎二	令眔奮先馬走
1289	令鼎二	王曰：令眔奮乃克至
1331	中山王嚳鼎	敱(奮)桴振鐸
		小計：共 5 筆

0611

蒦 雚 舊 蔑

1274	哀成弔鼎	亦弗其□蒦
1331	中山王𰯌鼎	蒦(與)其汋(溺)烏(於)人施(也)
1425	鄭弔蒦父羞鬲	鄭弔蒦父乍羞鬲
		小計：共 3 筆

雚 0612

1662	𧻚甗	王人vy輔歸雚鑄其寶
2791.	史密𣪘	雚不阶(折、哲)
4885	效尊	王雚于嘗
4971	_乍父癸方彝(蓋)	癸亥王才圃雚京
5511	效卣一	王雚于嘗
6385	雚母觶	[雚母]
7737	十五年劍	邦左庫工帀代雚工帀長鑄冶執齊齊
		小計：共 7 筆

舊 0613

2826	師寰𣪘一	淮尸繇(舊)我貟晦臣
2826	師寰𣪘一	淮尸繇(舊)我貟晦臣
2827	師寰𣪘二	淮尸繇(舊)我貟晦臣
2838	師𠭯𣪘一	令女嗣(司)乃且舊官小輔鼓鐘
2838	師𠭯𣪘一	令女嗣乃且舊官小輔眔鼓鐘
2839	師𠭯𣪘二	令女嗣(司)乃且舊官小輔鼓鐘
2839	師𠭯𣪘二	令女嗣乃且舊官小輔眔鼓鐘
4888	盠駒尊一	王弗望𠭯舊宗小子
6791	兮甲盤	淮夷舊我貟晦人
7157	邾公華鐘一	元器其舊
7185	叔夷編鐘四	尸雍典其先舊及其高祖
7214	叔夷鎛	尸雍典其先舊及其高祖
		小計：共 12 筆

蔑 0614

0288	王蔑鼎	王蔑
1018	𩣡屯乍父己鼎一	屯蔑曆于□oy(衛?)
1019	_屯乍父己鼎二	屯蔑曆于□oy(衛?)
1127	𤔲鼎	溓公蔑𤔲曆
1139	寓鼎	戊寅、王蔑寓曆事𧟭大人
1162	乃子克鼎	效辛白蔑乃子克曆
1222	寙鼎一	其父蔑寙曆、易金
1223	寙鼎二	其父蔑寙曆、易金
1248	庚嬴鼎	丁子、王蔑庚嬴曆
1284	尹姞鼎	君蔑尹姞曆
1307	師望鼎	多蔑曆易休
1323	師𬂁鼎	𬂁蔑曆
1528	公姞鬲鼎	天君蔑公姞曆

蔑

1533	尹姞竇鬲一	君蔑尹姞曆
1534	尹姞竇鬲二	君蔑尹姞曆
1666	遹乍旅甗	侯蔑遹曆、易遹金
2513	再乍季日乙㚸𣪘一	㲋生蔑再曆
2514	再乍季日乙㚸𣪘二	㲋生蔑再曆
2660	彔乍辛公𣪘	蔑彔曆、易赤金
2661	競𣪘一	白屖父蔑御史競曆、賞金
2662	競𣪘二	白屖父蔑御史競曆、賞金
2687	敔𣪘	王蔑敔曆、易玄衣赤市
2688	大𣪘	王才奠、蔑大曆
2710	肄自乍竇器一	王吏榮蔑曆令桂邦
2711	肄自乍竇器二	王吏榮蔑曆令桂邦
2723	𠦪𣪘	王蔑友曆、易牛三
2737	段𣪘	王蔑段曆
2760	小臣謎𣪘一	小臣謎蔑曆、眔易貝
2761	小臣謎𣪘二	小臣謎蔑曆、眔易貝
2777	天亡𣪘	隹朕又蔑
2792	師俞𣪘	俞其蔑曆
2837	敔𣪘一	王蔑敔曆
2843	沈子它𣪘	烏虖、乃沈子妹克蔑見猒于公
4448	長囟盉	穆王蔑長囟以逨即井白氏
4448	長囟盉	長囟蔑曆
4869	次尊	次蔑曆
4876	保尊	蔑曆于保、易賓
4879	彔䢅尊	白雝父蔑彔曆
4880	免尊	王蔑免曆
4884	臤尊	臤蔑曆、中競父易金
4886	趩尊	趩蔑曆、用乍竇尊彝
4977	師遽方彝	師遽蔑曆友
5478	次卣	次蔑曆、易馬易裘
5490	戉𥠖卣	蔑曆、易貝卅守
5490	戉𥠖卣	蔑曆
5495	保卣	蔑曆于保、易賓
5495	保卣	蔑曆于保、易賓
5498	彔䢅卣	白雝父蔑彔曆
5499	彔䢅卣二	白雝父蔑彔曆
5500	免卣	王蔑免曆
5503	競卣	競蔑曆
5504	庚贏卣一	王蔑庚贏曆
5505	庚贏卣二	王蔑庚贏曆
5597	次瓿	𠂤次蔑曆
6778	免盤	免蔑、靜女王休
6784	三十四祀盤（裸盤）	鮮蔑鄙、王𩰫鄙玉三品、貝廿朋
6792	史墻盤	其日蔑曆
7122	梁其鐘一	用天子寵、蔑汈其
7123	梁其鐘二	用天子寵、蔑汈其
7542	廿四年右馬令戈	廿四年申陰令右庫工帀蔑冶豎
M191	緐卣	公蔑緐曆
		小計：共　61 筆

羊
羗

羊 0615

0023	羊鼎一	[羊]
0024	羊鼎二	[羊]
0402	羊父庚鼎	[羊]父庚
0566	子羊父丁鼎	[子羊]父丁
0950	羊甚諆臧鼎	甚諆臧聿乍父丁尊彝[羊]
1097	白虘父乍羊鼎	白虘父乍羊鼎
1210	寎_鼎	用乍父乙尊[羊冊]
1275	師同鼎	大車廿、羊百
1329	小字盂鼎	羊廿八羊
1330	曶鼎	迺卑□目㠯(曶)酉彶羊
1679	羊毁	[羊]
2002	又養父己毁	[又羊夊]父己
2078	𨾊羊父丁毁	[𨾊羊]父丁
2526	弔䚄毁	貝十朋、羊百
2766	三兒毁	用□□_羊□□□其遹孟□□廿㐭
2826	師寰毁一	毆孚士女羊牛、孚吉金
2826	師寰毁一	毆孚士女羊牛、孚吉金
2827	師寰毁二	毆孚士女羊牛、孚吉金
3165	羊爵一	[羊]
3166	羊爵二	[羊]
3983	羊己_爵	[羊]己f8
4014	羊_車爵	[羊_車]
4139	羊馬_父丁爵	[羊馬de]父丁
5240	又養父己卣	[又羊夊]父己
5374	羊乍父乙卣	羊乍父乙寶尊彝
6022	羊己觚	[羊]己
6203	羊貝車觚	[羊貝車]
6397	羊冊觶	[羊冊]
6496	羊父辛觶	[羊]父辛
7268	羊戈	[羊、耳]
7422	羊子之造戈	羊子之造戈
7447	羊_亲戈造服	羊wm亲造散戈
7900	鄂君啟舟節	女載馬、牛、羊台出內關

小計：共 33 筆

羗 0616

1322	九年裘衛鼎	東臣羗裘
2457	的白迹毁二	的白迹(達?)乍寶羗(毁?)
4238	索諆角	索諆乍有羗日辛䵼彝
5796	三年㾓壺一	乎虢弔召㾓、易羗俎
5797	三年㾓壺二	乎虢弔召㾓、易羗俎

小計：共 5 筆

0617

1322	九年裘衛鼎	舍盞冒□瓶皮二、罡(從)皮二
		小計：共　1 筆

0618

1331	中山王譽鼎	早棄群臣
2682	陳侯午毀	陳侯午台群者侯□鑄乍皇妣□大妃祭器
3097	陳侯午鎛錞一	陳侯午台群者侯獻金
3098	陳侯午鎛錞二	陳侯午台群者侯獻金
3099	十年陳侯午錞(器)	陳侯午朝群邦者侯于齊
7051	子璋鐘一	群孫斨子子璋
7052	子璋鐘二	群孫斨子子璋
7053	子璋鐘三	群孫斨子子璋
7054	子璋鐘四	群孫斨子子璋
7055	子璋鐘五	群孫斨子子璋
7056	子璋鐘六	群孫斨子子璋
7057	子璋鐘八	群孫斨子子璋
7213	𬭚鎛	齊群鞄(鮑)弔之孫
		小計：共　13 筆

0619

0300	美宁鼎	[美宁]
4192	美乍氒且可公爵一	美乍氒且可公尊彝
4193	美乍氒且可公爵二	美乍氒且可公尊彝
5805	中山王譽方壺	因載所美
		小計：共　4 筆

0620

0260	魚羌鼎	[魚羌]
1173	羌乍文考鼎	□令羌死嗣□官
1173	羌乍文考鼎	羌對揚君令于彝
1460	奠羌白乍季姜鬲	鄭羌白乍季姜尊鬲
1616.	子商亞羌乙甗	子商[亞羌乙]
2484	伯綢父毀	白綢父乍周羌尊毀
3031	奠義羌父旅盨一	奠義羌父乍旅盨
3032	奠義羌父旅盨二	奠義羌父乍旅盨
3574	羌子爵	[羌子]
3578	丁羌爵	[丁羌]
3578.	鋬羌爵	[鋬羌]
3719	亞乙羌爵	[亞乙羌]
J2527	羌尊	羌乍父己寶尊彝
7092	𫑘羌鐘一	𫑘羌乍rq氒辟韓宗徹
7093	𫑘羌鐘二	𫑘羌乍rq氒辟韓宗徹

7094	𣪘羌鐘三	𣪘羌乍rq氏辟韓宗徹
7095	𣪘羌鐘四	𣪘羌乍rq氏辟韓宗徹
7096	𣪘羌鐘五	𣪘羌乍rq氏辟韓宗徹

小計：共 18 筆

宰 0620+

3255	宰爵	[宰]

小計：共 1 筆

𢀛 0621

3123	𢀛氏善鎗	𢀛氏盾乍善鎗(會)

小計：共 6 筆

𠬝 0621+

0307	𠬝鼎	[𠬝]
2347	𠬝䥫頁駒乍父乙段	䥫頁駒用乍父乙尊彝[𠬝]

小計：共 2 筆

彝 0622

0145	彝鼎	[𢑚(彝)]
0146	彝鼎	[𢑚(彝)]
3335	彝爵	[𢑚(彝]
4324	彝父辛斝	[𢑚(彝)]父辛

小計：共 4 筆

䧹 0623

0926	趞乍文父戊鼎	趞乍文父戊尊彝[䧹冊]
1467	呂䧹姬乍鬲	呂䧹乍𪊲鬲
1634	䧹冊𠨘乍母戊甗	[䧹冊]𠨘乍母戊彝
1892	䧹父辛段	[䧹]父辛
2334	頌段	[䧹𢦏]受冊令頌其寶彝
3943	䧹父癸爵	[䧹]父癸
6456	䧹父丁觶	[䧹]父丁
6491	䧹父辛觶	[䧹]父辛

小計：共 8 筆

霝 0624

0955	霝乍己公鼎	霝乍己公寶鼎其萬年用

6867	弔男父乍為霍姬匜	弔男父乍為霍姬賸旅它
		小計：共 2 筆

集 0625

6592	晶小雧母乙觶	[晶小雧]母乙
0659	集脰礼鼎	集脰礼貞
0659	集脰礼鼎	集脰
0729	集脰大子鼎一	大子鼎、集脰
0730	集脰大子鼎二	集脰大子鼎
0731	鑄客鼎	鑄客為集脰、集脰
0871	鑄客為集醻鼎	鑄客為集糌為之
0872	鑄客為集醻鼎	鑄客為集醻為之
0873	鑄客為集脰鼎一	鑄客為集脰為之
0874	鑄客為集脰鼎二	鑄客為集脰為之
1004	鑄客鼎	鑄客為集膴、仲膴、睘豚膴為之
1115	楚王酓肯喬鼎	集脰
1231	楚王酓忓鼎一	集脰
1232	楚王酓忓鼎二	集脰
1332	毛公鼎	唯天畄(將)集氒命
2292	集偖乍父癸毀一	集偖乍父癸寶尊彝
2293	集偖乍父癸毀二	集偖乍父癸寶尊彝
3121.	鑄客鏞	鑄客為集豆__為之
3944	集父癸爵	[集]父癸
5326	乍父癸卣	乍父癸尊彝[集]
5434	亞集箕乍文考父丁卣	亞集乍文老父丁寶尊彝
6707	鑄客為集脰盤	鑄客為集脰為之
7867.	龍__	集尹陳夏、少集尹龔則、少攻(工)差(佐)孝癸
7899	鄂君啟車節	大攻尹睢台王命命集尹悳(悼)nf
7900	鄂君啟舟節	大攻尹睢台王命命集尹悳nf
7932	集脰大子鎬	集脰大子之鎬
7933	大府鎬	立府為王一僧晉鎬集脰
7947	鑄客銅器一	鑄客為集脰為之
		小計：共 28 筆

0626

0026	鵝形鼎一	[鳥]
0027	鵝形鼎二	[鳥]
0430	鳥父癸鼎	[鳥]父癸
0834	鳥壬侜鼎	鳥壬侜乍尊彝
1407	亞從父丁鬲	亞从父丁[鳥宁]
1675	鳥毀一	[鳥]
1676	鳥毀二	[鳥]
1924	鳥父戊毀	[鳥]父戊
2339	臤鳥乍且癸毀	𠫑易鳥玉、用乍且癸彝[臤]
3176	鳥爵	[鳥]
3398	亞鳥爵	[亞鳥]

霍
雧
集
鳥

3611	鳥卯爵	[鳥卯]
3941	隹父癸爵	[鳥]父癸
3942	鳥父癸爵	[鳥]父癸
4152.	庚寅父癸爵	庚寅父癸[鳥]
4403	亞鳥宁从父丁盉	[亞鳥宁dc]父丁
4531	癸鳥尊	癸[鳥]
4556.	鳥且犧尊	[鳥]且
4611	鳥父癸尊	[鳥]父癸
4691	子乍弄鳥鳥形尊	子乍弄鳥
5106	鳥且甲卣	[鳥且甲]
5114	鳥父甲卣	[鳥]父甲
5296	鳥乍旅父丁卣(蓋)	[鳥]乍旅父丁
5319	＿父乙母告田卣	[亞㪅]父乙、[鳥]父乙母[告田]
5552	亞吴玄婦方罍一	[玄鳥]婦、[亞吴]
5553	亞吴玄婦方罍二	[玄鳥]婦、[亞吴]
5881	鳥觚一	[鳥]
5960	鳥觚	[鳥]
5961	鳥觚	[鳥]
6128	鳥父乙觚	[鳥]父乙
6136	鳥父丁觚	[鳥]父丁
6277	貝隹乍父乙觚	貝鳥易用乍父乙尊彝[天黽]
6294	鳥觶	[鳥]
6472	鳥父己觶	[鳥]父己
6547	鳥兀且乙觶	[鳥兀]且乙
6604	尚乍父乙觶	尚乍父乙彝[鳥]
6628	鳥冊何般貝宁父乙觶	[何般貝宁]用乍父乙寶尊彝[鳥]
7287	＿戈	[＿鳥]
7976	之利殘片	烏虖、烏興余利資鳥止
		小計：共　39 筆

難　0627

1331	中山王譽鼎	叟(鄰)邦難新(親)
3121.	大宰歸父鑪	魯＿難歲
5786	旻季良父壺	其萬年靁冬難老
6768	齊大宰歸父盤一	靁命難老
6769	齊大宰歸父盤二	靁命難老
7187	叔夷編鐘六	靁命難老
7214	叔夷鎛	靁命難老
		小計：共　8 筆

鷀　0628

2305	弔䵣父乍鷀姬旅毁一	弔䵣(咢)父乍鷀姬旅毁
2306	弔䵣父乍鷀姬旅毁二	弔䵣(咢)父乍鷀姬旅毁
2593	弔䵣父乍旅毁一	弔䵣父乍鷀姬旅毁
2594	弔䵣父乍旅毁二	弔䵣父乍鷀姬旅毁
2594.	弔䵣父乍旅毁三	弔䵣父乍鷀姬旅毁
		小計：共　6 筆

0629

7082	齊鞄氏鐘	卑鳴攸好
7121	郤王子旃鐘	元鳴孔皇
7124	沇兒鐘	元鳴孔皇
7125	蔡侯□□鐘一	元鳴無期
7126	蔡侯□□鐘二	元鳴無期
7131	蔡侯□□鐘七	元鳴無期
7132	蔡侯□□鐘八	元鳴無期
7133	蔡侯□□鐘九	元鳴無期
7134	蔡侯□甬鐘	元鳴無期
7175	王孫遺者鐘	元鳴孔皇
D224	蔡侯□□鐘	鳴
J0081	王孫□鐘	（拓本未見）
7205	蔡侯□編鎛一	元鳴無期
7206	蔡侯□編鎛二	元鳴無期
7207	蔡侯□編鎛三	元鳴無期
7208	蔡侯□編鎛四	元鳴無期
7280	祭鳥篆戈	［祭鳴］
M612	鄦子鐘	元鳴且煌

小計：共 18 筆

0630

1041	且方鼎	鄧父中□□□且

小計：共 1 筆

0631

2843	沈子它設	朕吾考令乃鴅沈子乍綰于周公宗

小計：共 1 筆

0631+

1318	晉姜鼎	卑貫通引征緐湯□

小計：共 1 筆

0632

2335	告田乍且乙□侯弔尊設	乍且乙□侯弔尊彝［告田］
6971	留鐘	留為弔□禾鐘

小計：共 2 筆

0632+

M729	曾侯乙編鐘中二・二	曾侯乙乍時，角反，徵反，割肄之馱，

小計：共 1 筆

鳴 □ 鴅 □ □ 馱

烏
於

烏	0633	與下文於同字	
	1316	𢦚方鼎	𢦚曰：烏虖、王唯念𢦚辟剌考甲公
	1316	𢦚方鼎	𢦚曰：烏虖、朕文考甲公、文母日庚
	1324	禹鼎	烏虖哀哉
	1331	中山王嚳鼎	烏虖、語不逡（廢）㢸（哉）
	1331	中山王嚳鼎	𢍰（與）其汋（溺）烏（於）人施（也）
	1331	中山王嚳鼎	寧汋（溺）烏（於）於淵
	1331	中山王嚳鼎	閈烏（於）天下之勿（物）矣
	1331	中山王嚳鼎	猶覗（眯迷）惑烏（於）子之而亡其邦
	1331	中山王嚳鼎	而皇（況）才烏（於）{小子}（少）君虖
	1331	中山王嚳鼎	烏虖、折㢸（哉）
	1331	中山王嚳鼎	烏虖、休㢸
	1331	中山王嚳鼎	烏虖、念之㢸（哉）
	1331	中山王嚳鼎	烏虖、念之㢸（哉）
	1332	毛公鼎	烏虖、懼余小子
	2843	沈子它𣪘	烏虖隹考取丑念自先王先公
	2843	沈子它𣪘	烏虖、乃沈子妹克蔑見猷于公
	2855	班𣪘一	班拜稽首曰：烏虖
	2855.	班𣪘二	烏虖
	4787	烏矢乍辛尊	烏矢乍父辛寶彝
	4885	效尊	烏虖、效不敢不萬年夙夜奔走
	4891	何尊	烏虖、爾有唯小子亡識
	5468	子寡子卣	烏虖、誠帝家以寡子作永寶
	5468	子寡子卣	烏虖、誠帝家以寡子乍永寶
	5508	弔趞父卣一	烏虖
	5805	中山王嚳方壺	烏虖、允㢸（哉）若言
	5511	效卣	烏虖，效不敢不萬年夙夜奔走揚公
	6925	晉邦盦	烏卲萬年
	7520	越王者旨於睗戈二	戉王者旨烏於睗、□t7t8□t9ua
	7976	之利殘片	烏虖、烏興余利資烏止
			小計：共　29 筆
於	0633	與上文烏同字	
	1331	中山王嚳鼎	𢍰（與）其汋（溺）烏（於）人施（也）
	1331	中山王嚳鼎	寧汋（溺）烏（於）於淵
	1331	中山王嚳鼎	閈烏（於）天下之勿（物）矣
	1331	中山王嚳鼎	猶覗（眯迷）惑烏（於）子之而亡其邦
	1331	中山王嚳鼎	而皇（況）才烏（於）{小子}（少）君虖
	2856	師訇𣪘	亦則於女乃聖且考克左右先王
	5803	𦸗嗣好蚉壺	於呼、先王之悳
	5805	中山王嚳方壺	外之則將使上勤於天子之廟
	5805	中山王嚳方壺	而退與者侯齒長於會同
	5805	中山王嚳方壺	則上逆於天
	5805	中山王嚳方壺	下不順於人施
	5805	中山王嚳方壺	將與吾君並立於世
	5805	中山王嚳方壺	齒長於會同
	6990	留篙鐘	晉人救戎於楚競

7061	能原鐘	之於大□者
7061	能原鐘	□於□日利
7117	郘黛兒鐘一	曰：於虖敬哉
7118	郘黛兒鐘二	曰：於虖敬哉
7203	能原鎛	之於大□者
7203	能原鎛	□於□日利
7213	黏鎛	枼萬至於台孫子
7519	越王者旨於賜戈一	戉王者旨於賜、□t7t8□t9ua
7520	越王者旨於賜戈二	戉王者旨烏於賜、□t7t8□t9ua
7634	越王者旨於賜矛	越王者旨於賜
7699	越王者旨於賜劍一	越王者旨於賜王越
7700	越王者旨於賜劍二	越王者旨於賜王越
7701	越王者旨於賜劍三	越王者旨於賜王越
7867.	龍＿	□客臧（ 臧 ）嘉聞王於栽（ 歲 ）之歲
7899	鄂君啟車節	大司馬卲陽敗晉帀於襄陽之歲
7899	鄂君啟車節	王居於茂郢之遊宮
7899	鄂君啟車節	台毀於五十乘之中
7900	鄂君啟舟節	大司馬卲陽敗晉帀於襄陵之歲
7900	鄂君啟舟節	王居於茂郢之遊宮
7900	鄂君啟舟節	則政於大府
7900	鄂君啟舟節	毋政於關
M553	越王者旨於賜鐘	戉王者旨於賜罩雫吉金
M555	越王者旨於賜劍	越王者旨於賜王越
M561	越王大子□闕矛	於戉□王弋医之大子□闕

小計：共　38 筆

舄 0634

1308	白晨鼎	赤舄
1311	師晨鼎	易赤舄
1322	九年裘衛鼎	鑿舄俑皮二
1328	盂鼎	易女鬯一卣、冋衣、市、舄、車馬
2769	師耤毁	金亢、赤舄、戈琱㦸、彤沙
2771	弭弔師汓毁一	易女赤舄、攸勒
2772	弭弔師汓毁二	易女赤舄、攸勒
2829	師虎毁	易女赤舄、用吏
2831	元年師兌毁一	易女乃且巿、五黃、赤舄
2832	元年師兌毁二	易女乃且巿、五黃、赤舄
2838	師嫠毁一	易女弔市金黃、赤舄攸勒、用吏
2838	師嫠毁一	易女弔市金黃、赤舄攸勒、用吏
2839	師嫠毁二	易女弔市金黃、赤舄攸勒、用吏
2839	師嫠毁二	易女弔市金黃、赤舄攸勒、用吏
2854	絭毁	易女玄衮衣、赤舄
3088	師克旅盨一（ 蓋 ）	易鬯一卣、赤市五黃、赤舄
3089	師克旅盨二	易鬯一卣、赤市五黃、赤舄
3090	㝨盨（ 器 ）	乃父市、赤舄、駒車、桒較、朱虢、囩靳
4892	麥尊	金＿、冂、衣、市、舄
4978	吳方彝	玄衮衣、赤舄
5791	十三年瘐壺一	牙僰、赤舄

於
舄
烏

5792	十三年瘐壺一	牙僰、赤舄
5798	曶壺	赤市幽黃、赤舄

小計：共　23 筆

焉　0635

5805	中山王譽方壺	不祥莫大焉
5805	中山王譽方壺	明_之于壺而時觀焉

小計：共　2 筆

畢　0636

0987	朋仲鼎	倗中乍畢媿賸鼎
1123	伯夏父鼎	白夏父乍畢姬尊鼎
1514	白夏父乍畢姬鬲一	白夏父畢姬尊鬲
1515	白夏父乍畢姬鬲二	白夏父乍畢姬尊鬲
1516	白夏父乍畢姬鬲三	白夏父乍畢姬尊鬲
1517	白夏父乍畢姬鬲四	白夏父乍畢姬尊鬲
1518	白夏父乍畢姬鬲六	白夏父乍畢姬尊鬲
1519	白夏父乍畢姬鬲五	白夏父乍畢姬尊鬲
2088	畢□父旅設	畢□□遣父旅設
2253	畢□設	畢□□父□尊設
2586	史䛢設一	乙亥王䛢（誥）畢公
2587	史䛢設二	乙亥王䛢（誥）畢公
2628	畢鮮設	畢鮮乍皇且益公尊設
2698	陳䏌設	畢龏愄（畏）忌
2730	獻設	獻身才畢公家
2737	段設	王鼒（才）畢𤇾
2737	段設	念畢中孫子
2787	望設	死嗣畢王家
2787	望設	死司畢王家
5493	召乍_宮旅卣	賞畢土方五十里
5814	白夏父𨱎一	白夏父乍畢姬尊𨱎
5815	白夏父𨱎二	白夏父乍畢姬尊𨱎
6910	師永盂	邑人奎父、畢人師同
7084	邾公牼鐘一	曰：余畢龏威忌
7085	邾公牼鐘二	曰：余畢龏威忌
7086	邾公牼鐘三	曰：余畢龏威忌
7087	邾公牼鐘四	曰：余畢龏威忌
7136	郘鐘一	畢公之孫
7137	郘鐘二	郘_曰：余畢公之孫
7138	郘鐘三	郘_曰：余畢公之孫
7139	郘鐘四	郘_曰：余畢公之孫
7140	郘鐘五	郘_曰：余畢公之孫
7141	郘鐘六	郘_曰：余畢公之孫

7142	郘鐘七	郘__曰：余畢公之孫
7143	郘鐘八	郘__曰：余畢公之孫
7144	郘鐘九	郘__曰：余畢公之孫
7145	郘鐘十	郘__曰：余畢公之孫
7146	郘鐘十一	郘__曰：余畢公之孫
7147	郘鐘十二	郘__曰：余畢公之孫
7148	郘鐘十三	郘__曰：余畢公之孫
7149	郘鐘十四	郘__曰：余畢公之孫
7692	郾王喜劍一	郾王喜乍畢旅鈦
7693	郾王喜劍二	郾王喜乍畢旅鈦
7694	郾王喜劍三	郾王喜乍畢旅鈦
7695	郾王喜劍四	郾王喜乍畢旅鈦
7710	郾王職劍	郾王職乍武畢旅劍
7713	郾王職劍	郾王職乍武畢so劍、右攻

小計：共　47 筆

0637

1331	中山王嚳鼎	早棄群臣
4011	亞爵	[亞棄]
6793	夨人盤	則爰千罰千、傳棄之

小計：共　3 筆

0638

4334	冓斝	冓乍寶尊彝
6786	__弔多父盤	兄弟者子聞(婚)冓(媾)無不喜

小計：共　2 筆

0639

5772	陳璋方壺	佳王五年奠陳旻再立事歲
5773	陳喜壺	陳喜再立事歲p1月己酉
7092	驫羌鐘一	唯廿又再祀
7093	驫羌鐘二	唯廿又再祀
7094	驫羌鐘三	唯廿又再祀
7095	驫羌鐘四	唯廿又再祀
7096	驫羌鐘五	唯廿又再祀
7185	叔夷編鐘四	尸用或敢再拜諳首
7192	叔夷編鐘十一	敢再拜諳首膺受君公之
7214	叔夷鎛	尸用或敢再拜諳首

小計：共　10 筆

0640

1010	榮有嗣爯鼎	榮有司爯乍𩰫鼎

1170	信安君鼎	十二年再九益
1170	信安君鼎	十二年再二益六釿
1462	榮有嗣再齋鬲	榮又(有)嗣再乍齋鬲
2348	仲再毁	中再乍又寶彝用鄉王逆遉
2513	再乍季日乙妻毁一	㝬生蔑再曆
2514	再乍季日乙妻毁二	㝬生蔑再曆
2834	㝬毁	再盩先王宗室
2842	卯毁	余懋再先公官
4449	裘衛盉	王再旂于豐
4891	何尊	復再珷王豐福自天
5563	再乍日父丁罍	[再]乍日父丁尊彝
		小計：共　12 筆

幺　0641　0650幺字重見

2775.	害毁一	幺衣
2775.	害毁二	幺衣黹屯、旂、攸革
2983	弭仲寶匿	其嚳其幺其黃
2984	伯公父盨	亦幺亦黃
2984	伯公父盨	亦幺亦黃
3128	魚鼎匕	帛命入敗
3601	腰幺爵	[腰幺]
3882	幺父己爵	[幺]父己
3952	幺父癸爵	[幺]父癸
7084	邾公牼鐘一	幺鏐膚呂
7085	邾公牼鐘二	幺鏐膚呂
7086	邾公牼鐘三	幺鏐膚呂
7087	邾公牼鐘四	幺鏐膚呂
7108	膚弔之仲子平編鐘一	幺鏐鏞鑪
7109	膚弔之仲子平編鐘二	幺鏐鏞鑪
7110	膚弔之仲子平編鐘三	幺鏐鏞鑪
7111	膚弔之仲子平編鐘四	幺鏐鏞鑪
M423.	趞鼎	王乎內史19冊易趞幺衣黹屯
		小計：共　18 筆

幼　0642

1324	禹鼎	勿遺壽幼
1324	禹鼎	勿遺壽幼
1331	中山王嚳鼎	寡人幼童未甬(通)智
		小計：共　3 筆

丝　0643　0651丝字重見

1166	丝太子鼎	□丝大子乍孟姬寶鼎
1275	師同鼎	用鑄丝尊鼎
1279	中方鼎	王曰：中、丝褱人入史

2675	大保設	用丝彝、對令
2689	白康設一	它它受丝永命
2689	白康設一	永寶丝設
2690	白康設二	它它受丝永命
2690	白康設二	永寶丝設
2696	孟設一	用宫丝彝乍
2697	孟設二	用宫丝彝乍
2698	陳lb設	乍丝寶設
2699	公臣設一	公臣其萬年用寶丝休
2700	公臣設二	公臣其萬年用寶丝休
2701	公臣設三	公臣其萬年用寶丝休
2702	公臣設四	公臣其萬年用寶丝休
2722	窒弔乍豐姞旅設	丝設䜌(朕?)皂(饇)亦壽人
2816	彔白𢦏設	子子孫孫其帥井受丝休
2843	沈子它設	休沈子肇斁lc賈嗇乍丝設
2985	陳逆𠤳一	鑄丝寶𠤳
2985.	陳逆𠤳二	鑄丝寶𠤳
2985.	陳逆𠤳三	鑄丝寶𠤳
2985.	陳逆𠤳四	鑄丝寶𠤳
2985.	陳逆𠤳五	鑄丝寶𠤳
2985.	陳逆𠤳六	鑄丝寶𠤳
2985.	陳逆𠤳七	鑄丝寶𠤳
2985.	陳逆𠤳八	鑄丝寶𠤳
2985.	陳逆𠤳九	鑄丝寶𠤳
2985.	陳逆𠤳十	鑄丝寶𠤳
3055	虢仲旅盨	丝盨友十又二
4426	𠆱父盉	𠆱父乍丝母寶盉
5479	𦣞商乍文辟日丁卣	𨑓丝廿寽
5508	弔趙父卣一	余兄為女丝小鬱彝
5508	弔趙父卣一	丝小彝妹吹
5758	匽君壺	匽君丝旅者其成公鑄子孟改賸盥壺
6706	𠆱父乍丝女盤	𠆱父乍丝女寶盤
6786	__弔多父盤	乍丝寶般
6861	巽甫人匜	巽甫人余余王__叡孫丝乍寶匜
7070	者汈鐘二	女其用丝
7075	者汈鐘七	女其用丝
7078	者汈鐘十	女其用丝
7080	者汈鐘十二	女其用丝
7116	南宮乎鐘	丝名曰無斁鐘
7117	郐𠬪兒鐘一	余丝佫之元子
7118	郐𠬪兒鐘二	余丝佫之元子
M883	中山侯鉞	中山侯__乍丝軍釛

小計：共　45 筆

0644

1280	康鼎	令女幽黃、鋚革
1300	南宮柳鼎	易女赤市、幽黃、攸勒
1308	白晨鼎	易女𩰫鬯一卣、玄袞衣、幽夫(黼)

幽 幾 𢆶

1308	白晨鼎	㝵表、里幽、攸勒、旅五旅
1324	禹鼎	肆武公亦弗叚望朕聖且考幽大弔、懿弔
2386	白＿乍白幽毁二	白Lb乍幽白寶毁
2387	白＿乍白幽毁一	白Lb乍白幽寶毁
2487	白𥪕乍文考幽仲毁	白𥪕（祈）父乍文考幽中尊毁
2763	弔向父禹毁	乍朕皇且幽大弔尊毁
2773	即毁	用乍朕文考幽弔寶毁
2783	趩毁	易女赤市、幽亢、䜌旂、用事
2800	伊毁	易女赤市幽黃
2802	六年召白虎毁	亦我考幽白姜令
4811	盠嗣土幽乍且辛旅尊	盠司土幽乍且辛旅彝
4890	盠方尊	易盠赤市幽亢、攸勒
4979	盠方彝一	易盠赤市幽亢、攸勒
4980	盠方彝二	易盠赤市幽亢
5422	盠嗣土幽旅卣	盠司土幽乍且辛旅彝
5461	寓乍幽尹卣	用乍幽尹寶尊彝
5798	曶壺	赤市幽黃、赤舄
6792	史墻盤	青幽高且
7059	師臾鐘	師臾肇乍朕剌且虢季宄公幽弔
7561	十七年奠令戈	十七年奠命幽距司寇彭璋武庫
7570	六年奠令戈	六年奠命＿幽司寇向＿左庫工币倉慶冶尹成韓
7571	八年奠令戈	八年奠命＿幽司寇史墜右庫工币易高冶尹＿□
7666	七年奠令□幽矛	七年奠命□幽司寇□□
		小計：共 26 筆

幾 0645

2524	仲幾文毁	中幾父、史幾史于諸侯諸監
2841	茾白毁	用乍朕皇考武茾幾王尊毁
5793	幾父壺一	同中宄西宮易幾父Gw桒六
5793	幾父壺一	幾父拜䭫首
5793	幾父壺一	幾父用追孝
5794	幾父壺二	同中宄西宮易幾父Gw桒六
5794	幾父壺二	幾父拜䭫首
5794	幾父壺二	幾父用追孝
6247	冊瘳冊幾觚	[幾瘳冊]
		小計：共 9 筆

𢆶 0646

1112	十一年庫嗇夫肖不𢆶鼎	庫嗇夫肖丕𢆶晭人夫＿所為空二斗
1331	中山王礐鼎	烏虖、語不𡩋（廢）𢆶（哉）
1331	中山王礐鼎	烏虖、折𢆶（哉）
1331	中山王礐鼎	烏虖、休𢆶
1331	中山王礐鼎	于𢆶（在）㫚邦
1331	中山王礐鼎	烏虖、念之𢆶（哉）
1331	中山王礐鼎	烏虖、念之𢆶（哉）
5803	𧞠嗣妤蚉壺	昔者先王𢆶愛百每

5805	中山王嚳方壺	烏虖、允𢦏(哉)若言
6887	郷陵君王子申鑑	攸𢦏
		小計：共 10 筆

0647

0915	亞叀弜乍父辛鼎	[亞叀弜]乍父辛尊彝
1306	無叀鼎	嗣徒南中右無叀內門
1306	無叀鼎	王乎史翏冊令無叀曰：官嗣lk王lJ側虎臣
1306	無叀鼎	無叀敢對揚天子不顯魯休
1310	鬲攸從鼎	从乍朕皇且丁公皇考叀公尊鼎
1322	九年裘衛鼎	顏小子具叀夆
1323	師訊鼎	叀余小子肇盄先王德
2219	弔毀父毀	弔毀父乍叀毀
2247	叀乍父戊寶旅毀	叀乍父戊寶旅彝
2548	仲叀父餗毀一	隹王正月 中叀父乍餗毀
2549	仲叀父餗毀二	隹王正月中叀父乍餗毀
2712	虢姜毀	用禪追孝于皇考叀中
2789	同毀一	用乍朕文丂叀中尊寶毀
2790	同毀二	用乍朕文丂叀中尊寶毀
2796	諫毀	用乍朕文考叀公尊毀
2796	諫毀	用乍朕文考叀公尊毀
2816	彔白𢦚毀	叀圅(宏)天令
2856	師訇毀	令女叀雝我邦小大猷
3683	戈叀爵	戈叀爵
4858	甾甶尊	隹甾甶叀□金
4891	何尊	叀王龏德谷(裕)天
4891	何尊	用乍叀公寶尊彝
5378	叀乍父戊旅卣二	叀乍父戊寶尊彝
5379	叀乍父戊旅卣一	叀乍父戊寶旅彝
5581	甾甶罍	唯甾甶叀于ul
6792	史墻盤	kx叀乙且
7150	虢叔旅鐘一	不顯皇考叀弔
7150	虢叔旅鐘一	用乍朕皇考叀弔大林龢鐘
7151	虢叔旅鐘二	不顯皇考叀弔
7151	虢叔旅鐘二	用乍朕皇考叀弔大林龢鐘
7152	虢叔旅鐘三	不顯皇考叀弔
7152	虢叔旅鐘三	用乍朕皇考叀弔大林龢鐘
7153	虢叔旅鐘四	不顯皇考叀弔
7153	虢叔旅鐘四	用乍朕皇考叀弔大林龢鐘
7154	虢叔旅鐘五	不顯皇考叀弔
7156	虢叔旅鐘七	朕皇考叀弔大林龢鐘
		小計：共 36 筆

惠 壼 壹 玄

惠 0648

1250	曾子斿鼎	惠于剌曲、tys8
1274	哀成弔鼎	君既安惠
1304	王子午鼎	惠于政德
1324	禹鼎	惠西六𠂤、殷六𠂤
1327	克鼎	惠于萬民
1332	毛公鼎	惠我一人
2691	善夫梁其𣪘一	善夫沏其乍朕皇考惠中
2691	善夫梁其𣪘一	皇母惠妣尊𣪘
2692	善找梁其𣪘二	善夫沏其乍朕皇考惠中
2692	善找梁其𣪘二	皇母惠妣尊𣪘
2727	蔡姞乍尹弔𣪘	尹弔用妥多福于皇考德尹惠姬
2834	㝬𣪘	用康惠朕皇文剌且考
2980	𪚰大宰𩜵匠一	曰：余諾恭孔惠
2981	𪚰大宰𩜵匠二	曰：余諾恭孔惠
3087	鬲从盨	鬲比乍朕皇且丁公、文考惠公盨
4449	裘衛盉	衛用乍朕文考惠孟寶般
5805	中山王嚳方壺	慈孝寰惠
7124	沇兒鐘	惠于明祀
7175	王孫遺者鐘	惠于政德
J0081	王孫㝬鐘	（拓本未見）
7213	𬓀鎛	于皇祖又成惠弔
7213	𬓀鎛	皇祉(妣)又成惠姜
		小計：共　22 筆

壼壹 0649

1318	晉姜鼎	乍壼為極
2768	楚𣪘	壼揚天子不顯休
2833	秦公𣪘	畍壼才天
2834	㝬𣪘	畍才立、乍壼才下
2843	沈子它𣪘	烏虖、乃沈子妹克蔑見猷于公
5327	壹乍父丁卣	壼乍父辛寶彝
7047	井人鐘	妄𡨦𡨦聖𧟰、壼處
7048	井人鐘二	妄𡨦𡨦聖𧟰、壼處
7212	秦公鎛	畯壼才立高引又慶
		小計：共　9 筆

玄 0650　0641幺字重見

1276	__季鼎	王易赤θ市、玄衣黹屯、䜌旂
1285	𢦚方鼎一	王𠨘姜事內史友員易𢦚玄衣、朱𧛧裣
1305	師奎父鼎	易𢦏市冋黃、玄衣黹屯、戈琱㦰、旂

1306	無叀鼎	易女玄衣黹屯、戈琱㦰緱必彤沙、攸勒䜌旂
1308	白晨鼎	易女鬱鬯一卣、玄袞衣、幽夫（黼）
1309	寰鼎	易寰玄衣、黹屯、赤市、朱黃、䜌旂、攸勒、
1312	此鼎一	易女玄衣黹屯、赤市朱黃、䜌旂
1313	此鼎二	易女玄衣黹屯、赤市、朱黃、䜌旅
1314	此鼎三	易女玄衣黹屯、赤市、朱黃、䜌旅
1317	善夫山鼎	易女玄衣黹屯、赤市朱黃、䜌旂
1319	頌鼎一	易女玄衣黹屯、赤市朱黃、䜌旂攸勒、用事
1320	頌鼎二	易女玄衣黹屯、赤市朱黃、䜌旂攸勒、用事
1321	頌鼎三	易女玄衣黹屯、赤市朱黃、䜌旂攸勒、用事
1323	師訊鼎	易女玄袞齨屯、赤市朱黃、䜌旂、大師金雁
2687	敔毀	王蔑敔曆、易玄衣赤市
2765	敠毀	易敠玄衣、黹屯、旂
2769	師揩毀	易女玄衣黹屯、叔市
2773	即毀	玄衣、黹屯、䜌旅（旂）
2785	王臣毀	玄衣黹屯
2789	同毀一	㞢逆至于玄水
2790	同毀二	㞢逆至于玄水
2797	輔師嫠毀	易女玄衣黹屯
2818	此毀一	易女玄衣黹屯
2819	此毀二	易女玄衣黹屯
2820	此毀三	易女玄衣黹屯
2821	此毀四	易女玄衣黹屯
2822	此毀五	易女玄衣黹屯
2823	此毀六	易女玄衣黹屯
2824	此毀七	易女玄衣黹屯
2825	此毀八	易女玄衣黹屯
2835	訇毀	易女玄衣黹屯、戴市冋黃
2844	頌毀一	易女玄衣黹屯
2845	頌毀二	易女玄衣黹屯
2845	頌毀二	易女玄衣黹屯
2846	頌毀三	易女玄衣黹屯
2847	頌毀四	易女玄衣黹屯
2848	頌毀五	易女玄衣黹屯
2849	頌毀六	易女玄衣黹屯
2850	頌毀七	易女玄衣黹屯
2851	頌毀八	易女玄衣黹屯
2854	蔡毀	易女玄袞衣、赤舄
4892	麥尊	侯易玄周戈
4978	吳方彝	玄袞衣、赤舄
5552	亞吳玄婦方罍一	［玄鳥］婦、［亞吳］
5553	亞吳玄婦方罍二	［玄鳥］婦、［亞吳］
5798	曶壺	易女秬鬯一卣玄袞衣
5799	頌壺一	易女玄衣黹屯、赤市朱黃
5800	頌壺二	易女玄衣黹屯、赤市朱黃
6787	走馬休盤	王乎乍冊尹冊易休玄衣黹屯
6789	寰盤	王乎史qr冊易寰玄衣黹屯
6888	吳王光鑑一	玄銧白銧
6889	吳王光鑑二	玄銧白銧
7136	邵鐘一	玄鏐鏞鋁

玄
茲
幻

7137	郘鐘二	玄鏐鏞鋁
7138	郘鐘三	玄鏐鏞鋁
7139	郘鐘四	玄鏐鏞鋁
7140	郘鐘五	玄鏐鏞鋁
7141	郘鐘六	玄鏐鏞鋁
7142	郘鐘七	玄鏐鏞鋁
7143	郘鐘八	玄鏐鏞鋁
7144	郘鐘九	玄鏐鏞鋁
7145	郘鐘十	玄鏐鏞鋁
7146	郘鐘十一	玄鏐鏞鋁
7147	郘鐘十二	玄鏐鏞鋁
7148	郘鐘十三	玄鏐鏞鋁
7149	郘鐘十四	玄鏐鏞鋁
7157	郳公華鐘一	玄鏐赤鏞
7187	叔夷編鐘六	玄鏐錛鋁
7323	玄翏戈	玄翏
7340	玄鏐戈	玄翏
7735	少虡劍一	玄鏐鈇呂
7736	少虡劍二	乍為元用玄鏐鈇呂
7976	之利殘片	利玄鏐之□

小計：共　73 筆

茲　0651　06433丝字重見

0947	鼂茲乍旅鼎	鼂茲乍旅鼎孫子永寶
1112	十一年庫嗇夫肖不茲鼎	庫嗇夫肖丕茲賙人夫＿所為空二斗
1316	或方鼎	其子子孫孫永寶茲刺
1332	毛公鼎	王曰：父厝、巳曰及茲卿事寮
1332	毛公鼎	易女茲关（倂）
3112	拍陵君王子申豆一	攸茲造鉼盍
3113	拍陵君王子申豆二	攸茲造鉼盍
4870	虢商尊	茲廿守商
4874	萬諆尊	萬諆乍茲鑄
4891	何尊	肆玟王受茲大令
4891	何尊	余其宅茲中或
5781	曾姬無卹壺一	osnL茲漾陵
5782	曾姬無卹壺二	osnL茲漾陵
6877	僩乍旅盨	遊亦茲五夫
7527	＿久白戈	＿久白文妊為茲戈
7654	十二年邦司寇野矛	上庫工市司馬丘茲治賢
7870	陳純釜	各茲安陵
M900	梁十九年鼎	躬于茲从

小計：共　18 筆

幻　0652

2522	孟弢父殷	孟弢父乍幻白姬賸殷八
2523	孟弢父殷	孟弢父乍幻白姬賸殷八

		小計：共 2 筆

0653

1326	多友鼎	隹十、月用玁狁放興
5505	中山王嚳方壺	用隹朕所放
		小計：共 2 筆

0654

1322	九年裘衛鼎	眉敖者膚（膚）卓吏見于王
2735	屖敖毁	而易魯屖敖金十鈞
2735	屖敖毁	屖敖用環用璧
2735	屖敖毁	屖敖董用□弔于吏孟
2735	屖敖毁	屖敖其子子孫永寶
2841	乖白毁	王命益公征眉敖益公至、告
2841	乖白毁	二月、眉敖至
7867.	龍__	羅莫囂（敖）臧（臧）死
7867.	龍__	連囂（敖）屈__
		小計：共 9 筆

0655

1162	乃子克鼎	室絲五十爰
3090	䍙䘏（器）	爰奪䢼行道
3204	爰爵	[爰]
4273	爰斝一	[爰]
4274	爰斝二	[爰]
4274.	爰斝三	[爰]
4989	爰卣	[爰]
5741	左䀇壺一	十九爰四寽廿九
5951	爰觚	[爰]
6505	爰父癸觶	[爰]父癸
6790	虢季子白盤	王各周廟宣㳄、爰鄉
6793	矢人盤	則爰千罰千、傳棄之
6793	矢人盤	爰千罰千
7267	爰戈	[爰]
7868	商鞅方升	爰積十六尊五分尊壹為升
7900	鄂君啟舟節	適爰陵、上江、內湘
		小計：共 16 筆

0656

2801	五年召白虎毁	余弗敢𤔔
2840	番生毁	朱𤔔鞃靳、虎冟熏裏、逪衡右戹
2857	牧毁	包迺多𤔔

			小計：共 3 筆
䕫 0656			
	1332	毛公鼎	金車䌛較、朱䕫䡈（䩨）靳、虎冟熏裏、右厄
			小計：共 1 筆
受 0657			
	0460	亞受旃方鼎	[亞受旃]
	0861	亞受丁旃若癸鼎	[亞受丁旃若癸止乙自乙]
	0862	亞受丁旃若癸鼎二	[亞受丁旃若癸止乙自乙]
	1101	亞受乍父丁方鼎	用乍父丁尊[亞受]
	1162	乃子克鼎	辛白其並受㘝
	1169	平安邦鼎	卅三年單父上官{冢子}喜所受坪安君者也(蓋)
	1169	平安邦鼎	卅三年單父上官{冢子}喜所受坪安君者也(器)
	1253	平安君鼎	單父上官宰喜所受坪安君者也
	1304	王子午鼎	永受其福
	1309	寰鼎	史㳄受王令書
	1310	鬲攸從鼎	曰：女受我田、牧
	1317	善夫山鼎	受冊佩目出
	1319	頌鼎一	尹氏受王令書
	1319	頌鼎一	受令冊、佩以出
	1320	頌鼎二	尹氏受王令書
	1320	頌鼎二	受令冊、佩以出
	1321	頌鼎三	尹氏受王令書
	1321	頌鼎三	受令冊、佩以出
	1322	九年裘衛鼎	眔受
	1328	盂鼎	受天有大令
	1328	盂鼎	雩我其遹省先王受民受彊土
	1330	曶鼎	𦥑（曶）受休□王
	1330	曶鼎	受絲五夫
	1332	毛公鼎	雁（膺）受大命
	1766	受段	[受]
	2281	亞受丁旃若癸段	[亞若癸自乙受丁旃乙]
	2334	頌段	[館㜏]受冊令頌其寶彝
	2506	奠牧馬受段一	奠牧馬受乍寶段
	2507	尊牧馬受段二	奠牧馬受乍寶段
	2609	筥小子段一	筥小子徒家弗受
	2610	筥小子段二	筥小子徒家弗受
	2670	㯱侯段	方其日受宦
	2689	白康段一	它它受丝永命
	2690	白康段二	它它受丝永命
	2712	虢姜段	受福無彊
	2730	獻段	受天子休
	2762	免段	王受乍冊尹者（書）

2816	彔白㦰𣪘	子子孫孫其帥井受兹休
2833	秦公𣪘	秦公曰：不顯朕皇且受天命
2833	秦公𣪘	目受屯魯多釐
2835	訇𣪘	不顯文武受令
2837	敔𣪘一	吏尹氏受𡧍敔圭瓚
2841	𠦪白𣪘	雁（膺）受大命
2843	沈子它𣪘	休同公克成妥吾考目于顯受令
2844	頌𣪘一	尹氏受王令書
2844	頌𣪘一	頌拜䭫首受令冊
2845	頌𣪘二	尹氏受王令書
2845	頌𣪘二	頌拜䭫首受令冊
2845	頌𣪘二	尹氏受王令書
2845	頌𣪘二	頌拜䭫首受令冊
2846	頌𣪘三	尹氏受王令書
2846	頌𣪘三	頌拜䭫首受令冊
2847	頌𣪘四	尹氏受王令書
2847	頌𣪘四	頌拜䭫首受令冊
2848	頌𣪘五	尹氏受王令書
2848	頌𣪘五	頌拜䭫首受令冊
2849	頌𣪘六	尹氏受王令書
2849	頌𣪘六	頌拜䭫首受令冊
2850	頌𣪘七	尹氏受王令書
2850	頌𣪘七	頌拜䭫首受令冊
2851	頌𣪘八	尹氏受王令書
2851	頌𣪘八	頌拜䭫首受令冊
2855	班𣪘一	受京宗懿釐
2855.	班𣪘二	受京宗懿釐
2856	師訇𣪘	不顯文武、雁（膺）受天令
2983	弭仲簠𠤳	弭中受無疆福
3088	師克旅盨一（蓋）	師克不顯文武、雁受大令、匍有四方
3089	師克旅盨二	師克不顯文武、雁受大令、匍有四方
3205	受爵	［受］
4449	裘衛盉	嗣馬單旅、司工邑人服眔受田燹趞
4477	受尊	［受］
4650	＿受且丁尊	［du受］且丁
4706	受父辛尊	受父辛且乙
4783	亞共尊一	［亞畢乙日辛甲共受］
4784	亞共尊二	［亞畢日乙受日辛日甲共］
4789	亞受丁斿若癸尊一	［亞受旅丁乙止若自癸乙］
4790	亞受丁斿若癸尊二	［亞受斿乙止若自癸乙］
4856	季受尊	受貝二朋
4883	耳尊	耳日受休
4887	蔡侯𩐋尊	祐受母已
4891	何尊	肄玟王受茲大令
4893	夨令尊	受卿事寮
4964	亞受丁斿若癸方彝	［亞受丁斿若癸］
4981	𩁹冊令方彝	受卿事寮
5045	受卣	［受］
5146	受父己卣	［受］父己
5509	𣚃卣	尹其亙萬年受㽙永魯

受

5737	左__壺	四升__客四受十五__
5776	異公壺	也熙受福無期
5783	曾白陭壺	子子孫孫用受大福無彊
5789	命瓜君厚子壺一	康受屯德
5790	命瓜君厚子壺二	受屯德
5799	頌壺一	尹氏受王令書
5799	頌壺一	受令冊佩以出
5800	頌壺二	尹氏受王令書
5800	頌壺二	受令冊佩以出
5801	洹子孟姜壺一	女受__遄傳__御
5801	洹子孟姜壺一	爾其躋受御
5802	洹子孟姜壺二	女受__遄傳__御
5802	洹子孟姜壺二	爾其躋受御
5804	齊侯壺	□日不可多天□□□□□受女
5805	中山王嚳方壺	受賃（任）佐邦
5826	國差𦉜	侯氏受福𥫗壽
5982	受觚	[受]
6279	亞受丁若癸觚一	亞受斿若癸丁乙止自乙
6280	亞受丁若癸觚二	亞受斿若癸丁乙止自乙
6433	受父乙觶	[受]父乙
6765	齊弔姬盤	子子孫孫永受大福用
6786	__弔多父盤	用易屯祿、受害福
6788	蔡侯䌛盤	祐受毋已
6789	寰盤	史帶受王令書
6792	史墻盤	迨受萬邦
6792	史墻盤	上帝司vu尢保受天子綰令厚福豐年
6792	史墻盤	受牆爾髗福懷
6793	矢人盤	乎受圖
6925	晉邦盦	膺受大令
6938	受鐃	[受]
7008	通彔鐘	受余通彔
7008	通彔鐘	用寓光我家受
7060	昊生鐘一	用旛康𩛥屯魯、用受
7075	者沕鐘七	用受剌__光之于聿
7108	𪓈弔之仲子平編鐘一	其受此𥫗壽
7109	𪓈弔之仲子平編鐘二	其受此𥫗壽
7110	𪓈弔之仲子平編鐘三	其受此𥫗壽
7111	𪓈弔之仲子平編鐘四	其受此𥫗壽
7158	瘐鐘一	受余屯魯通祿永令
7159	瘐鐘二	裹受余爾髗福
7160	瘐鐘三	受余屯魯通祿永令
7161	瘐鐘四	受余屯魯通祿永令
7162	瘐鐘五	受余屯魯通祿永令
7163	瘐鐘六	匍受萬邦
7166	瘐鐘九	裹受余爾髗福霝冬
7174	秦公鐘	秦公曰：我先且受天令
7174	秦公鐘	商宅受或
7174	秦公鐘	以受多福
7174	秦公鐘	翼受明德
7174	秦公鐘	以受大福

7174	秦公鐘	夾雁受大命
7177	秦公及王姬編鐘一	秦公曰：我先且受天令
7177	秦公及王姬編鐘一	商宅受或
7177	秦公及王姬編鐘一	以受多福
7177	秦公及王姬編鐘一	翼受明德
7178	秦公及王姬編鐘二	以受大福
7178	秦公及王姬編鐘二	夾雁受大命
7179	秦公及王姬編鐘四	秦公曰：我先且受天令
7179	秦公及王姬編鐘四	商宅受或□□□□□□□
7180	秦公及王姬編鐘五	秦公曰：我先且受天令
7180	秦公及王姬編鐘五	商宅受或□□□□□□□
7185	叔夷編鐘四	雁受君公之易光
7185	叔夷編鐘四	尃受天
7192	叔夷編鐘十一	敢再拜韻首膺受君公之
7209	秦公及王姬鎛	秦公曰：我先且受天令
7209	秦公及王姬鎛	商宅受或
7209	秦公及王姬鎛	以受多福
7209	秦公及王姬鎛	翼受明德
7209	秦公及王姬鎛	以受大福
7209	秦公及王姬鎛	夾雁受大命
7210	秦公及王姬鎛二	秦公曰：我先且受天令
7210	秦公及王姬鎛二	商宅受或
7210	秦公及王姬鎛二	以受多福
7210	秦公及王姬鎛二	翼受明德
7210	秦公及王姬鎛二	以受大福
7210	秦公及王姬鎛二	夾雁受大命
7211	秦公及王姬鎛三	秦公曰：我先且受天令
7211	秦公及王姬鎛三	商宅受或
7211	秦公及王姬鎛三	以受多福
7211	秦公及王姬鎛三	翼受明德
7211	秦公及王姬鎛三	以受大福
7211	秦公及王姬鎛三	夾雁受大命
7212	秦公鎛	秦公曰：不顯朕皇且受天命
7212	秦公鎛	以受多福
7212	秦公鎛	以受屯魯多釐
7214	叔夷鎛	雁受君公之易光
7214	叔夷鎛	尃受天命
7515	二年右貫府戈	右貫府受御_宥厺
7987	受斿容器	受斿若丁乙自乙
M423.	趞鼎	史留受王令書
M798	廿八年平安君鼎	六益料釿之冢（器一）卅三年單父上官宰喜所受
M799	卅二年平安君鼎	卅三年單父上官宰喜所受平安君石它（器二）
		小計：共 179 筆

0658

1157	禽鼎	王易金百孚
1298	師旂鼎	白懋父迺罰得𩰫古三百孚
1330	曶鼎	用賸征贖絲五夫、用百孚

1330	曶鼎	吏寽以告賦
1330	曶鼎	絲三寽
1332	毛公鼎	取1q卅寽
2585	禽毁	王易金百寽
2743	馘毁	訊訟罰取遺五寽
2768	楚毁	取遄五寽
2769	師楷毁	王寽內史尹氏冊命師楷
2770	莪毁	楚徒馬、取遺五寽、用吏
2783	趞毁	取遺五寽
2810	揚毁一	取遺五寽
2811	揚毁二	取遺五寽
2836	或毁	寽戎孚人百又十又四人
2840	番生毁	取遺廿寽
4870	㚤商尊	玆廿寽商
5479	㚤商乍文辟日丁卣	式絲廿寽
5490	戉㮚卣	蔑曆、易貝卅寽
5490	戉㮚卣	易貝卅寽
5741	左畝壺一	十九爰四寽廿九
6877	儹乍旅盉	罰女三百寽

小計：共 22 筆

敢 0659

1059	旂乍父戊鼎	弗敢喪
1156	毫鼎	毫敢對公中休
1163	齊陳＿鼎蓋	齊陳ka不敢逸康
1174	易乍旅鼎	弗敢喪
1235	不㫚方鼎一	敢揚王休
1236	不㫚方鼎甲二	敢揚王休
1277	七年趞曹鼎	敢對揚天子休
1278	十五年趞曹鼎	趞曹＜ 敢對曹 ＞拜䭫首
1278	十五年趞曹鼎	敢對揚天子休
1280	康鼎	敢對揚天子不顯休
1286	大夫始鼎	大夫始敢對揚天子休
1299	匽侯鼎一	敢＿＿天子不顯休釐
1306	無叀鼎	無叀敢對揚天子不顯魯休
1307	師望鼎	不敢不豕不叏
1307	師望鼎	望敢對揚天子不顯魯休
1308	白晨鼎	敢對揚王休
1309	袁鼎	敢對揚天子不顯叚休令
1310	鬲攸從鼎	敢弗具付鬲从
1311	師晨鼎	敢對揚天子不顯休令
1312	此鼎一	此敢對揚天子不顯休令
1313	此鼎二	此敢對揚天子不顯休令
1314	此鼎三	此敢對揚天子不顯休令
1315	善鼎	善敢拜䭫首
1317	善夫山鼎	毋敢不善
1317	善夫山鼎	山敢對揚天子休令
1319	頌鼎一	頌敢對揚天子不顯魯休

1320	頌鼎二	頌敢對揚天子不顯魯休
1321	頌鼎三	頌敢對揚天子不顯魯休
1323	師訊鼎	訊敢釐王卑天子萬年whwi
1323	師訊鼎	訊敢對王休
1324	禹鼎	肆禹亦弗敢惷
1324	禹鼎	敢對揚武公不顯耿光
1325	五祀衛鼎	厲有嗣隬季、慶癸、燹□、荊人敢、井人隉屖
1326	多友鼎	多友敢對揚公休
1327	克鼎	敢對揚天子不顯魯休
1328	盂鼎	酉無敢醎(酖)
1328	盂鼎	無敢醎(醻)
1332	毛公鼎	女母敢妄寧
1332	毛公鼎	母(毋)又敢惷尃命于外
1332	毛公鼎	母(毋)敢龏橐
1332	毛公鼎	母(毋)敢qs于酒
1332	毛公鼎	女母(毋)敢家在乃福
1529	仲枏父鬲一	用敢卿(饗)孝于皇且丂
1530	仲枏父鬲二	用敢卿(饗)孝于皇且丂
1531	仲枏父鬲三	用敢卿(饗)孝于皇且丂
1532	仲枏父鬲四	用敢卿(饗)孝于皇且丂
2412	塍虎乍𠂤皇考𣪕一	塍(賸)虎敢肇乍𠂤皇考公命中寶尊彝
2413	塍虎乍𠂤皇考𣪕二	塍(賸塍)虎敢肇乍𠂤皇考公命中寶尊彝
2414	塍虎乍𠂤皇考𣪕三	塍(賸)虎敢肇乍𠂤皇考公命中寶尊彝
2658.	大𣪕	敢對揚休
2685	仲枏父𣪕一	用敢鄉考于皇且丂
2686	仲枏父𣪕二	用敢鄉考子皇且
2694	𢊁乍且考𣪕	𢊁弗敢朢公白休
2699	公臣𣪕一	敢揚天尹不顯休
2700	公臣𣪕二	敢揚天尹不顯休
2701	公臣𣪕三	敢揚天尹不顯休
2702	公臣𣪕四	敢揚天尹不顯休
2705	君夫𣪕	君夫敢每揚王休
2707	小臣守𣪕一	守敢對揚天子休令
2708	小臣守𣪕二	守敢對揚天子休令
2709	小臣守𣪕三	守敢對揚天子休令
2713	㾓𣪕一	不敢弗帥用夙夕
2714	㾓𣪕二	不敢弗帥用夙夕
2715	㾓𣪕三	不敢弗帥用夙夕
2716	㾓𣪕四	不敢弗帥用夙夕
2717	㾓𣪕五	不敢弗帥用夙夕
2718	㾓𣪕六	不敢弗帥用夙夕
2719	㾓𣪕七	不敢弗帥用夙夕
2720	㾓𣪕八	不敢弗帥用夙夕
2724	𩫖白馭𣪕	敢對揚王休
2726	㫚𣪕	㫚敢對揚王休
2728	恆𣪕一	敢對揚天子休
2729	恆𣪕二	敢對揚天子休
2734	遹𣪕	敢對揚穆王休
2736	師遽𣪕	敢對揚天子不怀休
2737	段𣪕	敢對揚王休、用乍𣪕

敢

2738	衛設	衛敢對揚天子不顯休
2739	無異設一	日敢對揚天子魯休令
2740	無異設二	日敢對揚天子魯休令
2741	無異設三	日敢對揚天子魯休令
2742	無異設四	日敢對揚天子魯休令
2742.	無異設五	敢對揚天子魯休令
2742.	無異設五	敢對揚天子魯休令
2744	五年師旋設一	旋敢易王休
2745	五年師旋設二	旋敢易王休
2746	追設一	追敢對天子覭揚
2747	追設二	追敢對天子覭揚
2748	追設三	追敢對天子覭揚
2749	追設四	追敢對天子覭揚
2750	追設五	追敢對天子覭揚
2751	追設六	追敢對天子覭揚
2764	艾設	追考對、不敢豕
2765	救設	敢對揚天子休
2766	三兒設	余敢□□聖□□□忌
2767	虘設一	虘拜詣首敢對揚天子不顯休
2768	楚設	楚敢拜手韻首
2771	弭弔師求設一	敢對揚天子休
2772	弭弔師求設二	敢對揚天子休
2773	即設	即敢對揚天子不顯休
2775	裘衛設	衛拜詣首敢對揚天子不顯休
2776	走設	徒敢拜詣首對揚王休
2784	申設	申敢對揚天子休令
2785	王臣設	不敢顯天子對揚休
2786	縣妃設	肄敢s0于彝日
2786	縣妃設	其自今日孫孫子子母敢望白休
2787	望設	敢對揚天子不顯休
2788	靜設	靜敢拜詣首
2791	豆閉設	敢對揚天子不顯休命
2792	師俞設	俞敢揚天子不顯休
2793	元年師旋設一	敢對揚天子不顯魯休命
2794	元年師旋設二	敢對揚天子不顯魯休命
2795	元年師旋設三	敢對揚天子不顯魯休命
2796	諫設	母敢不善
2796	諫設	敢對揚天子不顯休
2796	諫設	母敢不善
2796	諫設	敢對揚天子不顯休
2797	輔師嫠設	嫠拜詣首敢對揚王休令
2798	師瘨設一	敢對揚天子不顯休
2799	師瘨設二	敢對揚天子不顯休
2801	五年召白虎設	余弗敢亂
2802	六年召白虎設	余典勿敢封
2810	揚設一	敢對揚天子不顯休
2811	揚設二	敢對揚天子不顯休
2812	大設一	余弗敢散
2812	大設一	敢對揚天子
2813	大設二	余弗敢散

2813	大段二	敢對揚天子
2814	鳥冊夨令段一	令敢揚皇王宦、丁公文報
2814	鳥冊夨令段一	令敢展皇王宦
2814.	夨令段二	令敢揚皇王宦、丁公文報
2814.	夨令段二	令敢展皇王宦
2815	師𣪘段	母敢否善
2815	師𣪘段	敢對揚皇君休
2816	彔白𢦏段	彔白𢦏敢拜手䭫首
2817	師類段	類拜䭫首敢對揚天子不顯休
2818	此段一	此敢對揚天子不顯休令
2819	此段二	此敢對揚天子不顯休令
2820	此段三	此敢對揚天子不顯休令
2821	此段四	此敢對揚天子不顯休令
2822	此段五	此敢對揚天子不顯休令
2823	此段六	此敢對揚天子不顯休令
2824	此段七	此敢對揚天子不顯休令
2825	此段八	此敢對揚天子不顯休令
2826	師袁段一	今敢博乎眾段
2826	師袁段一	今敢博乎眾段
2827	師袁段二	今敢博乎眾段
2829	師虎段	虎敢拜䭫首
2830	三年師兌段	敢對揚天子不顯魯休
2831	元年師兌段一	敢對揚天子不顯魯休
2832	元年師兌段二	敢對揚天子不顯魯休
2837	敔段一	敔敢對揚天子休
2838	師𤔲段一	敢對揚天子休
2838	師𤔲段一	敢對揚于子休
2839	師𤔲段二	敢對揚天子休
2839	師𤔲段二	敢對揚于子休
2840	番生段	番生不敢弗帥井皇且考不杯元德
2840	番生段	番生敢對天子休
2842	卯段	今余非敢m6先公
2842	卯段	女母敢不善
2842	卯段	敢對揚榮白休
2843	沈子它段	敢取卲告
2843	沈子它段	不敢不縕
2844	頌段一	頌敢對揚天子不顯魯休
2845	頌段二	頌敢對揚天子不顯魯休
2845	頌段二	頌敢對揚天子不顯魯休
2846	頌段三	頌敢對揚天子不顯魯休
2847	頌段四	頌敢對揚天子不顯魯休
2848	頌段五	頌敢對揚天子不顯魯休
2849	頌段六	頌敢對揚天子不顯魯休
2850	頌段七	頌敢對揚天子不顯魯休
2851	頌段八	頌敢對揚天子不顯魯休
2854	𩁹段	母敢又不聞
2854	𩁹段	母敢疾又入告
2854	𩁹段	勿吏敢又疾、止從獄
2854	𩁹段	敢對揚天子不顯魯休
2855	班段一	班非敢覓

	2855.	班毁二	班非敢覓
	2856	師訇毁	訇韻首、敢對揚天子休
	2857	牧毁	王曰：牧、女母敢弗帥用先王乍明井
敢	2857	牧毁	母敢不明不中不井
	2857	牧毁	母敢不尹
	2857	牧毁	牧拜韻首敢對揚王不顯休
	2955	鄭陳＿匿一	鄭陳ka不敢般康
	2956	鄭陳曼匿二	鄭陳ka不敢逸般康
	3035	魯嗣徒旅毁（ 盨 ）	魯嗣徒白吳敢肇乍旅毁
	3083	癲毁（ 盨 ）一	敢對揚天子休
	3084	癲毁（ 盨 ）二	敢對揚天子休
	3085	駒父旅盨（ 蓋 ）	豕不敢不敬畏王命逆見我
	3085	駒父旅盨（ 蓋 ）	我乃至于淮（ 小大 ）邦亡敢不＿具逆王命
	3086	善夫克旅盨	敢對天子不顯魯休揚
	3088	師克旅盨一（ 蓋 ）	克敢對揚天子不顯魯休
	3089	師克旅盨二	克敢對揚天子不顯魯休
	3090	曩盨（ 器 ）	迺敢＿訊人
	4436	堯盉	堯敢乍姜盉
	4448	長由盉	敢對揚天子不顯休
	4879	彔戜尊	馭、淮夷敢伐內國
	4881	鼉方尊	敢對揚䘳休
	4884	臤尊	臤拜稽首、敢對揚競父休
	4885	效尊	烏虖、效不敢不萬年夙夜奔走
	4886	趞尊	世孫子毋敢豕、永寶
	4888	盠駒尊一	盠曰、余其敢對揚天子之休
	4890	盠方尊	敢對揚王休
	4890	盠方尊	盠敢拜稽首曰
	4893	矢令尊	乍冊令、敢揚明公尹䘳宦
	4893	矢令尊	用乍父丁寶尊彝、敢追明公賞于父丁［ 鳥冊 ］
	4978	吳方彝	吳拜稽首、敢對揚王休
	4979	盠方彝一	敢對揚王休
	4979	盠方彝一	盠敢拜稽首曰
	4980	盠方彝二	敢對揚王休
	4980	盠方彝二	盠敢拜稽首曰
	4981	鳥冊令方彝	乍冊令、敢揚明公尹䘳宦
	4981	鳥冊令方彝	敢追明公賞于父丁
	5464	刀耳乍父乙卣	耳休、弗敢且
	5487	靜卣	敢對揚王休
	5488	靜卣二	敢對揚王休
	5493	召乍＿宮旅卣	召弗敢謹王休異
	5497	農卣	敢對揚王休、從乍寶彝
	5498	彔戜卣	馭、淮戶敢伐內國
	5499	彔戜卣二	馭、淮戶敢伐內國
	5510	乍冊嗌卣	不敢＿＿兄鑄彝
	5511	效卣一	效不敢不萬年夙夜奔走揚公休
	5773	陳喜壺	JC客敢為尊壺九
	5795	白克壺	白克敢對揚天君王白休
	5796	三年癲壺一	拜韻首敢對揚天子休
	5797	三年癲壺二	拜韻首敢對揚天子休
	5798	曶壺	敢對揚天子不顯魯休令

敢

5799	頌壺一	頌敢對揚天子不顯魯休
5800	頌壺二	頌敢對揚天子不顯魯休
5803	胤嗣好蚉壺	胤嗣好蚉敢明揚告
5803	胤嗣好蚉壺	不敢寧處
5805	中山王嚳方壺	嚴敬不敢怠荒
6734	才盤	堯敢乍姜盤
6787	走馬休盤	敢對揚天子不顯休令
6789	寰盤	敢對揚天子不顯叚休令
6791	兮甲盤	毋敢不出其𧶠、其積、其進人
6791	兮甲盤	其賈毋敢不即次、即市
6791	兮甲盤	敢不用令
6791	兮甲盤	毋敢或入蠻宄賈、則亦井
6792	史牆盤	牆弗敢沮
6877	㒸乍旅盨	女敢以乃師訟
6877	㒸乍旅盨	自今余敢vv乃小大事
6909	遡盂	遡敢對揚
6925	晉邦盦	敢帥井先王
7039	應侯見工鐘二	見工敢對揚天子休
7043	克鐘四	克不敢㒸
7043	克鐘四	専奠王令克敢對揚天子休
7044	克鐘五	乘、克不敢㒸
7044	克鐘五	専奠王令克敢對揚天子休
7047	井人鐘	妄不敢弗帥用文且皇考穆穆秉德
7048	井人鐘二	妄不敢弗帥用文且皇考穆穆秉德
7060	昊生鐘一	拜手䭫手敢對楊王休
7083	鮮鐘	敢對揚天子休
7116	南宮乎鐘	敢對揚天子不顯魯休
7122	梁其鐘一	汈其敢對天子不顯休揚
7123	梁其鐘二	汈其敢對天子不顯休揚
7125	蔡侯䟅𢆶邗鐘一	余非敢寧忘
7126	蔡侯䟅𢆶邗鐘二	余非敢寧忘
7132	蔡侯䟅𢆶邗鐘八	余非敢寧忘
7133	蔡侯䟅𢆶邗鐘九	余非敢寧忘
7134	蔡侯䟅甬鐘	余非敢寧忘
7135	逆鐘	逆敢拜手䭫
7136	郘鐘一	余不敢為喬隹王正月初吉丁亥
7137	郘鐘二	余不敢為喬
7138	郘鐘三	余不敢為喬
7139	郘鐘四	余不敢為喬
7140	郘鐘五	余不敢為喬
7141	郘鐘六	余不敢為喬
7142	郘鐘七	余不敢為喬
7143	郘鐘八	余不敢為喬
7144	郘鐘九	余不敢為喬
7145	郘鐘十	余不敢為喬
7146	郘鐘十一	余不敢為喬
7147	郘鐘十二	余不敢為喬
7148	郘鐘十三	余不敢為喬
7149	郘鐘十四	余不敢為喬
7150	虢叔旅鐘一	旅敢肇帥井皇考威儀

	7151	虢叔旅鐘二	旅敢肇帥井皇考威儀
	7152	虢叔旅鐘三	旅敢肇帥井皇考威儀
	7153	虢叔旅鐘四	旅敢肇帥井皇考威儀
敢	7154	虢叔旅鐘五	旅敢肇帥井
𤔔	7158	瘨鐘一	瘨不敢弗帥且考
	7158	瘨鐘一	敢乍文人大寶𢽾龢鐘
	7160	瘨鐘三	瘨不敢弗帥且考
	7160	瘨鐘三	敢乍文人大寶𢽾龢鐘
	7161	瘨鐘四	瘨不敢弗帥且考
	7161	瘨鐘四	敢乍文人大寶𢽾龢鐘
	7162	瘨鐘五	瘨不敢弗帥且考
	7162	瘨鐘五	敢乍文人大寶𢽾龢鐘
	7176	㝬鐘	南或𠬪子敢陷虐我土
	7182	叔夷編鐘一	尸不敢弗儆戒
	7183	叔夷編鐘二	尸敢用拜䭫首
	7183	叔夷編鐘二	弗敢不對揚朕辟皇君之
	7185	叔夷編鐘四	尸用或敢再拜䭫首
	7185	叔夷編鐘四	余弗敢灋乃命
	7185	叔夷編鐘四	又敢才帝所
	7190	叔夷編鐘九	乃不敢
	7192	叔夷編鐘十一	敢再拜䭫首膺受君公之
	7204	克鎛	克不敢彖
	7204	克鎛	克敢對揚天子休
	7205	蔡侯𤔔編鎛一	余非敢寧忘
	7206	蔡侯𤔔編鎛二	余非敢寧忘
	7207	蔡侯𤔔編鎛三	余非敢寧忘
	7208	蔡侯𤔔編鎛四	余非敢寧忘
	7214	叔夷鎛	尸不敢弗儆戒
	7214	叔夷鎛	尸敢用拜䭫首
	7214	叔夷鎛	弗敢不對揚朕辟皇君之易休命
	7214	叔夷鎛	尸用或敢再拜䭫首
	7214	叔夷鎛	余弗敢灋乃命
	7214	叔夷鎛	又敢才帝所
	7614	武敢矛一	武敢
	7615	武敢矛二	武敢
	7744	工𫊣太子劍	莫敢御余
	7886	新郪虎符	乃敢行之
	7887	杜虎符	乃敢行之
	M423.	趞鼎	敢對揚天子不顯魯休
	M487	魯司徒伯吳𣪘	魯司徒白吳敢肇乍旅𣪘
	M545	配兒勾鑃	余不敢詩

小計：共　317 筆

𤔔　0660　依形隸定為𤔔，為紳束之紳之初文（或申束之申之初文），與2113號[illegible]、2204號[illegible]（[illegible]同字，姑依金文編字頭暫廁於此。

0830	蔡侯𤔔飤鼎	蔡侯𤔔之飤鼎
0831	蔡侯𤔔飤鼎	蔡侯𤔔之飤鼎
0832	蔡侯𤔔飤鼎	蔡侯𤔔之飤貞（鼎）

2227	蔡侯申之鬻殷	蔡侯申之鬻殷
2867	蔡侯申飤匠	蔡侯申之飤匠
2867.	蔡侯申飤匠二	蔡侯申之飤匠
2867.	蔡侯申飤匠三	蔡申之飤匠
4821	蔡侯申作大孟姬尊	蔡侯申作大孟姬媵尊
4887	蔡侯申尊	蔡侯申虔共大命
5688	蔡侯申飤壺一	蔡侯申之飤壺
5689	蔡侯申飤壺二	蔡侯申之飤壺
5806	蔡侯申鈃	蔡侯申之鈃
5820	蔡侯申尊缶	蔡侯申之尊缶
5821	蔡侯申尊缶	蔡侯申之尊缶
5822	蔡侯申之盥缶	蔡侯申之盥缶
5823	蔡侯申作大孟姬盥缶	蔡侯申作大孟姬媵盥缶
6700	蔡侯申盤	蔡侯申之尊盤
6788	蔡侯申盤	蔡侯申虔共大命
6808	蔡侯申盥匜	蔡侯申之盥匜
6883	蔡侯尊鈚(方鑑)	蔡侯申之匜
7125	蔡侯申紐鐘一	蔡侯申曰
7126	蔡侯申紐鐘二	蔡侯申曰
7127	蔡侯申紐鐘三	蔡侯申之行鐘
7128	蔡侯申紐鐘四	蔡侯申之行鐘
7129	蔡侯申紐鐘五	蔡侯申
7132	蔡侯申紐鐘八	蔡侯申曰
7133	蔡侯申紐鐘九	蔡侯申曰
7134	蔡侯申甬鐘	蔡侯申曰
D224	蔡侯申歌鐘	申
7205	蔡侯申編鎛一	蔡侯申曰
7206	蔡侯申編鎛二	蔡侯申曰
7207	蔡侯申編鎛三	蔡侯申曰
7208	蔡侯申編鎛四	蔡侯申曰
7448	蔡侯申之行戈	蔡侯申之行戈
7449	蔡侯申之用戈	蔡侯申之用戈
M596	蔡侯匜	蔡侯申之尊匜
M706	曾侯乙編鐘下一・二	其才申(申)號為遲則
M711	曾侯乙編鐘下二・四	其才申(申)號為遲則
M743	曾侯乙編鐘中三・四	妥賓之才申(申)號為遲則
M746	曾侯乙編鐘中三・七	其才申(申)號為遲則
		小計：共 40 筆

0661

1298	師旂鼎	旂對氒質(貿?)于尊彝
6877	僩乍旅盉	白揚父迺成貿
		小計：共 2 筆

0662

1298	師旂鼎	義播叡

叡
歹
殃
死

	1331	中山王嚳鼎	昔者郾君子噲觀(叡)弇夫牾(悟)
			小計：共　2 筆
歹	0663		
	1037	乍冊嗌鼎	康侯才歹白易乍冊嗌貝
			小計：共　1 筆
殃	0664		
	7975	中山王墓兆域圖	殃巡子孫
			小計：共　1 筆
死	0665		
	1173	羌乍文考鼎	□令羌死嗣□官
	1259	鄀公諴鼎	既死霸壬午
	1263	呂方鼎	唯五月既死霸辰才壬戌
	1274	哀成弔鼎	死于下土
	1280	康鼎	王命死嗣王家
	1319	頌鼎一	隹三年五月既死霸甲戌
	1320	頌鼎二	隹三年五月既死霸甲戌
	1321	頌鼎三	隹三年五月既死霸甲戌
	1322	九年裘衛鼎	隹九年正月既死霸庚辰
	1328	盂鼎	王曰：盂、迺召夾死嗣戎
	1331	中山王嚳鼎	隹(雖)有死辠
	1331	中山王嚳鼎	詒死辠之有若(赦)
	1332	毛公鼎	死(尸)母(毋)童(動)余一人在立(位)
	1666	遹乍旅甗	隹六月既死霸丙寅
	2608	官差父毁	隹王正月既死霸乙卯
	2661	競毁一	隹六月既死霸壬申
	2662	競毁二	隹六月既死霸壬申
	2684	寵乎毁	隹正二月既死霸壬戌
	2707	小臣守毁一	隹五月既死霸辛未
	2708	小臣守毁二	隹五月既死霸辛未
	2709	小臣守毁三	隹五月既死霸辛未
	2746	追毁一	追虔夙夕卹氒死事
	2747	追毁二	追虔夙夕卹氒死事
	2748	追毁三	追虔夙夕卹氒死事
	2749	追毁四	追虔夙夕卹氒死事
	2750	追毁五	追虔夙夕卹氒死事
	2751	追毁六	追虔夙夕卹氒死事
	2774.	南宮弔毁	迺召夾死嗣 ??戍
	2787	望毁	死嗣畢王家
	2787	望毁	死司畢王家
	2814	鳥冊夨令毁一	隹九月既死霸丁丑
	2814.	夨令毁二	隹九月既死霸丁丑

2842	卯殷	訊乃先且考死嗣(司)榮公室
2842	卯殷	昔乃且亦既令乃父死(司)葊人
2842	卯殷	今余隹令女死嗣(司)葊宮葊人
2844	頌殷一	隹三年五月既死霸甲戌
2845	頌殷二	隹三年五月既死霸甲戌
2845	頌殷二	隹三年五月既死霸甲戌
2846	頌殷三	隹三年五月既死霸甲戌
2847	頌殷四	隹三年五月既死霸甲戌
2848	頌殷五	隹三年五月既死霸甲戌
2849	頌殷六	隹三年五月既死霸甲戌
2850	頌殷七	隹三年五月既死霸甲戌
2851	頌殷八	隹三年五月既死霸甲戌
2854	蔡殷	死嗣王家外內
3068	白寬父盨一	隹卅又三年八月既死辛卯
3069	白寬父盨二	隹卅又三年八月既死辛卯
3090	曁盨(器)	則隹輔天降喪不□唯死
4892	麥尊	死、咸
5510	乍冊嗌卣	征先霸死亡
5785	史懋壺	隹八月既死霸戊寅
5799	頌壺一	隹三年五月既死霸甲戌
5800	頌壺二	隹三年五月既死霸甲戌
5805	中山王嚳方壺	故邦亡身死
6791	兮甲盤	隹五年三月既死霸庚寅
6877	儹乍旅盉	隹三月既死霸甲申
7164	瘋鐘七	今瘋夙夕虔茍(敬)卹氒死事
7182	叔夷編鐘一	虔卹氒死事
7213	綸鎛	用祈壽老毋死
7214	叔夷鎛	虔卹氒死事
7975	中山王墓兆域圖	死亡若
		小計：共 61 筆

0666

5803	胤嗣好蚉壺	以取鮮鬻(槁)
		小計：共 1 筆

0667

5805	中山王嚳方壺	上下之體
		小計：共 1 筆

0668

1322	九年裘衛鼎	眉敖者臚(膚)卓吏見于王
4824	引為慰膚尊	引為慰臚(膚)寶尊彝用永孝,
		小計：共 2 筆

死 鬻 體 臚

脰 0669

0659	集脰紅鼎	集脰紅貞
0659	集脰紅鼎	集脰
0729	集脰大子鼎一	大子鼎、集脰
0730	集脰大子鼎二	集脰大子鼎
0731	鑄客鼎	鑄客為集脰、集脰
0873	鑄客為集脰鼎一	鑄客為集脰為之
0874	鑄客為集脰鼎二	鑄客為集脰為之
0945	鑄客為大后脰官鼎	鑄客為大句(后)脰官為之
1115	楚王酓肯喬鼎	集脰
1231	楚王酓忓鼎一	集脰
1232	楚王酓忓鼎二	集脰
6707	鑄客為集脰盤	鑄客為集脰為之
7932	集脰大子鎬	集脰大子之鎬
7933	大府鎬	立府為王一僧晉鎬集脰
7947	鑄客銅器一	鑄客為集脰為之
M548	吳王孫無壬鼎	吳王孫無壬之脰鼎

小計：共 16 筆

胃 0670

7735	少虡劍一	胃之少虡
7736	少虡劍二	胃之少虡

小計：共 2 筆

膺 0671

1332	毛公鼎	雁(膺)受大命
1332	毛公鼎	馬四匹、攸勒、金噩、金雁(膺)、朱旂二鈴
2841	茻白毀	雁(膺)受大命
2856	師訇毀	不顯文武、雁(膺)受天令
6925	晉邦盦	膺受大令
7192	叔夷編鐘十一	敢再拜韻首膺受君公之

小計：共 6 筆

齎 0672 參0682+脐字條下

3100	陳侯因脐錞	陳侯因脐日
3100	陳侯因脐錞	其唯因脐揚皇考
7412	陳戈	陳侯因脐造
7526	卅四年屯丘令戈	卅四年屯丘命爽左工帀脐冶□

小計：共 4 筆

腹 0672+

6792	史墻盤	遠猷腹心

小計：共 1 筆

0673

7300	脽戈	[脽]
7416	閭丘戈	膚(筥)丘為脽造
7574	左軍戈	公孫__脽之□
7718	脽公劍	脽公圃自乍元鐱
7900	鄂君啟舟節	大攻尹脽台王命命集尹恕nf

小計：共 5 筆

0674

1112	十一年庫嗇夫尚不玆鼎	庫嗇夫尚丕玆瞩人夫__所為空二斗
1113	梁廿七年鼎一	大梁司寇尚亡智新為量
1114	廿七年大梁司寇尚無智鼎二	大梁司寇尚亡智鑄新量
7550	十二年少令邯鄲戈	十二年尚命邯鄲□右庫工币□紹台倉造
7551	十二年尚令邯鄲戈	十二年尚命邯鄲□右庫工币□紹台倉造
7563	卅一年奠令戈	卅一年奠命槨司寇尚它里庫工币冶肴啟
7567	廿九年相邦尚□戈	廿九年相邦尚__邦
7572	十七年彘令戈	十七年彘命舩尚司寇奠__右庫工币□較冶□□
7659	元年春平侯矛	邦右庫工币尚瘁冶□闢執齊
7953	三年錯銀鳩杖首	丞尚五司永昌__

小計：共 10 筆

0675

1205.	逋鼎	朕乍文考胤白尊鼎(貞)
2639	逋毀	逋乍朕文考胤白尊毀
2833	秦公毀	咸畜胤士
5803	胤嗣好蚉壺	胤嗣好蚉敢明揚告
6925	晉邦盦	余咸畜胤士
7174	秦公鎛	盭(戾)龢胤士
7177	秦公及王姬編鐘一	盭(戾)龢胤士
7209	秦公及王姬鎛	盭(戾)龢胤士
7210	秦公及王姬鎛二	盭(戾)龢胤士
7211	秦公及王姬鎛三	盭(戾)龢胤士
7212	秦公鎛	咸畜百辟胤士

小計：共 11 筆

0676 0388善字重見

3096	齊侯乍孟姜善章	齊侯乍朕寶薦孟膳章

小計：共 1 筆

0676+

	6638	修武府耳杯	脩武府
			小計：共 1 筆
脩 𢦏 散	𢦏 0677		
	1002	二年寧鼎	二年寧＿子得治＿為𢦏四分＿
	1169	平安邦鼎	廿八年坪安邦台客𢦏｛四分｝齋
	1231	楚王酓忓鼎一	以共𢦏棠
	1232	楚王酓忓鼎二	以共𢦏棠
	2797	輔師𠭰𣪘	赤市朱黃、戈彤沙琱𢦏
	3112	郳陵君王子申豆一	攸立𢦏嘗
	3113	郳陵君王子申豆二	攸立𢦏嘗
			小計：共 7 筆
	散 0678		
	0701	散姬方鼎	散姬乍尊鼎
	1200	散白車父鼎一	𢼸（散）白車父乍𨙶姞尊鼎
	1201	散白車父鼎二	𢼸（散）白車父乍𨙶姞尊鼎
	1202	散白車父鼎三	𢼸（散）白車父乍𨙶姞尊鼎
	1325	五祀衛鼎	氒東彊眔散田
	1325	五祀衛鼎	氒南彊眔散田
	2367	散白乍夨姬𣪘一	散白乍夨姬寶𣪘
	2368	散白乍夨姬𣪘二	散白乍夨姬寶𣪘
	2369	散白乍夨姬𣪘三	散白乍夨姬寶𣪘
	2370	散白乍夨姬𣪘四	散白乍夨姬寶𣪘
	2371	散白乍夨姬𣪘五	散白乍夨姬寶𣪘
	2435	散車父𣪘一	散車父乍皇𨙶姞彔（𩜁）𣪘
	2436	散車父𣪘二	散車父乍皇𨙶姞𩜁𣪘
	2437	散車父𣪘三	散車父乍皇𨙶姞𩜁𣪘
	2438	散車父𣪘四	散車父乍皇𨙶姞𩜁𣪘
	2438.	散車父𣪘五	散車父乍皇𨙶姞𩜁𣪘
	2438.	𢼸車父乍皇𨙶姞𩜁𣪘	散車父乍皇𨙶姞𩜁𣪘
	2438.	𢼸車父乍皇𨙶姞𩜁𣪘二	散車父乍皇𨙶姞𩜁𣪘
	2668	散季𣪘	𢼸（散）季其萬年
	5392	散白乍＿父卣一	散白乍ot父尊彝
	5392	散白乍＿父卣一	散白乍ot父尊彝
	5393	散白乍＿父卣二	散白乍ot父尊彝
	5755	散氏車父壺	[[散]]氏車父乍ro姜□尊壺
	5805	中山王嚳方壺	進賢散（措）能
	6793	夨人盤	用夨薄散邑
	6793	夨人盤	迺即散用田履
	6793	夨人盤	夨舍散田
	6793	夨人盤	散人小子履田戎
	6793	夨人盤	凡散有嗣十夫
	6793	夨人盤	我既付散氏田器
	6793	夨人盤	有爽、實余有散氏心賊

6793	矢人盤	我既付散氏溼(隰)田、畛田
7363	陳箙戈	陳散
7385	陳__散戈	陳__散戈
7386	陳貣箙戈一	陳貣散盛
7387	陳貣箙戈二	陳貣散盛
7421	__淠侯散戈	__淠侯散戈
7447	羊__亲戈造服	羊wm亲造散戈
J3795	陳窶寇戈	陳窶寇散銭(戈)
7681	高都侯劍	高都侯散之徒
		小計：共　40 筆

0679

0747	梁上官鼎	肯詢(信)tb宰脣參分
		小計：共　1 筆

0680

0721	鑄脒鼎	鑄脒一斗料
0722	右脒鼎	右脒三料斗
		小計：共　2 筆

0681

0496	四分鼎	□脣□四分
0726	中私官鼎	中ム官脣料
0747	梁上官鼎	梁上官脣參分
0747	梁上官鼎	宜詢(信)tb宰脣參分
0748	上樂床三分鼎	上樂床脣參分
0749	上支床四分鼎	上支床脣四分
0869	料鼎	萬□□□□料脣料□□
1043	卅年鼎	脣(容)四分
1090	十三年梁上官鼎	十三年、梁陰命率上官__子疾冶乘鑄、脣(容)料
1113	梁廿七年鼎一	脣四分
1114	廿七年大梁司寇肖無智鼎二	脣半斗齋、下官
M799	卅二年平安君鼎	平安邦鑄客脣四分齋(蓋一)
M799	卅二年平安君鼎	卅二年平安邦鑄客脣四分齋
		小計：共　13 筆

散 脣 脒 脣

朐 0682

1241	蔡大師朐鼎	蔡大師朐賸鄦弔姬可母飤緐
		小計：共 1 筆

利 0683

1290	利鼎	井白內右利立中廷、北鄉
1290	利鼎	王乎乍命內史冊令利曰
1290	利鼎	利拜稽首
1290	利鼎	利其萬年子孫永寶用
1304	王子午鼎	子孫是利
1318	晉姜鼎	三壽是利
2237	利毀	利乍寶尊鬻彝
2671	利毀	易又吏利金
4977	師遽方彝	王乎宰利易師遽琿圭一、環章四
6786	＿弔多父盤	吏利于辟王卿事師尹倗友
7061	能原鐘	□於□日利
7061	能原鐘	衣(依)余□郕(越)□者、利
7083	鮮鐘	用利鼓之
7176	㝬鐘	參壽佳利
7203	能原鎛	□於□日利
7203	能原鎛	衣(依)余□郕(越)□者、利
7976	之利殘片	之利寺王之奴旨＿＿弘＿＿萬
7976	之利殘片	烏虖、烏興余利貣烏止
7976	之利殘片	利玄鏐之□
		小計：共 19 筆

初 0684

1072	痓乍其鬻鼎	佳正月初痓乍其鬻鬲貞貞(鼎)
1127	蔿鼎	王初□恆于成周
1128	＿白氏鼎	唯鄧八月初吉
1134	敶侯鼎	佳正月初吉丁亥
1137	匽侯旨鼎一	匽侯旨初見事于宗周
1161	白吉父鼎	佳十又二月初吉
1164	旂乍文父日乙鼎	唯八月初吉辰才乙卯
1165	大師鐘白乍石鼎	佳正月初吉己亥
1166	茲太子鼎	佳九月之初吉丁亥
1175	白鮮乍旅鼎一	佳正月初吉庚午
1176	白鮮乍旅鼎二	佳正月初吉庚午
1177	白鮮乍旅鼎三	佳正月初吉庚午
1195	戈弔朕鼎一	佳八月初吉庚申
1196	戈弔朕鼎二	佳八月初吉庚申
1197	戈弔朕鼎三	佳八月初吉庚申
1200	散白車父鼎一	佳王四年八月初吉丁亥
1201	楙白車父鼎二	唯王四月八月初吉丁亥

1202	楙白車父鼎三	唯王四年八月初吉丁亥
1203	楙白車父鼎四	唯王四年八月初吉丁亥
1205.	遽鼎	唯七月初吉甲戌
1206	䧹鼎	唯八月初吉
1211	庚兒鼎一	隹正月初吉丁亥
1212	庚兒鼎二	隹正月初吉丁亥
1213	師𣪘鼎一	隹九月初吉庚寅
1214	師𣪘鼎二	隹九月初吉庚寅
1216	貿鼎	隹十又二月初吉壬午
1218	𡨦兒鼎	隹正八月初吉壬申
1224	王子吳鼎	隹正月初吉丁亥
1225	𣪕大史申鼎	隹正月初吉辛亥
1228	𣪕𣪕方鼎	隹二月初吉庚寅
1241	蔡大師䐁鼎	隹正月初吉丁亥
1243	仲__父鼎	唯王五月初吉丁亥
1264	𡩜鼎	隹三月初吉
1265	𣪕弔鼎	隹王正月初吉乙丑
1266	郘公平侯鼎一	隹郘八月初吉癸未
1267	郘公平侯鼎二	隹郘八月初吉癸未
1268	梁其鼎一	隹五月初吉壬申
1269	梁其鼎二	隹五月初吉壬申
1273	師湯父鼎	隹十又二月初吉丙午
1280	康鼎	唯三月初吉甲戌
1286	大夫始鼎	隹三月初吉甲寅、王才龢宮
1300	南宮柳鼎	隹王五月初吉甲寅
1304	王子午鼎	隹正月初吉丁亥
1310	鬲攸從鼎	隹卅又一年三月初吉壬辰
1311	師晨鼎	隹三年三月初吉甲戌
1315	善鼎	唯十又一月初吉辰才丁亥
1317	善夫山鼎	隹卅又七年正月初吉庚戌
1325	五祀衛鼎	隹正月初吉庚戌
1504	奠師□父鬲	隹五月初吉丁酉
1527	𪊨先父鬲	隹十又二月初吉
1529	仲枏父鬲一	隹六月初吉
1530	仲枏父鬲二	隹六月初吉
1531	仲枏父鬲三	隹六月初吉
1532	仲枏父鬲四	隹六月初吉
1659	白鮮旅甗	隹正月初吉庚寅
1665	王孫壽飤甗	隹正月初吉丁亥
1667	陳公子弔邍父甗	隹九月初吉丁亥
2392	__白𣪘	隹九月初吉𣪕龍白自乍其寶𣪘
2547	格白乍晉姬𣪘	隹三月初吉
2584	邾正衛𣪘	五月初吉甲申
2588	毛𢍰𣪘	隹大月初吉丙申
2592	鄧公𣪘	隹𢍰（鄧）九月初吉
2598	燮乍宮仲念器	隹八月初吉庚午
2603	白吉父𣪘	初吉
2612	不壽𣪘	隹九月初吉戊辰
2621	雁侯𣪘	隹正月初吉丁亥
2626	奢乍父乙𣪘	隹十月初吉辛巳

初

2627	伊𣪘	六月初吉癸卯
2635	賢𣪘一	唯九月初吉庚午
2635	賢𣪘一	公弔初見于衛、賢從
2636	賢𣪘二	唯九月初吉庚午
2636	賢𣪘二	公弔初見于衛、賢從
2637	賢𣪘三	唯九月初吉庚午
2637	賢𣪘三	公弔初見于衛、賢從
2638	賢𣪘四	唯九月初吉庚午
2638	賢𣪘四	公弔初見于衛、賢從
2639	遹𣪘	唯七月初吉甲戌
2644	命𣪘	隹十又一月初吉甲申
2653	𣪘	隹八月初吉丁亥
2662.	宴𣪘一	隹正月初吉庚寅
2662.	宴𣪘二	隹正月初吉庚寅
2663	宴𣪘一	隹正月初吉庚寅
2664	宴𣪘二	隹正月初吉庚寅
2665	＿弔𣪘	隹王三月初吉癸卯
2666	鑄弔皮父𣪘	隹一月初吉
2668	散季𣪘	隹王四年八月初吉丁亥
2685	仲枏父𣪘一	隹六月初吉
2686	仲枏父𣪘二	隹六月初吉
2687	敔𣪘	隹四月初吉丁亥
2688	大𣪘	唯六月初吉丁巳
2693	𣪘	隹正月初吉
2695	兒𣪘	隹正月初吉甲午
2704	穆公𣪘	隹王初女＿
2705	君夫𣪘	唯正月初吉乙亥
2706	都公敄人𣪘	隹都正二月初吉乙丑
2711.	乍冊般𣪘	隹正月初吉戊辰
2723	𣪘	隹四月初吉丁卯
2733	何𣪘	隹三月初吉庚午
2738	衛𣪘	隹八月初吉丁亥
2739	無𣪘一	隹十又三年正月初吉壬寅
2740	無𣪘二	隹十又三年正月初吉壬寅
2741	無𣪘三	隹十又三年正月初吉壬寅
2742	無𣪘四	隹十又三年正月初吉壬寅
2742.	無𣪘五	隹十又三年正月初吉壬寅
2742.	無𣪘五	隹十又三年正月初吉壬寅
2762	免𣪘	隹十又二月初吉
2765	𣪘	隹二月初吉
2766	三兒𣪘	隹王二年□月初吉丁巳
2768	楚𣪘	仕正月初吉丁亥
2769	師𣪘	隹八月初吉戊寅
2771	弭弔師𣪘一	隹五月初吉甲戌
2772	弭弔師𣪘二	隹五月初吉甲戌
2773	即𣪘	隹王三月初吉庚申
2774.	南宮弔𣪘	隹三月初吉□卯
2775.	害𣪘一	隹四月初吉
2775.	害𣪘二	隹四月初吉
2778	格白𣪘一	隹正月初吉癸巳

2778	格白𣪘一	隹正月初吉癸巳
2779	格白𣪘二	隹正月初吉癸巳
2780	格白𣪘三	隹正月初吉癸巳
2781	格白𣪘四	隹正月初吉癸巳
2782	格白𣪘五	隹正月初吉癸巳
2782.	格白𣪘六	𣪘隹正月初吉癸巳
2784	申𣪘	隹正月初吉丁卯
2785	王臣𣪘	隹二年三月初吉庚寅
2787	望𣪘	隹王十又三年六月初吉戊戌
2787	望𣪘	隹王十又三年六月初吉戊戌
2788	靜𣪘	隹六月初吉
2788	靜𣪘	雩八月初吉庚寅
2789	同𣪘一	隹十又二月初吉丁丑
2790	同𣪘二	隹十又二月初吉丁丑
2792	師俞𣪘	唯三年三月初吉甲戌
2796	諫𣪘	隹五年三月初吉庚寅
2796	諫𣪘	隹五年三月初吉庚寅
2798	師瘨𣪘一	隹二月初吉戊寅
2799	師瘨𣪘二	隹二月初吉戊寅
2807	鄦陊𣪘一	隹二年正月初吉
2808	鄦陊𣪘二	隹二年正月初吉
2809	鄦陊𣪘三	隹二年正月初吉
2815	師毀𣪘	隹王元年正月初吉丁亥
2830	三年師兌𣪘	隹三年二月初吉丁亥
2831	元年師兌𣪘一	隹元年五月初吉甲寅
2832	元年師兌𣪘二	隹元年五月初吉甲寅
2836	㦰𣪘	隹六月初吉乙酉、才堂（ 盩 ）㠯
2838	師嫠𣪘一	隹十又一年九月初吉丁亥
2838	師嫠𣪘一	隹十又一年九月初吉丁亥
2839	師嫠𣪘二	隹十又一年九月初吉丁亥
2839	師嫠𣪘二	隹十又一年九月初吉丁亥
2852	不嬰𣪘一	唯九月初吉戊申
2853	不嬰𣪘二	唯九月初吉戊申
2853.	＿弔𣪘	隹王三月初吉辛卯
2853.	尹𣪘	王初饔口口口口周
2855	班𣪘一	隹八月初吉才宗周甲戌
2855.	班𣪘二	隹八月初吉
2934	曾子遷彝𠤳	隹九月初吉庚申
2942	楚子＿飤𠤳一	隹八月初吉庚申
2943	楚子＿飤𠤳二	隹八月初吉庚申
2944	楚子＿飤𠤳三	隹八月初吉庚申
2946	曾子口𠤳	隹正月初吉丁亥
2961	敶侯乍媵𠤳一	隹正月初吉丁亥
2962	敶侯乍媵𠤳二	隹正月初吉丁亥
2963	陳侯𠤳	隹正月初吉丁亥
2967	敶侯乍孟姜朕𠤳	隹正月初吉丁亥
2970	考弔脂父尊𠤳一	隹正月初吉丁亥
2971	考弔脂父尊𠤳二	隹正月初吉丁亥
2973	楚屈子𠤳	隹正月初吉丁亥
2974	上鄀府𠤳	隹正六月初吉丁亥

初

2975	鄦子妝匿	隹正月初吉丁亥
2976	𥁰公匿	隹王正月初吉丁亥
2977	□孫弔左𨽥匿	隹正月初吉丁亥
2978	樂子敬䵼臥匿	隹正月初吉丁亥
2979	弔朕自乍薦匿	隹十月初吉庚午
2979.	弔朕自乍薦匿二	十月初吉庚午
2980	鼄大宰𨽥匿一	隹正月初吉
2981	鼄大宰𨽥匿二	隹正月初吉
2982	長子□臣乍媵匿	隹正月初吉丁亥
2982	長子□臣乍媵匿	隹正月初吉丁亥
2985	陳逆匿一	隹王正月初吉丁亥
2985.	陳逆匿二	隹王正月初吉丁亥
2985.	陳逆匿三	隹王正月初吉丁亥
2985.	陳逆匿四	隹王正月初吉丁亥
2985.	陳逆匿五	隹王正月初吉丁亥
2985.	陳逆匿六	隹王正月初吉丁亥
2985.	陳逆匿七	隹王正月初吉丁亥
2985.	陳逆匿八	隹王正月初吉丁亥
2985.	陳逆匿九	隹王正月初吉丁亥
2985.	陳逆匿十	隹王正月初吉丁亥
2986	曾白霥旅匿一	隹王九月初吉庚午
2987	曾白霥旅匿二	隹王九月初吉庚午
3077	弔尃父乍奠季盨一	六月初吉丁亥
3078	弔尃父乍奠季盨二	六月初吉丁亥
3079	弔尃父乍奠季盨三	六月初吉丁亥
3080	弔尃父乍奠季盨四	六月初吉丁亥
3086	善夫克旅盨	隹十又八年十又二月初吉庚寅
4204	盂爵	隹王初桒于成周
4344	嘉仲父斝	隹元年正月初吉丁亥
4448	長由盉	隹三月初吉丁亥
4861	𪭼士卿尊	丁巳、王才新邑初wa
4869	次尊	隹二月初吉丁卯
4880	免尊	隹六月初吉
4882	匡乍文考日丁尊	隹四月初吉甲午
4883	耳尊	隹六月初吉辰才辛卯
4885	效尊	隹四月初吉甲午
4886	趩尊	隹三月初吉乙卯
4887	蔡侯𩰫尊	元年正月初吉辛亥
4888	盠駒尊一	王初執駒于㡿
4890	盠方尊	唯八月初吉
4891	何尊	隹王初𨛭宅于成周
4978	吳方彝	隹二月初吉丁亥
4979	盠方彝一	唯八月初吉
4980	盠方彝二	唯八月初吉
5478	次卣	隹二月初吉丁卯
5487	靜卣	隹四月初吉丙寅
5488	靜卣二	隹四月初吉丙寅
5493	召乍_宮旅卣	隹十又二月初吉丁卯
5500	免卣	隹六月初吉、王才鄭、丁亥
5509	𤕌卣	王初𡨦旁

5511	效卣一	隹四月初吉甲午
5583	不白夏子罍一	隹正月初吉丁亥
5584	不白夏子罍二	隹正月初吉丁亥
5597	次甗	隹二月初吉丁卯
5726	華母鬳壺	隹正月初吉庚午
5775	蔡公子壺	隹正月初吉庚午
5777	孫弔師父行具	隹王正月初吉甲戌
5778	番匊生鑄媵壺	隹廿又六年十月初吉己卯
5787	沕其壺一	隹五月初吉壬申
5788	沕其壺二	隹五月初吉壬申
5791	十三年瘋壺一	隹十又三年九月初吉戊寅
5792	十三年瘋壺一	九月初吉戊寅
5793	幾父壺一	隹五月初吉庚午
5794	幾父壺二	隹五月初吉庚午
5798	曶壺	隹正月初吉丁亥
5804	齊侯壺	隹王正月初吉丁亥
5816.	伯亞臣鑐	隹正月初吉丁亥
5824	孟縢姬媵缶	隹正月初吉丁亥
6758	殷穀盤一	隹正月初吉
6759	殷穀盤二	隹正月初吉
6766	黃韋艅父盤	隹元月初吉庚申
6770	鬻白盤	隹正月初吉庚午
6773	＿湯弔盤	隹正月初吉壬午
6777	邛仲之孫白戔盤	隹王月初吉丁亥
6778	免盤	隹五月初吉
6780	黃大子白克盤	隹王正月初吉丁亥
6781	夆弔盤	隹王正月初吉丁亥
6782	者尚余卑盤	隹王正月初吉丁亥
6788	蔡侯𨭉盤	元年正月初吉辛亥
6790	虢季子白盤	隹十又二年正月初吉丁亥
6791	兮甲盤	王初各伐玁狁于𨸏䖒
6792	史墻盤	初盭龢于政
6865	楚嬴匜	隹王正月初吉庚午
6869	浮公之孫公父宅匜	唯王正月初吉庚午
6870	𦣞公孫𢊁父匜	隹正月初吉庚午
6871	陳子匜	隹正月初吉丁亥
6874	鄭大内史弔上匜	隹十又二月初吉乙巳
6876	夆弔乍季妃盥盤(匜)	隹王正月初吉丁亥
6888	吳王光鑑一	隹王五月既字白期吉日初庚
6889	吳王光鑑二	隹王五月既字白期吉日初庚
6905	要君𨥭盂	隹正月初吉
6908	郐宜同歙盂	隹正月初吉日己酉
6909	遴盂	隹正月初吉
6910	師永盂	隹十又二年初吉丁卯
6921	鄧子仲盆	隹八月初吉丁亥
6923	庚午𥁰	隹正九月初吉庚午
6924	江仲之孫白戔𨥭𥁰	隹八月初吉庚午
6925	晉邦𥁰	隹王正月初吉丁亥
7004	楚王領鐘	隹王正月初吉丁亥
7016	楚王鐘	隹正月初吉丁亥

初

7021	虘鐘一	佳正月初吉丁亥
7022	虘鐘二	佳正月初吉丁亥
7023	虘鐘三	佳正月初吉丁亥
7026	邾弔鐘	佳王六初吉壬午
7028	臧孫鐘	佳王正月初吉丁亥
7029	臧孫鐘二	佳王正月初吉丁亥
7030	臧孫鐘三	佳王正月初吉丁亥
7031	臧孫鐘四	佳王正月初吉丁亥
7032	臧孫鐘五	佳王正月初吉丁亥
7033	臧孫鐘六	佳王正月初吉丁亥
7034	臧孫鐘七	佳王正月初吉丁亥
7035	臧孫鐘八	佳王正月初吉丁亥
7036	臧孫鐘九	佳王正月初吉丁亥
7038	應侯見工鐘一	佳正二月初吉
7040	克鐘一	佳十又六年九月初吉庚寅
7041	克鐘二	佳十又六年九月初吉庚寅
7042	克鐘三	佳十又六年九月初吉庚寅
7045	□□自乍鐘一	佳王正月初吉庚申
7051	子璋鐘一	佳正七月初吉丁亥
7052	子璋鐘二	佳正七月初吉丁亥
7053	子璋鐘三	佳正七月初吉丁亥
7054	子璋鐘四	佳正七月初吉丁亥
7055	子璋鐘五	佳正七月初吉丁亥
7056	子璋鐘六	佳正七月初吉丁亥
7057	子璋鐘八	佳正七月初吉丁亥
7062	柞鐘	佳王三年四月初吉甲寅
7063	柞鐘二	佳王三年四月初吉甲寅
7064	柞鐘三	佳王三年四月初吉甲寅
7065	柞鐘四	佳王三年四月初吉甲寅
7066	柞鐘五	佳王三年四月初吉甲寅
7082	齊鮑氏鐘	佳正月初吉丁亥
7084	邾公牼鐘一	佳王正月初吉
7085	邾公牼鐘二	佳王正月初吉
7086	邾公牼鐘三	佳王正月初吉
7087	邾公牼鐘四	佳王正月初吉
7108	簷弔之仲子平編鐘一	佳正月初吉庚午
7109	簷弔之仲子平編鐘二	佳正月初吉庚午
7110	簷弔之仲子平編鐘三	佳正月初吉庚午
7111	簷弔之仲子平編鐘四	佳正月初吉庚午
7112	者減鐘一	佳正月初吉丁亥
7113	者減鐘二	佳正月初吉丁亥
7114	者減鐘三	佳正月初吉丁亥
7115	者減鐘四	佳正月初吉丁亥
7117	𨛫𪕍兒鐘一	佳正九月初吉丁亥
7118	𨛫𠞗兒鐘二	佳正九月初吉丁亥
7121	𨛫王子旃鐘	佳正月初吉元日癸亥
7124	沇兒鐘	佳正月初吉丁亥
7125	蔡侯𧫷𢆶鐘一	佳正五月初吉孟庚
7126	蔡侯𧫷𢆶鐘二	佳正五月初吉孟庚
7132	蔡侯𧫷𢆶鐘八	佳正五月初吉孟庚

7133	蔡侯䌛紐鐘九	隹正五月初吉孟庚
7134	蔡侯䌛甬鐘	隹正五月初吉孟庚
7136	郘鐘一	余不敢為喬隹王正月初吉丁亥
7137	郘鐘二	隹王正月初吉丁亥
7138	郘鐘三	隹王正月初吉丁亥
7139	郘鐘四	隹王正月初吉丁亥
7140	郘鐘五	隹王正月初吉丁亥
7141	郘鐘六	隹王正月初吉丁亥
7142	郘鐘七	隹王正月初吉丁亥
7143	郘鐘八	隹王正月初吉丁亥
7144	郘鐘九	隹王正月初吉丁亥
7145	郘鐘十	隹王正月初吉丁亥
7146	郘鐘十一	隹王正月初吉丁亥
7147	郘鐘十二	隹王正月初吉丁亥
7148	郘鐘十三	隹王正月初吉丁亥
7149	郘鐘十四	隹王正月初吉丁亥
7157	邾公華鐘一	隹王正月初吉乙亥
7163	瘋鐘六	初盩龢于政
7175	王孫遺者鐘	隹正月初吉丁亥
7204	克鎛	隹十又六年九月初吉庚寅
7205	蔡侯䌛編鎛一	隹正五月初吉孟庚
7206	蔡侯䌛編鎛二	隹正五月初吉孟庚
7207	蔡侯䌛編鎛三	隹正五月初吉孟庚
7208	蔡侯䌛編鎛四	隹正五月初吉孟庚
7213	𦅫鎛	隹王五月初吉丁亥
7215	其次勾鑃一	隹正初吉丁亥
7216	其次勾鑃二	隹正初吉丁亥
7217	姑馮勾鑃	隹王正月初吉丁亥
7218	郐諧尹征城	睢正月月初吉、日才庚
7219	冉鉦鋮（南疆征）	隹正月初吉丁亥
7533	卅二年帶令戈	卅三年帶命初左庫工帀臣冶山
7874	蔡太史鉌	隹王正月初吉壬午
M191	繁卣	隹九月初吉癸丑
M361	井伯南毀	隹八月初吉壬午
M508	虞侯政壺	隹王二月初吉壬戌
M545	配兒勾鑃	□□□初吉庚午
M602	蔡冒匜	隹正月初吉丁亥
		小計：共　354 筆

0685

1226	師𩛥鼎	𩛥則對揚氒德
1310	鬲攸從鼎	則懲
1310	鬲攸從鼎	攸衛牧則誓
1316	戜方鼎	弋休則尚
1322	九年裘衛鼎	則乃成夆四夆
1330	曶鼎	眡則卑我賞馬
1330	曶鼎	效□則卑復氒絲束
1330	曶鼎	非tr五夫則詛

	1330	曶鼎	曶(曶)則拜稽首
	1330	曶鼎	既則卑復令曰：若
	1330	曶鼎	則付卌秭
則	2737	段毁	令龏𡚱饋(饋)大則于段
	2778	格白毁一	則析、格白iL
	2778	格白毁一	則析、格白iL
	2779	格白毁二	則析、格....谷杜木
	2780	格白毁三	則析、格白iL
	2781	格白毁四	則析、格白iL
	2782	格白毁五	則析、格白iL
	2782.	格白毁六	則析、格白iL
	2801	五年召白虎毁	女則宕其貳
	2801	五年召白虎毁	女則宕其一
	2801	五年召白虎毁	琱生則堇圭
	2802	六年召白虎毁	白氏則報璧琱生
	2835	訇毁	則乃且奠周邦
	2856	師訇毁	亦則於女乃聖且考克左右先王
	2894	曾子𩰫行器一	則永祜福
	2895	曾子𩰫行器二	則永祜福
	2896	曾子𩰫行器三	則永祜福
	3088	師克旅盨一(蓋)	則隹乃先且考又Jr于周邦
	3089	師克旅盨二	則緐隹乃先且考又Jr于周邦
	3090	㝬盨(器)	則隹輔天降喪不□唯死
	4023	則爵	[則]乍寶
	4044.	則乍寶爵	[則]乍寶
	4874	萬諆尊	其則此𩛥□
	4888	盠駒尊一	則萬年保我萬宗
	4891	何尊	則廷告于天曰
	5801	洹子孟姜壺一	曰：朞(期)則爾朞(期)
	5802	洹子孟姜壺二	朞(期)則爾朞(期)
	5805	中山王𰯼方壺	外之則將使上勤於天子之廟
	5805	中山王𰯼方壺	則上逆於天
	5805	中山王𰯼方壺	則臣不忍見施
	5805	中山王𰯼方壺	故辭禮敬則賢人至
	5805	中山王𰯼方壺	㤅愛深則賢人親
	5805	中山王𰯼方壺	乍斂中則庶民僡(附)
	6791	兮甲盤	則即井撲伐
	6791	兮甲盤	母敢或入蠻宄賈、則亦井
	6792	史墻盤	武王則令周公舍㝢于周卑處
	6793	矢人盤	則爰千罰千、傳棄之
	6793	矢人盤	鮮、且、Jm、旅則誓
	6793	矢人盤	西宮襄、武父則誓
	6877	𠑇乍旅盉	則到乃鞭千
	6877	𠑇乍旅盉	牧牛則誓
	7092	𠠲羌鐘一	用明則之于銘
	7093	𠠲羌鐘二	用明則之于銘
	7094	𠠲羌鐘三	用明則之于銘
	7095	𠠲羌鐘四	用明則之于銘
	7096	𠠲羌鐘五	用明則之于銘
	7164	㾓鐘七	武王則令周公舍寓以五十頌處

7867.	龍__	集尹陳夏、少集尹龔則、少攻(工)差(佐)孝癸
7868	商鞅方升	法度量則不壹歉疑者
7899	鄂君啟車節	見其金節則母政
7899	鄂君啟車節	不見其金節則政
7900	鄂君啟舟節	見其金節則母征
7900	鄂君啟舟節	不見其金節則征
7900	鄂君啟舟節	則政於大實
M282	師䑗尊	䑗則對揚氒德
M706	曾侯乙編鐘下一・二	其才𨜴(申)號為遟則
M706	曾侯乙編鐘下一・二	夷則之徵曾
M707	曾侯乙編鐘下一・三	為犀則羽角
M708	曾侯乙編鐘下二・一	犀則之羽曾
M710	曾侯乙編鐘下二・三	犀則之商
M711	曾侯乙編鐘下二・四	其才𨜴(申)號為遟則
M711	曾侯乙編鐘下二・四	犀則之徵曾
M712	曾侯乙編鐘下二・五	為犀則羽角
M713	曾侯乙編鐘下二・七	遟則之徵
M742	曾侯乙編鐘中三・三	犀則之羽曾
M743	曾侯乙編鐘中三・四	妥賓之才𨜴(申)號為遟則
M743	曾侯乙編鐘中三・四	為遟則徵曾
M746	曾侯乙編鐘中三・七	其才𨜴(申)號為遟則
M746	曾侯乙編鐘中三・七	遟則之徵曾
M747	曾侯乙編鐘中三・八	為遟則羽角
M748	曾侯乙編鐘中三・九	遟則之徵
M749	曾侯乙編鐘中三・十	遟則之羽曾
		小計：共 83 筆

0686 作但形者改釋冶，請參1868+冶字條下

0498	長剛倉鼎	長剛倉
4156	剛乍寶隮彝爵	剛乍寶尊彝
5245	刀网父癸卣	[剛]父癸
6792	史墻盤	左右綬鈙剛鯀
6793	矢人盤	封𨛋桁、𨸏鄭陵、剛桁
6793	矢人盤	陟剛、二封
6793	矢人盤	陟州剛、登桁
		小計：共 7 筆

0687

2313	𩣶辨乍父己段一	辨乍文父己寶尊彝[𩣶]
2314	𩣶辨乍父己段二	辨乍文父己寶尊彝[𩣶]
2315	𩣶辨乍父己段三	辨乍文父己寶尊彝[𩣶]
4877	小子生尊	王令生辨事公宗
5507	乍冊䰟卣	辨于多正
		小計：共 5 筆

則
剛
辨

割

割 0688

1306	無叀鼎	用割𦟢壽萬年
2764	艾𣪘	㪤（割）井侯服
3064	㠱白子𡧊父征盨一	割𦟢壽無疆、慶其以臧㠱白子𡧊父乍其征盨
3064	㠱白子𡧊父征盨一	割𦟢壽無疆、慶其以臧
3065	㠱白子𡧊父征盨二	割𦟢壽無疆、慶其以臧㠱白子𡧊父乍其征盨
3065	㠱白子𡧊父征盨二	割𦟢壽無疆、慶其以臧
3066	㠱白子𡧊父征盨三	割𦟢壽無疆、慶其以臧㠱白子𡧊父乍其征盨
3066	㠱白子𡧊父征盨三	割𦟢壽無疆、慶其以臧
3067	㠱白子𡧊父征盨四	割𦟢壽無疆、慶其以臧㠱白子𡧊父乍其征盨
3067	㠱白子𡧊父征盨四	割𦟢壽無疆、慶其以臧
7107	曾侯乙甬鐘	割肄之羽
7107	曾侯乙甬鐘	割洗之宮反
7107	曾侯乙甬鐘	割肄之才楚號為呂鐘
M705	曾侯乙編鐘下一・一	割肄之渚宮
M705	曾侯乙編鐘下一・一	濁割肄之下角
M706	曾侯乙編鐘下一・二	割肄之羽曾
M707	曾侯乙編鐘下一・三	割肄之徵角
M707	曾侯乙編鐘下一・三	割肄之徵曾
M708	曾侯乙編鐘下二・一	割肄⿰鼎阝鎛
M708	曾侯乙編鐘下二・一	割肄之徵角
M709	曾侯乙編鐘下二・二	割肄之商角
M709	曾侯乙編鐘下二・二	割肄之商曾
M710	曾侯乙編鐘下二・三	割肄之中鎛
M710	曾侯乙編鐘下二・三	割肄之宮曾
M711	曾侯乙編鐘下二・四	割肄之羽曾
M712	曾侯乙編鐘下二・五	割肄之宮
M712	曾侯乙編鐘下二・五	割肄之才楚號為呂鐘
M712	曾侯乙編鐘下二・五	割肄之徵曾
M713	曾侯乙編鐘下二・七	割肄之羽
M713	曾侯乙編鐘下二・七	割肄之羽角
M714	曾侯乙編鐘下二・八	割肄之徵
M714	曾侯乙編鐘下二・八	割肄之徵角
M715	曾侯乙編鐘下二・九	割肄之[illegible]
M715	曾侯乙編鐘下二・九	濁割肄之羽
M715	曾侯乙編鐘下二・九	割肄之宮曾
M716	曾侯乙編鐘下二・十	割肄之渚商
M716	曾侯乙編鐘下二・十	割肄之羽曾
M719	曾侯乙編鐘中一・三	割肄之少商
M720	曾侯乙編鐘中一・四	割肄之壴
M720	曾侯乙編鐘中一・四	割肄之巽
M721	曾侯乙編鐘中一・五	割肄之下角
M721	曾侯乙編鐘中一・五	割肄之冬
M722	曾侯乙編鐘中一・六	割肄之商
M723	曾侯乙編鐘中一・七	割肄之宮
M724	曾侯乙編鐘中一・八	割肄之羽
M724	曾侯乙編鐘中一・八	濁割肄之商
M725	曾侯乙編鐘中一・九	割肄之徵
M725	曾侯乙編鐘中一・九	割肄之徵角

M725	曾侯乙編鐘中一・九	濁割肄之宮
M726	曾侯乙編鐘中一・十	割肄之角
M726	曾侯乙編鐘中一・十	割肄之宮曾
M726	曾侯乙編鐘中一・十	濁割肄之羽
M727	曾侯乙編鐘中一・十一	割肄之散商
M727	曾侯乙編鐘中一・十一	割肄之羽曾
M728	曾侯乙編鐘中二・一	割肄之羽反
M728	曾侯乙編鐘中二・一	割肄之巽
M729	曾侯乙編鐘中二・二	曾侯乙乍時，角反，徵反，割肄之馱，
M729	曾侯乙編鐘中二・二	割肄之冬反
M730	曾侯乙編鐘中二・三	割肄之少商
M731	曾侯乙編鐘中二・四	割肄之喜
M731	曾侯乙編鐘中二・四	割肄之巽
M732	曾侯乙編鐘中二・五	割肄之下角
M732	曾侯乙編鐘中二・五	割肄之冬
M733	曾侯乙編鐘中二・六	割肄之商
M734	曾侯乙編鐘中二・七	割肄之宮
M735	曾侯乙編鐘中二・八	割肄之羽
M735	曾侯乙編鐘中二・八	濁割肄之商
M736	曾侯乙編鐘中二・九	割肄之徵
M736	曾侯乙編鐘中二・九	割肄之徵角
M736	曾侯乙編鐘中二・九	濁割肄之冬
M737	曾侯乙編鐘中二・十	割肄之角
M737	曾侯乙編鐘中二・十	割肄之宮曾
M737	曾侯乙編鐘中二・十	濁割肄之羽
M739	曾侯乙編鐘中二・十二	割肄之散商
M739	曾侯乙編鐘中二・十二	割肄之羽曾
M740	曾侯乙編鐘中三・一	割肄之少羽
M740	曾侯乙編鐘中三・一	割肄之少宮
M740	曾侯乙編鐘中三・一	割肄之才楚為呂鐘
M742	曾侯乙編鐘中三・三	割肄之角
M742	曾侯乙編鐘中三・三	割肄之徵反
M743	曾侯乙編鐘中三・四	割肄之少商
M743	曾侯乙編鐘中三・四	割肄之龤
M744	曾侯乙編鐘中三・五	割肄之羽
M744	曾侯乙編鐘中三・五	割肄之宮反
M744	曾侯乙編鐘中三・五	割肄之才楚號為呂鐘
M745	曾侯乙編鐘中三・六	割肄之宮角
M745	曾侯乙編鐘中三・六	割肄之冬
M746	曾侯乙編鐘中三・七	割肄之商
M746	曾侯乙編鐘中三・七	割肄之羽曾
M747	曾侯乙編鐘中三・八	割肄之宮
M747	曾侯乙編鐘中三・八	割肄之才楚號為呂鐘
M747	曾侯乙編鐘中三・八	割肄之徵曾
M748	曾侯乙編鐘中三・九	割肄之羽
M748	曾侯乙編鐘中三・九	割肄之羽角
M749	曾侯乙編鐘中三・十	割肄之徵
M749	曾侯乙編鐘中三・十	割肄之徵角

小計：共 96 筆

割

剕 0689

5510	乍冊嗌卣	遣祐石宗不剕
6925	晉邦𥁰	剕暴舒r3

小計：共 2 筆

制 0690

0126	制鼎	[制]
1714	制毀	[制]
7871	子禾子釜一	而車人制之
補1	制鼎	[制]

小計：共 4 筆

罰 0691

1298	師旂鼎	白懋父迺罰得𦤎古三百寽
1298	師旂鼎	今弗克氒罰
1328	盂鼎	敏諫罰訟
1330	曶鼎	女匡罰大
2743	𧈪毀	訊訟罰取遄五寽
5413	魚狽白罰卣	狽白罰乍尊彝[魚]
5803	𡼖嗣好蛮壺	大去刑罰
6793	夨人盤	則爰千罰千、傳棄之
6793	夨人盤	爰千罰千
6877	𠑇乍旅盉	罰女三百寽
6877	𠑇乍旅盉	牧牛辭誓成、‘罰金
7182	叔夷編鐘一	諫罰朕庶民
7183	叔夷編鐘二	慎中氒罰
7190	叔夷編鐘九	諫罰朕庶民
7214	叔夷鎛	諫罰朕庶民
7214	叔夷鎛	慎中氒罰

小計：共 16 筆

剌 0692

1159	辛鼎一	用昏氒剌多友
1159	辛鼎一	剌多友𦫳辛
1160	辛鼎二	用昏氒剌多友
1160	辛鼎二	剌多友𦫳辛
7187	叔夷編鐘六	__而倗剌
7214	叔夷鎛	__而倗剌

小計：共 6 筆

刑 0693

5803	胤嗣好蚉壺	大去刑罰
7184	叔夷編鐘三	中尃盟刑
7212	秦公鎛	睿尃明刑
7214	叔夷鎛	中尃盟刑
7669	四年□雍令矛	左庫工帀刑秦冶俞敷__
7871	子禾子釜一	中刑__斗

小計：共 6 筆

0694

6793	矢人盤	封割桩、陕陵、剛桩

小計：共 1 筆

0695

0715	剸乍寶鼎	剸乍寶彝__

小計：共 1 筆

0696

1285	彧方鼎一	王俎姜事內史友員易彧玄衣、朱襮裣
1285	彧方鼎一	對揚王俎姜休
5506	小臣傳卣	白俎父賓小臣傳□□白休

小計：共 3 筆

0696+

2119	白劉乍旅簋	白劉乍旅設

小計：共 1 筆

0697

0977	□子每刅乍寶鼎	□子每刅乍寶鼎
5805	中山王嚳方壺	刅闢封彊
6585	刅乍旅彝觶	[刅]乍旅彝
7522	卅三年大梁左庫戈	卅三年大梁左庫工帀丑冶刅

小計：共 4 筆

刑 剳 剸 俎 劉 刅

劍 0698

1275	師同鼎	戎鼎廿、鋪五十、劍廿
7689	蔡侯產劍	蔡侯產之用劍
7697	越王勾踐劍	越王句踐自乍用劍
7710	郾王職劍	郾王職乍武畢旅劍
7713	郾王職劍	郾王職乍武畢so劍、右攻
7714	攻敔王劍	攻敔王光自乍用劍
7717	吳季子之子劍	吳季子之子逞之永用劍
7722	吳王光劍	攻敔王光自乍用劍
7723	__公劍	其以作為用元劍
7743	越王兀北古劍	唯越王丌北自乍元之用之劍

小計：共 10 筆

判 0699

0349	判父丁方鼎	[判]父丁
1275	師同鼎	判用12王羞于黽
5187	判母彝卣	[判]母彝

小計：共 3 筆

丯 0700

0244	辛丯鼎	辛[丯]
3706	乙戈爵	己[丯]
6013	丯乙觚	[丯乙]
6154	丯父己觚	[丯]父己

小計：共 4 筆

耤 0701

1288	令鼎一	王大耤農于諆田
1289	令鼎二	王大耤農于諆田、餳
2769	師耤段	榮白內、右師耤即立中廷
2769	師耤段	王孚內史尹氏冊命師耤
2770	截段	官𤔲耤田

小計：共 5 筆

角 0702

0243	角辛鼎	[角]辛
0648	字角父戊鼎	[字角]戊父

角

1299	噩侯鼎一	王南征伐角、ph
2551	弔角父乍宕公毀一	弔角父乍朕皇孝宄公尊毀
2552	弔角父乍宕公毀二	弔角父乍朕皇考宄公尊毀
2973	楚屈子匠	楚屈子赤角賸中嬭臥匠
3081	翏生旅盨一	伐角津、伐桐
3082	翏生旅盨二	伐角津、伐桐
3082	翏生旅盨二	伐角津、伐桐
6792	史墻盤	櫅角熾光
7107	曾侯乙甬鐘	鄜音之角
7107	曾侯乙甬鐘	呂其反宣鐘之羽角無鐸之徵曾
7159	瘋鐘二	櫅角熾光
7167	瘋鐘十	年__角
7507	二年寺工聾戈	寺工、二年寺工聾金角
M705	曾侯乙編鐘下一・一	濁割肄之下角
M706	曾侯乙編鐘下一・二	黃鐘之商角
M706	曾侯乙編鐘下一・二	為韋音羽角
M706	曾侯乙編鐘下一・二	為妥賓之徵顛下角
M707	曾侯乙編鐘下一・三	割肄之徵角
M707	曾侯乙編鐘下一・三	為䦪鐘徵顛下角
M707	曾侯乙編鐘下一・三	為屖則羽角
M707	曾侯乙編鐘下一・三	為穆音之羽顛下角
M708	曾侯乙編鐘下二・一	曾侯乙乍時，鼎陴、徵角，
M708	曾侯乙編鐘下二・一	贏孠之羽角
M708	曾侯乙編鐘下二・一	割肄之徵角
M708	曾侯乙編鐘下二・一	為無睪之羽顛下角
M708	曾侯乙編鐘下二・一	為穆音羽角
M708	曾侯乙編鐘下二・一	為䦪鐘之徵顛下角
M709	曾侯乙編鐘下二・二	曾侯乙乍時，商角、商曾，
M709	曾侯乙編鐘下二・二	割肄之商角
M709	曾侯乙編鐘下二・二	贏孠之宮角
M710	曾侯乙編鐘下二・三	韋音之下角
M711	曾侯乙編鐘下二・四	黃鐘之商角
M711	曾侯乙編鐘下二・四	為妥賓之徵顛下角
M711	曾侯乙編鐘下二・四	為無睪徵角
M711	曾侯乙編鐘下二・四	為韋音羽角
M712	曾侯乙編鐘下二・五	為穆音之羽顛下角
M712	曾侯乙編鐘下二・五	為屖則羽角
M713	曾侯乙編鐘下二・七	曾侯乙乍時，羽、羽角，
M713	曾侯乙編鐘下二・七	為大族之徵顛下角
M713	曾侯乙編鐘下二・七	割肄之羽角
M713	曾侯乙編鐘下二・七	為坪皇徵角
M713	曾侯乙編鐘下二・七	為䦪鐘之羽顛下角
M714	曾侯乙編鐘下二・八	曾侯乙乍時，徵、徵角，
M714	曾侯乙編鐘下二・八	黃鐘之徵角
M714	曾侯乙編鐘下二・八	割肄之徵角
M714	曾侯乙編鐘下二・八	為䦪鐘徵顛下角
M714	曾侯乙編鐘下二・八	為大族羽角
M716	曾侯乙編鐘下二・十	穆鐘之角
M716	曾侯乙編鐘下二・十	濁坪皇之下角
M718	曾侯乙編鐘中一・二	曾侯乙乍寺（時），角反，徵反，角反，徵反，

角

M721	曾侯乙編鐘中一・五	曾侯乙乍寺(時)，下角，徵反，
M721	曾侯乙編鐘中一・五	割肄之下角
M722	曾侯乙編鐘中一・六	穆鐘之下角
M723	曾侯乙編鐘中一・七	獸鐘之下角
M724	曾侯乙編鐘中一・八	曾侯乙乍時，羽、羽角，
M724	曾侯乙編鐘中一・八	濁新鐘之下角
M725	曾侯乙編鐘中一・九	曾侯乙乍時，徵、徵角，
M725	曾侯乙編鐘中一・九	割肄之徵角
M725	曾侯乙編鐘中一・九	濁獸鐘之下角
M726	曾侯乙編鐘中一・十	曾侯乙乍時，宮角、宮曾，
M726	曾侯乙編鐘中一・十	割肄之角
M726	曾侯乙編鐘中一・十	文王之下角
M727	曾侯乙編鐘中一・十一	穆鐘之角
M727	曾侯乙編鐘中一・十一	濁坪皇之下角
M729	曾侯乙編鐘中二・二	曾侯乙乍時，角反，徵反，割肄之鴃，
M732	曾侯乙編鐘中二・五	曾侯乙乍時，下角，徵反，
M732	曾侯乙編鐘中二・五	割肄之下角
M733	曾侯乙編鐘中二・六	穆鐘之下角
M734	曾侯乙編鐘中二・七	獸鐘之下角
M735	曾侯乙編鐘中二・八	曾侯乙乍時，羽、羽角，
M735	曾侯乙編鐘中二・八	濁新鐘之下角
M736	曾侯乙編鐘中二・九	曾侯乙乍時，徵、徵角，
M736	曾侯乙編鐘中二・九	割肄之徵角
M736	曾侯乙編鐘中二・九	濁哭鐘之下角
M737	曾侯乙編鐘中二・十	曾侯乙乍時，宮角、徵，
M737	曾侯乙編鐘中二・十	割肄之角
M737	曾侯乙編鐘中二・十	文王下角
M738	曾侯乙編鐘中二・十一	曾侯乙乍寺(時)，商角、商，
M739	曾侯乙編鐘中二・十二	穆鐘之角
M739	曾侯乙編鐘中二・十二	濁坪皇之下角
M740	曾侯乙編鐘中三・一	獸鐘之羽角
M741	曾侯乙編鐘中三・二	曾侯乙乍時，商角、商曾，
M742	曾侯乙編鐘中三・三	曾侯乙乍時，宮角、徵，
M742	曾侯乙編鐘中三・三	割肄之角
M742	曾侯乙編鐘中三・三	新鐘之羽角
M744	曾侯乙編鐘中三・五	黃鐘之羽角
M744	曾侯乙編鐘中三・五	鄘音之角
M745	曾侯乙編鐘中三・六	曾侯乙乍時，商角、徵，
M745	曾侯乙編鐘中三・六	割肄之宮角
M745	曾侯乙編鐘中三・六	鄘鐘之徵角
M745	曾侯乙編鐘中三・六	為坪皇之羽顛下角
M746	曾侯乙編鐘中三・七	為妥賓之徵顛下角
M746	曾侯乙編鐘中三・七	為無睪徵角
M746	曾侯乙編鐘中三・七	為韋音羽角
M747	曾侯乙編鐘中三・八	為遟則羽角
M747	曾侯乙編鐘中三・八	為穆音之羽顛下角
M748	曾侯乙編鐘中三・九	曾侯乙乍寺(時)，羽、羽角，
M748	曾侯乙編鐘中三・九	割肄之羽角
M748	曾侯乙編鐘中三・九	為坪皇徵角
M748	曾侯乙編鐘中三・九	為獸鐘之羽顛下角

M748	曾侯乙編鐘中三・九	為夫族之徵頏下角
M749	曾侯乙編鐘中三・十	曾侯乙乍時，徵、徵角，
M749	曾侯乙編鐘中三・十	鬭鐘之徵角
M749	曾侯乙編鐘中三・十	割肄之徵角
M749	曾侯乙編鐘中三・十	為鬭鐘之徵頏下角
M749	曾侯乙編鐘中三・十	為夫族羽角
M751	曾侯乙編鐘上一・二	徵角、徵曾，
M752	曾侯乙編鐘上一・三	商角、商曾，
M754	曾侯乙編鐘上一・五	羽角、羽曾，
M756	曾侯乙編鐘上二・一	商曾、羽角，
M757	曾侯乙編鐘上二・二	商角、羽，
M759	曾侯乙編鐘上二・四	商曾、羽角，韋音之宮，
M760	曾侯乙編鐘上二・五	商角、羽，割肄之宮
M763	曾侯乙編鐘上三・二	宮曾、徵角，
M764	曾侯乙編鐘上三・三	宮、角徵，穆音之宮，
M766	曾侯乙編鐘上三・五	宮曾、徵角，妥賓之宮，
M767	曾侯乙編鐘上三・六	宮角、徵，大族之宮，

小計：共　119 筆

0703

7509	丞相觸戈	__年丞相觸造、咸□工市葉工、武

小計：共　1 筆

0703+

6852	衙邑戈白匜	隹衙邑戈白自乍寶鉈（匜）

小計：共　1 筆

0704

1332	毛公鼎	畫紳畫輯、金甬、錯衡、金踵、金豙、勅㬎、
2840	番生𣪕	朱𩏂鞃靳、虎冟熏裏、遣衡右戹

小計：共　2 筆

0705

0905	解子乍厥宄團宮鼎	解子乍厥宄團鼎
1331	中山王嚳鼎	夙夜不解
1615	解子乍𩰫甗	解子乍旅獻（甗）
5403	__解乍父乙卣	解乍父乙尊彝[__]
5805	中山王嚳方壺	夙夜篚（匪）解

小計：共　5 筆

鰟 0706

鰟
龭
鼝

2504	旟賸𣪘	鰟𠂤乍旟𩵦賸𣪘
5678	鰟仲多醴壺	鰟中多乍醴壺

小計：共 2 筆

龭 0706+

7562	廿一年奠令戈	廿一年奠命龭族司寇裕左庫工帀吉□冶□
7572	十七年氤令戈	十七年氤命龭肖司寇奠＿右庫工帀□較冶□□

小計：共 2 筆

鼝 0706+

M707	曾侯乙編鐘下一·三	鼝孠之羽曾
M708	曾侯乙編鐘下二·一	鼝孠之羽角
M709	曾侯乙編鐘下二·二	鼝孠之宮
M709	曾侯乙編鐘下二·二	鼝孠之才楚號為新鐘
M709	曾侯乙編鐘下二·二	鼝孠之宮角
M710	曾侯乙編鐘下二·三	鼝孠之商
M714	曾侯乙編鐘下二·八	鼝孠之羽徵
M738	曾侯乙編鐘中二·十一	鼝孠之宮
M738	曾侯乙編鐘中二·十一	鼝孠之才楚為新鐘
M741	曾侯乙編鐘中三·二	鼝孠之宮
M741	曾侯乙編鐘中三·二	鼝孠之才楚號為新鐘
M745	曾侯乙編鐘中三·六	鼝孠之變商
M749	曾侯乙編鐘中三·十	鼝孠之羽曾
M765	曾侯乙編鐘上三·四	宮、徵曾，鼝孠之宮，

小計：共 14 筆

第四卷總計： 5550筆

文單字引得卷五

竹
箭
筍
節

0707

0942	亞㠱竹士宮鼎	[亞㠱竹宮]智光鐵(䥆)[卿宁']
1997	䍃竹父丁毀	[䍃竹]父丁
3577	竹天爵	[竹天]
3632	聑竹爵一	[聑竹]
3633	聑竹爵二	[聑竹]
4228	□竹且癸角	□竹且癸
4962	竹宮父戊方彝一	[竹宮]父戊[告永]
4963	竹宮父戊方彝二	[竹宮]父戊[告永]
5075	竹斿卣	[竹斿]
5087	䍃竹卣	[䍃竹]
5365	亞㠱宮䂞竹父丁卣	[亞㠱宮䂞竹]父丁
5554	亞㠱䂞竹罍	[䂞(孤)竹亞㠱]
5559	亞光父丁䂞竹罍	父丁[䂞(孤)竹亞光]
5660	䍃竹父丁壺	[䍃竹]父丁
5803	㲋㲋嗣䚄壺	竹oz亡疆
6050	聑竹觚	[聑竹]
6563	䍃竹父丁觶一	[䍃竹]父丁
6564	䍃竹父丁觶二	[䍃竹]父丁
7813	十年矢括	陽陽竹□□
補1	□丮竹爵	[□丮竹]
		小計：共　20 筆

0708

7899	鄂君啟車節	母載金革黽箭、女馬、女牛、女特
		小計：共　1 筆

0709

1050	白筍父鼎一	白筍父乍寶鼎
1051	白筍父鼎二	白筍父乍寶鼎
1326	多友鼎	癸未、戎伐筍、衣孚
1326	多友鼎	卒復筍人孚
1520	奠白筍父鬲	奠白筍父乍弔姬尊鬲
1648	奠白筍父甗	奠公筍父乍寶獻(甗)永寶用
2989	白筍父旅盨	白筍父乍旅盨
3046	筍白大父寶盨	筍白大父乍嬴妃鑄寶盨
6726	筍侯乍弔姬盤	筍侯乍弔姬媵盤
6838	筍侯匜	筍侯乍寶匜
		小計：共　10 筆

0710

5805	中山王嚳方壺	節于醴醻
7870	陳純釜	敕成左關之斧節于稟斧
7871	子禾子釜一	左關斧節于稟斧
7871	子禾子釜一	關鉌節于稟料
7891	齊馬節	齊節大夫傳五乘
7899	鄂君啟車節	為鄂君啟之廎商鑄金節
7899	鄂君啟車節	見其金節則毋政
7899	鄂君啟車節	不見其金節則政
7900	鄂君啟舟節	為鄂君啟之廎商鑄金節
7900	鄂君啟舟節	見其金節則毋征
7900	鄂君啟舟節	不見其金節則征
7906	陳_節車鍵一	陳_節
7907	陳_節車鍵二	陳_節
		小計：共 13 筆

筮 0711

5785	史懋壺	親令史懋路筮、咸
		小計：共 1 筆

簟 0712

2840	番生段	金簟弼、魚葡
		小計：共 1 筆

筥膚 0713

1225	膚大史申鼎	郘安之孫膚（筥）大吏申
2609	筥小子段一	筥小子徒家弗受
2610	筥小子段二	筥小子徒家弗受
2681	鄺侯段	鄺（筥）侯少子析乙孝孫不巨
5804	齊侯壺	大鄺（筥）從河
6760	中子化盤	用正筥
7108	膚弔之仲子平編鐘一	筥弔之中子平自乍鑄游鐘
7109	膚弔之仲子平編鐘二	筥弔之中子平自乍鑄游鐘
7110	膚弔之仲子平編鐘三	筥弔之中子平自乍鑄游鐘
7111	膚弔之仲子平編鐘四	筥弔之中子平自乍鑄游鐘
7416	閭丘戈	膚（筥）丘為脽造
		小計：共 11 筆

簋 0714

段 0714

1185	強白乍井姬鼎一	隹強白乍井姬用鼎、段
1186	強白乍井姬鼎二	隹強白乍井姬用鼎、段

1207	眉＿鼎	鼎二殷二
1217	毛公簋方鼎	毛公旅鼎亦隹殷
1247	函皇父鼎	函皇父乍琱娟般、盉尊器、鼎、殷具 殷
1247	函皇父鼎	自豕鼎降十又二、殷八、兩罍、兩壺
1936	乍寶殷一	乍寶殷
1937	乍寶殷二	乍寶殷
1938	乍寶殷三	乍寶殷
1939	乍寶殷四	乍寶殷
1940	乍寶殷五	乍寶殷
1941	乍寶殷六	乍寶殷
1942	乍寶殷七	乍寶殷
1943	乍旅殷一	乍旅殷
1944	乍旅殷二	乍旅殷
1945	乍旅殷一	乍旅殷
1946	乍旅殷二	乍旅殷
1948	㠯旅殷	[㠯旅]殷
2034	白乍寶殷一	白乍寶殷
2035	白乍寶殷二	白乍寶殷
2036	白乍寶殷三	白乍寶殷
2037	白乍寶殷四	白乍寶殷
2038	白乍寶殷五	白乍寶殷
2041	驕乍從殷一	乍從殷[驕]
2042	驕乍從殷二	乍從殷[驕]
2049	旂乍寶殷	旅乍寶殷
2050	舟乍寶盤	舟乍寶殷
2052	needsreplace	needsreplace
2053	舍乍寶殷	舍乍寶殷
2054	奪乍寶殷	奪乍寶殷
2055	戕乍寶殷一	戕乍寶殷
2056	戕乍寶殷二	戕乍寶殷
2059	閔乍旅殷	閔乍旅殷
2061	女每乍殷	女每乍殷
2062	乍旅殷	乍旅殷尊
2063	乍旅殷	乍旅殷[聿]
2064	仲乍寶殷	中乍寶殷
2068	中乍旅殷	仲乍旅殷
2071	呂姜乍殷	呂姜乍殷
2074	乍寶隩殷	乍寶尊殷
2075	作寶用殷	乍寶用殷
2084	乍父乙殷	乍父乙殷[毌]
2088	畢□父旅殷	畢□□遣父旅殷
2092	弔呂乍寶殷	弔呂乍寶殷
2112	乍任氏从殷一	乍任氏从殷
2119	白劉乍旅簋	白劉乍旅殷
2120	白到乍孰殷	白到乍孰殷
2121	弔敀乍乍寶殷	弔敀乍寶殷
2122	季楚乍寶殷	季楚乍寶殷
2123	陕乍寶殷	陕乍寶殷[舟]
2124	季㚸乍旅殷	季㚸乍旅殷
2125	縈白乍旅殷	縈白乍旅殷

段

2126	䚬父乍寶段	䚬父乍寶段
2127	__乍寶段	md㴑乍寶段
2129	果乍放旅段	果乍放旅段
2132	白乍寶尊段	白乍寶尊段
2139	丮白乍旅段	丮自乍旅段
2142	白彧乍旅段	白彧乍旅段
2143	□白乍寶段	□白乍寶段
2144	乍豕啇彝段	乍豕啇彝段
2146	新__乍餗段	新te乍餗段
2152	戠乍且戊寶段一	乍且戊寶段[戠]
2153	戠乍且戊寶段二	乍且戊寶段[戠]
2158	歺乍父乙寶段一	乍父乙寶段[歺]
2159	歺乍父乙寶段二	乍父乙寶段[歺]
2179	仲□父乍寶段	中□父乍寶段
2186	師高乍寶段	師高乍寶尊段
2188	鄧公段	弅(鄧)公牧乍餗段
2191	段金𨟻乍旅段一	段金𨟻乍旅段
2192	段金𨟻乍旅段二	段金𨟻乍旅段
2194	亞乍父乙寶段	乍父乙寶段[亞]
2201	白要府乍寶段	白要府乍寶段
2202	白乍寶用隣彝段一	白乍寶用尊段
2203	白乍寶用隣彝段二	白乍寶用尊段
2204	仲自父乍旅段	中自父乍旅段
2205	仲隻父乍寶段	中隻父乍寶段
2206	弔𤝔乍寶隣段一	弔𤝔乍寶尊段
2207	弔虢乍寶隣段二	弔虢乍寶尊段
2208	革侯乍登寶段	革侯乍登寶段
2209	宂白乍姬寶段	宂白乍姬寶段
2210	㞋乍薑白寶段	㞋乍薑白寶段
2211	城虢仲乍旅段	城虢中乍旅段
2212	縈子旅乍寶段	縈子旅乍寶段
2213	姜林母乍𩰫段	姜林母乍𩰫段
2214	師__其乍寶段	師C4其乍寶段
2215	𩰫霝悳乍𣪘段	𩰫霝悳乍𣪘段
2216	姞□父乍寶段	姞𩰫父乍寶段
2217	戚姬乍寶隣段	戚姬乍寶尊段
2219	弔段父段	弔段父乍叀段
2222	季姒乍用段	季始(姒)乍用段[田]
2223	衛始段一	衛始乍饙qo段
2224	衛始段二	衛始乍饙qo段
2225	長甶乍寶段一	長甶乍寶尊段
2226	長甶乍寶段二	長甶乍寶尊段
2227	蔡侯𨟻之𩰫段	蔡侯𨟻之𩰫段
2230	王乍姜氏隣段	王乍姜氏尊段
2231	白乍南宮段	白乍南宮□段
2234	白乍乙公隣段	白乍乙公尊段
2243	__休乍父丁寶段	休乍父丁寶段[cq]
2253	畢□段	畢□□父□尊段
2254	𣪘䧅白鼎乍寶段	𣪘䧅白鼎乍寶段
2262	𢨋乍寶段	𢨋乍寶段用日喜

2263	寧螽乍甲始毀	寧螽乍甲始尊毀
2264	婦仲乍乙白毀	婦中乍乙白寶毀
2267	郘王之諻𢑚毀一	郘王之諻之𢑚（薦）毀（毀）
2268	郘王之諻𢑚毀二	郘王之諻之𢑚（薦）毀（毀） 毀
2274	㵒白乍自為鼎毀	㵒白乍自為貞毀
2275	㵒白乍旅用鼎毀一	㵒白乍旅用鼎毀
2276	㵒白乍旅用鼎毀二	㵒白乍旅用鼎毀
2279	牧共乍父丁食毀	牧共乍父丁to食毀
2300	史述乍父乙毀	史述乍父乙寶毀䬸
2303	䣄侯毀	䣄侯uo季自毀毀
2304	𦡮嗣土□毀	𦡮嗣土□乍寶尊毀
2305	弔䣄父乍𪁪姬旅毀一	弔䣄（咢）父乍𪁪姬旅毀
2306	弔䣄父乍𪁪姬旅毀二	弔䣄（咢）父乍𪁪姬旅毀
2307	睘毀	睘乍寶毀其永寶用
2309	__乍𡚬母毀	__乍𡚬母寶尊毀
2310	旅乍寶毀	旅乍寶毀其萬年用
2311	白棘父毀	白棘父乍母𡠍寶毀
2320	兟乍尊毀一	兟乍尊毀其壽考寶用
2321	兟乍尊毀二	兟乍尊毀其壽考寶用
2323	彔乍文考乙公毀	彔乍文考乙公寶尊毀
2324	孟肃父毀	孟肅父乍寶毀其永用
2325	同自乍旅毀	同自乍旅毀其萬年用
2326	師㝨父乍弔姞毀	師㝨父乍弔姞寶尊毀
2328	師㝨父乍季姞毀	師㝨父乍季姞寶尊毀
2329	內公毀	內公乍鑄從用毀永寶
2330	史趞毀	史趞乍寶毀其萬年用
2337	𠨍乍寶毀	𠨍乍寶毀用鄉王逆過事
2338	乍寶毀	乍寶毀其子孫萬年永寶
2340	弔䨻父毀	弔䨻父乍尊毀、其萬年用
2342	弔宻乍寶毀	弔宻乍寶毀其萬年永寶
2343	啇乍寶毀	啇乍寶毀其萬年孫子寶
2344	季毀乍旅毀	季毀乍旅毀隹子孫乍寶
2345	穌公乍王妃𡢁毀	穌公乍王改𡢁（羞）盂毀永寶用
2346	__乍餗毀	用乍餗毀
2350	秎乍父甲毀	秎乍父甲寶毀萬年孫子寶
2351	仲自父乍好旅毀一	中自父乍好旅毀其用萬年
2352	仲自父乍好旅毀二	中自父乍好旅毀其用萬年
2353	保侃母毀	保侃母易貝于南宮乍寶毀
2354	仲网父毀一	中网父乍毀其萬年永寶用
2355	仲网父毀二	中网父乍毀
2356	仲网父毀三	中网父乍毀其萬年永寶用
2357	㕑冊𦀚娽𣪘毀	𦀚娽𣪘用乍𠷎辛𣪘毀［㕑冊］
2358	陎侯為季姬毀	陎侯白為季姬毀
2359	𣢏乍𡚬毀	𣢏乍𡚬毀兩
2360	白乍寶毀	白乍寶毀
2361	乍寶尊毀	乍寶尊毀
2366	白者父毀	白者父乍寶毀
2367	散白乍夨姬毀一	散白乍夨姬寶毀
2368	散白乍夨姬毀二	散白乍夨姬寶毀
2369	散白乍夨姬毀三	散白乍夨姬寶毀

殷

2370	散白乍夨姬殷四	散白乍夨姬寶殷
2371	散白乍夨姬殷五	散白乍夨姬寶殷
2372	夆乍豐觳殷	夆乍豐觳寶殷
2374	白庶父殷	白庶父乍旅殷
2375	旂殷	旂乍寶殷
2376	□□殷	□□乍寶殷
2377	晉人吏寓乍寶殷	晉人吏寓乍寶殷
2378	辰乍餗殷	辰乍餗殷
2379	中友父殷一	中友父乍寶殷
2380	中友父殷二	中友父乍寶殷
2381	友父殷一	友父乍寶殷
2382	友父殷二	友父乍寶殷
2383	侯氏殷	侯氏乍孟姬尊殷
2384	鄧公殷一	弇(鄧)公乍雁嫚妣朕殷
2385	鄧公殷二	弇(鄧)公乍雁嫚妣朕殷
2386	白＿乍白幽殷二	白Lb乍幽白寶殷
2387	白＿乍白幽殷一	白Lb乍白幽寶殷
2389	叡琵妊乍寶殷	叡琵妊乍寶殷
2390	吹乍寶殷二	吹乍寶殷
2391	冠乍寶殷一	冠乍寶殷
2392	＿白殷	隹九月初吉叡龍白自乍其寶殷
2393	白喬父飤殷	白喬父乍飤殷
2394	己侯乍姜縈殷一	己侯乍姜縈殷
2395	丂保子達殷	保子達乍寶殷
2396	仲競殷	中競乍寶殷
2398	谻弔山父殷一	谻弔山父乍疊姬尊殷
2399	谻弔山父殷二	谻弔山父乍疊姬尊殷
2400	谻弔山父殷三	谻弔山父乍疊姬尊殷
2401	陳侯乍王媯朕殷	陳(陳)侯乍王媯賸殷
2402	敔殷	敔乍寶殷
2407	白閈乍尊殷一	白閈(闢)乍尊殷
2408	白閈乍尊殷二	白閈(闢)乍尊殷
2411	史寏殷	史寏乍寶殷
2415	降人䋣寶殷	降人䋣乍寶殷
2416	降人䋣寶殷	降人䋣乍寶殷
2417	齊嫚姬寶殷	齊嫚姬乍寶殷
2418	乎乍姞氏殷	乎乍姞氏寶殷
2419	白喜父乍洹餗殷一	白喜父乍洹餗殷
2420	白喜父乍洹餗殷二	白喜父乍洹餗殷
2420.	改敨殷一	乍改敨寶殷
2420.	改敨殷二	乍改敨寶殷
2422	舟洹秦乍且乙殷	洹秦乍且乙寶殷
2423	亘＿戣殷	亘ws戣乍𪏮殷
2424	白芬寶殷	白芬乍寶殷
2425	兮仲寶殷一	兮中乍寶殷
2426	兮仲寶殷二	兮中乍寶殷
2427	兮仲寶殷三	兮中乍寶殷
2428	兮仲寶殷四	兮中乍寶殷
2429	兮仲寶殷五	兮中乍寶殷
2430	倗白＿尊殷	倗白＿自乍尊殷

2431	__弔侯父乍尊段一	弔侯父乍尊段
2432	__弔侯父乍尊段二	弔侯父乍尊段
2433	害弔乍尊段一	害弔乍尊段
2434	害弔乍尊段二	害弔乍尊段
2435	散車父段一	散車父乍𡚬陏姞桼(𨽍)段
2436	散車父段二	散車父乍𡚬陏姞𨽍段
2437	散車父段三	散車父乍𡚬陏姞𨽍段
2438	散車父段四	散車父乍𡚬陏姞𨽍段
2438.	散車父段五	散車父乍𡚬陏姞𨽍段
2438.	𢿐車父乍𡚬陏姞𨽍段	散車父乍𡚬陏姞𨽍段
2438.	𢿐車父乍𡚬陏姞𨽍段二	散車父乍𡚬陏姞𨽍段
2439	寺季故公段一	寺季故公乍寶段
2440	寺季故公段二	寺季故公乍寶段
2441	姞衍段	姞衍乍寶段
2442	䣝虢遣生旅段	䣝(城)虢遣生乍旅段
2443	孟弜父段一	孟弜父乍寶段
2444	孟𢏚父段二	孟𢏚父乍寶段
2445	孟𢏚父段三	孟𢏚父乍寶段
2447	白汈父乍𡟰姞段一	白汈父乍𡟰姞尊段
2448	白汈父乍𡟰姞段二	白汈父乍𡟰姞尊段
2449	白汈父乍𡟰姞段三	白汈父乍𡟰姞尊段
2454	亢僕乍父己段	亢僕乍父己尊段
2455	彔乍文考乙公段	彔乍𢽎文考乙公寶尊段
2456	的白迹段一	的(始)白迹乍寶段
2457	的白迹段二	的白迹乍寶段
2458	孟奠父段一	孟奠父乍尊段
2459	孟奠父段二	孟奠父乍尊段
2460	孟奠父段三	孟奠父乍尊段
2461	白家父乍孟姜段	白家父乍{ 公孟 }姜賸段
2462	弔向父乍㛸姛段一	弔向父乍母辛姒(始)尊段
2463	弔向父乍㛸姛段二	弔向父乍母辛姒(始)尊段
2464	弔向父乍㛸姛段三	弔向父乍母辛姒(始)尊段
2465	弔向父乍㛸姛段四	弔向父乍母辛姒(始)尊段
2466	弔向父乍㛸姛段五	弔向父乍母辛姒(始)尊段
2467	妣__母乍南旁段	妣sG母乍南旁寶段
2468	齊癸姜尊段	齊巫姜乍尊段
2409	𩱼乍王母媿氏𨽍段一	𩱼乍王母媿氏𨽍段
2470	𩱼乍王母媿氏𨽍段二	𩱼乍王母媿氏𨽍段
2471	𩱼乍王母媿氏𨽍段三	𩱼乍王母媿氏𨽍段
2472	𩱼乍王母媿氏𨽍段四	𩱼乍王母媿氏𨽍段
2473	__乍皇母尊段一	Je乍皇母尊段
2474	__乍皇母尊段二	je乍皇母尊段
2475	衛始段	衛姒(始)乍寶尊段
2476	堇段	堇乍父寶尊段
2477	堇父丁段	堇乍父丁寶尊段
2478	白賓父段(器)一	白賓父乍寶段
2479	白賓父段二	白賓父乍寶段
2480	是要段	隹十月是要乍文考寶段
2481	是要段	隹十月是要乍文考寶段
2482	敶侯乍嘉姬段	陳侯乍嘉姬寶段

段

殷

2483	量侯段	量侯豺作寶尊段
2483	量侯段	子子孫萬年永寶段勿喪
2484	伯綢父段	白綢父乍周羌尊段
2484.	矢王段	矢王乍奠姜尊段
2485	隱仲孝段	隱中孝乍父日乙尊段
2486	□□且辛段	□□且辛寶段
2487	白簱乍文考幽仲段	白簱(祈)父乍文考幽中尊段
2488	杞白每亡段一	杞白每亡乍鼄娕(曹)寶段
2489	杞白每亡段二	杞白每亡乍鼄娕(曹)寶段
2490	杞白每亡段三	杞白每亡乍鼄娕(曹)寶段
2491	杞白每亡段四	杞白每亡乍鼄娕(曹)寶段
2492	杞白每亡段五	杞白每亡乍鼄娕(曹)寶段
2493	鄦其肇乍段一	鄦其肇乍段
2494	鄦其肇乍段二	鄦其肇乍段
2495	季＿父徹段	季oG父徹乍寶段
2496	廣乍弔彭父段	廣乍弔彭父寶段
2497	圝侯乍王姞段一	圝侯乍王姞媵段
2498	圝侯乍王姞段二	圝侯乍王姞媵段
2499	圝侯乍土姞段三	圝侯乍王姞媵段
2500	圝侯乍王姞段四	圝侯乍王姞媵段
2501	旛嫼乍尊段一	旛嫼乍尊段
2502	旛嫼乍尊段二	旛嫼乍尊段
2503	旛嫼乍尊段三	旛嫼乍尊段
2504	旛媵段	觴rJ乍旛嫼媵段
2505	白疑父乍嬗段	白疑父乍嬗寶段
2505.	井姜大宰段	井姜大宰己鑄其寶段
2506	奠牧馬受段一	奠牧馬受乍寶段
2507	尊牧馬受段二	奠牧馬受乍寶段
2509	旅仲段	旅中乍pv寶段
2511	矢王段	矢王乍奠姜尊段
2515	小子酹乍父丁段	用乍父丁尊段[奘]
2516	鄧公餗段	鄧公午□自乍餗段
2517	是□乍乙公段	是蘲乍朕文考乙公尊段
2518	白田父段	白田父乍井ri寶段
2519	周𩛥生媵段	周𩛥生乍㮇娟媅媵段
2520	大自事良父段	大自吏良父乍寶段
2521	姞氏自乍段	姞氏自攸(作)為寶尊段
2522	孟弢父段	孟弢父乍幻白姬媵段八
2523	孟弢父段	孟弢父乍幻白姬媵段八
2524	仲幾文段	用㝅賓、乍丁寶段
2527	東仲寮父段	東中寮父乍鬳段
2528	魯白大父乍媵段	魯白大父乍季姬rk媵段
2529	豐井弔乍白姬段	豐井弔乍白姬尊段
2529.	＿生段	uw生乍寶尊段、uw生其壽考萬年子孫永寶用
2530	潶姬乍父辛段	潶姬乍父辛尊段
2531	魯白大父乍孟□姜段	魯白大父乍孟姬姜媵段
2532	魯白大父乍仲姬俞段	魯白大父乍中姬俞媵段
2533	己侯貉子段	己侯貉子分己姜寶、乍段
2534	魯大宰遼父段一	魯大宰原父乍季姬牙媵段
2534.	魯大宰遼父段二	魯大宰原父乍季姬牙媵段

2535	仲殷父𣪘一	中殷父鑄𣪘
2536	仲殷父𣪘二	中殷父鑄𣪘
2537	仲殷父𣪘三	中殷父鑄𣪘
2537	仲殷父𣪘四	中殷父鑄𣪘
2538	仲殷父𣪘五	中殷父鑄𣪘
2539	仲殷父𣪘六	中殷父鑄𣪘
2540	仲殷父𣪘六	中殷父鑄𣪘
2541	仲殷父𣪘七	中殷父鑄𣪘
2541.	仲𣪘父𣪘七	中𣪘父鑄𣪘
2541.	仲𣪘父𣪘八	中𣪘父鑄𣪘
2542	辰才寅□□𣪘	□□自乍寶𣪘
2547	格白乍晉姬𣪘	格白乍晉姬寶𣪘
2548	仲惠父𩜁𣪘一	隹王正月 中叀父乍𩜁𣪘
2549	仲惠父𩜁𣪘二	隹王正月中叀父乍𩜁𣪘
2550	兌乍弔氏𣪘	兌乍朕皇考弔氒尊𣪘
2551	弔角父乍宕公𣪘一	弔角父乍朕皇孝宄公尊𣪘
2552	弔角父乍宕公𣪘二	弔角父乍朕皇考宄公尊𣪘
2553	虢季氏子組𣪘一	虢季氏子組乍𣪘
2554	虢季氏子組𣪘二	虢季氏子組乍𣪘
2555	虢季氏子組𣪘三	虢季氏子組乍𣪘
2556	復公子白舍𣪘一	㕢新乍我姑豨(鄧)孟媿賸𣪘
2557	復公子白舍𣪘二	㕢新乍我姑豨(鄧)孟媿賸𣪘
2558	復公子白舍𣪘三	㕢新乍我姑豨(鄧)孟媿賸𣪘
2559	白中父𣪘	用乍氒寶尊𣪘
2560	吳彭父𣪘一	吳彭父乍皇且考庚孟尊𣪘
2561	吳彭父𣪘二	吳彭父乍皇且考庚孟尊𣪘
2562	吳彭父𣪘三	吳彭父乍皇且考庚孟尊𣪘
2563	德克乍文且考𣪘	德克乍朕文且考尊𣪘
2564	𩫖且日庚乃孫𣪘一	且日庚乃孫乍寶𣪘
2565	且日庚乃孫𣪘二	且日庚乃孫乍寶𣪘
2566	寧𣪘一	寧㢊諆乍乙考尊𣪘
2567	寧𣪘二	寧㢊諆乍乙考尊𣪘
2569	鼎卓林父𣪘	卓林父乍寶𣪘
2571	穌公子癸父甲𣪘	穌公子癸父甲乍尊𣪘
2571.	穌公子癸父甲𣪘二	穌公子癸父甲乍尊𣪘
2572	毛白嘅父𣪘	毛白嘅父乍中姚寶𣪘
2573	洑白寺𣪘	洑白寺自乍寶𣪘
2574	豐兮𣪘一	豐兮夷作朕皇考尊𣪘
2575	豐兮𣪘二	豐兮夷作朕皇考尊𣪘
2576	白倔□寶𣪘	白倔自乍____寶𣪘
2577	害客𣪘	害客乍朕文考日辛寶尊𣪘
2578	兮吉父乍仲姜𣪘	兮吉父乍中姜寶尊𣪘
2579	白喜乍文考剌公𣪘	白喜父乍朕文考剌公尊𣪘
2580	䍃乍北子𣪘	䍃乍北子柞𣪘
2581	曹伯狄𣪘	曹白狄乍夙㛸公尊𣪘
2582	内弔__𣪘	内弔__父乍寶𣪘
2583	鄁公𣪘	用乍寶𣪘
2588	毛关𣪘	毛㚔(关?)乍寶𣪘
2589	孫弔多父乍孟姜𣪘一	孫弔多父乍孟姜尊𣪘
2590	孫弔多父乍孟姜𣪘二	孫弔多父乍孟姜尊𣪘

殷

2591	孫弔多父乍孟姜殷三	孫弔多父乍孟姜尊殷
2592	鄧公殷	用為夫人尊諆殷
2593	弔䵼父乍旅殷一	弔䵼父乍𪅇姬旅殷
2594	弔䵼父乍旅殷二	弔䵼父乍𪅇姬旅殷
2594.	弔䵼父乍旅殷三	弔䵼父乍𪅇姬旅殷
2595	奠虢仲殷一	奠虢中乍寶殷
2596	奠虢仲殷二	奠虢中乍寶殷
2597	奠虢仲殷三	奠虢中乍寶殷
2600	白䣄父殷	白䣄父乍朕皇考屖白吳姬尊殷
2601	向䀠乍旅殷一	向䀠乍旅殷
2602	向䀠乍旅殷二	向䀠乍旅殷
2603	白吉父殷	白吉父乍毅尊殷
2604	黃君殷	黃君乍季嬴vz塍殷
2605	邿__殷	邿17乍寶殷
2605	邿__殷	(蓋)邿17乍寶殷
2608	官差父殷	官差父乍義友寶殷
2609	筥小子殷一	徒用乍氒文考尊殷
2610	筥小子殷二	徒用乍氒文考尊殷
2613	白椃乍宄寶殷	白椃乍氒宄室寶殷
2621	雁侯殷	雁侯乍生杙姜尊殷
2622	琱伐父殷一	琱伐父乍交尊殷
2623	琱伐父殷二	琱伐父乍交尊殷
2623.	琱伐父殷	琱伐父乍交尊殷
2623.	琱伐父殷	琱伐父乍交尊殷
2624	琱伐父殷三	琱伐父乍交尊殷
2625	曾白文殷	唯曾白文自乍寶殷
2628	畢鮮殷	畢鮮乍皇且益公尊殷
2629	牧師父殷一	乍敚姚寶殷
2630	牧師父殷二	乍敚姚寶殷
2631	牧師父殷三	乍敚姚寶殷
2632	陳逆殷	乍為皇且大宗殷
2633	相侯殷	告于文考、用乍尊殷
2634	𢦏叔殷	𢦏弔𢦏姬乍白媿賸殷
2639	逋殷	逋乍朕文考胤白尊殷
2640	弔皮父殷	眔朕文母季姬尊殷
2641	伯椃虘殷一	伯椃虘肇乍皇考剌公尊殷
2642	伯椃虘殷二	伯椃虘肇乍皇考剌公尊殷
2643	史族殷	吏族乍寶殷
2643	史族殷	吏族乍寶殷
2644	命殷	命其永以多友殷飤
2645	周客殷	鼎二、殷二
2646	仲辛父殷	皇考日癸尊殷
2647	魯士商叡殷	魯士商叡肇乍朕皇考弔猒父尊殷
2648	仲叡父殷一	壬母遅姬尊殷
2649	仲叡父殷二	壬母遅姬尊殷
2650	仲叡父殷三	壬母遅姬尊殷
2651	內白多父殷	內白多父乍寶殷
2652	__殷	p6乍文且考尊寶殷
2653.	弔__孫父殷	弔__孫父乍孟姜尊殷
2656	師害殷一	師害乍文考尊殷

2657	師害段二	師害乍文考尊段
2658.	大段	用乍朕皇考剌段
2660	彔乍辛公段	用乍文且辛公寶𩰫段
2661	競段一	用乍父乙寶尊彝段
2662	競段二	用乍父乙寶尊彝段
2662.	寏段一	寏用乍朕文考日己寶段
2662.	寏段二	寏用乍朕文考日己寶段
2663	寏段一	用乍朕文考日己寶段
2664	寏段二	用乍朕文考日己寶段
2665	_弔段	用乍寶段
2666	鑄弔皮父段	乍鑄弔皮父尊段
2667	尌仲段	尌中乍朕皇考趄中𩰫彝尊段
2668	散季段	械季肇乍朕王母弔姜寶段
2669	_妊小段	用乍妊小寶段
2670	㯱侯段	方吏姜氏、乍寶段
2670	㯱侯段	用乍文母㯱妊寶段
2672	伯芀父段	辰乍餗段
2672	伯芀父段	用乍妊小寶段
2673	口弔買段	ky弔買自乍尊段
2674	弔𡚬段	弔𡚬乍寶尊段
2678	函皇父段一	盤、盉、尊器、段、鼎
2678	函皇父段一	段八
2679	函皇父段二	盤、盉、尊器、段、鼎
2679	函皇父段二	段八
2680	函皇父段三	盤、盉、尊器、段、鼎
2680	函皇父段三	段八
2680.	函皇父殷四	盤、盉、尊器、段、鼎
2680.	函皇父殷四	段八
2681	𨟻侯段	媢乍皇妣qJ君中改祭器八段
2683	白家父段	自乍寶段
2684	_寵乎段	寵乎乍寶段
2685	仲枏父段一	師湯父有𤔲中枏父乍寶段
2686	仲枏父段二	師湯父有𤔲中枏父乍寶段
2688	大段	用乍朕皇考大中尊段
2689	白康段一	白康乍寶段
2689	白康段一	永寶兹段
2600	白康段二	白康乍寶段
2690	白康段二	永寶兹段
2690.	相侯段	用乍尊段
2691	善夫梁其段一	皇母惠𡚬尊段
2692	善夫梁其段二	皇母惠𡚬尊段
2693	𦉢段	用乍辛公段
2695	𩰫兑段	皇考季氏尊段
2698	陳肪段	乍兹寶段
2699	公臣段一	用乍尊段
2700	公臣段二	用乍尊段
2701	公臣段三	用乍尊段
2702	公臣段四	用乍尊段
2704	穆公段	用乍寶皇段
2706	鄀公敄人段	上鄀公敄人乍尊段

	2707	小臣守𣪕一	用乍鑄引中寶𣪕
	2708	小臣守𣪕二	用乍鑄引中寶𣪕
	2709	小臣守𣪕三	用乍鑄引中寶𣪕
𣪕	2712	虢姜𣪕	虢姜乍寶尊𣪕
	2713	瘨𣪕一	乍且考𣪕
	2714	瘨𣪕二	乍且考𣪕
	2715	瘨𣪕三	乍且考𣪕
	2716	瘨𣪕四	乍且考𣪕
	2717	瘨𣪕五	乍且考𣪕
	2718	瘨𣪕六	乍且考𣪕
	2719	瘨𣪕七	乍且考𣪕
	2720	瘨𣪕八	乍且考𣪕
	2721	𤔲𣪕	用乍尊𣪕季姜
	2722	𨩰弔乍豐姑旅𣪕	𨩰弔乍豐姑憖旅𣪕
	2722	𨩰弔乍豐姑旅𣪕	𢆶𣪕𨥗(猒?)皀(𩚀)亦壽人
	2723	𠭯𣪕	用乍𠂤文考尊𣪕
	2724	𠫑白𣪘𣪕	用乍朕文考寶尊𣪕
	2725	師毛父𣪕	用乍寶𣪕
	2725.	𣏟星𣪕	𣏟星父乍𠣵中姞寶𣪕
	2726	𠯑𣪕	用乍寶𣪕
	2728	恆𣪕一	用乍文考公弔寶𣪕
	2729	恆𣪕二	用乍文考公弔寶𣪕
	2732	曾仲大父蛕𧊒𣪕	用自乍寶𣪕
	2733	何𣪕	用乍寶𣪕
	2735	㞒敖𣪕	用乍寶𣪕
	2736	師遽𣪕	用乍文考旄弔尊𣪕
	2737	段𣪕	敢對揚王休、用乍𣪕
	2738	衛𣪕	用乍朕文且考寶尊𣪕
	2739	無㠱𣪕一	無㠱用乍朕皇且釐季尊𣪕
	2740	無㠱𣪕二	無㠱用乍朕皇且釐季尊𣪕
	2741	無㠱𣪕三	無㠱用乍朕皇且釐季尊𣪕
	2742	無㠱𣪕四	無㠱用乍朕皇且釐季尊𣪕
	2742.	無㠱𣪕五	無㠱用乍朕皇且釐季尊𣪕
	2742.	無㠱𣪕五	無㠱用乍朕皇且釐季尊𣪕
	2743	𧽊𣪕	用乍寶𣪕
	2744	五年師旋𣪕一	用乍寶𣪕
	2745	五年師旋𣪕二	用乍寶𣪕
	2746	追𣪕一	用乍朕皇且考尊𣪕
	2747	追𣪕二	用乍朕皇且考尊𣪕
	2748	追𣪕三	用乍朕皇且考尊𣪕
	2749	追𣪕四	用乍朕皇且考尊𣪕
	2750	追𣪕五	用乍朕皇且考尊𣪕
	2751	追𣪕六	用乍朕皇且考尊𣪕
	2760	小臣謎𣪕一	白懋父目𣪕八自征東尸(夷)
	2761	小臣謎𣪕二	白懋父目𣪕八自征東尸(夷)
	2762	免𣪕	用乍尊𣪕
	2763	弔向父禹𣪕	乍朕皇且幽大弔尊𣪕
	2765	𢾊𣪕	用乍寶𣪕
	2766	三兒𣪕	其□又之□□鈇𠂤吉金用乍□寶𣪕
	2767	𧇊𣪕一	用乍寶𣪕

2768	楚段	用乍尊段
2769	師楷段	弭白用乍尊段
2770	截段	用乍朕文考寶段
2771	弭弔師求段一	用乍朕文且寶段
2772	弭弔師求段二	用乍朕文且寶段
2773	即段	用乍朕文考幽弔寶段
2775	裘衛段	用乍朕文且考寶段
2775.	害段一	命用乍文考寶段
2775.	害段二	命用乍文考寶段
2776	走段	用自乍寶尊段
2777	天亡段	每揚王休于尊段
2778	格白段一	鑄保段、用典格白田
2778	格白段一	鑄保段、用典格白田
2779	格白段二	鑄保段、用典格白田
2780	格白段三	鑄保段、用典格白田
2781	格白段四	鑄保段、用典格白田
2782	格白段五	鑄保段、用典格白田
2782.	格白段六	段隹正月初吉癸巳
2782.	格白段六	鑄保段、用典格白田
2784	申段	用乍朕皇考孝孟尊段
2785	王臣段	用乍朕文考易中尊段
2787	望段	用乍朕皇且白廿tx父寶段
2787	望段	用乍朕皇且白甲父寶段
2788	靜段	用乍文母外姞尊段
2789	同段一	用乍朕文丂叀中尊寶段
2790	同段二	用乍朕文丂叀中尊寶段
2791	豆閉段	用乍朕文考釐弔寶段
2791.	史密段	用乍朕文考乙白尊段
2792	師俞段	用乍寶段
2793	元年師旋段一	用乍朕文且益中尊段
2794	元年師旋段二	用乍朕文且益中尊段
2795	元年師旋段三	用乍朕文且益中尊段
2796	諫段	用乍朕文考叀公尊段
2796	諫段	用乍朕文考叀公尊段
2797	輔師嫠段	用乍寶段
2798	師瘨段一	用乍朕文考外季尊段
2799	師瘨段二	用乍朕文考外季尊段
2802	六年召白虎段	用乍朕剌且召公嘗段
2803	師酉段一	用乍朕文考乙白宄姬尊段
2804	師酉段二	用乍朕文考乙白宄姬尊段
2804	師酉段二	用乍朕考乙白宄姬尊段
2805	師酉段三	用乍朕文考乙白宄姬尊段
2806	師酉段四	用乍朕文考乙白宄姬尊段
2806.	師酉段五	用乍朕文考乙白宄姬尊段
2807	鄁段一	鄁用乍朕皇考龏白尊段
2808	鄁段二	鄁用乍朕皇考龏白尊段
2809	鄁段三	鄁用乍朕皇考龏白尊段
2810	揚段一	余用乍朕剌考𢆶白寶段
2811	揚段二	余用乍朕剌考𢆶白寶段
2812	大段一	用乍朕皇考剌白尊段

段

段

2813	大段二	用乍朕皇考剌白尊段
2814	烏冊矢令段一	用乍丁公寶段
2814.	矢令段二	用乍丁公寶段
2815	師毀段	用乍朕文考乙中𩰫段
2816	彔白𢦚段	用乍朕皇考釐王寶尊段
2818	此段一	用乍朕皇考癸公尊段
2819	此段二	用乍朕皇考癸公尊段
2820	此段三	用乍朕皇考癸公尊段
2821	此段四	用乍朕皇考癸公尊段
2822	此段五	用乍朕皇考癸公尊段
2823	此段六	用乍朕皇考癸公尊段
2824	此段七	用乍朕皇考癸公尊段
2825	此段八	用乍朕皇考癸公尊段
2826	師寰段一	余用乍朕後男巤尊段
2826	師寰段一	余用乍朕後男巤尊段
2827	師寰段二	余用乍朕後男巤尊段
2829	師虎段	用乍朕剌考日庚尊段
2830	三年師兌段	用乍朕皇考釐公𩰫段
2831	元年師兌段一	用乍皇且城公𩰫段
2832	元年師兌段二	用乍皇且城公𩰫段
2834	㝬段	㝬乍𩰫彝寶段
2835	訇段	用乍文且乙白同姬尊段
2836	𢦚段	用乍文母日庚寶尊段
2837	敔段一	用乍尊段
2838	師嫠段一	用乍朕皇考輔白尊段
2838	師嫠段一	用乍朕皇考輔白尊段
2839	師嫠段二	用乍朕皇考輔白尊段
2839	師嫠段二	用乍朕皇考輔白尊段
2840	番生段	用乍段、永寶
2841	芾白段	用乍朕皇考武芾幾王尊段
2842	卯段	用乍寶尊段
2843	沈子它段	休沈子肇𢦚tc賈嗇乍兹段
2844	頌段一	皇母韡姒(始)寶尊段
2845	頌段二	皇母韡姒(始)寶尊段
2845	頌段二	皇母韡姒(始)寶尊段
2846	頌段三	皇母韡姒(始)寶尊段
2847	頌段四	皇母韡姒(始)寶尊段
2848	頌段五	皇母韡姒(始)寶尊段
2849	頌段六	皇母韡姒(始)寶尊段
2850	頌段七	皇母韡姒(始)寶尊段
2851	頌段八	皇母韡姒(始)寶尊段
2852	不嬰段一	用乍朕皇且公白孟姬尊段
2853	不嬰段二	用作朕皇且公白孟姬尊段
2854	禁段	用乍寶尊段
2856	師訇段	用乍朕剌且乙白咸益姬寶段
2874.	虢弔匿二	虢弔乍弔段𣪕尊匿
3001	白鮮旅段(盨)一	白鮮乍旅段
3002	白鮮旅段(盨)二	白鮮乍旅段
3003	白鮮旅段(盨)三	白鮮乍旅段
3004	白鮮旅段(盨)	白鮮乍旅段

3005	弔讌父旅盨𣪘一	弔讌父乍旅盨(𨱎)𣪘
3005.	弔讌父旅盨𣪘二	弔讌父乍旅盨𣪘
3035	魯𤔲徒旅𣪘(盨)	魯𤔲徒白吳敢肇乍旅𣪘
3037	華季嗌乍寶𣪘(盨)	華季嗌乍寶𣪘
3040	白庶父盨𣪘(蓋)	白庶父乍盨𣪘
3054	滕侯蘇乍旅𣪘	滕侯穌乍氒文考滕中旅𣪘
3062	乘父𣪘(盨)	乘父士杉其肇乍其皇考白明父寶𣪘
3083	瘨𣪘(盨)一	用乍文考寶𣪘
3084	瘨𣪘(盨)二	用乍文考寶𣪘
4877	小子生尊	用乍𣪘寶尊彝
6783	函皇父盤	鼎、𣪘一具
6783	函皇父盤	𣪘八、兩罍、兩壺
M160	□貯𣪘	□□賈罙子鼓䍃鑄旅𣪘
M177.	戜𣪘	戜乍且庚尊𣪘
M340	魯伯悆盨	肇乍其皇孝皇母旅盨𣪘
M343	魯司徒中齊盨	魯司徒中齊肇乍皇考白走公𩜁盨𣪘
M361	井伯南𣪘	井南白乍鄦季姚好尊𣪘
M478	大宰巳𣪘	井姜大宰巳鑄其寶𣪘
M487	魯司徒伯吳𣪘	魯司徒白吳敢肇乍旅𣪘

小計：共　621 筆

0715

2985	陳逆匿一	鑄𢆶寶簋
2985.	陳逆匿二	鑄𢆶寶簋
2985.	陳逆匿三	鑄𢆶寶簋
2985.	陳逆匿四	鑄𢆶寶簋
2985.	陳逆匿五	鑄𢆶寶簋
2985.	陳逆匿六	鑄𢆶寶簋
2985.	陳逆匿七	鑄𢆶寶簋
2985.	陳逆匿八	鑄𢆶寶簋
2985.	陳逆匿九	鑄𢆶寶簋
2985.	陳逆匿十	鑄𢆶寶簋
3115	曾仲斿父甫	曾中斿父自乍寶簋
3116	劉公鋪	劉公乍杜嬬尊簋永寶用
3117	微伯瘨筲	敚白瘨乍簋
3118	魯大嗣徒厚氏元善匿一	魯大嗣徒厚氏元乍善簋
3119	魯大嗣徒厚氏元善匿二	魯大嗣徒厚氏元乍善簋
3120	魯大嗣徒厚氏元善匿三	魯大嗣徒厚氏元乍善簋

小計：共　16 筆

0716

5805	中山王譻方壺	夙夜篚(匪)解

小計：共　1 筆

𣪘 簋 篚

等　0717

2248	延乍等廿寶段	延乍等廿寶尊彝
2835	智段	師等側新□華尸、朏rx尸
		小計：共　2 筆

箙　0718

0124	箙鼎	[箙]
0357	箙父乙鼎	[箙]父乙
0404	箙父庚鼎	[箙]父庚
0923	戚箙束乍父丁鼎	束乍父丁寶鼎[戚箙]
1597	箙戉父癸甗	[箙戉]父癸
1950	丁箙畧箙父乙段	[丁箙畧箙]父乙
3575	箙__爵	[箙a1]
3642	__爵	[辛箙辛]
3643	□箙爵	[□箙]
3685	__畧箙爵	[cn畧箙]
4241	箙亞__乍父癸角	丙申王易箙亞Jb奚貝、才纍
4268	箙斝	[箙]
4398	箙参父乙盉	[箙参]父乙
4698	衛箙父辛尊	[衛箙]父辛
4793	隹乍父己尊	隹乍父己寶彝[戚箙]
4859	戉箙㪉尊	{ 戚箙 }
4970	乍冊宅方彝	[亞㬪室箙箙徽]乍冊宅乍彝
5036	箙卣	[箙]
5100	戉箙卣一	[戉箙、bc]
5101	戉箙卣二	[戉箙、bc]
5224	戚箙且乙卣	[戚箙]且乙
5225	箙戚父乙卣	[箙戚]父乙
J3147	冊戉父辛卣	冊戉父辛[箙]
5489	戉箙㪉卣	用夙夜事[戚箙]
5647	田子弓箙壺	[田子弓箙]
6170	父癸辛箙辛觚	父癸[辛箙辛]
6326	箙觶	[箙]
6670	箙盤	[箙]
7235	箙戈	[箙]
		小計：共　29 筆

簹　0719

2834	㝬段	簹㷘朕心
		小計：共　1 筆

0720

5805	中山王嚳方壺	載之笲(簡)筬(策)
		小計：共 1 筆

0721

5805	中山王嚳方壺	使其老筬(策)賞中父
5805	中山王嚳方壺	載之笲(簡)筬(策)
		小計：共 2 筆

0722

6990	瞷篙鐘	隹瞷篙屈栾
		小計：共 1 筆

0723 朞其㚶同字

1106	曾孫無朞乍飤鼎	曾孫無箕自乍飤𦉜
2456	㫃白迹毀一	朞(箕其)萬年孫孫子子其永用
2512	乙自乍歙𦉜	其釁壽無朞(箕期)
6605	亞聿豕父乙觶	[亞箕聿豕]父乙
J3796	子可戈	(照片未見，據金文編補)
		小計：共 5 筆

0723 箕其㚶同字

0751	朞父方鼎	朞(其)父乍旅鼎
2456	㫃白迹毀一	朞(箕其)萬年孫孫子子其永用
2512	乙自乍歙𦉜	其釁壽無朞(箕期)
		小計：共 3 筆

其

0751	期父方鼎	期(其)父乍旅鼎
0792	史昔其乍鬻鼎	史昔其乍旅鼎
0842	鼎乍父己鼎	鼎其用乍父己寶鼎
0886.	喬夫人鋪鼎	喬夫人鑄其鋪鼎
0919	盅鼎	其永用之
0928	穌衛妃乍旅鼎一	穌衛改乍旅鼎其永用
0929	穌衛妃乍旅鼎二	穌衛改乍旅鼎其永用
0930	穌衛妃乍旅鼎三	穌衛改乍旅鼎其永用
0931	穌衛妃乍旅鼎四	穌衛改乍旅鼎其永用
0935	季念乍旅鼎	季念乍旅鼎其永寶用
0944	至乍寶鼎	至乍寶鼎其萬年永寶用
0955	霾乍己公鼎	霾乍己公寶鼎其萬年用
0956	鄭同媿乍旅鼎	鄭同媿乍旅鼎其永寶用
0957	弔盂父鼎	弔盂父乍尊鼎其永寶用
0958	弔師父鼎	弔師父乍尊鼎其永寶用
0959	藥鼎	藥乍寶鼎其萬年永寶用
0960	大__弔姜鼎	大□乍弔姜鼎其永寶用
0970	蔡侯鼎	其萬年永寶用
0973	白__乍妣羞鼎一	其永寶用
0974	白__乍妣羞鼎二	其永寶用
0975	白__乍妣羞鼎三	其永寶用
0976	白__乍妣羞鼎四	其永寶用
0977	□子每刅乍寶鼎	其萬年永寶
0978	弔𢱭父鼎	其萬年永寶用
0979	__君鼎	其萬年永寶用
0980	__君鼎	p1君婦媿霝乍旅__其子孫用
0987	朋仲鼎	其萬年寶用
0990	__白鮮鼎	其萬年用享
0992	龕討鼎	龕訧為其鼎
0993	陬生雈鼎	孫子其永寶用
1006	鐈鼎	□□□__其吉金
1008	虎嗣君鼎	虎嗣君常羿其吉金
1013	滔__秉方鼎	其萬年永寶用
1014	乍寶鼎	其子子孫孫萬年永寶
1015	□大師虎鼎	其永寶用
1016	廟孱鼎	其子子孫孫永寶用
1017	剌鬷鼎	其用盟醻宄媯日辛
1020	鄭𨜒原父鼎	其萬年子孫永用
1021	虢弔大父鼎	其萬年永寶用
1023	從乍寶鼎	其萬年子孫孫永寶用
1024	大師人__乎鼎	其子孫孫用
1025	奠姜白寶鼎	子子孫孫其永寶用
1027	番君召鼎	其萬年釁壽
1028	央__鼎	其萬__
1030	鄦子蒷鼎	鄦子蒷夷為其行器
1030	鄦子員鼎	其永壽用止
1031	周__騌鼎	其萬年永寶用
1033	滎子旅乍父戊鼎	其孫子永寶

1034	仲殷父鼎一	其萬年子子孫寶用
1035	仲殷父鼎二	其萬年子子孫寶用
1036	史宜父鼎	其萬年子子孫永寶用
1038	白頵父鼎	其子子孫孫永用[井]
1039	兼咯父旅鼎	子子孫孫其永寶用
1040	弔荼父鼎	子孫孫其萬年永寶用
1042	白庙父鼎	其萬年孫子永寶用
1044	竇__生乍成媿鼎	其子孫永寶用
1045	専車季鼎	其子孫永寶用
1048	雝乍母乙鼎	其萬年子孫孫永寶用
1049	靜弔乍旅鼎	其萬年釁壽永寶用
1050	白筍父鼎一	其萬年子孫永寶用
1051	白筍父鼎二	其萬年子子孫孫永寶用
1052	裹自乍𩰫鼒_	其釁壽無期、永保用之
1053	白考父鼎	其萬年子子孫永寶用
1057	會娟鼎	其萬年子子孫永寶用享
1062	䘏鼎	其萬年子孫永寶用享
1063	鄧公乘鼎	其釁壽無期
1064	武生__弔羞鼎一	武生kJ弔乍其羞鼎
1065	武生__弔羞鼎二	武生kJ弔乍其羞鼎
1072	孫乍其鬳鼎	隹正月初孫乍其鬳鬲貞貞(鼎)
1074	奠戚句父鬲	其子孫孫永寶用
1075	黃季乍季羸鼎	其萬年子孫永寶用享
1076	王伯姜鼎	季姬其永寶用
1077	曾仲子__鼎	曾中子__用其吉金自乍寶鼎
1078	屖白魚父旅鼎一	其萬年子子孫孫永寶用
1079	屖白魚父旅鼎二	其萬年子子孫孫永寶用
1080	華仲義父鼎一	其子子孫孫永寶用[華]
1081	華仲義父鼎二	其子子孫孫永寶用[華]
1082	華仲義父鼎三	其子子孫孫永寶用[華]
1083	華仲義父鼎四	其子子孫孫永寶用[華]
1084	華仲義父鼎五	其子子孫孫永寶用[華]
1087	鑄子弔黑臣鼎	其萬年釁壽永寶用
1088	師麻斿弔旅鼎	其萬年子子孫孫永寶用
1093	奠登白鼎	其子子孫孫永寶用之
1094	魯大左司徒元音鼎	其萬年釁壽永寶用之
1095	函皇父鼎	子子孫孫其永寶用
1096	弗奴父鼎	其釁壽萬年永寶用
1097	白庸父乍羊鼎	其子子孫孫萬年永寶用享
1098	善夫白辛父鼎	其萬年子子孫永寶用
1099	仲旳父鼎	其萬年子子孫孫永寶用享
1100	白尚鼎	白尚肇其乍寶鼎
1100	白尚鼎	尚其萬年子子孫孫永寶
1102	無大邑魯生鼎	其萬年釁壽永寶用
1104	辛中姬皇母鼎	其子子孫孫用享孝于宗老
1105	鑢季乍羸氏行鼎	子子孫其釁壽萬年永用享
1108	師賸父鼎	其萬年子子孫孫永寶用
1109	師自乍䵼鼎	師自其乍寶齍鼎
1109	師自乍䵼鼎	其萬年子子孫孫永寶用[cx]
1110	雝白原鼎	子子孫孫其萬年永用亯

其

1111	□魯宰鼎	□魯宰鑄孚其□賸寶鼎
1111	□魯宰鼎	其子子孫孫永寶用之
1116	晉司徒白郘父鼎	其萬年永寶用
1119	曆方鼎	其用夙夕𩰫亯
1120	㴲白鼎	其萬年無疆
1122	䢅白乍石鯱	其萬年無疆
1123	伯夏父鼎	其萬年子子孫孫
1123.	番□伯者鼎	其萬年子孫永寶用□
1126	弔夜鼎	弔夜鑄其餘鼎
1128	＿白氏鼎	其永寶用
1129	寒姒好鼎	其萬年子子孫孫永寶用
1130	虢文公子㲻鼎一	其萬年無疆
1131	虢文公子㲻鼎二	其萬年無疆
1132	郣白祀乍善鼎	其萬年𦟀壽無疆
1133	郣白乍孟妊善鼎	其萬年𦟀壽
1134	隞侯鼎	其永壽用之
1138	白陶乍父考宮弔鼎	子子孫孫其永寶
1140	衛鼎	衛其萬年子子孫孫永寶用
1141	善夫旅白鼎	其萬年子子孫孫永寶用亯
1142	杞白每亡鼎	其萬年𦟀壽
1143	曾子仲誨鼎	用其吉金
1143	曾子仲誨鼎	子子孫孫其永用之
1144	＿猒鼎	猒其萬年永寶用
1145	舍父鼎	子子孫孫其永寶
1146	□者生鼎一	其萬年子子孫孫永寶用亯
1147	□者生鼎二	其萬年子子孫孫永寶用亯
1148	鼄姜白鼎一	其萬年𦟀壽無疆
1149	鼄姜白鼎二	其萬年𦟀壽無疆
1151	䢼侯鼎	其萬年子子孫孫永寶用
1153	白頵父鼎	其萬年子子孫孫永寶用
1154	黃孫子𦕍君弔單鼎	其萬年無疆
1159	辛鼎一	其亡疆孚家䧹德𡨦
1160	辛鼎二	其亡疆孚家䧹德𡨦
1161	白吉父鼎	其萬年子子孫孫永寶用
1162	乃子克鼎	辛白其並受㘝
1165	大師鐘白乍石鯱	其子子孫永寶用之
1171	魯白車鼎	車其萬年𦟀壽
1178	吳方彝	吳其世子孫永寶用. 隹王二祀
1188	旓弔樊乍易姚鼎	其萬年無疆
1189	諆鼎	諆肈乍其皇考皇母者比君𩰫鼎
1189	諆鼎	諆其萬年𦟀壽
1190	內史鼎	其萬年用為考寶尊
1194	郐王𢱧鼎	郐王𢱧用其良金
1194	郐王𢱧鼎	鑄其𩰫鼎
1195	戜弔朕鼎一	其萬年無疆
1196	戜弔朕鼎二	其萬年無疆
1197	戜弔朕鼎三	其萬年無疆
1198	姬𩰫彝鼎	其萬年子子孫孫永寶用
1200	散白車父鼎一	其萬年子子孫永寶
1201	㪔白車父鼎二	其萬年子子孫永寶

1202	楙白車父鼎三	其萬年子子孫永寶
1203	楙白車父鼎四	其萬年子子孫永寶
1204	淮白鼎	其用__慈大牢
1204	淮白鼎	__其及氒妻子孫于之__饇䖒肉
1205.	遣鼎	遣其萬年子子孫孫永寶用
1206	䧹鼎	子子孫其永寶
1207	眉__鼎	其用享于氒帝考
1213	師趛鼎一	__其萬年子孫永寶用
1214	師趛鼎二	__其萬年子孫永寶用
1217	毛公旅方鼎	饇其用沓(友)
1218	寬兒鼎	蘇公之孫寬兒羼其吉金
1220	鄁公鼎	鄁公湯用其吉金
1220	鄁公鼎	其萬年無彊
1222	䢅鼎一	其父蔑䢅曆、易金
1222	䢅鼎一	對揚其父休
1223	䢅鼎二	其父蔑䢅曆、易金
1223	䢅鼎二	對揚其父休
1224	王子吳鼎	王子吳羼其吉金
1224	王子吳鼎	其譽壽無謀(期)
1225	廣大史申鼎	乍其造貞(鼎)十
1226	師餘鼎	其乍氒文考寶鼎
1229	厚趠方鼎	其子子孫永寶[戕]
1230	師器父鼎	師器父其萬年
1233	__鼎	子子孫孫其永寶
1238	曾子仲宣鼎	曾子中宣__用其吉金
1238	曾子仲宣鼎	宣__用饔其者(諸)父者(諸)兄
1238	曾子仲宣鼎	其萬年無彊
1243	仲__父鼎	其萬年子子孫孫永寶用
1245	仲師父鼎一	其用亯用考于皇且帝考
1245	仲師父鼎一	其子子孫萬年永寶用亯
1246	仲師父鼎二	其用亯用考于皇且帝考
1246	仲師父鼎二	其子子孫萬年永寶用亯
1247	函皇父鼎	琱娟其萬年子子孫孫永寶用
1250	曾子斿鼎	曾子斿羼其吉金
1262	守鼎	其孫孫子子其永寶
1263	呂方鼎	其子子孫孫永用
1265	䣄弔鼎	其用享于文且考
1265	䣄弔鼎	䣄弔眔仉姬其易壽考
1265	䣄弔鼎	䣄弔仉姬其萬年
1268	梁其鼎一	梁其乍尊鼎
1268	梁其鼎一	其百子千孫
1268	梁其鼎一	其萬年無彊
1268	梁其鼎一	其子子孫孫永寶用
1269	梁其鼎二	梁其乍尊鼎
1269	梁其鼎二	其百子千孫
1269	梁其鼎二	其萬年無彊
1269	梁其鼎二	其子子孫孫永寶用
1272	剌鼎	其孫孫子子永寶用
1273	師湯父鼎	其萬年孫孫子子永寶用
1274	哀成弔鼎	亦弗其□䝱

其

1275	師同鼎	Lz畀其井師同從
1275	師同鼎	子子孫孫其永寶用
1276	__季鼎	其萬年子子孫孫永用
1280	康鼎	子子孫孫其萬　年永寶用
1281	史頌鼎一	頌其萬年無彊
1282	史頌鼎二	頌其萬年無彊
1283	微䜌鼎	其萬年無彊
1285	戜方鼎一	其用夙夜享孝于氒文且乙公
1285	戜方鼎一	其子子孫孫永寶
1288	令鼎一	余其舍女臣卅家
1289	令鼎二	余其舍女臣卅家
1290	利鼎	利其萬年子孫永寶用
1291	善夫克鼎一	克其日用䵼朕辟魯休
1291	善夫克鼎一	克其子子孫孫永寶用
1292	善夫克鼎二	克其日用䵼朕辟魯休
1292	善夫克鼎二	克其子子孫孫永寶用
1293	善夫克鼎三	克其日用䵼朕辟魯休
1293	善夫克鼎三	克其子子孫孫永寶用
1294	善夫克鼎四	克其日用䵼朕辟魯休
1294	善夫克鼎四	克其子子孫孫永寶用
1295	善夫克鼎五	克其日用䵼朕辟魯休
1295	善夫克鼎五	克其子子孫孫永寶用
1296	善夫克鼎六	克其日用䵼朕辟魯休
1296	善夫克鼎六	克其子子孫孫永寶用
1297	善夫克鼎七	克其日用䵼朕辟魯休
1297	善夫克鼎七	克其子子孫孫永寶用
1298	師旂鼎	其又內于師旂
1299	釐侯鼎一	其萬年子孫永寶用
1300	南宮柳鼎	其萬年子子孫孫永寶用
1301	大鼎一	大其子子孫孫萬年永寶用
1302	大鼎二	大其子子孫孫萬年永寶用
1303	大鼎三	大其子子孫孫萬年永寶用
1304	王子午鼎	王子午擇其吉金
1304	王子午鼎	永受其福
1305	師奎父鼎	師奎父其萬年子子孫孫永寶用
1307	師望鼎	師望其萬年子子孫孫永寶用
1308	白晨鼎	子子孫孫其萬年永寶用
1309	寰鼎	寰其萬年子子孫孫永寶用
1310	鬲攸從鼎	其且射、分田邑
1310	鬲攸從鼎	鬲攸从其萬年子子孫孫永寶用
1311	師晨鼎	晨其萬年世
1311	師晨鼎	子子孫孫其永寶用
1312	此鼎一	此其萬年無彊
1313	此鼎二	此其萬年無彊
1314	此鼎三	此其萬年無彊
1315	善鼎	余其用各我宗子雩百生
1315	善鼎	其永寶用之
1316	戜方鼎	其子子孫孫永寶茲剌
1318	晉姜鼎	畯(允)保其孫子
1319	頌鼎一	頌其萬年眉壽

1320	頌鼎二	頌其萬年釁壽
1321	頌鼎三	頌其萬年釁壽
1322	九年裘衛鼎	其舍衛臣虢朏
1322	九年裘衛鼎	衛其萬年永寶用
1324	禹鼎	其萬年子子孫孫寶用
1325	五祀衛鼎	衛小子逆其卿舍
1325	五祀衛鼎	衛其萬年永寶用
1326	多友鼎	其子子孫孫永寶用
1327	克鼎	天子其萬年無彊
1327	克鼎	克其萬年無彊
1328	盂鼎	雩我其遹省先王受民受彊土
1329	小字盂鼎	征邦賓尊其旅服、東鄉
1330	曶鼎	舀（曶）其萬□用祀
1330	曶鼎	子子孫孫其永寶
1330	曶鼎	女其舍黻矢五J7(秉?)
1331	中山王嚳鼎	蔑（與）其汋（溺）烏（於）人施（也）
1331	中山王嚳鼎	猶規（眯迷）惑烏（於）子之而亡其邦
1331	中山王嚳鼎	侖（論）其德
1331	中山王嚳鼎	省其行
1331	中山王嚳鼎	社稷其庶虖（乎）
1331	中山王嚳鼎	其隹（誰）能之
1331	中山王嚳鼎	其隹（誰）能之
1331	中山王嚳鼎	天其有型
1331	中山王嚳鼎	寡人庸其悳（德）
1331	中山王嚳鼎	嘉其力
1331	中山王嚳鼎	目（以）明其悳（德）
1331	中山王嚳鼎	庸其工（功）
1331	中山王嚳鼎	寡懼其忽然不可得
1331	中山王嚳鼎	後人其庸庸之
1332	毛公鼎	引其唯王智
1348	亞□其鬲	亞□其
1409	乍寶彝鬲	子其永寶
1432	郳始□母鑄羞鬲	郳始ir母鑄其羞鬲
1439	王白姜尊鬲四	王白姜乍尊鬲其萬年永寶用
1450	庚姬乍弔娊尊鬲一	其永寶用
1451	庚姬乍弔娊尊鬲二	其永寶用
1452	庚姬乍弔娊尊鬲三	其永寶用
1453	nu嬇鬲	其萬年永寶用
1454	㝵肇家鬵	其永子孫寶
1455	榮白鬲	其萬年寶用
1456	京姜鬲	其永缶（寶）用
1457	衛夫人行鬲	衛夫人文君弔姜乍其行鬲用
1458	庶鬲	其萬年子孫永寶用
1459	白上父乍姜氏鬲	其永寶用
1460	奠羌白乍季姜鬲	其永寶用
1461	鼄來隹鼎	萬壽釁其年無彊用
1467	呂䣄姬乍鬲	其子子孫孫寶用
1468	白家父乍孟姜鬲	其子孫永寶用
1469	戲白鬲一	其萬年子子孫永寶用
1470	戲白鬲二	其萬年子子孫永寶用

其

1471	魯白愈父鬲一	其永寶用
1472	魯白愈父鬲二	其永寶用
1473	魯白愈父鬲三	其永寶用
1474	魯白愈父鬲四	其永寶用
1475	魯白愈父鬲五	其永寶用
1476	鼄白乍朕鬲	其萬年子子孫孫永寶用
1479	召仲乍生妣奠鬲一	其子子孫孫永寶用
1480	召仲乍生妣奠鬲二	其子子孫孫永寶用
1481	昧仲無龍寶鼎一	其子子孫永寶用亯
1482	昧仲無龍寶鼎二	其萬年子子孫永寶用亯
1484	江叔鬲	江叔盉乍其尊鬲
1486	宰獸父鬲	其萬年永寶用
1487	白先父鬲一	其子子孫孫永寶用
1488	白先父鬲二	其子子孫孫永寶用
1489	白先父鬲三	其子子孫孫永寶用
1490	白先父鬲四	其子子孫孫永寶用
1491	白先父鬲五	其子子孫孫永寶用
1492	白先父鬲六	其子子孫孫永寶用
1493	白先父鬲七	其子子孫孫永寶用
1494	白先父鬲八	其子子孫孫永寶用
1495	白先父鬲九	其子子孫孫永寶用
1496	白先父鬲十	其子子孫孫永寶用
1497	虢仲乍虢妃鬲	其萬年子子孫孫永寶用
1498	鼄友父鬲	鼄友父勝其子䵼嫭（曹）寶鬲
1498	鼄友父鬲	其釁壽永寶用
1499	□季鬲	其萬年子子孫用
1500	_白鬲	其萬年子子孫孫永寶用
1506	杜白乍弔嫞鬲	其萬年子子孫永寶用
1507	善夫吉父乍京姬鬲一	其子子孫孫永寶用
1508	善夫吉父乍京姬鬲二	其子子孫孫永寶用
1509	虢文公子㝅乍弔妃鬲	其萬年子孫永寶用亯
1512	虢白乍姬夊母鬲	其萬年子子孫孫永寶用
1513	睽土父乍蓼妃鬲	其萬年子子孫孫永寶用
1514	白夏父乍畢姬鬲一	其萬年子子孫孫永寶用亯
1515	白夏父乍畢姬鬲二	其萬年子子孫孫永寶用亯
1516	白夏父乍畢姬鬲三	其萬年子子孫孫永寶用亯
1517	白夏父乍畢姬鬲四	其萬年子子孫孫永寶用亯
1518	白夏父乍畢姬鬲六	其萬年子子孫孫永寶用亯
1519	白夏父乍畢姬鬲五	其萬年子子孫孫永寶用亯
1520	奠白荀父鬲	其萬年子子孫孫永寶用
1521	單白遼父鬲	子子孫孫其萬年永寶用享
1522	孟辛父乍孟姞鬲一	其萬年子子孫孫永寶用
1523	孟辛父乍孟姞鬲二	其萬年子子孫孫永寶用
1524	□大嗣攻鬲	□大□□嗣攻單□□鑄其鬲
1525	隱子奠白尊鬲	其釁壽萬年無彊
1526	琱生乍完仲尊鬲	琱生其萬年子子孫孫用寶用享
1527	釐先父鬲	其萬年子孫永寶
1529	仲枏父鬲一	子孫其永寶用
1530	仲枏父鬲二	子孫其永寶用
1531	仲枏父鬲三	子孫其永寶用

1532	仲枏父鬲四	子孫其永寶用
1641	比甗	从（比）乍寶獻（甗）其萬年用
1646	乍寶甗	其萬年永寶用
1651	仲伐父甗	中伐父乍姬尚母旅獻（甗）其永用
1653	榖父甗	其萬年子子孫永寶用
1654	子邦父旅甗	其子子孫孫永寶用
1655	奠氏白高父旅甗	其萬年子子孫孫永寶用
1660	曾子仲訧旅甗	隹曾子中訧用其吉金
1660	曾子仲訧旅甗	子子孫孫其永用之
1662	寶甗	王人vy輔歸雚鑄其寶
1662	寶甗	其萬年子子孫孫永寶用貞
1663	蠿五世孫矩甗	蠿（縺）五世孫矩乍其寶甗
1663	蠿五世孫矩甗	其釁壽無彊
1664	邕子良人歈甗	邕子良人羿其吉金自乍飤獻（甗）
1664	邕子良人歈甗	其萬年無彊、其子子孫永寶用
1665	王孫壽飤甗	王孫壽羿其吉金
1665	王孫壽飤甗	其釁壽無彊、萬年無諆（期）
2151	亞㠱侯矣父己殷	[亞其]侯[矣]父己
2214	師__其乍寶殷	師C4其乍寶殷
2307	睘殷	睘乍寶殷其永寶用
2310	旅乍寶殷	旅乍寶殷其萬年用
2320	敐乍尊殷一	敐乍尊殷其壽考寶用
2321	敐乍尊殷二	敐乍尊殷其壽考寶用
2324	孟肃父殷	孟肅父乍寶殷其永用
2325	同自乍旅殷	同自乍旅殷其萬年用
2330	史趞殷	史趞乍寶殷其萬年用
2334	頌殷	[餔樊]受冊令頌其寶彝
2338	乍寶殷	乍寶殷其子孫萬年永寶
2340	弔鷨父殷	弔鷨父乍尊殷、其萬年用
2341	仲乍寶殷	中乍寶尊彝其萬年永用
2342	弔宝乍寶殷	弔宝乍寶殷其萬年永寶
2343	啇乍寶殷	啇乍寶殷其萬年孫子寶
2351	仲自父乍好旅殷一	中自父乍好旅殷其用萬年
2352	仲自父乍好旅殷二	中自父乍好旅殷其用萬年
2354	仲网父殷一	中网父乍殷其萬年永寶用
2355	仲网父殷二	其萬年永寶用
2356	仲网父殷三	中网父乍殷其萬年永寶用
2358	陎侯為季姬殷	其萬年用
2359	欮乍㲋殷	其萬年用鄉賓
2361	乍寶尊殷	孫孫子子其萬年用
2362	__殷	__子子孫其萬年用享
2365	中白殷	其萬年寶用
2367	散白乍夨姬殷一	其厲（萬）年永用
2368	散白乍夨姬殷二	其厲（萬）年永用
2369	散白乍夨姬殷三	其厲（萬）年永用
2370	散白乍夨姬殷四	其厲（萬）年永用
2371	散白乍夨姬殷五	其厲（萬）年永用
2375	旂殷	其子子孫永寶用
2376	□□殷	其萬年子子孫孫寶用
2377	晉人吏寓乍寶殷	其孫子永寶

其

2378	辰乍餗段	其子子孫孫永寶用
2383	侯氏段	其萬年永寶
2384	鄧公段一	其永寶用
2385	鄧公段二	其永寶用
2390	吹乍寶段二	其萬年子子孫孫永用
2391	冘乍寶段一	其萬年子子孫孫永用
2392	__白段	隹九月初吉叡龍白自乍其寶段
2394	己侯乍姜縈段一	子子孫其永寶用
2395	丂保子達段	其子子孫永用[丂]
2396	仲競段	其萬年子子孫永用
2398	𤔲弔山父段一	其永寶用
2399	𤔲弔山父段二	其永寶用
2400	𤔲弔山父段三	其永寶用
2401	陳侯乍王媯朕段	其萬年永寶用
2402	敔段	卑不吉其j9
2407	白閒乍尊段一	其子子孫孫萬年寶用
2408	白閒乍尊段二	其子子孫孫萬年寶用
2410	遣小子𨚕段	遣小子𨚕目其友乍𩰫男王姬𬊤彝
2411	史窦段	其萬年子子孫孫永寶
2415	降人𩰫寶段	其子子孫孫萬年用
2416	降人𩰫寶段	其子子孫孫萬年用
2417	齊嬶姬寶段	其萬年子子孫孫永用
2418	乎乍姞氏段	子子孫孫其永寶用
2419	白喜父乍洹餗段一	洹其萬年永寶用
242.0	雁侯段	其萬年永寶用
2420	白喜父乍洹餗段二	洹其萬年永寶用
2420.	改詠段一	子子孫孫其永寶用
2420.	改詠段二	子子孫孫其永寶用
2422	舟洹桼乍且乙段	其萬年子孫寶用[舟]
2423	亘__戭段	用匽辝其皇且癸文考
2423	亘__戭段	其永寶用
2424	白莽寶段	其萬年子子孫孫永寶用
2425	兮仲寶段一	其萬年子子孫孫永寶用
2426	兮仲寶段二	其萬年子子孫孫永寶用
2427	兮仲寶段三	其萬年子子孫孫永寶用
2428	兮仲寶段四	其萬年子子孫孫永寶用
2429	兮仲寶段五	其萬年子子孫孫永寶用
2430	伽白__尊段	其子子孫孫永寶用亯
2431	__弔侯父乍尊段一	其子子孫孫永寶用
2432	__弔侯父乍尊段二	其子子孫孫永寶用
2433	害弔乍尊段一	其萬年子子孫孫永寶用
2434	害弔乍尊段二	其萬年子子孫孫永寶用
2435	散車父段一	其萬年子子孫孫永寶
2436	散車父段二	其萬年孫子子永寶
2437	散車父段三	其萬年孫子子永寶
2438	散車父段四	其萬年孫子子永寶
2438.	散車父段五	其萬年孫子子永寶
2438.	椒車父乍𡉚陖姞餗段	其萬年孫子子永寶
2438.	椒車父乍𡉚陖姞餗段二	其萬年孫子子永寶
2441	姞衍段	其萬年子子孫孫永寶用

2442	虢虢遣生旅毁	其萬年子孫永寶用
2443	孟弢父毁一	其萬年子子孫永寶用
2444	孟弢父毁二	其萬年子子孫孫永寶用
2445	孟弢父毁三	其萬年子子孫孫永寶用
2454	亢僕乍父己毁	子子孫其萬年永寶用
2455	彔乍文考乙公毁	子子孫其永寶
2456	的白迹毁一	期(箕其)萬年孫孫子子其永用
2457	的白迹毁二	其萬年孫子其永用
2458	孟奠父毁一	其萬年子子孫孫永寶用
2459	孟奠父毁二	其萬年子子孫孫永寶用
2460	孟奠父毁三	其萬年子子孫孫永寶用
2461	白家父乍孟姜毁	其子子孫孫永寶用
2462	弔向父乍婞姒毁一	其子子孫孫永寶用
2463	弔向父乍婞姒毁二	其子子孫孫永寶用
2464	弔向父乍婞姒毁三	其子子孫孫永寶用
2465	弔向父乍婞姒毁四	其子子孫孫永寶用
2466	弔向父乍婞姒毁五	其子子孫孫永寶用
2467	妣__母乍南旁毁	子子孫孫其永寶用
2468	齊癸姜尊毁	其萬年子子孫永寶用
2469	𩁹乍王母媿氏肆毁一	媿氏其釁壽萬年用
2470	𩁹乍王母媿氏肆毁二	媿氏其釁壽萬年用
2471	𩁹乍王母媿氏肆毁三	媿氏其釁壽萬年用
2472	𩁹乍王母媿氏肆毁四	媿氏其釁壽萬年用
2473	__乍皇母尊毁一	其子子孫孫萬年永寶用
2474	__乍皇母尊毁二	其子子孫孫萬年永寶用
2475	衛始毁	子子孫孫其萬年永寶用
2476	葷毁	其子子孫孫萬年永用[eL]
2477	葷父丁毁	其子子孫孫萬年永用[eL]
2478	白賓父毁(器)一	其萬年子子孫孫永寶用
2479	白賓父毁二	其萬年子子孫孫永寶用
2480	是要毁	其子孫永寶用
2481	是要毁	其子孫永寶用
2482	𨞾侯乍嘉姬毁	其萬年子子孫孫永寶用
2484	伯緐父毁	子子孫萬年其永寶用
2484.	矢王毁	子子孫孫其萬年永寶用
2485	隄仲孝毁	子子孫其永寶用[土]
2486	□□日辛毁	其萬年孫孫子子永寶用[𩁹]
2487	白𩁹乍文考幽仲毁	𩁹其萬年寶、用鄉孝
2493	鄦其肇乍毁一	鄦其肇乍毁
2493	鄦其肇乍毁一	其萬年釁壽
2494	鄦其肇乍毁二	鄦其肇乍毁
2494	鄦其肇乍毁二	其萬年釁壽
2495	季__父徹毁	其萬年子子孫孫永寶用
2496	廣乍弔彭父毁	其萬年子子孫孫永寶用
2497	䣄侯乍王姑毁一	王姑其萬年子子孫孫永寶
2498	䣄侯乍王姑毁二	王姑其萬年子子孫孫永寶
2499	䣄侯乍王姑毁三	王姑其萬年子子孫孫永寶
2500	䣄侯乍王姑毁四	王姑其萬年子子孫孫永寶
2501	旅𡠧乍尊毁一	旅𡠧其萬年子子孫孫永寶用
2502	旅𡠧乍尊毁二	旅𡠧其萬年子子孫孫永寶用

其

2503	旛嫼乍尊段三	旛嫼其萬年子子孫孫永寶用
2504	旛賸段	旛嫼其萬年
2505	白疑父乍嫜段	其萬年子子孫孫永寶用
2505.	井姜大宰段	井姜大宰己鑄其寶段
2506	奠牧馬受段一	其子子孫孫萬年永寶用
2507	尊牧馬受段二	其子子孫孫萬年永寶用
2509	旅仲段	其萬年子子孫孫永用享孝
2511	夨王段	子子孫孫其年永寶用
2512	乙自乍歆𣪘	其釁壽無期(箕期)
2516	鄧公𣪘段	其萬年子子孫孫永壽用之
2518	白田父段	其萬年子子孫孫永寶用
2519	周𩙚生賸段	其孫孫子子永寶用[eL]
2520	大㠯事良父段	其萬年子子孫孫永寶用
2521	姞氏自乍𣪘	其邁(萬)年子子孫孫永寶用
2522	孟㢸父段	其萬年子子孫孫永寶用
2523	孟㢸父段	其萬年子子孫孫永寶用
2527	束仲𡨦父段	其萬年子子孫永寶用享
2528	魯白大父乍賸段	其萬年釁壽永寶用
2529	豐井弔乍白姬段	其萬年子子孫孫永寶用
2529.	生段	uw生乍寶尊段、uw生其壽考萬年子孫永寶用
2530	㴱姬乍父辛段	孫子其萬年永寶
2531	魯白大父乍孟□姜段	其萬年釁壽永寶用享
2532	魯白大父乍仲姬俞段	其萬年釁壽永寶用享
2534	魯大宰邍父段一	其萬年釁壽永寶用
2534.	魯大宰邍父段二	其萬年釁壽永寶用
2535	仲殷父段一	其子子孫孫永用
2536	仲殷父段二	其子子孫孫永用
2537	仲殷父段三	其子子孫孫永用
2537	仲殷父段四	其子子孫孫永寶用
2538	仲殷父段五	其子子孫孫永用
2539	仲殷父段六	其子子孫孫永寶用
2540	仲殷父段六	其子子孫孫永寶用
2541	仲殷父段七	其子子孫孫永寶用
2541.	仲段父段七	其子子孫孫永寶用
2541.	仲段父段八	其子子孫孫永寶用
2542	辰才寅□□段	其子孫其永寶
2545	季𩰫乍井弔段	子子孫孫其永寶用
2547	格白乍晉姬段	子子孫孫其永寶用
2548	仲㥁父𣪘段一	其萬年子子孫孫永寶用
2549	仲㥁父𣪘段二	其萬年子子孫孫永寶用
2550	兌乍弔氏段	兌其萬年子子孫孫永寶用
2551	弔角父乍宕公段一	其子子孫孫永寶用[cx]
2552	弔角父乍宕公段二	其子子孫孫永寶用[cx]
2553	虢季氏子組段一	其萬年無彊
2554	虢季氏子組段二	其萬年無彊
2555	虢季氏子組段三	其萬年無彊
2560	吳彭父段一	其萬年子子孫孫永寶用
2561	吳彭父段二	其萬年子子孫孫永寶用
2562	吳彭父段三	其萬年子子孫孫永寶用
2563	德克乍文且考段	克其萬年子子孫孫永寶用享

2564	㚔且日庚乃孫段一	其子子孫孫永寶用[㚔]
2565	且日庚乃孫段二	其子子孫孫永寶用[㚔]
2566	寧段一	其用各百神
2567	寧段二	其用各百神
2569	鼎卓林父段	其子子孫孫永寶用[鼎]
2571	穌公子癸父甲段	其萬年無彊
2571.	穌公子癸父甲段二	其萬年無彊
2572	毛白嚨父段	其萬年無彊
2573	洑白寺段	其萬年子子孫孫永寶用喜
2574	豐兮段一	夷其萬年子孫永寶、用喜考
2575	豐兮段二	夷其萬年子子孫永寶、用喜考
2577	害客段	客其萬年子子孫孫永寶用
2578	兮吉父乍仲姜段	其萬年無彊
2579	白喜乍文考剌公段	喜其萬年子子孫孫其永寶用
2580	㚤乍北子段	其萬年子子孫孫永寶
2581	曹伯狄段	其萬年饗壽
2586	史頣段一	其于之朝夕監
2587	史頣段二	其于之朝夕監
2588	毛关段	其子子孫孫萬年永寶用
2589	孫弔多父乍孟姜段一	其萬年子子孫孫永寶用
2590	孫弔多父乍孟姜段二	其萬年子子孫孫永寶用
2591	孫弔多父乍孟姜段三	其萬年子子孫孫永寶用
2593	弔釁父乍旅段一	其夙夜用喜孝于皇君
2593	弔釁父乍旅段一	其萬年永寶用
2594	弔釁父乍旅段二	其夙夜用喜孝于皇君
2594	弔釁父乍旅段二	其萬年永寶用
2594.	弔釁父乍旅段三	其夙夜用喜孝于皇君
2594.	弔釁父乍旅段三	其萬年永寶用
2600	白𣪘父段	其萬年子子孫孫永寶用
2601	向𩁹乍旅段一	𩁹其壽考萬年
2602	向𩁹乍旅段二	𩁹其壽考萬年
2603	白吉父段	其萬年子孫孫永寶用
2605	邿__段	用追孝于其父母
2605	邿__段	用追孝于其父母
2609	筥小子段一	其萬年子子孫孫永寶用
2610	筥小子段二	其萬年子子孫孫永寶用
2621	雁侯段	其萬年子子孫孫永寶用
2625	曾白文段	其萬年子子孫孫永寶用喜
2626	奢乍父乙段	其子孫永寶
2628	畢鮮段	鮮其萬年子子孫孫永寶用
2629	牧師父段一	其萬年子子孫孫永寶用喜
2630	牧師父段二	其萬年子子孫孫永寶用喜
2631	牧師父段三	其萬年子子孫孫永寶用喜
2633	相侯段	其萬年子子孫孫□□侯
2633.	食生走馬谷段	用易其良壽萬年
2634	㝬叔段	用喜孝于其姑公
2634	㝬叔段	子子孫孫其萬年永寶用
2639	遣段	遣其萬年子子孫孫永寶用
2640	弔皮父段	其萬年子子孫永寶用[引]
2643	史族段	其朝夕用喜于文考

	2643	史族段	其子子孫孫永寶用
	2643	史族段	其朝夕用亯于文考
	2643	史族段	其子子孫孫永寶用
其	2644	命段	命其永目(以)多友段飤
	2645	周客段	其用亯于皋帝考
	2646	仲辛父段	辛父其萬年無疆
	2647	魯士商觑段	觑其萬年釁壽
	2648	仲觑父段一	其萬年子子孫孫永寶用亯于宗室
	2649	仲觑父段二	其萬年子子孫孫永寶用亯于宗室
	2650	仲觑父段三	其萬年子子孫孫永寶用亯于宗室
	2651	內白多父段	其萬年子子孫孫永寶用亯
	2652	_段	p6其萬年孫孫子子永寶
	2656	師害段一	目以召其辟
	2657	師害段二	目(以)召其辟
	2658	白㦰段	白㦰肈其作西宮寶
	2658.	大段	其子子孫永寶用
	2660	彔乍辛公段	其子子孫孫永寶
	2665	_弔段	子子孫孫其萬年永寶用
	2666	鑄弔皮父段	其妻子用亯考于弔皮父
	2667	尌仲段	其萬年無疆
	2668	散季段	椒(散)季其萬年
	2669	_妊小段	其子子孫孫永寶用[cx]
	2670	㮚侯段	方其日受宧
	2672	伯芀父段	其子子孫孫永寶用
	2672	伯芀父段	其子子孫孫永寶用[cx]
	2673	口弔買段	其用追孝于朕皇且啻考
	2673	口弔買段	買其子子孫孫永寶用亯
	2678	函皇父段一	琱娟(妘)其萬年子子孫孫永寶用
	2679	函皇父段二	琱娟(妘)其萬年子子孫孫永寶用
	2680	函皇父段三	琱娟(妘)其萬年子子孫孫永寶用
	2680.	函皇父殷四	琱娟(妘)其萬年子子孫孫永寶用
	2683	白家父段	用亯于其皇文考
	2684	_寵乎段	乎其萬人永用[戣]
	2685	仲枏父段一	其萬年子孫孫其永寶用
	2686	仲枏父段二	其萬年子子孫孫
	2686	仲枏父段二	其永寶用
	2687	敔段	其萬年寶
	2689	白康段一	康其萬年釁壽
	2690	白康段二	康其萬年釁壽
	2690.	相侯段	其萬年子孫孫用亯侯
	2691	善夫梁其段一	善夫汈其乍朕皇考惠中
	2692	善找梁其段二	善夫汈其乍朕皇考惠中
	2693	鼉段	其萬年孫子寶
	2695	𦗊兌段	兌其萬年
	2696	孟段一	皋子子孫孫其永寶
	2697	孟段二	皋子子孫孫其永寶
	2699	公臣段一	公臣其萬年用寶丝休
	2700	公臣段二	公臣其萬年用寶丝休
	2701	公臣段三	公臣其萬年用寶丝休
	2702	公臣段四	公臣其萬年用寶丝休

2703	免乍旅毁	免其萬年永寶用
2705	君夫毁	子子孫孫其永用止
2712	虢姜毁	虢姜其萬年釁壽
2713	㾓毁一	其𩵦祀大神
2714	㾓毁二	其𩵦祀大神
2715	㾓毁三	其𩵦祀大神
2716	㾓毁四	其𩵦祀大神
2717	㾓毁五	其𩵦祀大神
2718	㾓毁六	其𩵦祀大神
2719	㾓毁七	其𩵦祀大神
2720	㾓毁八	其𩵦祀大神
2722	铚弔乍豐姞旅毁	子孫其永寶用
2724	覃白馭毁	其萬年子子孫孫其永寶用
2725	師毛父毁	其萬年子子孫其永寶用
2725.	榮星毁	其用卲亯（享）于朕皇考
2725.	榮星毁	其萬年無彊
2726	智毁	子子孫孫其永寶
2727	蔡姞乍尹弔毁	其萬年無彊
2728	恆毁一	其萬年世子子孫虞寶用
2729	恆毁二	其萬年世子子孫虞寶用
2731	小臣宅毁	其萬年用鄉王出入
2732	曾仲大父蛕𠭯毁	蛕其用追孝于其皇考
2732	曾仲大父蛕𠭯毁	其萬年子子孫孫永寶用亯
2733	何毁	何其萬年
2733	何毁	子子孫孫其永寶用
2734	遹毁	其孫孫子子永寶
2735	㕒敖毁	其右子歆、史孟
2735	㕒敖毁	㕒敖其子子孫永寶
2736	□自父壺	其用友眔目倗友歆
2738	衛毁	衛其萬年子子孫孫永寶用
2739	無曩毁一	無曩其萬年子孫永寶用
2740	無曩毁二	無曩其萬年子孫永寶用
2741	無曩毁三	無曩其萬年子孫永寶用
2742	無曩毁四	無曩其萬年子孫永寶用
2742.	無曩毁五	無曩其萬年子孫永寶用
2742.	無曩毁五	無曩其萬年子孫永寶用
2743	虘毁	其子子孫孫寶用
2746	追毁一	追其萬年子子孫孫永寶用
2747	追毁二	追其萬年子子孫孫永寶用
2748	追毁三	追其萬年子子孫孫永寶用
2749	追毁四	追其萬年子子孫孫永寶用
2750	追毁五	追其萬年子子孫孫永寶用
2751	追毁六	追其萬年子子孫孫永寶用
2752	史頌毁一	頌其萬年無彊
2753	史頌毁二	頌其萬年無彊
2754	史頌毁三	頌其萬年無彊
2755	史頌毁四	頌其萬年無彊
2756	史頌毁五	頌其萬年無彊
2757	史頌毁六	頌其萬年無彊
2758	史頌毁七	頌其萬年無彊

其

2759	史頌設八	頌其萬年無彊
2759	史頌設九	頌其萬年無彊
2762	免設	免其萬年永寶用
2763	弔向父禹設	其嚴才上
2763	弔向父禹設	禹其萬年永寶用
2765	殺設	其萬年子子孫孫永寶用
2766	三兒設	其□又之□□絉罕吉金用乍□寶設
2766	三兒設	用□□_羊□□□其適孟□□廿斧
2767	虘設一	虘其萬年永寶用
2768	楚設	其子子孫孫萬年永寶用
2769	師楷設	其萬年子孫永寶用
2770	截設	其子子孫孫永用
2771	弭弔師求設一	弭弔其萬年子子孫孫永寶用
2772	弭弔師求設二	弭弔其萬年子子孫孫永寶用
2773	即設	即其萬年子子孫孫永寶用
2774.	南宮弔設	萬年其永寶
2775	裘衛設	衛其子子孫孫永寶用
2775.	害設一	其子子孫孫永寶用
2775.	害設二	其子子孫孫永寶用
2776	走設	徒其眔罕子子孫孫萬年永寶用
2778	格白設一	其萬年子子孫孫永保用[eL]
2778	格白設一	其萬年子子孫孫永保用[eL]
2779	格白設二	其萬年子子孫孫永保用[eL]
2780	格白設三	其萬年子子孫孫永保用[eL]周
2781	格白設四	其萬年子子孫孫永保用[eL]周
2782	格白設五	其萬年子子孫孫永保用[eL]周
2782.	格白設六	其萬年子子孫孫永保用[eL]周
2783	趞設	其子子孫孫萬年寶用
2784	申設	申其萬年用
2784	申設	子子孫孫其永寶
2785	王臣設	王臣其永寶用
2786	縣妃設	其自今日孫孫子子母敢望白休
2787	望設	其萬年子子孫孫永寶用（蓋）
2788	靜設	子子孫孫其萬年用
2789	同設一	其萬年子子孫孫永寶用
2790	同設二	其萬年子子孫孫永寶用
2791.	史密設	子子孫孫其永寶用
2792	師俞設	天子其萬年釁壽黃耇
2792	師俞設	俞其蔑曆
2792	師俞設	俞其萬年永保
2793	元年師旋設一	其萬年子子孫孫永寶用
2794	元年師旋設二	其萬年子子孫孫永寶用
2795	元年師旋設三	其萬年子子孫孫永寶用
2796	諫設	諫其萬年子子孫孫永寶用（蓋）
2796	諫設	諫其萬年子子孫孫永寶用（器）
2797	輔師嫠設	嫠其萬年子子孫孫永寶用吏
2798	師瘨設一	其萬年孫孫子子其永寶
2799	師瘨設二	其萬年孫孫子子其永寶
2800	伊設	伊其萬年無彊
2801	五年召白虎設	公宕（宕）其參

2801	五年召白虎𣪘	女則宕(宕)其貳
2801	五年召白虎𣪘	公宕(宕)其貳
2801	五年召白虎𣪘	女則宕(宕)其一
2802	六年召白虎𣪘	對揚朕宗君其休
2802	六年召白虎𣪘	其萬年子子孫孫寶用亯于宗
2803	師酉𣪘一	酉其萬年子子孫孫永寶用
2804	師酉𣪘二	酉其萬年子子孫孫永寶用 (蓋)
2804	師酉𣪘二	酉其萬年子子孫孫永寶用 (器)
2805	師酉𣪘三	酉其萬年子子孫孫永寶用
2806	師酉𣪘四	酉其萬年子子孫孫永寶用
2806.	師酉𣪘五	酉其萬年子子孫孫永寶用
2807	𨛭𣪘一	𨛭其𦬮壽萬年無彊
2808	𨛭𣪘二	𨛭其𦬮壽萬年無彊
2809	𨛭𣪘三	𨛭其𦬮壽萬年無彊
2810	揚𣪘一	子子孫孫其萬年永寶用
2811	揚𣪘二	子子孫孫其萬年永寶用
2812	大𣪘一	其子子孫孫永寶用
2813	大𣪘二	其子子孫孫永寶用
2815	師𣪘𣪘	𣪘其萬年子子孫孫永寶用亯
2816	彔白𢦚𣪘	余其萬年寶用
2816	彔白𢦚𣪘	子子孫孫其帥井受兹休
2817	師穎𣪘	師穎其萬年子子孫孫永寶用
2818	此𣪘一	此其萬年無彊
2819	此𣪘二	此其萬年無彊
2820	此𣪘三	此其萬年無彊
2821	此𣪘四	此其萬年無彊
2822	此𣪘五	此其萬年無彊
2823	此𣪘六	此其萬年無彊
2824	此𣪘七	此其萬年無彊
2825	此𣪘八	此其萬年無彊
2826	師𡨦𣪘一	其萬年子子孫孫永寶用亯 (蓋)
2826	師𡨦𣪘一	其萬年子子孫孫永寶用亯 (器)
2827	師𡨦𣪘二	其萬年子子孫孫永寶用亯
2829	師虎𣪘	子子孫孫其永寶用
2830	三年師兌𣪘	師兌其萬年子子孫孫永寶用
2831	元年師兌𣪘一	師兌其萬年子子孫孫永寶用
2832	元年師兌𣪘二	師兌其萬年子子孫孫永寶用
2834	㝬𣪘	其各前文人
2834	㝬𣪘	其瀕才帝廷陟降
2834	㝬𣪘	㝬其萬年𩰫實朕多禦
2836	𢦚𣪘	其子子孫孫永寶
2837	敔𣪘一	敔其萬年子子孫孫永寶用
2838	師𤼈𣪘一	𤼈其萬年子子孫永寶用(蓋)
2838	師𤼈𣪘一	𤼈其萬年子子子孫孫永寶用(器)
2839	師𤼈𣪘二	𤼈其萬年子子孫永寶用(蓋)
2839	師𤼈𣪘二	𤼈其萬年子子子孫孫永寶用(器)
2841	𦬩白𣪘	歸夆其萬年日用亯于宗室
2842	卯𣪘	卯其萬年子子孫孫永寶用
2843	沈子它𣪘	乃沈子其顀褱多公能福
2843	沈子它𣪘	其孔哀乃沈子它唯福

其

2844	頌毁一	頌其萬年豐壽無彊
2845	頌毁二	頌其萬年豐壽無彊
2845	頌毁二	頌其萬年豐壽無彊
2846	頌毁三	頌其萬年豐壽無彊
2847	頌毁四	頌其萬年豐壽無彊
2848	頌毁五	頌其萬年豐壽無彊
2849	頌毁六	頌其萬年豐壽無彊
2850	頌毁七	頌其萬年豐壽無彊
2851	頌毁八	頌其萬年豐壽無彊
2852	不嬰毁一	子子孫孫其永寶用亯
2853	不嬰毁二	子子孫孫其永寶用亯
2854	綦毁	綦其萬年豐壽
2855	班毁一	子子孫多世其永寶
2855.	班毁二	子子孫多世其永寶
2856	師訇毁	訇其萬囟年
2857	牧毁	牧其萬年壽考子子孫孫永寶用
2861.	亞其父辛匿	[亞其戈]父辛
2868	射南匿二	射南自乍其匿
2869	射南匿一	射南自乍其匿
2870	犾__匿	犾mc鑄其寶匿
2871	仲其父乍旅匬一	中其父乍旅匬
2872	仲其父乍旅匬二	中其父乍旅匬
2878	西替銛	西替乍其妹靳尊銛(匿)
2887	虢弔旅匿一	其萬年永寶
2888	虢弔旅匿二	其萬年永寶
2900	史鼄簠	其萬年永寶用
2901	白□父匡	其萬年永寶用
2902	白矩食匿	其萬年永寶用
2903	算匿	其子子孫孫永寶用
2904	善夫吉父旅匿	其萬年永寶
2906	白驁父匿	其萬年永寶用
2907	王子申匿	其豐壽期、永保用
2911	奢虎匿一	鬗山奢虎鑄其寶匿
2912	奢虎匿二	鬗山奢虎鑄其寶匿
2913	旅虎匿一	鬗__旅虎鑄其寶匿
2914	旅虎匿二	鬗__旅虎鑄其寶匿
2915	旅虎匿三	鬗__旅虎鑄其寶匿
2916	窈姒旅匿	其子子孫孫永寶用
2917	甫乍餜匿	其子子孫孫永寶用亯
2918	內大子白匿	其萬年子子孫永用
2919	鑄弔乍嬴氏匿	其萬年豐壽永寶用
2920	胖子仲安旅匿	其子子孫永寶用亯
2920.	白多父匿	其永寶用亯
2921	__弔乍吳姬匿	其萬年子子孫孫永寶用
2922	魯白俞父匿一	其萬年豐壽永寶用
2923	魯白俞父匿二	其萬年豐壽永寶用
2924	魯白俞父匿三	其萬年豐壽永寶用
2925	交君子__匿一	其豐壽萬年永寶用
2926	交君子__匿二	其豐壽萬年永寶用
2927	商丘弔旅匿一	商丘弔乍其旅匿

2927	商丘弔旅匿一	其萬年子子孫孫永寶用
2928	商丘弔旅匿一二	商丘弔乍其旅匿
2928	商丘弔旅匿一二	其萬年子子孫孫永寶用
2929	師麻孝弔旅匿(匡)	其萬年子子孫孫永寶用
2930	尹氏賈良旅匿(匡)	其萬年子子孫孫永寶用
2931	鑄子弔黑臣匿一	其萬年眉壽永寶用
2936	走馬睟仲赤匿	走馬薛中赤自乍其匿
2937	仲義昱乍縣妃䵼一	其萬年子子孫孫永寶用之
2938	仲義昱乍縣妃䵼二	其萬年子子孫孫永寶用之
2939	季良父乍宗娟媵匿一	其萬年子子孫孫永寶用
2940	季良父乍宗娟媵匿二	其萬年子子孫孫永寶用
2941	季良父乍宗娟媵匿三	其萬年子子孫孫永寶用
2942	楚子_飤匿一	楚子o4鑄其飤匿
2943	楚子_飤匿二	楚子o4鑄其飤匿
2944	楚子_飤匿三	楚子o4鑄其飤匿
2945	□仲虎匿	隹□中虎羼其吉金
2945	□仲虎匿	其子孫永寶用亯
2947	季宮父乍媵匿	其萬年子子孫孫永寶用
2953	白其父麐旅祜	唯白其父麐乍遊祜
2954	史免旅匿	其子子孫孫永寶用亯
2957	子季匿	子季□子羼其吉金
2959	鑄公乍朕匿一	其萬年眉壽
2960	鑄公乍朕匿二	其萬年眉壽
2964	曾□□𩱿匿	曾□□□羼其吉金自乍𩱿匿
2964	曾□□𩱿匿	其眉壽無彊
2964.	弔邦父匿	其萬年眉壽無彊
2965	曾侯乍弔姬賸器䵼彝	其子子孫孫其永用之
2970	考弔脂父尊匿一	其眉壽萬年無彊
2971	考弔脂父尊匿二	其眉壽萬年無彊
2973	楚屈子匿	其眉壽無彊
2974	上鄀府匿	上鄀府羼其吉金
2974	上鄀府匿	鑄其𩞁匿
2974	上鄀府匿	其眉壽無記
2975	鄦子妝匿	鄦子妝羼其吉金
2975	鄦子妝匿	用鑄其匿
2975	鄦子妝匿	其子子孫孫羕(永)保用之
2977	□孫弔左𩱿匿	□孫弔左羼其吉金
2977	□孫弔左𩱿匿	其萬年眉壽無彊
2978	樂子敬𧰼飤匿	樂子敬𧰼羼其吉金
2978	樂子敬𧰼飤匿	其眉壽萬年無諆(期)
2979	弔朕自乍薦匿	弔朕羼其吉金
2979.	弔朕自乍薦匿二	弔朕羼其吉金
2980	鼄大宰𩱿匿一	鼄大宰欉子𪏁鑄其𩱿匿
2980	鼄大宰𩱿匿一	其眉壽、用𩱿萬年無異
2981	鼄大宰𩱿匿二	鼄大宰欉子𪏁鑄其𩱿匿
2981	鼄大宰𩱿匿二	其眉壽、用𩱿萬年無異
2982	長子□臣乍媵匿	長子o7臣羼其吉金
2982	長子□臣乍媵匿	乍其子孟之母賸(媵)匿
2982	長子□臣乍媵匿	其眉壽萬年無期
2982	長子□臣乍媵匿	長子o7臣羼其吉金

其

2982	長子□臣乍媵匿	乍其子孟之母賸(媵)匿
2982	長子□臣乍媵匿	其釁壽萬年無期
2983	弭仲寶匿	其釁其幺其黃
2984	伯公父盤	其金孔吉
2984	伯公父盤	其子子孫孫永寶用亯(蓋)
2984	伯公父盤	其金孔吉
2984	伯公父盤	其子子孫孫永寶用亯(器)
2986	曾白霥旅匿一	余罢其吉金黃鑪
2987	曾白霥旅匿二	余罢其吉金黃鑪
2995	彔盨一	其永寶用
2996	彔盨二	其永寶用
2997	彔盨三	其永寶用
2998	彔盨四	其永寶用
2999	史𩫖旅盨一	其永寶用
3000	史𩫖旅盨二	其永寶用
3001	白鮮旅段(盨)一	其永寶用
3002	白鮮旅段(盨)二	其永寶用
3003	白鮮旅段(盨)三	其永寶用
3004	白鮮旅段(盨)	其永寶用
3005	弔諫父旅盨段一	其永用
3005.	弔諫父旅盨段二	其永用
3006	白多父旅盨一	其永寶用
3007	白多父旅盨二	其永寶用
3008	白多父旅盨三	其永寶用
3009	白多父旅盨四	其永寶用
3011	弔姞旅鎖	其萬年永寶用
3012	仲義父旅盨一	其永寶用[華]
3013	仲義父旅盨二	其永寶用[華]
3014	弭弔旅盨	其萬年永寶用
3017	白大師旅盨一	其萬年永寶用
3018	白大師旅盨(器)二	其萬年永寶用
3022	白車父旅盨(器)一	其萬年永寶用
3023	白車父旅盨(器)二	其萬年永寶用
3024	仲大師旅盨	中大師子為其旅永寶用
3025	白公父旅盨(蓋)	其萬年永寶用
3027	仲鏷旅盨	其萬年永寶用
3030	奠義白旅盨(器)	子子孫孫其永寶用
3033	易弔旅盨	其子子孫孫永寶用亯
3034	白孝_旅盨	永其萬年子子孫孫寶用白孝kd鑄旅盨(須)
3034	白孝_旅盨	其萬年子子孫孫永寶用
3036	奠井弔康旅盨	子子孫孫其永寶用
3036.	奠井弔康旅盨二	子子孫孫其永寶用
3037	華季嗌乍寶段(盨)	其萬年子子孫永寶用
3038	鬲弔興父旅盨	其子子孫孫永寶用
3039	白多父盨	其永寶用亯
3040	白庶父盨段(蓋)	其萬年子子孫孫永寶用
3041	諫季獻旅須	其萬年子孫孫永寶用
3042	頊燹旅盨	其萬年子子孫孫永寶用亯
3046	筍白大父寶盨	其子子孫永寶用
3048	鑄子弔黑臣盨	其萬年釁壽永寶用

3049	單子白旅盨	其子子孫孫萬年永寶用
3050	皃弔乍旅盨	皃弔其萬年永及中姬寶用
3051	兮白吉父旅盨(蓋)	其萬年無彊子子孫孫永寶用
3052	走亞鷉孟延盨一	延其萬年永寶子子孫孫用
3053	走亞鷉孟延盨二	延其萬年永寶子子孫孫用
3054	滕侯穌乍旅段	其子子孫萬年永寶用
3056	師趛乍𣼐姬旅盨	子孫其萬年永寶用
3056	師趛乍𣼐姬旅盨	子孫其萬年永寶用
3057	仲𠂤父𨥯(盨)	其用亯用孝于皇且文考
3057	仲𠂤父𨥯(盨)	其子孫萬年永寶用亯
3058	曼龏父盨一	其萬年無彊子子孫孫永寶用
3061	弭弔旅盨	其子子孫孫永寶用
3062	乘父段(盨)	乘父士杉其肇乍其皇考白明父寶段
3062	乘父段(盨)	其萬年釁壽永寶用
3064	曩白子𡨦父征盨一	曩白子𡨦父乍其征盨
3064	曩白子𡨦父征盨一	其陰其陽、目(以)延(征)目(以)行
3064	曩白子𡨦父征盨一	割釁壽無彊、慶其以臧
3064	曩白子𡨦父征盨一	其陰其陽、以延以行
3064	曩白子𡨦父征盨一	割釁壽無彊、慶其以臧
3065	曩白子𡨦父征盨二	曩白子𡨦父乍其征盨
3065	曩白子𡨦父征盨二	其陰其陽、目(以)延(征)目(以)行
3065	曩白子𡨦父征盨二	割釁壽無彊、慶其目(以)臧
3065	曩白子𡨦父征盨二	其陰其陽、目(以)延(征)目(以)行
3065	曩白子𡨦父征盨二	割釁壽無彊、慶其目(以)臧
3066	曩白子𡨦父征盨三	曩白子𡨦父乍其征盨
3066	曩白子𡨦父征盨三	其陰其陽、目(以)延(征)目(以)行
3066	曩白子𡨦父征盨三	割釁壽無彊、慶其目(以)臧
3066	曩白子𡨦父征盨三	其陰其陽、目(以)延(征)目(以)行
3066	曩白子𡨦父征盨三	割釁壽無彊、慶其目(以)臧
3067	曩白子𡨦父征盨四	曩白子𡨦父乍其征盨
3067	曩白子𡨦父征盨四	其陰其陽、目(以)延(征)目(以)行
3067	曩白子𡨦父征盨四	割釁壽無彊、慶其目(以)臧
3067	曩白子𡨦父征盨四	其陰其陽、目(以)延(征)目(以)行
3067	曩白子𡨦父征盨四	割釁壽無彊、慶其目(以)臧
3070	杜白盨一	其用亯孝于皇申且考、于好倗友
3070	杜白盨一	其萬年永寶用
3071	杜白盨二	其用亯孝于皇申且考、于好倗友
3071	杜白盨二	其萬年永寶用
3072	杜白盨三	其用亯孝于皇申且考、于好倗友
3072	杜白盨三	其萬年永寶用
3073	杜白盨四	其用亯孝于皇申且考、于好倗友
3073	杜白盨四	其萬年永寶用
3074	杜白盨五	其用亯孝于皇申且考、于好倗友
3074	杜白盨五	其萬年永寶用
3075	白汈其旅盨一	白汈其乍旅盨
3076	白汈其旅盨二	白汈其乍旅盨
3077	弔專父乍奠季盨一	奠季其子子孫孫永寶用
3078	弔專父乍奠季盨二	奠季其子子孫孫永寶用
3079	弔專父乍奠季盨三	奠季其子子孫孫永寶用
3080	弔專父乍奠季盨四	奠季其子子孫孫永寶用

其

3081	翏生旅盨一	其百男百女千孫
3082	翏生旅盨二	其百男百女千孫
3082	翏生旅盨二	其百男百女千孫
3083	瘨㲃(盨)一	瘨其萬年子子孫孫其永寶[李冊]
3084	瘨㲃(盨)二	瘨其萬年子子孫孫其永寶[李冊]
3085	駒父旅盨(蓋)	駒父其萬年永用多休
3086	善夫克旅盨	克其用朝夕亯于皇且考
3086	善夫克旅盨	皇且考其數數䨻䨻
3086	善夫克旅盨	克其日易休無彊
3086	善夫克旅盨	克其萬年
3087	鬲从盨	其邑__、u6、__
3087	鬲从盨	复友鬲比其田
3087	鬲从盨	其邑复__言二邑。畀鬲比复卒小宮tu鬲比田
3087	鬲从盨	u5(其)邑彶眔句商兒眔讎戈
3087	鬲从盨	其邑兢
3087	鬲从盨	其子子孫孫永寶用[丫]
3088	師克旅盨一(蓋)	克其萬年子子孫孫永寶用
3089	師克旅盨二	克其萬年子子孫孫永寶用
3092	齊侯乍飤䵼一	其萬年永保用
3093	齊侯乍飤䵼二	其萬年永保用
3094	□公克錞	陸公克鑄其餗錞
3100	陳侯因資錞	其唯因資揚皇考
3110.	元祀豆	隹旅其典祀
3111	大師虘豆	虘其永寶用亯
3117	微伯瘨簠	其萬年永寶
3118	魯大嗣徒厚氏元善匲一	其釁壽萬年無彊
3119	魯大嗣徒厚氏元善匲二	其釁壽萬年無彊
3120	魯大嗣徒厚氏元善匲三	其釁壽萬年無彊
3122	__君之孫盧(者旨𨶏盤)	睪其吉金自乍盧盤
3128	魚鼎匕	毋處其所
3667	亞其爵一	[亞其]
3668	亞其爵二	[亞其]
3669	亞其爵三	[亞其]
3670	亞其爵四	[亞其]
3671	亞其爵五	[亞其]
3672	亞其爵六	[亞其]
3673	亞其爵七	[亞其]
3674	亞其爵八	[亞其]
4304	亞其圓罍一	[亞其]
4305	亞其圓罍二	[亞其]
4344	嘉仲父罍	嘉中父睪其吉金
4344	嘉仲父罍	其釁壽萬年無彊
4433	甲盉	其萬年用鄉賓
4435	__君盉	其□年孫用
4437	王乍豐妊盉	其萬年永寶用
4440	白章父盉	其萬年子子孫孫永寶用
4442	季良父盉	其萬年子子孫孫永寶用
4443	王仲皇父盉	其萬年子子孫孫永寶用
4449	裘衛盉	卒賈(價)其舍田十田
4449	裘衛盉	其舍田三田

4449	裘衛盉	衛｛小子｝px逆者其鄉
4449	裘衛盉	衛其萬年永寶用
4822	㕘尊	㕘乍□考宗彝其永寶
4834	白乍𠂤文考尊	白乍𠂤文考尊彝其子孫永寶
4839	史喪尊	孫子其永𡖊
4841	守宮乍父辛雞彤尊	其永寶
4843	𠁁員父壬尊	子子孫孫其永寶［ 𠁁 ］
4849	鄀啟方尊	子子孫孫其永寶
4851	黃尊	其｛ 百世 ｝孫孫子子永寶
4852	□□乍其為𠂤考尊	□□乍其為𠂤考宗彝
4855	弔爽父乍籚白尊	子子孫孫其永寶
4857	乍文考日己尊	其子子孫孫萬年永寶用［ 天 ］
4858	嵒𣅀尊	其萬年子孫永寶用亯
4865	𠂤方尊	其用夙夜亯于𠂤大宗
4865	𠂤方尊	其用匃永福萬年子孫
4874	萬諆尊	其則此飽□
4875	㫃折尊	其永寶〔 幸䶀 〕
4877	小子生尊	其萬年永寶
4879	彔𢦔尊	女其㠯（ 以 ）成周師氏戍于古𠂤
4880	免尊	免其萬年永寶用
4881	䍙方尊	子子孫孫其萬年永寶
4882	匡乍文考日丁尊	其子子孫孫永寶用
4884	臤尊	其子子孫孫永用
4885	效尊	亦其子子孫孫永寶
4888	盠駒尊一	盠曰、王倗下不其
4888	盠駒尊一	盠曰、余其敢對揚天子之休
4888	盠駒尊一	盠曰、其萬年、世子孫永寶之
4890	盠方尊	盠曰：天子不假不其
4891	何尊	余其宅茲中或
4892	麥尊	其永亡冬
4923	守宮乍父辛觥	守宮乍父辛尊彝其永寶
4927	乍文考日己觥	其子子孫孫萬年永寶用［ 天 ］
4928	折觥	其永寶［ 幸䶀 ］
4968	𩰫方彝一	子子孫孫其永寶
4969	𩰫方彝二	子子孫孫其永寶
4972	過从父彝	子子孫孫其永寶
4973	乍文考日工夫方彝	其子子孫孫萬年永寶用［ 天 ］
4974	__方彝	其萬年彝
4975	麥方彝	用鬲（ 嗝 ）井侯出入遟令、孫孫子子其永寶
4976	折方彝	其永寶［ 幸䶀 ］
4979	盠方彝一	盠曰：天子不假不其
4980	盠方彝二	盠曰：天子不假不其
5081	亞其㠱卣	［ 亞其㠱 ］
5367	亞其㠱乍母辛卣一	［ 亞其㠱 ］母辛彝
5368	亞其㠱乍母辛卣二	［ 亞其㠱 ］母辛彝
5369	亞其㠱乍母辛卣三	［ 亞其㠱 ］母辛彝
5429	仲乍好旅卣一	其用萬年
5430	仲乍好旅卣二	其用萬年
5432	㕘乍甲考宗彝卣	㕘乍甲考宗彝其永寶
5444	守宮卣	其永寶

其

5452	豚乍父庚卣	其子子孫孫永寶
5454	孶卣	其萬年孫子子永寶
5459	縈弔卣	縈弔乍其為氒考宗彝
5461	寓乍幽尹卣	其永寶用
5475	六祀切其卣	乙亥、切其易乍冊孯C0珁
5477	單光壴乍父癸簞卣	其目父癸夙夕鄉爾百婚遘[單光]
5483	周乎卣	孫孫子子其永寶用[oL]
5483	周乎卣	孫子子其永保用周[oL]
5487	靜卣	其子子孫孫永寶用
5488	靜卣二	其子子孫孫永寶用
5490	戉稀卣	其子子孫永福[戉]
5490	戉稀卣	其子子孫永福[戉]
5491	亞獏二祀切其卣	丙辰、王令切其兄wG于夆田
5492	亞獏四祀切其卣	切其易貝
5498	彔或卣	女其目(以)成周師氏戍于古自
5499	彔或卣二	女其目(以)成周師氏戍于古自
5500	免卣	免其萬年永寶用
5504	庚贏卣一	其子子孫孫萬年永寶用
5505	庚贏卣二	其子子孫孫萬年永寶用
5508	弔趞父卣一	唯女倏其敬辪乃身
5508	弔趞父卣一	女其用鄉乃辟軝侯逆逾出內事人
5508	弔趞父卣一	唯用其彶女
5509	樊卣	尹其亙萬年受氒永魯
5509	樊卣	曩侯矦其子子孫孫寶用
5511	效卣一	亦其子子孫孫永寶
5570	____罍	____賓大其sJ
5578	戈蘇乍且乙罍	其子子孫永寶[戈]
5579	乃孫乍且甲罍	其iw______其乍nc
5580	洺____罍	其萬年無彊
5581	崮睸罍	其萬年子孫永寶用享
5582	對罍	子子孫孫其萬年永寶
5713	孟上父尊壺	其永寶用[dr]
5716	安白曩生旅壺	其永寶用
5721	綮侯壺	綮侯□□皇□朕□□其萬年無□
5723	王白姜壺一	其萬年永寶用
5724	王白姜壺二	其萬年永寶用
5725	吕王__乍內姬壺	其永寶用享
5728	樊夫人壺	樊夫人__姬羿其吉金
5729	陳侯乍媯穌朕壺	其萬年永寶用
5731	邛君婦龢壺	邛君婦龢乍其壺
5734	咼乍旅壺	其萬年子子孫孫永用(器蓋)
5738	____壺	其萬年孫孫子子永寶用
5743	齊良壺	其鬙壽無期
5744	仲南父壺一	其萬年子子孫孫永寶用
5745	仲南父壺二	其萬年子子孫孫永寶用
5746	史僕壺一	其萬年子子孫孫永寶用享
5747	史僕壺二	其萬年子子孫孫永寶用享
5748	虢季子組壺	子孫孫永寶其用享
5749	矩弔乍仲姜壺一	其萬年子子孫孫永用
5750	矩弔乍仲姜壺二	其萬年子子孫孫永用

5753	大師小子師聖壺	其萬年子孫孫永寶用
5755	散氏車父壺一	其萬年子子孫孫永寶用
5756	中白乍觥壺一	其萬年子子孫孫永寶用
5757	中白乍觥壺二	其萬年子子孫孫永寶用
5758	匹君壺	匹君丝旅者其成公鑄子孟改賸盥壺
5760	蓮花壺蓋	□弔□_□_㠯(以)其吉□寶壺
5760	蓮花壺蓋	子子孫孫其永用之
5761	兮熬壺	其萬年子子孫孫永用
5763	殷句壺	殷句乍其寶壺
5763	殷句壺	其萬年子子孫孫永寶用享
5764	杞白每亡壺一	其萬年𩛥壽
5766	周𩰫壺一	其用享于宗
5766	周𩰫壺一	其子子孫孫萬年永寶用[eL](器蓋)
5767	周𩰫壺二	其用享于宗
5767	周𩰫壺二	其子子孫孫萬年永寶用[eL](器蓋)
5774	楙車父壺	白車父其萬年子子孫孫永寶
5775	禁公子壺	其𩛥壽無彊
5776	曩公壺	永保其身
5780	公孫窹壺	兼保其身
5786	旻季良父壺	其萬年霝冬難老
5787	汈其壺一	汈其乍尊壺
5787	汈其壺一	其百子千孫永寶用
5787	汈其壺一	其子子孫永寶用
5788	汈其壺二	汈其乍尊壺
5788	汈其壺二	其百子千孫永寶用
5788	汈其壺二	其子子孫永寶用
5789	命瓜君厚子壺一	其永用之
5790	命瓜君厚子壺二	其永用之
5791	十三年瘐壺一	瘐其萬年永寶 (器蓋)
5792	十三年瘐壺一	瘐其萬年永寶 (器蓋)
5793	幾父壺一	其萬年孫孫子子永寶用
5794	幾父壺二	其萬年孫孫子子永寶用
5795	白克壺	克克其子子孫孫永寶用享
5796	三年瘐壺一	瘐其萬年永寶
5797	三年瘐壺二	瘐其萬年永寶
5798	曶壺	子子孫孫其永寶
5799	頌壺一	頌其萬年𩛥壽
5800	頌壺二	頌其萬年𩛥壽
5801	洹子孟姜壺一	齊侯〔女〕䨻喪其□
5801	洹子孟姜壺一	余不其事
5801	洹子孟姜壺一	爾其躋受御
5801	洹子孟姜壺一	齊侯既濟洹子孟姜喪其人民都邑
5802	洹子孟姜壺二	余不其事
5802	洹子孟姜壺二	爾其躋受御
5802	洹子孟姜壺二	齊侯既濟洹子孟姜喪其人民都邑
5803	胤嗣好䖵壺	反臣丌(其)宗
5803	胤嗣好䖵壺	其逾(𧴠)女(如)林
5804	齊侯壺	__王之孫右帀之子武弔曰庚睪其吉金
5804	齊侯壺	台鑄其滕(賸)壺
5804	齊侯壺	__其□□□□□敗者孚

其

其

5804	齊侯壺	□□□□□□其士女□＿旬四舟＿＿丘□＿于＿
5804	齊侯壺	＿代陸寅其王馴執方＿賸相
5804	齊侯壺	釗不□其王乘駐
5804	齊侯壺	庚戠其兵
5805	中山王嚳方壺	天不臭(數)其有忨(願)
5805	中山王嚳方壺	余知其忠信施(也)
5805	中山王嚳方壺	不貳其心
5805	中山王嚳方壺	乏其先王之祭祀
5805	中山王嚳方壺	賈曰：為人臣而返(反)臣其宗
5805	中山王嚳方壺	天子不忘其有勛
5805	中山王嚳方壺	使其老筴(策)賞中父
5805	中山王嚳方壺	其即得民
5805	中山王嚳方壺	其永保用亡彊
5808	孟城行鈃	其釁壽無彊
5809	弘乍旅鈃	其釁壽、子子孫孫永寶用
5812	仲義父□一	其萬年子子孫孫永寶用
5813	仲義父□二	其萬年子子孫孫永寶用
5814	白夏父□一	其萬年子子孫孫永寶用
5815	白夏父□二	其萬年子子孫孫永寶用
5824	孟賸姬賸缶	孟賸姬羼其吉金
5825	樂書缶	余畜孫書巳羼其吉金
5994	亞其瓠	[亞其攸]
6108	亞其瓠一	[亞其]
6109	亞其瓠二	[亞其]
6110	亞其瓠三	[亞其]
6111	亞其瓠四	[亞其]
6112	亞其瓠五	[亞其]
6282	召乍父戊瓠	子子孫孫其永寶用
6545	且戊其＿觶	[且戊其＿][其皿]
6556	亞其聿父乙觶	[亞其聿]父乙
6632	白乍蔡姬觶	其萬年、世孫子永寶
6720	來＿乍＿盤	孫孫子子其寶用
6725	郐王義楚盤	徐王義楚羼其吉金自乍朕盤
6726	筍侯乍弔姬盤	其永寶用鄉
6727	貞盤	其萬年子子孫孫永寶用
6731	奠白盤	其子子孫孫永寶用
6733	史頌盤	其萬年子孫永寶用
6736	魯白愈父盤一	其永寶用
6737	魯白愈父盤二	其永寶用
6738	魯白愈父盤三	其永寶用
6739	中友父盤	其萬年子子孫孫永寶用
6741	䢅盤	其萬年子孫永寶用亯
6742	弔五父盤	其萬年子子孫孫永寶用
6743	毳盤	媿氏其釁壽萬年用
6745	白考父盤	其萬年子子孫孫永寶用
6746	齊侯乍孟姬盤	其萬年釁壽無疆
6747	師寏父盤	其萬年子子孫孫永寶用
6748	德盤	德其肇乍盤
6748	德盤	其萬年釁壽
6749	弔高父盤	其萬年子子孫孫永寶用

6751	䢅白章盤	其萬年疆無
6754	楚季苟盤	其子子孫孫永寶用亯
6754.	徐令尹者旨㽙爐盤	n8君之孫郐令尹者旨㽙羼其吉金
6755	毛叔盤	其萬年釁壽無疆
6756	番君白龏盤	隹番君白龏用其赤金自鑄盤
6760	中子化盤	用羼其吉金
6761	白者君盤	其萬年子孫永寶用亯
6762	薛侯盤	其釁壽萬年
6763	句它盤	其萬年無疆
6764	般仲＿盤	隹般中＿乍其盤
6764	般仲＿盤	其萬年釁壽無疆
6765	齊弔姬盤	其萬年無疆
6766	黃韋俞父盤	子子孫孫其永用之
6767	齊縈姬之嬇盤	其釁壽萬年無疆
6770	鬻白盤	其萬年子子孫孫永用之
6772	魯少司寇封孫宅盤	魯少嗣寇封孫宅乍其子孟姬嬰朕般也（匜）
6772	魯少司寇封孫宅盤	其釁壽萬年
6773	＿湯弔盤	林乍湯弔obC1鑄其尊
6773	＿湯弔盤	其萬年無用之疆
6774	＿右盤	唯qe右自乍用其吉金寶盤
6775	＿仲乍父丁盤	孫子其永寶弔休
6778	免盤	其萬年寶用
6781	筝弔盤	其釁壽萬年
6781	筝弔盤	永保其身
6782	者尚余卑盤	者尚余卑□永既羼其吉金
6782	者尚余卑盤	自乍鑄其般
6783	函皇父盤	琱娟其萬年子子孫孫永寶用
6784	三十四祀盤（祼盤）	對王休、用乍子孫其永寶
6785	守宮盤	其百世子子孫孫永寶用奔走
6786	＿弔多父盤	其吏＿多父釁壽丂
6786	＿弔多父盤	多父其孝子
6787	走馬休盤	休其萬年子子孫孫永寶
6789	寰盤	寰其萬年子子孫孫永寶用
6790	虢季子白盤	賜用弓、彤矢其央
6791	兮甲盤	毋敢不出其賨、其積、其進人
6791	兮甲盤	其賈毋敢不卽次、卽市
6791	兮甲盤	其隹我者侯百生
6791	兮甲盤	其釁壽萬年無疆
6792	史墻盤	義其禋祀
6792	史墻盤	其日蔑曆
6792	史墻盤	其萬年永寶用
6831	杞白每亡匜	其萬年永寶用
6832	保弔黑臣匜	其永寶用
6836	史頌匜	其萬年子子孫孫永寶用
6838	荀侯匜	其萬壽、子孫永寶用
6839	函皇父乍周娟匜	其子子孫孫永寶用
6840	＿子匜	其萬年無疆
6841	魯白愈父匜	其永寶用
6842	王婦曩孟姜旅匜	其萬年釁壽用之
6843	白吉父乍京姬匜	其子子孫孫永寶用

其

6844	中友父匜	其萬年子子孫孫永寶用
6845	弔__父乍師姬匜	其萬年子子孫永寶用
6846	白正父旅它	其萬年子子孫孫永寶用
6847	蝕__匜	隹蝕si__其乍__鼎其匜
6848	蠡乍王母媿氏匜	媿氏其釁壽萬年用
6849	昶白匜	其萬年子子孫孫永寶用亯
6850	弔高父匜一	其萬年子子孫孫永寶用
6851	弔高父匜二	其萬年子子孫孫永寶用
6855	貯子匜	其子子孫孫永用
6856	番仲榮匜	其萬年子子孫永寶用亯
6857	蔡白𦿌匜	其萬年無疆
6858	樊君首匜	子子孫孫其永寶用亯
6859	白者君匜一	其萬年子孫永寶用享tC
6862	薛侯乍弔妊朕匜	其釁壽萬年
6863	白君黃生匜	其萬年子子孫孫永寶用
6864	番__匜	其萬年子子孫永寶用亯
6865	楚𡨴匜	楚𡨴鑄其匜
6865	楚𡨴匜	其萬年子孫永用亯
6866	齊侯乍虢孟姬匜	其萬年無疆
6867	弔男父乍為霍姬匜	其子子孫孫其萬年永寶用[井]
6869	浮公之孫公父宅匜	浮公之孫公父宅鑄其行它
6869	浮公之孫公父宅匜	其萬年子子孫永寶用之
6870	算公孫𢉩父匜	其釁壽無疆
6872	魯大嗣徒子仲白匜	魯大嗣徒子中白其庶女厲孟姬賸它
6872	魯大嗣徒子仲白匜	其釁壽萬年無疆
6874	鄭大內史弔上匜	其萬年無疆
6875	慶弔匜	其釁壽萬年
6875	慶弔匜	兼保其身
6876	夆弔乍季妃盥盤(匜)	其釁壽萬年
6876	夆弔乍季妃盥盤(匜)	永保其身
6888	吳王光鑑一	吳王光睪其吉金
6889	吳王光鑑二	吳王光睪其吉金
6900	乍父丁盂	其萬年永寶用享宗彝
6901	白盂	其萬年孫孫子子永寶用亯
6902	白公父旅盂	其萬年子子孫孫永寶用
6904	善夫吉父盂	其萬年子子孫孫永寶用
6906	王子申盞盂	其釁壽無期
6907	齊侯乍朕子仲姜盂	其釁壽萬年
6907	齊侯乍朕子仲姜盂	永保其身
6909	遡盂	其永寶用
6910	師永盂	永其萬年
6910	師永盂	孫孫子子永其率寶用
6916	樊君夔盆	樊君C5用其吉金自乍寶盆
6918	曾孟嬭諫盆	其釁壽用之
6920	曾大保旅盆	曾大保uq醽弔亟用其吉金
6921	鄧子仲盆	鄧子中睪其吉金
6921	鄧子仲盆	其釁壽無疆
6924	江仲之孫白戔鍊盦	其釁壽萬年無疆
6926	杞白每亡盆	其子子孫孫永寶用
6965	其台鐘	其台

6968	自乍其走鐘	自乍其走鐘
6976	倗鐘	倗友朕其萬年臣天
6981	中義鐘一	其萬年永寶
6982	中義鐘二	其萬年永寶
6983	中義鐘三	其萬年永寶
6984	中義鐘四	其萬年永寶
6985	中義鐘五	其萬年永寶
6986	中義鐘六	其萬年永寶
6987	中義鐘七	其萬年永寶
6988	中義鐘八	其萬年永寶
6989	_鐘	其萬年子子孫孫永寶
6994	楚公冢鐘一	孫孫子子其永寶
6995	楚公冢鐘二	孫子其永寶
6996	楚公冢鐘三	孫孫子子其永寶
6997	楚公冢鐘四	孫孫子子其永寶
6998	楚公冢鐘五	孫孫子子其永寶
6999	昆疕王鐘	其萬年子孫永寶
7000	邾君鐘	用自乍其龢鐘鈴
7002	鑄侯求鐘	其子子孫孫永享用之
7004	楚王領鐘	其聿其言
7006	戰狄鐘	先王其嚴才帝左右
7007	梁其鐘	光梁其身
7007	梁其鐘	其萬年無疆
7009	兮仲鐘一	其用追孝于皇考己白
7010	兮仲鐘二	其用追孝于皇考己白
7011	兮仲鐘三	其用追孝于皇考己白
7012	兮仲鐘四	其用追孝于皇考己白
7013	兮仲鐘五	其用追孝于皇考己白
7014	兮仲鐘六	其用追孝于皇考己白
7015	兮仲鐘七	其用追孝于皇考己白
7016	楚王鐘	其釁壽無疆
7017	楚王酓章鐘一	其永時用亯穆商、商
7018	楚王酓章鐘二	其永時用亯□羽反、宮反
7019	邾太宰鐘	鼄大宰欉子懿自乍其御鐘
7026	邾吊鐘	邾叔止白□睪厥吉金用乍其龢鐘
7028	邾吊鐘	吕(以)乍其皇且皇考
7043	克鐘四	克其萬年子子孫孫永寶
7044	克鐘五	克其萬年子子孫孫永寶
7045	□□自乍鐘一	其釁□無疆
7049	井人鐘三	前文人其嚴才上
7049	井人鐘三	妥其萬年子子孫孫永寶用享
7050	井人鐘四	前文人其嚴才上
7050	井人鐘四	妥其萬年子子孫孫永寶用享
7051	子璋鐘一	睪其吉金
7051	子璋鐘一	其釁壽無基
7052	子璋鐘二	睪其吉金
7052	子璋鐘二	其釁壽無基
7053	子璋鐘三	睪其吉金
7053	子璋鐘三	其釁壽無基
7054	子璋鐘四	睪其吉金

其

7054	子璋鐘四	其釁壽無基
7055	子璋鐘五	羼其吉金
7055	子璋鐘五	其釁壽無基
7056	子璋鐘六	羼其吉金
7056	子璋鐘六	其釁壽無基
7057	子璋鐘八	羼其吉金
7057	子璋鐘八	其釁壽無基
7058	邾公孫班鐘	鼄公孫班羼其吉金
7058	邾公孫班鐘	為其龢鏄
7058	邾公孫班鐘	用喜于其皇且
7058	邾公孫班鐘	其萬年釁壽
7058	邾公孫班鐘	□□是□霝命無其
7059	師臾鐘	師臾其萬年永寶用享
7062	柞鐘	其子子孫孫永寶
7063	柞鐘二	其子子孫孫永寶
7064	柞鐘三	其子子孫孫永寶
7065	柞鐘四	其子子孫孫永寶
7068	柞鐘七	其子子孫孫永寶
7069	者沕鐘一	今余其念jh乃有
7070	者沕鐘二	女其用丝
7074	者沕鐘六	今余其念jh乃有
7075	者沕鐘七	女其用丝
7077	者沕鐘九	今余其念jh乃有
7078	者沕鐘十	女其用丝
7080	者沕鐘十二	女其用丝
7082	齊鞄氏鐘	齊鞄氏孫大羼其吉金
7084	邾公牼鐘一	台(以)樂其身
7085	邾公牼鐘二	台(以)樂其身
7086	邾公牼鐘三	台(以)樂其身
7087	邾公牼鐘四	台(以)樂其身
7088	士父鐘一	其廄(嚴)才上
7088	士父鐘一	父其眔萬年
7089	士父鐘二	其廄(嚴)才上
7089	士父鐘二	父其眔萬年
7090	士父鐘三	其廄(嚴)才上
7090	士父鐘三	父其眔萬年
7091	士父鐘四	其廄(嚴)才上
7091	士父鐘四	父其眔萬年
7107	曾侯乙甬鐘	其反為亘鐘
7107	曾侯乙甬鐘	呂其反宣鐘之羽角無鐸之徵曾
7108	臧弔之仲子平編鐘一	中平善弘叡考鑄其游鐘
7108	臧弔之仲子平編鐘一	台濼其大酉
7108	臧弔之仲子平編鐘一	其受此釁壽
7109	臧弔之仲子平編鐘二	中平善弘叡考鑄其游鐘
7109	臧弔之仲子平編鐘二	台濼其大酉
7109	臧弔之仲子平編鐘二	其受此釁壽
7110	臧弔之仲子平編鐘三	中平善弘叡考鑄其游鐘
7110	臧弔之仲子平編鐘三	台濼其大酉
7110	臧弔之仲子平編鐘三	其受此釁壽
7111	臧弔之仲子平編鐘四	中平善弘叡考鑄其游鐘

7111	鷹弔之仲子平編鐘四	台濼其大酉
7111	鷹弔之仲子平編鐘四	其受此釁壽
7112	者減鐘一	工盧王皮然之子者減睪其吉金
7112	者減鐘一	于其皇且皇考
7112	者減鐘一	其登于上下
7113	者減鐘二	工盧王皮然之子者減睪其吉金
7113	者減鐘二	于其皇且皇考
7113	者減鐘二	其登于上下
7116	南宮乎鐘	天子其萬年釁壽
7121	𨙻王子旃鐘	𨙻王子旃睪其吉金
7121	𨙻王子旃鐘	其音警警
7122	梁其鐘一	汈其曰：不顯皇其考
7122	梁其鐘一	汈其肈帥井皇且考秉明德
7122	梁其鐘一	汈其身邦君大正
7122	梁其鐘一	用天子寵、蔑汈其
7122	梁其鐘一	汈其敢對天子不顯休揚
7123	梁其鐘二	汈其曰：不顯皇其考
7123	梁其鐘二	汈其肈帥井皇且考秉明德
7123	梁其鐘二	汈其身邦君大正
7123	梁其鐘二	用天子寵、蔑汈其
7123	梁其鐘二	汈其敢對天子不顯休揚
7124	沇兒鐘	睪其吉金
7136	郘鐘一	其竈四堵
7136	郘鐘一	喬喬其龍
7137	郘鐘二	其竈四堵
7137	郘鐘二	喬喬其龍
7138	郘鐘三	其竈四堵
7138	郘鐘三	喬喬其龍
7139	郘鐘四	其竈四堵
7139	郘鐘四	喬喬其龍
7140	郘鐘五	其竈四堵
7140	郘鐘五	喬喬其龍
7141	郘鐘六	其竈四堵
7141	郘鐘六	喬喬其龍
7142	郘鐘七	其竈四堵
7142	郘鐘七	喬喬其龍
7143	郘鐘八	其竈四堵
7143	郘鐘八	喬喬其龍
7144	郘鐘九	其竈四堵
7144	郘鐘九	喬喬其龍
7145	郘鐘十	其竈四堵
7145	郘鐘十	喬喬其龍
7146	郘鐘十一	其竈四堵
7146	郘鐘十一	喬喬其龍
7147	郘鐘十二	其竈四堵
7147	郘鐘十二	喬喬其龍
7148	郘鐘十三	其竈四堵
7148	郘鐘十三	喬喬其龍
7149	郘鐘十四	其竈四堵
7149	郘鐘十四	喬喬其龍

其

其

7150	虢叔旅鐘一	旅其萬年子子孫孫永寶用亯
7151	虢叔旅鐘二	旅其萬年子子孫孫永寶用亯
7152	虢叔旅鐘三	旅其萬年子子孫孫永寶用亯
7153	虢叔旅鐘四	旅其萬年子子孫孫永寶用亯
7156	虢叔旅鐘七	旅其萬年子子孫孫永寶用亯
7157	邾公華鐘一	台乍其皇且考
7157	邾公華鐘一	鑄其龢鐘
7157	邾公華鐘一	台卹其祭祀盟祀
7157	邾公華鐘一	元器其舊
7157	邾公華鐘一	其萬年無疆
7158	瘋鐘一	大神其陟降
7158	瘋鐘一	其數數纍纍
7158	瘋鐘一	瘋其萬年永寶
7158	瘋鐘一	瘋其萬年
7160	瘋鐘三	大神其陟降
7160	瘋鐘三	其數數纍纍
7160	瘋鐘三	瘋其萬年永寶日鼓
7161	瘋鐘四	大神其陟降
7161	瘋鐘四	其數數纍纍
7161	瘋鐘四	瘋其萬年永寶日鼓
7162	瘋鐘五	大神其陟降
7162	瘋鐘五	其數數纍纍
7162	瘋鐘五	瘋其萬年永寶日鼓
7166	瘋鐘九	瘋其萬
7174	秦公鐘	盭百蠻具即其服
7174	秦公鐘	秦公其畯紷才立
7174	秦公鐘	匍有四方、其康寶
7175	王孫遺者鐘	王孫遺者睪其吉金
7176	㝬鐘	王辜伐其至
7176	㝬鐘	其嚴才上
7176	㝬鐘	㝬其萬年
7177	秦公及王姬編鐘一	盭百蠻具即其
7178	秦公及王姬編鐘二	秦公其畯紷才立
7178	秦公及王姬編鐘二	匍有四方、其康寶
7183	叔夷編鐘二	其縣三百
7185	叔夷編鐘四	尸雍典其先舊及其高祖
7186	叔夷編鐘五	其配襄公之__
7186	叔夷編鐘五	堇勞其政事
7187	叔夷編鐘六	尸用乍鑄其寶鐘
7187	叔夷編鐘六	用享于其皇祖皇妣皇母皇考
7187	叔夷編鐘六	其乍福元孫
7187	叔夷編鐘六	其萬福屯魯
7188	叔夷編鐘七	女考壽萬年永保其身
7189	叔夷編鐘八	其配襄公之__
7193	叔夷編鐘十二	堇勞其政事
7194	叔夷編鐘十三	外內其皇祖皇妣皇母皇
7201	楚王酓章乍曾侯乙鎛	其永時用亯
7202	楚公逆鎛	逆其萬年又壽__身
7202	楚公逆鎛	孫子其永寶
7204	克鎛	克其萬年子孫永寶

7209	秦公及王姬鎛	盭百蠻具即其服
7209	秦公及王姬鎛	秦公其畯紷才立
7209	秦公及王姬鎛	匍有四方、其康寶
7210	秦公及王姬鎛二	盭百蠻具即其服
7210	秦公及王姬鎛二	秦公其畯紷才立
7210	秦公及王姬鎛二	匍有四方、其康寶
7211	秦公及王姬鎛三	盭百蠻具即其服
7211	秦公及王姬鎛三	秦公其畯紷才立
7211	秦公及王姬鎛三	匍有四方、其康寶
7212	秦公鎛	其音sLsL雝雝孔煌
7213	紷鎛	紷保其身
7214	叔夷鎛	其縣三百
7214	叔夷鎛	尸雍典其先舊及其高祖
7214	叔夷鎛	其配襄公之__
7214	叔夷鎛	堇勞其政事
7214	叔夷鎛	用乍鑄其寶鎛
7214	叔夷鎛	用享于其皇祖皇妣皇母皇考
7214	叔夷鎛	其乍福元孫
7214	叔夷鎛	其萬福屯魯
7214	叔夷鎛	女考壽萬年永保其身
7215	其次勾鑃一	其次翼其吉金
7216	其次勾鑃二	其次翼其吉金
7219	冉鉦鋮(南疆征)	□□其之子□□□吉金□作鉦□
7219	冉鉦鋮(南疆征)	其船□□□大川
7219	冉鉦鋮(南疆征)	□□□郤__其□□__
7220	喬君鉦	其萬年用啚用考
7223	遞祁鐸	其萬年永寶用
7353	王其戈	王其
7438	雝王戈	雝王其所馬
7511	□克戈	武克氏楚翼其黃鐂鑄
7516	攻敔王夫差戈	攻敔王夫差自乍其用戈
7536	郾王詈戈一	右攻尹桐其攻豐
7548	元年__令戈	__命夜會上庫工帀冶門旅其都
7715	攻敔王夫差劍一	攻敔王夫差自乍其元用
7716	攻敔王夫差劍二	攻敔王夫差自乍其元用
7723	__公劍	其㠯(以)作為用元劍
7823	距末二	廿年尚上長斗乘四其我__攻書
7871	子禾子釜一	關人□□其事
7871	子禾子釜一	□□目其Lu
7871	子禾子釜一	于其事區夫
7874	蔡太史鉌	蔡大史秦乍其鉌
7899	鄂君啟車節	見其金節則毋政
7899	鄂君啟車節	不見其金節則政
7900	鄂君啟舟節	見其金節則毋征
7900	鄂君啟舟節	不見其金節則征
7930	昶用乍寶缶一	其萬年子子孫永寶用享
7931	昶□乍寶缶二	其萬年子子孫永寶用享
7990	季老□	子子孫孫其萬年永寶用
M177.	彧毁	子子孫孫其萬年永寶用[co]
M191	緐卣	其萬年寶、或

其

M252	免簠	免其萬年永寶用
M299	白大師釐盨	其萬年永寶用
M340	魯伯悆盨	肈乍其皇孝皇母旅盨毀
M340	魯伯悆盨	悆其萬年釁壽
M341	魯中齊鼎	其萬年釁壽
M342	魯中齊甗	其萬年釁壽
M343	魯司徒中齊盨	其萬年釁壽
M344	魯司徒中齊盤	其萬年永寶用喜
M345	魯司徒中齊匜	其萬年釁壽
M361	井伯南毀	其萬年子子孫孫永寶
M379	夆伯鬲	其萬年子子孫孫永寶用□
M423.	趙鼎	其釁壽萬年
M478	大宰巳毀	井姜大宰巳鑄其寶毀
M508	虞侯政壺	其萬年子子孫孫永寶用
M545	配兒勾鑃	余其戕于戎攻獻武
M553	越王者旨於賜鐘	其旨鼓之
M612	鄦子鐘	鄦子＿㠯羼其吉金
M616	番休伯者君盤	隹番休伯者君用其吉金
M617	番白享匜	其萬年無彊
M706	曾侯乙編鐘下一・二	其才𨜶(申)號為遟則
M709	曾侯乙編鐘下二・二	其才齊為呂音
M709	曾侯乙編鐘下二・二	其才周為剌音
M709	曾侯乙編鐘下二・二	其反才晉為槃鐘
M710	曾侯乙編鐘下二・三	其才周為郗音
M711	曾侯乙編鐘下二・四	其才𨜶(申)號為遟則
M712	曾侯乙編鐘下二・五	其坂(反)為宣鐘
M738	曾侯乙編鐘中二・十一	其才齊為呂音
M738	曾侯乙編鐘中二・十一	其反才晉為槃鐘
M738	曾侯乙編鐘中二・十一	其才周為剌音
M742	曾侯乙編鐘中三・三	其才楚為文王
M744	曾侯乙編鐘中三・五	其反為亘鐘
M746	曾侯乙編鐘中三・七	其才𨜶(申)號為遟則
M747	曾侯乙編鐘中三・八	其反為亘鐘
M792	宋公欒簠	乍其妹句敔(敔)夫人季子賸匿
M816	魯大左司徒元鼎	其萬年釁壽永寶用之

小計：共 1633 筆

0724

2857	牧段	丌不中不井
5570	___罍	___賓大丌s,i
5803	亂嗣好盜壺	反臣丌(其)宗
5807	緻__君鈃	酉、炑、緻qm君丌鈃二ta
7306	丌戈	[丌]
7586	丌戟	[丌]
7743	越王兀北古劍	唯越王丌北自乍元之用之劍
7743	越王兀北古劍	越王丌北古
7743	越王兀北古劍	越王丌北古
7871	子禾子釜	闢人□□丌(其)事
7871	子禾子釜	□□目丌(其)Lu
7871	子禾子釜	于丌(其)事區夫
7975	中山王墓兆域圖	丌一從
7975	中山王墓兆域圖	丌一藏府
7975	中山王墓兆域圖	丌萆棺(棺)中棺眡悠后
7975	中山王墓兆域圖	丌梍趆長三乇
7975	中山王墓兆域圖	丌葬眡悠后
7975	中山王墓兆域圖	丌梍趆長三乇
7975	中山王墓兆域圖	丌坡卌乇
7975	中山王墓兆域圖	丌坡卌乇
7975	中山王墓兆域圖	丌坡五十乇
7975	中山王墓兆域圖	丌坡五十乇
7975	中山王墓兆域圖	丌坡五十乇
7975	中山王墓兆域圖	丌坡卌乇
7975	中山王墓兆域圖	丌坡卌乇
7975	中山王墓兆域圖	丌坡五十乇
7975	中山王墓兆域圖	丌坡五十乇
7975	中山王墓兆域圖	丌坡卌乇
M741	曾侯乙編鐘中三・二	丌才齊號為呂音
M741	曾侯乙編鐘中三・二	丌才晉號為槃鐘

小計：共 30 筆

0725

2704	艾段	用典王令
2778	格白段一	鑄保段、用典格白田
2778	格白段一	鑄保段、用典格白田
2779	格白段二	鑄保段、用典格白田
2780	格白段三	鑄保段、用典格白田
2781	格白段四	鑄保段、用典格白田
2782	格白段五	鑄保段、用典格白田
2782.	格白段六	鑄保段、用典格白田
2802	六年召白虎段	余典勿敢封
2802	六年召白虎段	今余既一名典獻
3086	善夫克旅盨	王令尹氏友、史趛典善夫克田人
3100	陳侯因𬯀錞	世萬子孫、永為典尚
3110.	元祀豆	隹旅其典祀

丌 典

5763	殷句壺	用典甫丙
6567	典弜父丁觶	[典弜]父丁
7185	叔夷編鐘四	尸雝典其先舊及其高祖
7214	叔夷鎛	尸雝典其先舊及其高祖

小計：共 17 筆

畀 0726

1275	師同鼎	Lz畀其井師同從
1279	中方鼎	今兄畀女褱土
2855	班毀一	眈天畏、否畀屯陟
2855.	班毀二	否畀屯陟
3087	鬲从盨	畀鬲比復
4372	畀乙父乙盉	乙父[畀]
6910	師永盂	易畀師永氒田

小計：共 7 筆

巽 0726+

5773	陳喜壺	台寺ur巽
M719	曾侯乙編鐘中一・三	坪皇之巽反
M719	曾侯乙編鐘中一・三	濁新鐘之巽反
M720	曾侯乙編鐘中一・四	割肄之巽
M721	曾侯乙編鐘中一・五	濁獸鐘之巽
M722	曾侯乙編鐘中一・六	坪皇之巽
M722	曾侯乙編鐘中一・六	濁新鐘之巽
M723	曾侯乙編鐘中一・七	濁文王之巽
M724	曾侯乙編鐘中一・八	濁坪皇之巽
M728	曾侯乙編鐘中二・一	割肄之巽
M729	曾侯乙編鐘中二・二	濁獸鐘之巽
M730	曾侯乙編鐘中二・三	曾侯乙乍時，少商，羽曾，坪皇之巽反，
M730	曾侯乙編鐘中二・三	濁新鐘之巽反
M731	曾侯乙編鐘中二・四	割肄之巽
M732	曾侯乙編鐘中二・五	濁獸鐘之巽
M733	曾侯乙編鐘中二・六	坪皇之巽
M733	曾侯乙編鐘中二・六	濁新鐘之巽
M734	曾侯乙編鐘中二・七	濁文王之巽
M735	曾侯乙編鐘中二・八	濁坪皇之巽

小計：共 19 筆

奠 0727

1025	奠姜白寶鼎	奠姜白乍寶鼎
1074	奠戚句父鼒	奠戚句父自乍飤鐈
1093	奠登白鼎	奠登白彶弔嬶乍寶鼎
1250	曾子斿鼎	百民是奠
1280	康鼎	奠井

1311	師𣌭鼎	隹小臣善夫、守□、官犬、眔奠人、善夫、官
1324	禹鼎	克夾召先王、奠四方
1430	奠井弔歡父拜鬲	奠井弔歡父乍拜鬲
1504	奠師□父鬲	奠師＿父乍＿鬲
1520	奠白荀父鬲	奠白荀父乍弔姬尊鬲
1525	隱子奠白尊鬲	隱子子奠白乍尊鬲
1648	奠白筍父甗	奠公筍父乍寶獻(甗)永寶用
1655	奠氏白高父旅甗	奠氏白□父乍旅獻(甗)
1658	奠大師小子甗	奠大師小子侯父乍寶獻(甗)
2458	孟奠父𣪘一	孟奠父乍尊𣪘
2459	孟奠父𣪘二	孟奠父乍尊𣪘
2460	孟奠父𣪘三	孟奠父乍尊𣪘
2484.	夨王𣪘	夨王乍奠姜尊𣪘
2506	奠牧馬受𣪘一	奠牧馬受乍寶𣪘
2507	尊牧馬受𣪘二	奠牧馬受乍寶𣪘
2511	夨王𣪘	夨王乍奠姜尊𣪘
2595	奠虢仲𣪘一	奠虢中乍寶𣪘
2596	奠虢仲𣪘二	奠虢中乍寶𣪘
2597	奠虢仲𣪘三	奠虢中乍寶𣪘
2688	大𣪘	王才奠、蔑大曆
2703	免乍旅𣪘	嗣奠還歡
2763	弔向父禹𣪘	用䌛(緟)圞奠保我邦我家
2828	宜侯夨𣪘	易奠七白
2835	智𣪘	則乃且奠周邦
2968	奠白大嗣工召弔山父旅匿一	奠白大嗣工召弔山父乍旅匿
2969	奠白大嗣工召弔山父旅匿二	奠白大嗣工召弔山父乍旅匿
3030	奠義白旅盨(器)	奠義白乍旅盨(彭)
3031	奠義羌父旅盨一	奠義羌父乍旅盨
3032	奠義羌父旅盨二	奠義羌父乍旅盨
3032.	奠登弔旅盨	奠登弔及子子孫孫永寶用
3036	奠井弔康旅盨	奠井弔康乍旅盨(楨)
3036.	奠井弔康旅盨二	奠井弔康乍旅盨
3077	弔尃父乍奠季盨一	弔尃父乍奠季寶鐘六、金尊盨四、鼎十
3077	弔尃父乍奠季盨一	奠季其子子孫孫永寶用
3078	弔尃父乍奠季盨二	弔尃父乍奠季寶鐘六、金尊盨四、鼎十
3078	弔尃父乍奠季盨二	奠季其子子孫孫永寶用
3079	弔尃父乍奠季盨三	弔尃父乍奠季寶鐘六、金尊盨四、鼎十
3079	弔尃父乍奠季盨三	奠季其子子孫孫永寶用
3080	弔尃父乍奠季盨四	弔尃父乍奠季寶鐘六、金尊盨四、鼎十
3080	弔尃父乍奠季盨四	奠季其子子孫孫永寶用
4880	免尊	王才奠、丁亥
5772	陳璋方壺	隹王五年奠陳旻再立事歲
5816	奠義白𦉜	奠義白乍武□𦉜
6729	奠登弔旅盤	奠登弔乍旅盨
6731	奠白盤	奠白乍盤也(匜)
6789	寰盤	用乍朕皇考奠白奠姬寶盤
6822	奠義白乍季姜匜	奠義白乍季姜寶它(匜)用
6874	鄭大內史弔上匜	奠大內史弔上乍弔媧賸匜
7020	單伯鐘	用保奠
7043	克鐘四	尃奠王令克敢對揚天子休

7044	克鐘五	尃奠王令克敢對揚天子休
7174	秦公鐘	以康奠協朕或
7177	秦公及王姬編鐘一	以康奠協朕或
奠左 7204	克鎛	尃奠王令
7209	秦公及王姬鎛	以康奠燮朕或
7210	秦公及王姬鎛二	以康奠燮朕或
7211	秦公及王姬鎛三	以康奠燮朕或
7366	奠武庫戈	奠武庫
7528	王二年奠令戈	王二年奠命韓□右庫工币_慶
7538	邢令戈	工币郢討冶奠
7546	王三年奠令韓熙戈	王三年奠命韓熙右庫工師吏史□冶□
7558	十四年奠令戈	十四年奠命趙距司寇王造武庫
7559	十五年奠令戈	十五年奠命趙距司寇□章右庫
7560	十六年奠令戈	十六年奠命趙司寇彭璋生庫
7561	十七年奠令戈	十七年奠命幽距司寇彭璋武庫
7562	廿一年奠令戈	廿一年奠命龖族司寇裕左庫工币吉□冶□
7563	卅一年奠令戈	卅一年奠命梻司寇肖它生庫工币冶肴啟
7568	四年奠令戈	四年奠命韓及司寇長朱
7569	五年奠令戈	五年奠命韓_司寇張朱
7570	六年奠令戈	六年奠命_幽司寇向_左庫工币倉慶冶尹成韜
7571	八年奠令戈	八年奠命_幽司寇史墜右庫工币易高冶尹_□
7572	十七年奠令戈	十七年奠命龖肖司寇奠_右庫工币□軗冶□□
7625	奠右庫矛	奠右庫
7632	奠生庫矛	奠生庫矛刺
7652	五年鄭令韓□矛	五年奠命韓□司寇長朱
7657	九年鄭令向甸矛	九年奠命向甸司寇□商
7663	卅二年奠令槍□矛	卅二年奠命槍□司寇趙它
7664	元年奠命槍□矛	元年奠命槍□司寇芋慶
7665	三年奠令槍□矛	三年奠命槍□司寇□慶
7666	七年奠令□幽矛	七年奠命□幽司寇□□
7667	卅四年奠令槍□矛	卅四年奠命槍□司寇造芋慶
7668	二年奠令槍□矛	二年奠命槍□司寇芋慶
7677	富鄭劍	富奠（ 鄭 ）之劃鐱
7739	卅三年奠令□□劍	卅三年奠命□□司寇趙它
M252	免簠	嗣奠還歔眔吳眔牧
M423.	趞鼎	用乍朕皇考𤔲白、奠姬寶鼎

小計：共　91 筆

左 0728		
0728	王后鼎	王后左室□□□、王后左□室
0368	之左鼎	□府（ 府 ）之左但（ 剛 ）□□盛
1094	魯大左司徒元善鼎	魯大左司徒元乍善鼎
1205	公朱左自鼎	公朱左自十一年十一月
1205	公朱左自鼎	左自_大夫林自□夫_鑄鼎
1276	_季鼎	日、用又（ 左 ）右俗父嗣寇
1315	善鼎	王曰：善、昔先王既令女左足𩰫侯
1315	善鼎	令女左足𩰫侯、監𤔲師戍
1329	小字盂鼎	三十（ 左 ）三右多君入服酉

1331	中山王嚳鼎	以左右寡人
2789	同毁一	王命周左右吳大父嗣昜林吳牧
2789	同毁一	世孫孫子子左右吳大父
2790	同毁二	王命周左右吳大父嗣昜林吳牧
2790	同毁二	世孫孫子子左右吳大父
2791.	史密毁	師俗率齊自、述人左
2826	師寰毁一	㠱、巿、mm、un、左右虎臣
2826	師寰毁一	㠱、巿、mm、尿、左右虎臣
2827	師寰毁二	㠱、巿、mm、un、左右虎臣
2831	元年師兌毁一	司ナ（ 左 ）右走馬、五邑走馬
2832	元年師兌毁二	司ナ（ 左 ）右走馬、五邑走馬
2856	師訇毁	亦則於女乃聖且考克左右先王
2977	囗孫弔左𨥦匜	囗孫弔左𦋞其吉金
3088	師克旅盨一（ 蓋 ）	飘嗣左右虎臣
3089	師克旅盨二	飘嗣左右虎臣
3558	子左爵	子［ 左 ］
4352	左盉	［ 左 ］
4893	矢令尊	奭左右于乃寮以乃友事
4926	吳𢦚馭觥（ 蓋 ）	［ 吳 ］𢦚馭弔史遣馬、弗左
4981	𩁹冊令方彝	奭左右于乃寮、以乃友事
5622	左征壺	左征
5718	曾仲斿父壺	自乍寶尊壺（ 蓋左行 ）
5727	廿九年東周左自歓壺	為東周左自歓壺
5737	左＿壺	左內歓廿八
5741	左歓壺一	左歓卌二
5741	左歓壺一	徳公左自
5742	左歓壺二	左歓卌二
5742	左歓壺二	徳公左自
5773	陳喜壺	為左大族
5779	安邑下官鍾	府嗇夫＿治事左＿止大斛斗一益少半益
5803	𨙶嗣好𧊒壺	十三葉、左史車
6790	虢季子白盤	是用左王
6792	史墻盤	左右綬會剛鯀
6793	矢人盤	自根木道左至于井邑封
6793	矢人盤	𠂹左執要
6925	晉邦盦	左右武王
6025	晉邦盦	乍馮左右
6947	亞𦏴鐃	［ 亞𦏴左 ］
7006	戰狄鐘	先王其嚴才帝左右
7158	𤼈鐘一	秉明德、𩓚夙夕、左尹氏
7160	𤼈鐘三	秉明德、𩓚夙夕、左尹氏
7161	𤼈鐘四	秉明德、𩓚夙夕、左尹氏
7162	𤼈鐘五	秉明德、𩓚夙夕、左尹氏
7174	秦公鐘	咸畜左右
7177	秦公及王姬編鐘一	咸畜左右
7182	叔夷編鐘一	左右母諱
7184	叔夷編鐘三	左右余一人
7188	叔夷編鐘七	齊侯左右
7189	叔夷編鐘八	齊侯左右
7190	叔夷編鐘九	左右毋諱

左

7209	秦公及王姬鎛	咸畜左右
7210	秦公及王姬鎛二	咸畜左右
7211	秦公及王姬鎛三	咸畜左右
7214	叔夷鎛	左右母諱
7214	叔夷鎛	左右余一人
7214	叔夷鎛	齊侯左右
7368	緣左庫戈	緣左庫
7371	左除戈	左除__
7372	高陽左戈一	高陽左
7375	鄭左庫戈	鄭左庫
7382	皇宮左戈一	皇宮左
7383	皇宮左戈二	皇宮左
7411	平陸戈	平陸左戟
7503	七年戈	十年得工戈冶左勿
7522	卅三年大梁左庫戈	卅三年大梁左庫工帀丑冶办
7525	廿四年左軍戈	廿四年左軍__________
7526	卅四年屯丘令戈	卅四年屯丘命爽左工帀㴵冶□
7533	卅二年帶令戈	卅三年帶命初左庫工帀臣冶山
7545	秦子戈	秦子乍造公族元用左右市御用逸宜_
7549	十六年喜令戈	喜命韓鳳左庫工帀司馬裕冶何
7555	二年戈	宗子攻五吹我左工帀__
7562	廿一年奠令戈	廿一年奠命𩰫族司寇裕左庫工帀吉□冶□
7567	廿九年相邦尚□戈	左庫工帀𨞰番冶__義執齊
7570	六年奠令戈	六年奠命__幽同寇向__左庫工帀倉慶冶尹成𩍐
7592	元阿左造徒戟	元阿左造徒戟
7606	关左矛	关左__小__
7627	東周矛	東周左軍
7631	廿二年左斿矛	廿二年左斿
7633	郾侯庫乍軍矛	郾侯庫乍左軍
7651	秦子矛	左右市冶用逸□
7652	五年鄭令韓□矛	左庫工帀陽函冶尹侃
7660	十□年相邦春平侯矛	□左□工帀□□□□□
7661	三年建躬君矛	邦左庫工帀□□冶尹月執齊
7662	八年建躬君矛	邦左庫工帀杋□冶尹□執齊
7666	七年奠令□幽矛	左庫工帀□□冶尹貞造
7669	四年□雍令矛	左庫工帀刑秦冶俞數____
7683	陰平左軍劍	陰平左庫之造
7724	二年春平侯劍	邦左庫工帀□□冶□□□
7726	八年相邦建躬君劍一	邦左庫工帀□□
7727	八年相邦建躬君劍二	邦左庫工帀□□
7728	八年相邦建躬君劍三	邦左庫工帀□□
7731	王立事劍一	□□命孟卯左庫工帀司馬郃
7732	王立事劍二	□□命孟卯左庫工帀司馬郃
7733	王立事劍三	□□命孟卯左庫工帀司馬郃
7734	四年春平侯劍	四年□□春升平侯□左庫工帀丘□__________
7737	十五年劍	邦左庫工帀代藋工帀長鑄冶執齊齊
7738	十七年相邦春平侯劍	邦左庫□工帀□戊未□冶執齊
7775	左矢鏃	左
7782	左__矢鏃一	左kz
7783	左__矢鏃二	左kz

7784	左__矢鏃三	左kz
7785	左__矢鏃三	左kz
7786	左__矢鏃一	左k0
7787	左__矢鏃二	左k0
7788	左__矢鏃三	左k0
7789	左__矢鏃四	左k0
7790	左__矢鏃四	左k0
7810	左矢括一	左
7811	左矢括二	左
7812	左矢括三	左
7816	左攻尹弩牙一	左攻尹
7817	左攻尹弩牙二	左攻尹
7820	左周弩牙	左周尹
7831	廿四年銅梃	廿四年__昌__左執齊
7832	左鍾尹銅器	左鍾尹
7870	陳純釜	n2命左關币Jr4
7870	陳純釜	敕成左關之斧節于稟斧
7871	子禾子釜一	左關斧節于稟斧
7872	左關之鉌	左關之鉌
7886	新郪虎符	左才新郪
7887	杜虎符	左才杜
7903	左宮車軎一	左宮
7904	左宮車軎二	左宮
M816	魯大左司徒元鼎	魯大左司徒元乍善鼎
M897	六年安平守劍	左庫工币____

小計：共　134 筆

0729

1304	王子午鼎	余不畏不差
2608	官差父毀	官差父乍義友寶毀
5826	國差罎	國差立事歲
6776	楚王酓志盤	剛币紹夆差陳共為之
6885	吳王夫差御鑑一	攻吳王大差羼乎吉金
6886	吳王夫差御鑑二	吳王夫差羼乎吉金
7184	叔夷編鐘三	余命女裁差正卿
7214	叔夷鎛	余命女裁差卿
7513	宋公差戈	宋公差之所造不陽族戈
7514	宋公差戈	宋公差之所造柳族戈
7516	攻敔王夫差戈	攻敔王夫差自乍其用戈
7715	攻敔王夫差劍一	攻敔王夫差自乍其元用
7716	攻敔王夫差劍二	攻敔王夫差自乍其元用
7822	距末一	國差賞末
7867.	龍__	攻(工)差(佐)競之
7867.	龍__	集尹陳夏、少集尹龔則、少攻(工)差(佐)孝癸
M790	宋公差戈	宋公差之徒造戈

小計：共　17 筆

工 0730

工

0150	_鼎	[周叔工]
0848	木工乍妣戊鼎	木工乍匕戊鼒[冊]
0932	木乍母辛鼎	乍母辛尊彝[木工冊]
1152	私官鼎	卅六年工師瘨工疑
1231	楚王酓忓鼎一	剛工師盤野佐秦忓為之
1232	楚王酓忓鼎二	剛工師盤野佐秦忓為之
1271	史獸鼎	尹令史獸立工于成周
1271	史獸鼎	史獸獻工于尹
1271	史獸鼎	咸獻工
1286	大夫始鼎	始獻工
1325	五祀衛鼎	嗣工陘矩
1331	中山王譽鼎	庸其工(功)
1331	中山王譽鼎	克有工(功)
2164	𠄠父己毀	[天工冊]父己
2453	亞𢿋乍且丁毀	乙亥王易□□工𢿋玉十玉瑴
2696	孟毀一	毛公易朕文考臣自氒工
2697	孟毀二	毛公易朕文考臣自氒工
2699	公臣毀一	虢中令公臣嗣朕百工
2700	公臣毀二	虢中令公臣嗣朕百工
2701	公臣毀三	虢中令公臣嗣朕百工
2702	公臣毀四	虢中令公臣嗣朕百工
2800	伊毀	糴官司康宮王臣妾、百工
2810	揚毀一	王若曰：揚、乍司工
2810	揚毀一	眔司工司
2811	揚毀二	王若曰：揚、乍司工
2811	揚毀二	眔司工事
2815	師𣪘毀	僕馭、百工、牧、臣妾
2817	師穎毀	嗣工液白入右師穎
2826	師㝨毀一	反工吏
2826	師㝨毀一	休既又工
2826	師㝨毀一	反氒工吏
2826	師㝨毀一	休既又工
2827	師㝨毀二	反氒工吏
2827	師㝨毀二	休既又工
2852	不嬰毀一	女肇誨于戎工
2853	不嬰毀二	女肇誨于戎工
2854	蔡毀	嗣百工、出入姜氏令
2855	班毀一	廣成氒工
2855.	班毀二	廣成氒工
2878.	蔡公子義工飤匿	蔡公子義工之飤匿
2968	奠白大嗣工召弔山父旅匿一	奠白大嗣工召弔山父乍旅匿
2969	奠白大嗣工召弔山父旅匿二	奠白大嗣工召弔山父乍旅匿
3977	嗣工丁爵	嗣工丁
4106	子工父丁爵	子工父丁
4152	子木工父癸爵	[木子工]父癸
4444	卲宮盉	和工工感卲宮和
4444	卲宮盉	五十兩廿三斤十兩十五和工工感卲官和
4449	裘衛盉	嗣馬單旅、司工邑人服眔受田燹趞

4860	魯侯尊	魯侯又叶工
4880	免尊	乍嗣工
4890	盠方尊	嗣土、嗣馬、嗣工
4893	夨令尊	眔百工
4979	盠方彝一	嗣土、嗣馬、嗣工
4980	盠方彝二	嗣工
4981	夨冊令方彝	眔里君、眔百工
5089	___卣	[奴京]、[宁工工]
5500	免卣	乍司工
5803	胤嗣好蚉壺	以追庸先王之工剌(烈)
5803	胤嗣好蚉壺	工qL重一石三百卌九刀之冢(重)
5805	中山王嚳方壺	卲綮皇工
5805	中山王嚳方壺	休有成工
6246	子工冊木觚	[冊木子工]
6633	靳乍文考觶	王工从靳各中
6790	虢季子白盤	虽武于戎工
6793	夨人盤	小門人䜌、原人虞艿、淮嗣工虎、孝龠
6793	夨人盤	邦人嗣工騌君
6910	師永盂	周人嗣工眉、㪤史、師氏
7038	應侯見工鐘一	雁侯見工遺王于周
7038	應侯見工鐘一	艾白内右雁侯見工
7039	應侯見工鐘二	見工敢對揚天子休
7112	者減鐘一	工𢊁王皮然之子者減睪其吉金
7113	者減鐘二	工𢊁王皮然之子者減睪其吉金
7114	者減鐘三	工𢊁王皮然之子者減自乍__鐘
7115	者減鐘四	工𢊁王皮然之子者減自乍__鐘
7472	朝訶右庫戈	朝歌右庫侯工帀__
7493	十四年戈	四年州工帀明冶乘
7496	是氏事歲戈	是立事歲__右工戈
7503	七年戈	十年得工戈冶左勿
7504	廿三年□陽令戈	工帀倉壘、冶□
7507	二年寺工讋戈	寺工、二年寺工讋金角
7508	十四年屬邦戈	屬邦工□丞□□□
7509	丞相觸戈	__年丞相觸造、咸□工帀葉工、武
7512	六年奠令韓熙戈	六年鄭令韓熙□、右庫工帀馬__冶狄
7518	四年呂不韋戈	寺工讋、丞□。可__
7521	廿二年臨汾守戈	廿二年臨汾守曋庫系工歆造
7522	卅三年大梁左庫戈	卅三年大梁左庫工帀丑冶㓕
7523	四年戈	四年命韓__右庫工帀__冶__
7524	三年脩余令戈	三年逌余命韓__工帀____、冶__
7526	卅四年屯丘令戈	卅四年屯丘命爽左工帀斎冶□
7528	王二年奠令戈	王二年奠命韓□右庫工帀__慶
7529	十四年相邦冉戈	樂工帀□、工禺
7530	三年上郡守戈	漆工師、丞□、工成旦□
7531	廿九年高都令陳愈戈	工帀華、冶無
7532	九年我□令雁戈	高望、九年戈丘命雁工帀__冶__
7533	卅二年帶令戈	卅三年帶命初左庫工帀臣冶山
7534	□__戈	□__命司馬伐右庫工帀高反冶□
7535	三年汪陶令戈	下庫工帀王喜冶□
7538	邢令戈	工帀郢酎冶奠

工

工

7540	卅一年相邦冉戈	卅一年相邦冉讎工帀、讎瓌德
7541	四年咎奴戈	四年咎奴__命壯罊工帀賨疾冶問
7542	廿四年右馬令戈	廿四年申陰令右庫工帀蔑冶豎
7543	四年相邦樛游戈	櫟陽工上造間、吾
7544	八年亲城大令戈	八年亲城大命韓定工帀宋費冶褚
7546	王三年奠令韓熙戈	王三年奠命韓熙右庫工師吏史□冶□
7547	廿六年蜀守武戈	武、廿六年蜀守武造東工讎宦丞耒工莌
7548	元年__令戈	__命夜會上庫工帀冶門旅其都
7549	十六年喜令戈	喜命韓鳳左庫工帀司馬裕冶何
7550	十二年少令邯鄲戈	十二年尚命邯鄲□右庫工帀□紹台倉造
7551	十二年尚令邯鄲戈	十二年尚命邯鄲□右庫工帀□紹台倉造
7555	二年戈	宗子攻五吹我左工帀__
7557	楚屈弔沱戈	王工帀__王__
7558	十四年奠令戈	工帀鑄章冶□
7559	十五年奠令戈	工帀陳平冶簫
7560	十六年奠令戈	工帀皇膺冶__
7561	十七年奠令戈	工帀皇晏冶□
7562	廿一年奠令戈	廿一年奠命龖族司寇裕左庫工帀吉□冶□
7563	卅一年奠令戈	卅一年奠命椰司寇尚它生庫工帀冶肴攸
7564	五年相邦呂不韋戈	詔吏圖丞__工寅
7565	八年相邦呂不韋戈	詔事圖丞__工寅
7566	十三年相邦義戈	咸陽工師田公大人耆工□
7567	廿九年相邦尚□戈	左庫工帀鄱番冶__義執齊
7568	四年奠令戈	武庫工帀弗__冶尹__造
7569	五年奠令戈	右庫工帀__高冶尹__ 造
7570	六年奠令戈	六年奠命__幽司寇向__左庫工帀倉慶冶尹成簫
7571	八年奠令戈	八年奠命__幽司寇史墜右庫工帀易高冶尹__□
7572	十七年龡令戈	十七年龡命龖尚司寇奠__右庫工帀□軗冶□□
7652	五年鄭令韓□矛	左庫工帀陽函冶尹侃
7653	十年邦司寇富無矛	上庫工帀戎閒冶尹
7654	十二年邦司寇野矛	上庫工帀司馬丘玆冶賢
7656	七年宅陽令矛	右庫工帀夜瘥冶趣造
7657	九年鄭令向甸矛	武庫工帀鑄章冶造
7658	五年春平侯矛	工帀______冶執齊
7659	元年春平侯矛	邦右庫工帀尚瘁冶□闢執齊
7660	十□年相邦春平侯矛	□左□工帀□□□□□
7661	三年建躬君矛	邦左庫工帀□□冶尹月執齊
7662	八年建躬君矛	邦左庫工帀杋□冶尹□執齊
7663	卅二年奠令槍□矛	坒庫工帀皮冶尹造
7664	元年奠命槍□矛	坒庫工帀皮□冶尹貞造
7665	三年奠令槍□矛	坒庫工帀皮□冶尹貞造
7666	七年奠令□幽矛	左庫工帀□□冶尹貞造
7667	卅四年奠令槍□矛	坒庫工帀皮□□冶尹造
7668	二年奠令槍□矛	坒庫工帀鈹□□冶尹學造□
7669	四年□雍令矛	左庫工帀刑綦冶俞數____
7670	六年安陽令斷矛	右庫工帀□共□工□□造戟
7673	__工劍	冊名__工
7679	右軍劍	右庫工帀造
7691	衛司馬劍	衛司馬與之□工帀
7719	廿九年高都令劍	廿九年高都命陳愈工帀冶乘

7724	二年春平侯劍	邦左庫工帀□□冶□□□
7725	元年劍	右庫工帀杜生、冶參執齊
7726	八年相邦建躬君劍一	邦左庫工帀□□
7727	八年相邦建躬君劍二	邦左庫工帀□□
7728	八年相邦建躬君劍三	邦左庫工帀□□
7730	十五年守相杜波劍一	邦右庫工帀韓工帀
7731	王立事劍一	□□命孟卯左庫工帀司馬部
7732	王立事劍二	□□命孟卯左庫工帀司馬部
7733	王立事劍三	□□命孟卯左庫工帀司馬部
7734	四年春平侯劍	四年□□春升平侯□左庫工帀丘□____
7737	十五年劍	邦左庫工帀代蘿工帀長鑄冶執齊齊
7738	十七年相邦春平侯劍	邦左庫□工帀□戌未□冶執齊
7739	卅三年奠令□□劍	坐庫工帀皮冶尹啟造
7740	四年春平相邦劍	右庫工帀買輅_冶臣成執齊
7867.	龍_	以命攻(工)尹穆丙(丙)
7867.	龍_	攻(工)差(佐)競之
7867.	龍_	集尹陳夏、少集尹龔則、少攻(工)差(佐)孝癸
7877	嗣工鉀	司工
7884	五年司馬權	與下庫工帀孟
7884	五年司馬權	□工帀四
7892	雁節	連馬_行___工_____
7921	廿一年寺工獻車軎	廿一年寺工獻工上造但
7952	鄭武庫銅器	鄭武庫工帀
M599	蔡公子義工簠	蔡公子義工之飤匿
M693	曾大工尹戈	曾大工尹
M897	六年安平守劍	左庫工帀___
		小計：共 174 筆

0731

0657	巨葬十九鼎	巨葬十九
0658	巨葬十二鼎	巨葬十二
0658	巨葬十二鼎	巨葬王
2681	鄦侯毀	鄦(筥)侯少子析乙孝孫不巨
7482	郾王職乍巨_鋸	郾王職乍巨攸鋸
7485	郾王詈乍巨_鋸一	郾王詈乍巨攸鋸
7486	郾王詈乍五_鋸二	郾王職乍巨攸鋸
7487	郾王詈乍巨_鋸三	郾王職作巨攸鋸
7488	郾王詈乍五_鋸四	郾王職乍巨攸鋸
7489	郾王喜乍五_鋸一	郾王喜乍巨攸鋸
7490	郾王喜乍五_鋸二	郾王喜乍巨攸鋸
7574	左軍戈	巨校馬臧造攸戈
7636	郾王戎人矛一	郾王戎人乍百巨率矛
7637	郾王戎人矛二	郾王戎人乍巨攸矛
7639	郾王職矛二	郾王職巨攸矛
7642	郾王詈矛一	郾王詈乍巨攸矛
		小計：共 16 筆

0731

工 巨 矩

0988	白矩鼎	白矩乍寶彝
1322	九年裘衛鼎	矩取眚車較桒、圅虎冟、𧞤㦽、畫轉
1322	九年裘衛鼎	舍矩姜帛三兩
1322	九年裘衛鼎	矩迺眔濼粦令
1325	五祀衛鼎	嗣工隱矩
1485	白矩鬲	匽侯易白矩貝
1630	伯矩甗	白矩乍寶尊彝
1663	鼅五世孫矩甗	鼅(緟)五世孫矩乍其寶甗
2175	白矩乍寶障設	白矩乍寶尊彝
2199	白矩乍寶設一	白矩乍寶尊彝
2200	白矩乍寶設二	白矩乍寶尊彝
2902	白矩食匠	白矩自乍食匠
4418	白矩盉	白矩乍寶尊彝
4449	裘衛盉	矩白庶人取瑾章于裘衛
4449	裘衛盉	矩或取赤虎兩
4713	矩尊一	矩乍寶尊彝
4714	矩尊二	矩乍寶尊彝
4739	白矩尊一	白矩乍寶尊彝
4740	白矩尊二	白矩乍寶尊彝
4741	白矩尊三	白矩乍寶尊彝
4871	冊牽豐尊	令豐殷大矩
4871	冊牽豐尊	大矩易豐金、貝
5333	白矩卣一(蓋)	白矩乍寶尊彝
5334	白矩卣二	白矩乍寶尊彝
5335	白矩卣三	白矩乍寶尊彝
5336	白矩卣四	白矩乍寶尊彝
5480	冊牽冊豐卣	令豐殷大矩
5480	冊牽冊豐卣	大矩易豐金、貝
5480	冊牽冊豐卣	令豐殷大矩
5480	冊牽冊豐卣	大矩易豐金、貝
5676	伯矩壺一	白矩乍寶尊彝
5677	伯矩壺二	白矩乍寶尊彝
5749	矩弔乍仲姜壺一	矩弔乍中姜寶尊壺
5750	矩弔乍仲姜壺二	矩弔乍中姜寶尊壺
6709	癸白矩盤	癸白矩乍寶尊彝

小計：共 35 筆

算 0732

2903	算匠	算自乍匠
6870	算公孫𧧼父匜	算公孫𧧼父自作盥匜

小計：共 2 筆

巫 0733

2468	齊癸姜尊設	齊巫姜乍尊設

小計：共 1 筆

0734

0840	亞貘曆乍且己鼎	[亞俞]曆乍且己彝
1018	貘屯乍父己鼎一	屯蔑曆于□oy(衛?)
1019	__屯乍父己鼎二	屯蔑曆于□oy(衛?)
1119	曆方鼎	曆肇對元德考友隹井乍寶尊彝
1127	嗣鼎	溓公蔑嗣曆
1139	寓鼎	戊寅、王蔑寓曆事廳大人
1162	乃子克鼎	效辛白蔑乃子克曆
1222	寂鼎一	其父蔑寂曆、易金
1223	寂鼎二	其父蔑寂曆、易金
1248	庚羸鼎	丁子、王蔑庚羸曆
1284	尹姞鼎	君蔑尹姞曆
1307	師望鼎	多蔑曆易休
1323	師訊鼎	訊蔑曆
1528	公姞鬲鼎	天君蔑公姞曆
1533	尹姞竇鬲一	君蔑尹姞曆
1534	尹姞竇鬲二	君蔑尹姞曆
1666	遇乍旅甗	侯蔑遇曆、易遇金
2513	再乍季日乙妻毀一	凫生蔑再曆
2514	再乍季日乙妻毀二	凫生蔑再曆
2660	彔乍辛公毀	蔑彔曆、易赤金
2661	競毀一	白犀父蔑御史競曆、賞金
2662	競毀二	白犀父蔑御史競曆、賞金
2687	敔毀	王蔑敔曆、易玄衣赤市
2688	大毀	王才奠、蔑大曆
2710	肄自乍寶器一	王吏榮蔑曆令桂邦
2711	肄自乍寶器二	王吏榮蔑曆令桂邦
2723	沓毀	王蔑友曆、易牛三
2737	段毀	王蔑段曆
2760	小臣謎毀一	小臣謎蔑曆、眔易貝
2761	小臣謎毀二	小臣謎蔑曆、眔易貝
2792	師俞毀	俞其蔑曆
2837	敔毀一	王蔑敔曆
4448	長甶盉	長甶蔑曆
4869	次尊	次蔑曆
4876	保尊	蔑曆于保、易賓
4879	彔彧尊	白雝父蔑彔曆
4880	免尊	王蔑免曆
4884	臤尊	臤蔑曆、中競父易金
4886	趞尊	趞蔑曆、用乍寶尊彝
4977	師遽方彝	師遽蔑曆友
5478	次卣	次蔑曆、易馬易裘
5490	戉稃卣	蔑曆、易貝卅寽
5490	戉稃卣	蔑曆
5494	獎鬻乍母辛卣	子曰：貝、唯蔑女曆
5495	保卣	蔑曆于保、易賓
5495	保卣	蔑曆于保、易賓
5498	彔彧卣	白雝父蔑彔曆
5499	彔彧卣二	白雝父蔑彔曆

曆

5500	免卣	王蔑免曆
5503	競卣	競蔑曆
5504	庚贏卣一	王蔑庚贏曆
5505	庚贏卣二	王蔑庚贏曆
5597	次甗	孚次蔑曆
6696	曆盤	曆乍寶尊彝
6792	史墻盤	農嗇戉曆
6792	史墻盤	其日蔑曆
M158	曆季尊	匽侯弟曆季乍寶彝
M191	繁卣	公蔑繁曆
		小計：共 58 筆

猒猒 0735

1204	淮白鼎	__其及孚妻子孫于之__飼猒肉
1318	晉姜鼎	乍疐為極
1332	毛公鼎	皇天引猒（厭）孚德
2647	魯士商叡毀	魯士商叡肇乍朕皇考弔猒父尊毀
2722	㝬弔乍豐姞旅毀	丝毀顋（猒?）皀（飼）亦壽人
2768	楚毀	疐揚天子不顯休
2833	秦公毀	畯疐才天
2834	𢻄毀	畯才立、乍疐才下
2843	沈子它毀	烏虖、乃沈子妹克蔑見猒于公
5327	疐乍父丁卣	疐乍父辛寶彝
7047	井人鐘	妄寧寧聖趣、疐處
7048	井人鐘二	妄寧寧聖趣、疐處
7212	秦公鎛	畯疐才立高引又慶
		小計：共 13 筆

甚 0736

0950	羊甚諆臧鼎	甚諆臧聿乍父丁尊彝[羊]
5691	甚父乍父壬壺	甚父乍父壬寶壺
		小計：共 2 筆

暜 0737

1235	不暜方鼎一	不暜易貝十朋
1235	不暜方鼎一	不暜拜稽首
1236	不暜方鼎甲二	不暜易貝十朋
1236	不暜方鼎甲二	不暜拜稽首
		小計：共 4 筆

眼
日

0738

7108	簷弔之仲子平編鐘一	聖智恭眼
7109	簷弔之仲子平編鐘二	聖智恭眼
7110	簷弔之仲子平編鐘三	聖智恭眼
7111	簷弔之仲子平編鐘四	聖智恭眼
		小計：共 4 筆

0739

1067	雁公方鼎一	日奄以乃弟
1068	雁公方鼎二	日奄以乃弟
1069	雁公方鼎三	日奄以乃弟
1167	__父鼎一	__父乍__寶鼎延令日
1168	__父鼎二	__父乍__寶鼎延令日
1190	內史鼎	非余日
1239	__鼎一	溓公令nt眔史旅日
1240	__鼎二	溓公令nt眔史旅日
1264	螢鼎	螢拜韻首、日
1274	哀成弔鼎	正月庚午、嘉日
1276	__季鼎	日、用又（左）右俗父嗣寇
1279	中方鼎	王日：中、兹褱人入史
1286	大夫始鼎	始易友日考日攸
1288	令鼎一	王日：令眔奮乃克至
1288	令鼎一	日：小子迺學
1289	令鼎二	王日：令眔奮乃克至
1289	令鼎二	日：小子迺學
1290	利鼎	王乎乍命內史冊令利日
1298	師旂鼎	懋父令日
1306	無叀鼎	王乎史翏冊令無叀日：官嗣Lk王1J側虎臣
1307	師望鼎	大師小子師望日
1308	白晨鼎	王命䡅侯伯晨日
1310	鬲攸從鼎	日：女受我田、牧
1310	鬲攸從鼎	迺事攸衛牧誓日
1312	此鼎一	王乎史翏冊令此日
1313	此鼎二	王呼史翏冊令此日
1314	此鼎三	王呼史翏冊令此日
1315	善鼎	王日：善、昔先王既令女左足𩀬侯
1316	㦰方鼎	㦰日：烏虖、王唯念㦰辟剌考甲公
1316	㦰方鼎	㦰日：烏虖、朕文考甲公、文母日庚
1317	善夫山鼎	王日：山、令女官嗣歙獻人于晃
1318	晉姜鼎	晉姜日：余隹司朕先姑君晉邦
1319	頌鼎一	王日：頌、令女官嗣成周賈廿家、監嗣新寤

日

1320	頌鼎二	王曰：頌、令女官嗣成周賈廿家、監嗣新寤
1321	頌鼎三	王曰：頌、令女官嗣成周、賈廿家、監嗣新寤
1322	九年裘衛鼎	壽商眔啻曰
1323	師訊鼎	王曰：師訊、女克靈乃身
1324	禹鼎	禹曰：不顯趄趄皇且穆公
1324	禹鼎	王迺命西六𠂤、殷八𠂤曰
1324	禹鼎	徒千曰
1325	五祀衛鼎	白邑父、定白、琼白、白俗父曰、厲曰：余執
1325	五祀衛鼎	逆滎(營)二川、曰：余舍女田五田
1325	五祀衛鼎	正迺訊厲曰
1325	五祀衛鼎	厲迺許曰
1326	多友鼎	迺曰武公曰
1326	多友鼎	公親曰多友曰
1327	克鼎	克曰：穆穆朕文且師華父恩hv氒心
1327	克鼎	王若曰：克、昔余既令女出內朕令
1328	盂鼎	王若曰：盂不顯玟王
1328	盂鼎	王曰
1328	盂鼎	王曰：盂、迺召夾死嗣戎
1328	盂鼎	人鬲千又五十夫㔔nx壅自氒土、王曰：盂、若
1329	小字盂鼎	告曰、王□□吕□□伐鬼方
1329	小字盂鼎	王□曰□
1330	曶鼎	□若曰：㫚(曶)、令女更乃且考嗣卜事
1330	曶鼎	用匹馬束絲限辪曰
1330	曶鼎	皺曰于王参門
1330	曶鼎	井弔曰、才
1330	曶鼎	曰陪、曰恒、曰秝、曰鑫、曰眚
1330	曶鼎	曰、弋尚卑處氒邑、田氒田
1330	曶鼎	既則卑復令曰：若
1330	曶鼎	東宮迺曰
1330	曶鼎	用臣曰㽞
1330	曶鼎	□朏朏、曰奠、曰
1330	曶鼎	䭫首曰
1330	曶鼎	㫚(曶)曰：ts唯朕□□賞
1330	曶鼎	東宮迺曰：賞㫚(曶)禾十秭
1331	中山王譻鼎	隹十四年中山王譻詐(乍、作)鼎、于銘曰
1332	毛公鼎	王若曰、父厝、不顯文武
1332	毛公鼎	王曰：父厝、雩之庶出入事
1332	毛公鼎	王曰：父厝、今余唯離先王命
1332	毛公鼎	王曰：父厝、巳曰及茲卿事寮
1668	中甗	史兒至、以王令曰
1668	中甗	曰段、曰mo
1668	中甗	氒賈𢍰言曰：賓□貝
2556	復公子白舍𣪘一	復公子白舍曰
2557	復公子白舍𣪘二	復公子白舍曰
2558	復公子白舍𣪘三	復公子白舍曰
2606	易_乍父丁𣪘一	易qC曰
2607	易_乍父丁𣪘二	易qC曰
2677	居_敐鑄____	居_敐曰
2677.	居_敐𣪘二	居_敐曰
2688	大𣪘	曰：用啻于乃考

2696	孟毁一	孟曰：朕文考眔毛公遣中征無需
2697	孟毁二	孟曰：朕文考眔毛公遣中征無需
2698	陳肪毁	肪曰：余陳中裔孫
2705	君夫毁	王命君夫曰
2713	瘨毁一	瘨曰：覭皇且考嗣（司辭）威義
2714	瘨毁二	瘨曰：覭皇且考嗣（司辭）威義
2715	瘨毁三	瘨曰：覭皇且考嗣（司辭）威義
2716	瘨毁四	瘨曰：覭皇且考嗣（司辭）威義
2717	瘨毁五	瘨曰：覭皇且考嗣（司辭）威義
2718	瘨毁六	瘨曰：覭皇且考嗣（司辭）威義
2719	瘨毁七	瘨曰：覭皇且考嗣（司辭）威義
2720	瘨毁八	瘨曰：覭皇且考嗣（司辭）威義
2726	曶毁	曰：用嗣乃且考吏
2728	恆毁一	王曰：恆
2729	恆毁二	王曰：恆
2739	無㠱毁一	曰敢對揚天子魯休令
2740	無㠱毁二	曰敢對揚天子魯休令
2741	無㠱毁三	曰敢對揚天子魯休令
2742	無㠱毁四	曰敢對揚天子魯休令
2742.	無㠱毁五	曰
2742.	無㠱毁五	曰
2743	虢毁	王曰：虢
2744	五年師旋毁一	王曰：師旋
2745	五年師旋毁二	王曰：師旋
2762	免毁	卑冊令免曰
2763	弔向父禹毁	弔向父禹曰
2764	艾毁	隹三月、王令榮眔內吏曰
2766	三兒毁	晉孫气兒曰
2770	截毁	王曰：截、令女乍嗣土
2773	即毁	曰：嗣琱宮人虢旛、用吏
2774	臣諫毁	臣諫曰
2775.	害毁一	王冊命宰曰
2775.	害毁二	王冊命宰曰
2783	趙毁	王若曰：趙
2786	縣妃毁	白犀父休于縣妃曰
2786	縣妃毁	曰：休白哭Lm卹縣白室
2786	縣妃毁	肄敢s0于彝曰
2791	豆閉毁	王曰：閉、易女戠衣、θ市、䜌旂
2791.	史密毁	王令師俗、史密曰：東征
2793	元年師旋毁一	王乎乍冊尹冊命師旋曰
2794	元年師旋毁二	王乎乍冊尹冊命師旋曰
2795	元年師旋毁三	王乎乍冊尹冊命師旋曰
2796	諫毁	王乎內史q4冊命諫曰
2796	諫毁	王乎內史先冊命諫曰
2797	輔師嫠毁	王乎乍冊尹冊令嫠曰
2798	師瘨毁一	王乎內史吳冊令師瘨曰
2799	師瘨毁二	王乎內史吳冊令師瘨曰
2801	五年召白虎毁	告曰：吕君氏令曰
2801	五年召白虎毁	召白虎曰
2802	六年召白虎毁	召白虎告曰

曰

2802	六年召白虎毁	曰：公、氒稟貝
2802	六年召白虎毁	今余既訊有嗣曰侯令
2807	䣄毁一	王曰：䣄、昔先王既命女作邑
2808	䣄毁二	王曰：䣄、昔先王既命女作邑
2809	䣄毁三	王曰：䣄、昔先王既命女作邑
2810	揚毁一	王若曰：揚、乍司工
2811	揚毁二	王若曰：揚、乍司工
2812	大毁一	王令善夫豖曰趣睽曰
2812	大毁一	睽令豖曰天子
2813	大毁二	王令善夫豖曰趣睽曰
2813	大毁二	睽令豖曰天子
2815	師𣪕毁	白龢父若曰
2816	彔白𢦚毁	王若曰：彔白𢦚
2817	師頯毁	王若曰：師頯
2818	此毁一	王呼史翏冊令此曰
2819	此毁二	王呼史翏冊令此曰
2820	此毁三	王呼史翏冊令此曰
2821	此毁四	王呼史翏冊令此曰
2822	此毁五	王呼史翏冊令此曰
2823	此毁六	王呼史翏冊令此曰
2824	此毁七	王呼史翏冊令此曰
2825	此毁八	王呼史翏冊令此曰
2826	師寰毁一	王若曰：師寰rt
2826	師寰毁一	曰冉、曰䋣、曰鈐、曰達
2826	師寰毁一	其萬年子子孫孫永寶用亯（蓋）王若曰：師寰rt
2826	師寰毁一	曰冉、曰䋣、曰鈐、曰達
2827	師寰毁二	王若曰：師寰rt__
2827	師寰毁二	曰冉、曰䋣、曰鈐、曰達
2828	宜侯夨毁	王令虞侯夨曰
2829	師虎毁	王乎內史吳曰冊令虎
2829	師虎毁	王若曰：虎
2833	秦公毁	秦公曰：不顯朕皇且受天命
2834	㝬毁	王曰：有余隹{ 小子 }
2835	訇毁	王若曰：訇
2838	師𠭰毁一	王曰：師𠭰
2838	師𠭰毁一	王若曰：師𠭰
2839	師𠭰毁二	王曰：師𠭰
2839	師𠭰毁二	王若曰：師𠭰
2841	芾白毁	王若曰：芾白
2842	卯毁	榮白乎令卯曰
2843	沈子它毁	它曰：拜䭫首
2844	頌毁一	王曰：頌
2845	頌毁二	王曰：頌
2845	頌毁二	王曰：頌
2846	頌毁三	王曰：頌
2847	頌毁四	王曰：頌
2848	頌毁五	王曰：頌
2849	頌毁六	王曰：頌
2850	頌毁七	王曰：頌
2851	頌毁八	王曰：頌

2852	不嬰殷一	白氏日：不嬰
2852	不嬰殷一	白氏日：不嬰、女小子
2853	不嬰殷二	白氏日：不嬰
2853	不嬰殷二	白氏日：不嬰、女小子 日
2854	蔡殷	王若日：蔡
2855	班殷一	王令吳白日
2855	班殷一	王令呂白日
2855	班殷一	趞令日：以乃族从父征
2855	班殷一	班拜䭫首日：烏虖
2855	班殷一	隹乍卲考爽益日大政
2855.	班殷二	王令吳白日
2855.	班殷二	王令呂白日
2855.	班殷二	趞令日
2855.	班殷二	班拜䭫首日
2855.	班殷二	隹乍卲考爽益日大政
2856	師訇殷	王若日：師訇
2856	師訇殷	王日：師訇、哀才
2857	牧殷	王若日
2857	牧殷	王日：牧、女毋敢弗帥用先王乍明井
2980	鼄大宰𩞁匿一	日：余諾恭孔惠
2981	鼄大宰𩞁匿二	日：余諾恭孔惠
2982.	甲午匿	日
2985	陳逆匿一	少子陳逆日
2985.	陳逆匿二	少子陳逆日
2985.	陳逆匿三	少子陳逆日
2985.	陳逆匿四	少子陳逆日
2985.	陳逆匿五	少子陳逆日
2985.	陳逆匿六	少子陳逆日
2985.	陳逆匿七	少子陳逆日
2985.	陳逆匿八	少子陳逆日
2985.	陳逆匿九	少子陳逆日
2985.	陳逆匿十	少子陳逆日
3087	鬲从盨	大史旛日
3088	師克旅盨一（蓋）	王若日
3088	師克旅盨一（蓋）	干害王身、乍爪牙。 王日
3089	師克旅盨二	王若日
3089	師克旅盨二	干害王身、乍爪牙。 王日
3090	㝨盨（器）	王日
3100	陳侯因資錞	陳侯因資日
3128	魚鼎匕	日
3128	魚鼎匕	述王魚頂日
4868	趞乍姞尊	易趞采日、hw易貝五朋
4872	古白尊	古白日p7邞乍尊彝
4872	古白尊	日母入于公
4872	古白尊	日古白子日p7v2卑父彝
4872	古白尊	丙日隹母入于公
4879	彔或尊	王令或日
4882	匡乍文考日丁尊	王日休
4888	盠駒尊一	拜稽首日
4888	盠駒尊一	盠日、王倗下不其

日

4888	盠駒尊一	盠曰、余其敢對揚天子之休
4888	盠駒尊一	盠曰、其萬年、世子孫永寶之
4890	盠方尊	曰、用嗣六𠂤
4890	盠方尊	王令盠曰
4890	盠方尊	盠曰：天子不假不其
4890	盠方尊	盠敢拜稽首曰
4891	何尊	王誥宗小子于京室曰
4891	何尊	則廷告于天曰
4893	矢令尊	曰、用桒
4893	矢令尊	曰、用桒
4893	矢令尊	迺令曰、今我唯令女二人
4979	盠方彝一	曰：用嗣六𠂤
4979	盠方彝一	王令盠曰
4979	盠方彝一	盠曰：天子不假不其
4979	盠方彝一	盠敢拜稽首曰
4980	盠方彝二	曰：用嗣六𠂤
4980	盠方彝二	王令盠曰
4980	盠方彝二	盠曰：天子不假不其
4980	盠方彝二	盠敢拜稽首曰
4981	𩁹冊令方彝	曰、用桒
4981	𩁹冊令方彝	曰、用桒
4981	𩁹冊令方彝	迺令曰
5440	_白曰_乍父丙卣	ha白曰m4乍父丙寶尊彝
5466	顯乍母辛卣一	顯易婦rb、曰用𩛥于乃姑宄
5467	顯乍母辛卣二	顯易婦rb、曰用𩛥于乃姑宄
5469	白ns卣	白ns父曰
5472	乍毓且丁卣	降令曰
5472	乍毓且丁卣	降令曰
5476	趞乍姑寶卣	易趞采曰：hw
5492	亞獏四祀𠨘其卣	乙巳、王曰
5494	𡡗𩛥乍母辛卣	子曰：貝、唯蔑女曆
5494	𡡗𩛥乍母辛卣	子曰
5497	農卣	王親令白𣄨曰
5498	彔戓卣	王令戓曰
5499	彔戓卣二	王令戓曰
5508	弔趯父卣一	弔趯父曰
5510	乍冊嗌卣	𠦪名義曰
5798	曶壺	王乎尹氏冊令曶曰
5799	頌壺一	王曰：頌
5800	頌壺二	王曰：頌
5801	洹子孟姜壺一	曰：朞(期)則爾朞(期)
5802	洹子孟姜壺二	曰
5804	齊侯壺	__王之孫右帀之子武弔曰庚𦊟其吉金
5804	齊侯壺	公曰甬甬
5804	齊侯壺	公曰甬甬
5804	齊侯壺	____曰獻余台賜女
5804	齊侯壺	□曰不可多天□□□□□受女
5805	中山王嚳方壺	賈曰：為人臣而返(反)臣其宗
6635	中觶	王曰用先
6786	_弔多父盤	曰㕓又父一母

6790	虢季子白盤	王曰：白父
6792	史墻盤	曰古文王
6793	矢人盤	旅誓曰
6793	矢人盤	武父誓、曰　日
6877	僕乍旅盉	曰：牧牛、觑、乃可湛
6877	僕乍旅盉	白揚父迺或吏牧牛誓曰
6925	晉邦盦	晉公曰：我皇且唐公
6925	晉邦盦	公曰：余雒小子
6925	晉邦盦	諗其不曰卑J0
7020	單伯鐘	單白斁生曰
7047	井人鐘	井人妄曰
7048	井人鐘二	井人妄曰
7060	旻生鐘一	王若曰：斁生
7061	能原鐘	□於□曰利
7061	能原鐘	邸(越)禦曰
7061	能原鐘	隹余□尸(夷)□□邾曰之
7069	者汈鐘一	王曰：者汈
7070	者汈鐘二	王曰、者汈
7071	者汈鐘三	王曰：者汈
7072	者汈鐘四	隹戉十有九年、王曰
7073	者汈鐘五	王曰：者汈
7084	邾公牼鐘一	曰：余畢韓威忌
7085	邾公牼鐘二	曰：余畢韓威忌
7086	邾公牼鐘三	曰：余畢韓威忌
7087	邾公牼鐘四	曰：余畢韓威忌
7116	南宮乎鐘	玆名曰無斁鐘
7117	紷儠兒鐘一	曰：於虖敬哉
7118	紷儔兒鐘二	曰：於虖敬哉
7122	梁其鐘一	汈其曰：不顯皇其考
7123	梁其鐘二	汈其曰：不顯皇其考
7125	蔡侯𨟻紐鐘一	蔡侯𨟻曰
7126	蔡侯𨟻紐鐘二	蔡侯𨟻曰
7132	蔡侯𨟻紐鐘八	蔡侯𨟻曰
7133	蔡侯𨟻紐鐘九	蔡侯𨟻曰
7134	蔡侯𨟻甬鐘	蔡侯𨟻曰
7135	逆鐘	弔氏若曰：逆
7136	郘鐘一	郘_曰：余八聿
7137	郘鐘二	郘_曰：余畢公之孫
7138	郘鐘三	郘_曰：余畢公之孫
7139	郘鐘四	郘_曰：余畢公之孫
7140	郘鐘五	郘_曰：余畢公之孫
7141	郘鐘六	郘_曰：余畢公之孫
7142	郘鐘七	郘_曰：余畢公之孫
7143	郘鐘八	郘_曰：余畢公之孫
7144	郘鐘九	郘_曰：余畢公之孫
7145	郘鐘十	郘_曰：余畢公之孫
7146	郘鐘十一	郘_曰：余畢公之孫
7147	郘鐘十二	郘_曰：余畢公之孫
7148	郘鐘十三	郘_曰：余畢公之孫
7149	郘鐘十四	郘_曰：余畢公之孫

曰

7150	虢叔旅鐘一	虢弔旅曰
7151	虢叔旅鐘二	虢弔旅曰
7152	虢叔旅鐘三	虢弔旅曰
7153	虢叔旅鐘四	虢弔旅曰
7154	虢叔旅鐘五	虢弔旅曰
7157	邾公華鐘一	曰
7158	瘨鐘一	瘨曰
7160	瘨鐘三	瘨曰
7161	瘨鐘四	瘨曰
7162	瘨鐘五	瘨曰
7163	瘨鐘六	曰古文王
7174	秦公鐘	秦公曰：我先且受天令
7174	秦公鐘	公及王姬曰：余小子
7177	秦公及王姬編鐘一	秦公曰：我先且受天令
7177	秦公及王姬編鐘一	公及王姬曰：余小子
7179	秦公及王姬編鐘四	秦公曰：我先且受天令
7180	秦公及王姬編鐘五	秦公曰：我先且受天令
7182	叔夷編鐘一	公曰：女尸
7183	叔夷編鐘二	公曰：尸
7184	叔夷編鐘三	公曰：尸
7184	叔夷編鐘三	女尸毋曰余少子
7188	叔夷編鐘七	曰武靈成
7202	楚公逆鎛	乎名曰__
7203	能原鎛	□於□曰利
7203	能原鎛	郕(越)禦曰
7203	能原鎛	隹余□尸(夷)□□邾曰之
7205	蔡侯𤿧編鎛一	蔡侯𤿧曰
7206	蔡侯𤿧編鎛二	蔡侯𤿧曰
7207	蔡侯𤿧編鎛三	蔡侯𤿧曰
7208	蔡侯𤿧編鎛四	蔡侯𤿧曰
7209	秦公及王姬鎛	秦公曰：我先且受天令
7209	秦公及王姬鎛	公及王姬曰：余小子
7210	秦公及王姬鎛二	秦公曰：我先且受天令
7210	秦公及王姬鎛二	公及王姬曰：余小子
7211	秦公及王姬鎛三	秦公曰：我先且受天令
7211	秦公及王姬鎛三	公及王姬曰：余小子
7212	秦公鎛	秦公曰：不顯朕皇且受天命
7212	秦公鎛	曰余雖小子
7212	秦公鎛	乎名曰__邦
7213	𪓑鎛	侯氏從告之曰
7213	𪓑鎛	鮑子𪓑曰
7214	叔夷鎛	公曰：女尸
7214	叔夷鎛	公曰：尸
7214	叔夷鎛	公曰：尸
7214	叔夷鎛	女尸毋曰余少子
7214	叔夷鎛	曰武靈成
7655	中央勇矛	中央勇生安空五年之後曰毋
7655	中央勇矛	中央勇□生安空三年之後曰毋
7870	陳純釜	敦t4曰陳純
M143	黷壺	黷易婦rb曰

M545	配兒勾鑃	吳王□□□□□子配兒曰
		小計：共　384 筆

智
督
曹

㫚 0740

0812	虫㫚乍旅鼎	虫㫚乍寶旅鼎
0898	姞㫚母鼎	姞㫚（㫚）母乍𡚟寶尊鼎
1330	㫚鼎	□若曰：㫚（㫚）、令女更乃且考𤔲卜事
1330	㫚鼎	井弔易㫚（㫚）赤金鈞
1330	㫚鼎	㫚（㫚）受休□王
1330	㫚鼎	㫚（㫚）用絲金乍朕文孝宊白𩱧牛鼎
1330	㫚鼎	㫚（㫚）其萬□用祀
1330	㫚鼎	㫚（㫚）母卑成于𤔲
1330	㫚鼎	㫚（㫚）則拜䭫首
1330	㫚鼎	迺卑□㠯㫚（㫚）酉彶羊
1330	㫚鼎	㫚（㫚）迺每于𤔲□
1330	㫚鼎	寇㫚（㫚）禾十秭
1330	㫚鼎	匡迺䭫首于㫚（㫚）
1330	㫚鼎	㫚（㫚）或㠯匡季告東宮
1330	㫚鼎	㫚（㫚）日：ts唯朕□□賞
1330	㫚鼎	東宮迺曰：賞㫚（㫚）禾十秭
1330	㫚鼎	迺或即㫚（㫚）用田二
1330	㫚鼎	凡用即㫚（㫚）田七田、人五夫
1330	㫚鼎	㫚（㫚）覓匡卅秭
2656	師害𣪘一	𥫩生㫚父師害uL中㫚
2657	師害𣪘二	𥫩生㫚父師害uL中㫚
2767	䖒𣪘一	王乎宰㫚易大師䖒虎裘
2854	𧾷𣪘	宰㫚入、右𧾷立中廷
2854	𧾷𣪘	令女眔㫚：𤕌足對各
4164	史㫚乍寶彝爵	史㫚（㫚）乍寶彝
4817	㫚尊	㫚乍文考日庚寶尊器
5315	㫚卣（蓋）	㫚乍寶尊彝
5798	㫚壺	井公內右㫚
5798	㫚壺	王乎尹氏冊令㫚曰
5798	㫚壺	㫚拜手䭫首
5798	㫚壺	㫚用匄萬年𩛥壽
6793	矢人盤	我既（智）付散氏田器
6877	𠈄乍旅盉	乃以告吏𠬝吏㫚于會
7040	克鐘一	王乎士㫚召克
7041	克鐘二	王乎士㫚召克
7042	克鐘三	王乎士㫚召克
7204	克鎛	王乎士㫚召克

小計：共 37 筆

智 0741

2840	番生𣪘	虔夙夜尃求不智德

小計：共 1 筆

曹 0742

0973	白__乍姒羞鼎一	白oq乍媄(曹)妹oq羞鼎
0974	白__乍姒羞鼎二	白oq乍媄(曹)妹oq羞鼎
0975	白__乍姒羞鼎三	白oq乍媄(曹)妹oq羞鼎
0976	白__乍姒羞鼎四	白oq乍媄(曹)妹oq羞鼎
1054	杞白每亡鼎一	杞白每亡乍鼄媄(曹)寶貞(鼎)
1055	杞白每亡鼎二	杞白每亡乍鼄媄(曹)寶貞(鼎)
1142	杞白每亡鼎	杞白每亡乍鼄曹寶鼎
1277	七年趞曹鼎	井白入右趞曹立中廷、北鄉
1277	七年趞曹鼎	易趞曹截市、同黃、䜌
1277	七年趞曹鼎	趞曹拜韻首
1278	十五年趞曹鼎	史趞曹易弓矢、虎盧、□胄、毌、殳
1278	十五年趞曹鼎	趞曹<敢對曹>拜韻首
1498	鼄友父鬲	鼄友父媵其子𡚬媄(曹)寶鬲
2488	杞白每亡𣪘一	杞白每亡乍鼄媄(曹)寶𣪘
2489	杞白每亡𣪘二	杞白每亡乍鼄媄(曹)寶𣪘
2490	杞白每亡𣪘三	杞白每亡乍鼄媄(曹)寶𣪘
2491	杞白每亡𣪘四	杞白每亡乍鼄媄(曹)寶𣪘
2492	杞白每亡𣪘五	杞白每亡乍鼄媄(曹)寶𣪘
2581	曹伯狄𣪘	曹白狄乍夙娸公尊𣪘
4092	天輮父癸爵	[天曹]父癸
5764	杞白每亡壺一	杞白母亡乍鼄媄(曹)寶壺
5765	杞白每亡壺二	杞白每亡乍鼄媄(曹)寶壺
5805	中山王譽方壺	倘(適)曹(遭)郾君子徻
J3547	念母盤	(拓本未見)
6926	杞白每亡盉	杞白每亡乍鼄媄(曹)寶盉
M782	曹公子池戈	曹公子池之造戈

小計：共 26 筆

0742+

2303	䣄侯𣪘	咢侯弟㬪季自乍𣪘
5420	咢侯弟㬪季旅卣	咢侯弟㬪季乍旅彝

小計：共 2 筆

0743

0966	匚方乃孫乍且己鼎	乃孫乍且己宗寶𩰫𩱴[匚方]
1067	雁公方鼎一	曰奄以乃弟
1068	雁公方鼎二	曰奄以乃弟
1069	雁公方鼎三	曰奄以乃弟
1162	乃子克鼎	效辛白蔑乃子克曆
1227	衛鼎	乃用鄉出入吏人
1279	中方鼎	乍乃采
1288	令鼎一	王曰：令眔奮乃克至
1289	令鼎二	王曰：令眔奮乃克至
1299	䣄侯鼎一	乃鄘(祼)之
1299	䣄侯鼎一	王休宴、乃射
1305	師𡧊父鼎	用嗣乃父官友

乃

1308	白晨鼎	似乃且考侯于𨐨
1315	善鼎	易女乃且旂、用事
1316	䧹方鼎	王用肇事乃子䧹率虎臣禦淮戎
1316	䧹方鼎	安永宕乃子䧹心
1316	䧹方鼎	唯氒事乃子䧹萬年辟事天子
1322	九年裘衛鼎	則乃成夆四夆
1323	師訊鼎	王曰：師訊、女克𦣞乃身
1323	師訊鼎	用乃孔德琮屯
1323	師訊鼎	乃用心引正乃辟安德
1323	師訊鼎	用井乃聖且考隣明
1326	多友鼎	命武公遣乃元士羞追于京𠂤
1326	多友鼎	乃𨔵追至于楊冢
1326	多友鼎	多友乃獻孚、䤋、訊于公
1326	多友鼎	武公乃獻于王
1327	克鼎	今余隹𦤎京乃令
1328	盂鼎	女勿𠂤余乃辟一人
1328	盂鼎	令女盂井乃嗣且南公
1328	盂鼎	易乃且南公旂
1330	曶鼎	□若曰：舀（曶）、令女更乃且考𤔲卜事
1330	曶鼎	求乃人
1330	曶鼎	乃弗得
1330	曶鼎	□乃來歲弗賞
1332	毛公鼎	引唯乃智余非
1332	毛公鼎	善效乃友正
1332	毛公鼎	女母（毋）敢㒸在乃福
1332	毛公鼎	俗（欲）女弗目乃辟圅于𩁹
1332	毛公鼎	以乃族干（扞）吾王身
1649	𤔲𡖊乃子乍父辛甗	乃子乍父辛寶尊彝［𤔲𡖊］
2530	𨒅姬乍父辛設	用乍乃後御
2564	𦍒且日庚乃孫設一	且日庚乃孫乍寶設
2565	且日庚乃孫設二	且日庚乃孫乍寶設
2688	大設	曰：用啻于乃考
2705	君夫設	價求乃友
2710	𦘒自乍寶器一	用保乃邦
2711	𦘒自乍寶器二	用保乃邦
2726	㽙設	曰：用𤔲乃且考吏
2775.	害設一	用＿乃且考
2775.	害設二	用＿乃且考
2784	申設	王命尹冊命申更乃且考
2786	縣妃設	𠭯、乃任縣白室
2791	豆閉設	用㑅乃且考吏
2791.	史密設	乃執啚寡亞
2797	輔師𠭯設	更乃且考司輔𢦔
2797	輔師𠭯設	今余曾乃令
2803	師酉設一	𤔲乃且啻官邑人、虎臣
2804	師酉設二	𤔲乃且啻官邑人、虎臣
2804	師酉設二	𤔲乃且啻官邑人、虎臣
2805	師酉設三	𤔲乃且啻官邑人、虎臣
2806	師酉設四	𤔲乃且啻官邑人、虎臣
2806.	師酉設五	𤔲乃且啻官邑人、虎臣

2807	郘𣪘一	今余隹緟京乃命
2808	郘𣪘二	今余隹緟京乃命
2809	郘𣪘三	今余隹緟京乃命
2812	大𣪘一	余既易大乃里
2813	大𣪘二	余既易大乃里
2815	師𠭰𣪘	師𠭰、乃且考又Jq（勞?）于我家
2815	師𠭰𣪘	敬乃夙夜用吏
2816	彔白𢦚𣪘	繇自乃且考
2817	師𩒨𣪘	今余隹肇𤔲乃令
2829	師虎𣪘	載先王既令乃祖考吏啻官
2829	師虎𣪘	今女更乃祖考啻官
2830	三年師兌𣪘	今余隹𤔲（緟）京乃令
2831	元年師兌𣪘一	易女乃且巾、五黃、赤舄
2832	元年師兌𣪘二	易女乃且巾、五黃、赤舄
2835	訇𣪘	則乃且奠周邦
2836	𢦚𣪘	乃子𢦚拜䭫首
2836	𢦚𣪘	卑乃子𢦚萬年
2838	師𧻚𣪘一	既令女更乃且考𤔲（司）
2838	師𧻚𣪘一	今余唯𤔲（緟）京乃令
2838	師𧻚𣪘一	令女𤔲（司）乃且舊官小輔鼓鐘
2838	師𧻚𣪘一	既令女更乃且考𤔲（司）小輔
2838	師𧻚𣪘一	今余隹𤔲（緟）京乃令
2838	師𧻚𣪘一	令女𤔲乃且舊官小輔眔鼓鐘
2839	師𧻚𣪘二	既令女更乃且考𤔲（司）
2839	師𧻚𣪘二	今余唯𤔲（緟）京乃令
2839	師𧻚𣪘二	令女𤔲（司）乃且舊官小輔鼓鐘
2839	師𧻚𣪘二	既令女更乃且考𤔲（司）小輔
2839	師𧻚𣪘二	今余隹𤔲（緟）京乃令
2839	師𧻚𣪘二	令女𤔲乃且舊官小輔眔鼓鐘
2841	茆白𣪘	乃且克𠦪先王
2842	卯𣪘	𩁹乃先且考死𤔲（司）榮公室
2842	卯𣪘	昔乃且亦既令乃父死（司）𦩎人
2843	沈子它𣪘	朕吾考令乃鴅沈子乍綰于周公宗
2843	沈子它𣪘	乃沈子其顅褱多公能福
2843	沈子它𣪘	烏虖、乃沈子妹克蔑見猒于公
2843	沈子它𣪘	其孔哀乃沈子它唯福
2852	不𡢁𣪘	用從乃事
2853	不𡢁𣪘二	用從乃事
2854	𥜽𣪘	今余隹𤔲京乃令
2855	班𣪘一	以乃自右从毛父
2855	班𣪘一	以乃自右从毛父
2855	班𣪘一	趞令曰：以乃族从父征
2855.	班𣪘二	以乃自右从毛父
2855.	班𣪘二	以乃自右从毛父
2855.	班𣪘二	以乃族從父征
2856	師訇𣪘	亦則於女乃聖且考克左右先王
2856	師訇𣪘	妥立余小子𩁹乃吏
2856	師訇𣪘	今余隹𤔲京乃令
2856	師訇𣪘	敬明乃心
2856	師訇𣪘	率以乃友干吾王身

乃

2856	師訇毁	欲女弗以乃辟圅于艱
2857	牧毁	用雩乃訊庶右粦
2857	牧毁	乃專政吏
2857	牧毁	今余隹䌛京乃命
3085	駒父旅盨(蓋)	我乃至于淮{小大}邦亡敢不__具逆王命
3088	師克旅盨一(蓋)	則隹乃先且考又Jr于周邦
3088	師克旅盨一(蓋)	余隹巠乃先且考
3088	師克旅盨一(蓋)	今余隹䌛(緟)京乃令
3088	師克旅盨一(蓋)	令女更乃且考
3089	師克旅盨二	則䌛隹乃先且考又Jr于周邦
3089	師克旅盨二	余隹巠乃先且考
3089	師克旅盨二	今余隹䌛(緟)京乃令
3089	師克旅盨二	令女更乃且考
3090	㝬盨(器)	敬明乃心
3090	㝬盨(器)	善效乃友內辟
3090	㝬盨(器)	乃父市、赤舄、駒車、桒較、朱虢、圅靳
4449	裘衛盉	裘衛乃彘告于白邑父
4893	矢令尊	奭左右于乃寮以乃友事
4981	鳥冊令方彝	奭左右于乃寮、以乃友事
5466	顯乍母辛卣一	顯易婦rb、曰用䵼于乃姑宊
5467	顯乍母辛卣二	顯易婦rb、曰用䵼于乃姑宊
5468	子寡子卣	䡇不弔Li乃邦
5468	子寡子卣	䡇不弔Li乃邦
5477	單光壴乍父癸㡭卣	文考日癸乃__子壴乍父癸旅宗尊彝
5508	弔趞父卣一	唯女焂其敬辥乃身
5508	弔趞父卣一	女其用鄉乃辟軧侯逆造出內事人
5579	乃孫乍且甲罍	乃孫__乍且甲罍
5798	曶壺	更乃且考乍冢嗣土于成周八自
6877	儺乍旅盉	曰:牧牛、叡、乃可湛
6877	儺乍旅盉	女敢以乃師訟
6877	儺乍旅盉	亦既㲃乃誓
6877	儺乍旅盉	自今余敢vv乃小大事
6877	儺乍旅盉	乃師或以女告
6877	儺乍旅盉	則到乃鞭千
6877	儺乍旅盉	乃以告吏䢅吏曶于會
6888	吳王光鑑一	虔敬乃后
6889	吳王光鑑二	虔敬乃后
7037	遲父鐘	用卲乃穆
7037	遲父鐘	乃用旂匄多福
7069	者汈鐘一	今余其念Jh乃有
7070	者汈鐘二	女安乃壽
7074	者汈鐘六	今余其念Jh乃有
7075	者汈鐘七	女安乃壽
7076	者汈鐘八	元__乃悳
7077	者汈鐘九	今余其念Jh乃有
7078	者汈鐘十	女安乃壽
7079	者汈鐘十一	元__乃德
7080	者汈鐘十二	隹王命元__乃德
7081	者汈鐘十三	女安乃壽
7108	𨞍弔之仲子平編鐘一	乃為之音____雝雝

7109	𫕍弔之仲子平編鐘二	乃為之音___雝雝
7110	𫕍弔之仲子平編鐘三	乃為之音___雝雝
7111	𫕍弔之仲子平編鐘四	乃為之音___雝雝
7135	逆鐘	乃且考□政于公室
7135	逆鐘	敬乃夙夜
7135	逆鐘	母彖乃政
7182	叔夷編鐘一	余經乃先且
7182	叔夷編鐘一	余既尃乃心
7182	叔夷編鐘一	余引猒乃心
7184	叔夷編鐘三	女康能乃又事
7184	叔夷編鐘三	遝乃敕寮
7184	叔夷編鐘三	余用登屯厚乃命
7185	叔夷編鐘四	余弗敢灋乃命
7190	叔夷編鐘九	乃不敢
7191	叔夷編鐘十	余引猒乃心
7214	叔夷鎛	余經乃先且
7214	叔夷鎛	余既尃乃心
7214	叔夷鎛	余引猒乃心
7214	叔夷鎛	女康能乃又事
7214	叔夷鎛	遝乃敕寮
7214	叔夷鎛	余用登屯厚乃命
7214	叔夷鎛	余弗敢灋乃命
7868	商鞅方升	乃詔丞相狀綰
7886	新郪虎符	乃敢行之
7887	杜虎符	乃敢行之
M143	𩓣壺	用鬻于乃姑宄

小計：共 188 筆

乃

迺 0744

0665	亞㝮晉鼎	亞㝮晉匕(妣)迺
5783	曾白陭壺	隹曾白陭迺用吉金鐈鋚

小計：共 2 筆

迺 0744

1288	令鼎一	曰：小子迺學
1289	令鼎二	曰：小子迺學
1298	師旂鼎	白懋父迺罰得𦣻古三百寽
1310	鬲攸從鼎	迺事攸衛牧誓曰
1322	九年裘衛鼎	迺舍裘衛林孴里
1322	九年裘衛鼎	矩迺眔濂粦令
1324	禹鼎	王迺命西六自、殷八自曰
1324	禹鼎	肆武公迺遣禹率公戎車百乘
1325	五祀衛鼎	正迺訊厲曰
1325	五祀衛鼎	厲迺許曰
1325	五祀衛鼎	井白、白邑父、定白、琼白、白俗父迺顜
1325	五祀衛鼎	迺令參有嗣嗣土邑人趙
1325	五祀衛鼎	迺舍寓于氒邑
1326	多友鼎	迺曰武公曰
1326	多友鼎	迺命向父招多友
1326	多友鼎	迺h9于獻宮
1328	盂鼎	王曰：盂、迺召夾死嗣戎
1330	曶鼎	效父迺誥
1330	曶鼎	迺䛐又詯眔𧽘金
1330	曶鼎	王人迺贖用□
1330	曶鼎	迺卑□目舀(曶)酉役羊
1330	曶鼎	舀(曶)迺每于𣱼□
1330	曶鼎	東宮迺曰
1330	曶鼎	匡迺䭫首于舀(曶)
1330	曶鼎	東宮迺曰：賞舀(曶)禾十秭
1330	曶鼎	迺或即舀(曶)用田二
1332	毛公鼎	迺唯是喪我國
1332	毛公鼎	龏褱迺敄鰥寡
2586	史𧽊𣪘一	迺易史𧽊貝十朋
2587	史𧽊𣪘二	迺易史𧽊貝十朋
2683	白家父𣪘	迺用吉金
2704	穆公𣪘	迺自商自復還至于周□
2732	曾仲大父蛕蚊𣪘	曾中大父蛕迺用吉攸𨥨鑪金
2774.	南宮弔𣪘	迺召夾死嗣 ??戌
2843	沈子它𣪘	迺妹克衣告剌成功
2843	沈子它𣪘	克又井學𢘇父迺□子
2857	牧𣪘	包迺多𤔲
2857	牧𣪘	迺侯之__
3090	𧹄盨(器)	迺𩣵倗即女
3090	𧹄盨(器)	迺繇宕
3090	𧹄盨(器)	迺乍余一人𠬪

3090	盨盨(器)	迺敢＿訊人
4449	裘衛盉	單白迺令參有司;嗣土敚邑
4893	夨令尊	迺令日、今我唯令女二人
4981	鳥冊令方彝	迺令日
5497	農卣	迺稟氒奴、氒小子小大事
6774	＿右盤	迺用萬年□孫永寶用喜□用之
6792	史墻盤	敚史剌且迺來見武王
6793	夨人盤	迺即散用田履
6793	夨人盤	迺卑西宮襄
6877	儯乍旅盉	白揚父迺成督
6877	儯乍旅盉	白揚父迺或吏牧牛誓日
6910	師永盂	公迺出氒命
6910	師永盂	公迺命鄭嗣徒圅父
7150	虢叔旅鐘一	迺天子多易旅休
7151	虢叔旅鐘二	迺天子多易旅休
7152	虢叔旅鐘三	迺天子多易旅休
7153	虢叔旅鐘四	迺天子多易旅休
7155	虢叔旅鐘六	迺天子多易旅休
7176	𪔂鐘	𠬝子迺遣間來逆卲王
M695	曾伯宮父鬲	隹曾伯宮父穆迺用吉金

小計：共 61 筆

0745 0744迺字、1141卣字重見

2855.	班毀二	隹敬德亡卣違
1263	呂方鼎	王易呂𩰫三卣(卣)
1308	白晨鼎	易女𩰫鬯一卣(卣)
1328	盂鼎	易女鬯一卣(卣)
1332	毛公鼎	易女𩰫鬯一卣(卣)
2816	彔白㦰毀	余易女𩰫鬯一卣(卣)
2830	三年師兌毀	易女𩰫鬯一卣(卣)
2856	師訇毀	易女𩰫鬯一卣(卣)
2857	牧毀	易女𩰫鬯一卣(卣)、金車、桼較、畫輯
3088	師克旅盨一(蓋)	易𩰫鬯一卣(卣)、赤市五黃、赤舄
3089	師克旅盨二	易𩰫鬯一卣(卣)、赤市五黃、赤舄
3090	盨盨(器)	易女𩰫＿鬯一卣(卣)
4447	臣辰冊冊乡乍冊父癸盉	用乍父癸寶尊彝
4978	吳方彝	易秬鬯一卣(卣)
5501	臣辰冊冊乡卣一	罘賞卣(卣)鬯貝
5502	臣辰冊冊乡卣二	罘賞卣(卣)鬯貝
7150	虢叔旅鐘一	迺(卣)天子多易旅休
7151	虢叔旅鐘二	迺(卣)天子多易旅休
7152	虢叔旅鐘三	迺(卣)天子多易旅休
7153	虢叔旅鐘四	迺(卣)天子多易旅休

小計：共 20 筆

0746

迺 卣 丂

丂 甹 ⿰爿甹

0698	丂隻鼎	丂隻乍尊彝
1259	䣄公諴鼎	用追亯丂于皇且考
1529	仲柟父鬲一	用敢卿(饗)孝于皇且丂
1530	仲柟父鬲二	用敢卿(饗)孝于皇且丂
1531	仲柟父鬲三	用敢卿(饗)孝于皇且丂
1532	仲柟父鬲四	用敢卿(饗)孝于皇且丂
2319	𤔲土𤔲乍氒考毀	𤔲土𤔲乍氒丂(考)寶尊彝
2395	丂保子達毀	其子子孫永用[丂]
2685	仲柟父毀一	用敢鄉考于皇且丂
2706	䣄公敄人毀	用亯孝于氒皇且、于氒皇丂
2789	同毀一	用乍朕文丂叀中尊寶毀
2790	同毀二	用乍朕文丂叀中尊寶毀
6327	丂觶	[丂]
6786	__弔多父盤	其吏__多父饗壽丂
6793	矢人盤	豆人虞丂、彔貞、師氏、右眚
6793	矢人盤	豐父、琟人有𤔲荆丂
7213	𪓊鎛	皇丂蹥中、皇母
7213	𪓊鎛	用求丂命彌生

小計：共 18 筆

甹 0747

1332	毛公鼎	甹朕立(位)
2840	番生毀	甹王立
2855	班毀一	甹王立、乍四方亟
2855.	班毀二	甹王立
6792	史墻盤	上帝降懿德大甹
7135	逆鐘	用甹朕身
7163	𤼈鐘六	上帝降懿德大甹

小計：共 7 筆

⿰爿甹 0748

3401	亞⿰爿甹爵	[亞⿰爿甹]

小計：共 1 筆

0749

0564	寧母父丁鼎	寧母父丁
1002	二年寧鼎	二年寧__子得治__為__四分__
1318	晉姜鼎	余不叚妄寧
1331	中山王礐鼎	寧汋（溺）烏（於）於淵
1332	毛公鼎	女母敢妄寧
2263	寧搴乍甲始毁	寧搴乍甲始尊毁
2566	寧毁一	寧肁諆乍乙考尊毁
2567	寧毁二	寧肁諆乍乙考尊毁
4204	盂爵	王令盂寧鄧白、賓貝
4874	萬諆尊	用寧室人
4892	麥尊	用龏義寧侯
5464	刀耳乍父乙卣	寧史易耳
5803	胤嗣好蚉壺	不能寧處
5803	胤嗣好蚉壺	不敢寧處
5805	中山王礐方壺	寧有惪（懅）惕
5826	國差𦉜	齊邦鼏靜安寧
5827	廿七年寧鈿	廿七年寧為鈿
7125	蔡侯𩃨紐鐘一	余非敢寧忘
7126	蔡侯𩃨紐鐘二	余非敢寧忘
7132	蔡侯𩃨紐鐘八	余非敢寧忘
7133	蔡侯𩃨紐鐘九	余非敢寧忘
7134	蔡侯𩃨甬鐘	余非敢寧忘
7205	蔡侯𩃨編鎛一	余非敢寧忘
7206	蔡侯𩃨編鎛二	余非敢寧忘
7207	蔡侯𩃨編鎛三	余非敢寧忘
7208	蔡侯𩃨編鎛四	余非敢寧忘

小計：共　26 筆

0750

1241	蔡大師腆鼎	蔡大師腆媵鄦弔姬可母飤緐
1331	中山王礐鼎	寡懼其忽然不可得
J1369	可侯毁	可侯乍𡠦配寶尊彝
2838	師𡨦毁一	女敏可吏
2838	師𡨦毁一	女敏可吏
2839	師𡨦毁二	女敏可吏
2839	師𡨦毁二	女敏可吏
4192	美乍氒且可公爵一	美乍氒且可公尊彝
4193	美乍氒且可公爵二	美乍氒且可公尊彝
5784	㚥氏壺	可是金契
5803	胤嗣好蚉壺	弗可復得
5804	齊侯壺	□日不可多天□□□□□受女
5805	中山王礐方壺	可灋可尚
5805	中山王礐方壺	隹宜可長
6877	儹乍旅盉	曰：牧牛、𠭯、乃可湛
6877	儹乍旅盉	弋可、我義鞭女千

D224	蔡侯𦟨𨼌鐘	可
7213	𨭲鎛	是台可使
J3796	子可戈	（照片未見，據金文編補）
7518	四年呂不韋戈	寺工讋、丞□。可_

小計：共 20 筆

兮 0751

1368	兮_鬲	兮hm乍彝
2425	兮仲寶設一	兮中乍寶設
2426	兮仲寶設二	兮中乍寶設
2427	兮仲寶設三	兮中乍寶設
2428	兮仲寶設四	兮中乍寶設
2429	兮仲寶設五	兮中乍寶設
2574	豐兮設一	豐兮夷作朕皇考尊設
2575	豐兮設二	豐兮夷作朕皇考尊設
2578	兮吉父乍仲姜設	兮吉父乍中姜寶尊設
3051	兮白吉父旅盨（蓋）	兮白吉父乍旅尊盨
3312	兮爵	[兮]
5470	_孟乍父丁卣	兮公宧孟鬯束貝十朋
5761	兮熬壺	兮熬乍尊壺
6791	兮甲盤	兮甲從王折首執訊
6791	兮甲盤	王易兮甲馬四匹、駒車
6791	兮甲盤	兮白吏父乍般
7009	兮仲鐘一	兮中乍大𩐎鐘
7010	兮仲鐘二	兮中乍大𩐎鐘
7011	兮仲鐘三	兮中乍大𩐎鐘
7012	兮仲鐘四	兮中乍大𩐎鐘
7013	兮仲鐘五	兮中乍大𩐎鐘
7014	兮仲鐘六	兮中乍大𩐎鐘
7015	兮仲鐘七	兮中乍大𩐎鐘
7755	耒囧兮斧	[耒囧兮]
7847	兮盉一	[兮]
7848	兮盉二	[兮]

小計：共 26 筆

乎 0752

1024	大師人_乎鼎	大師人o6乎乍寶鼎
1244	瘨鼎	王乎虢弔召瘨
1251	中先鼎一	中乎歸生鳳于王
1252	中先鼎二	中乎歸生鳳于王
1290	利鼎	王乎乍命內史冊令利曰
1300	南宮柳鼎	王乎乍冊尹冊令柳嗣六自牧、陽、大□
1301	大鼎一	王乎善夫騣召大目氒友入攼
1302	大鼎二	王乎善夫騣召大目氒友入攼
1303	大鼎三	王乎善夫騣召大目氒友入攼
1305	師奎父鼎	王乎內史駒冊命師奎父

1306	無叀鼎	王乎史翏冊令無叀曰：官嗣Lk王IJ側虎臣
1311	師晨鼎	王乎乍冊尹冊令師晨足師俗嗣邑人
1312	此鼎一	王乎史翏冊令此曰
1317	善夫山鼎	南宮乎入右善夫山入門
1317	善夫山鼎	王乎史桒冊令山
1329	小字盂鼎	盂或□□□乎穫我征
1329	小字盂鼎	王乎蔑(贊)□于目□□□遣賓□□
1329	小字盂鼎	王乎□□□盂目區入
1331	中山王礜鼎	社稷其庶虖(乎)
2418	乎乍姞氏毀	乎乍姞氏寶毀
2684	__寵乎毀	寵乎乍寶毀
2684	__寵乎毀	乎其萬人永用[戔]
2704	穆公毀	王乎宰□易穆公貝廿朋
2710	肆自乍寶器一	乎易繺旂
2711	肆自乍寶器二	乎易繺旂
2733	何毀	王乎虢中入右何
2734	遹毀	乎漁于大沱(池)
2736	師遽毀	王乎師朕易師遽貝十朋
2767	虘毀一	王乎師晨召大師虘入門、立中廷
2767	虘毀一	王乎宰曶易大師虘虎裘
2771	弭弔師求毀一	王乎尹氏冊命師求
2772	弭弔師求毀二	王乎尹氏冊命師求
2773	即毀	王乎命女赤市朱黃
2775	裘衛毀	王乎內史易衛載市、朱黃、繺
2776	走毀	王乎乍冊尹冊令□
2785	王臣毀	乎內史先冊命王臣
2787	望毀	王乎史年冊令望
2791	豆閉毀	王乎內史冊命豆閉
2792	師俞毀	王乎乍冊內史冊令師俞
2793	元年師旋毀一	王乎乍冊尹冊命師旋曰
2794	元年師旋毀二	王乎乍冊尹冊命師旋曰
2795	元年師旋毀三	王乎乍冊尹冊命師旋曰
2796	諫毀	王乎內史q4冊命諫曰
2796	諫毀	王乎內史先冊命諫曰
2797	輔師嫠毀	王乎乍冊尹冊令嫠曰
2798	師瘨毀一	王乎內史吳冊令師瘨曰
2799	師瘨毀二	王乎內史吳冊令師瘨曰
2800	伊毀	王乎命尹封冊命伊
2803	師酉毀一	王乎史 冊命師酉
2804	師酉毀二	王乎史 冊命師酉
2804	師酉毀二	王乎史 冊命師酉
2805	師酉毀三	王乎史 冊命師酉
2806	師酉毀四	王乎史 冊命師酉
2806.	師酉毀五	王乎史 冊命師酉
2807	鄷毀一	王乎內史冊命鄷
2808	鄷毀二	王乎內史冊命鄷
2809	鄷毀三	王乎內史冊命鄷
2810	揚毀一	王乎內史史q4冊令揚
2811	揚毀二	王乎內史史q4冊令揚
2817	師穎毀	王乎內史遺冊令師穎

乎

乎

2829	師虎段	王乎内史吳曰冊令虎
2830	三年師兌段	王乎内史尹冊令師兌
2831	元年師兌段一	王乎内史尹冊令師兌
2832	元年師兌段二	王乎内史尹冊令師兌
2838	師𤸫段一	王乎尹氏冊令師𤸫
2838	師𤸫段一	王乎尹氏冊令師𤸫
2839	師𤸫段二	王乎尹氏冊令師𤸫
2839	師𤸫段二	王乎尹氏冊令師𤸫
2842	卯段	榮白乎令卯曰
2844	頌段一	王乎史虢生冊令頌
2845	頌段二	王乎史虢生冊令頌
2845	頌段二	王乎史虢生冊令頌
2846	頌段三	王乎史虢生冊令頌
2847	頌段四	王乎史虢生冊令頌
2848	頌段五	王乎史虢生冊令頌
2849	頌段六	王乎史虢生冊令頌
2850	頌段七	王乎史虢生冊令頌
2851	頌段八	王乎史虢生冊令頌
2854	楚段	王乎史尤冊令楚
2857	牧段	王乎内史吳冊令牧
3083	瘨段(盨)一	王乎史年冊
3084	瘨段(盨)二	王乎史年冊
4886	趩尊	王乎内史冊令趩更氒且考服
4888	盠駒尊一	王乎師豦召盠
4977	師遽方彝	王乎宰利易師遽琿圭一、環章四
4978	吳方彝	王乎史戊冊令吳
5483	周乎卣	周乎鑄旅寶彝
5483	周乎卣	周乎鑄旅寶彝
5785	史懋壺	王乎伊白易懋貝
5791	十三年瘨壺一	王乎乍冊尹冊易瘨畫靳
5792	十三年瘨壺一	王乎乍冊尹冊易瘨畫靳
5796	三年瘨壺一	乎虢弔召瘨、易羔俎
5796	三年瘨壺一	乎師壽召瘨易彘俎
5797	三年瘨壺二	乎虢弔召瘨、易羔俎
5797	三年瘨壺二	乎師壽召瘨易彘俎
5798	曶壺	王乎尹氏冊令曶曰
5799	頌壺一	王乎史虢生冊令頌
5800	頌壺二	王乎史虢生冊令頌
6787	走馬休盤	王乎乍冊尹冊易休玄衣黹屯
6789	寰盤	王乎史qr冊易寰玄衣黹屯
7040	克鐘一	王乎士曶召克
7041	克鐘二	王乎士曶召克
7042	克鐘三	王乎士曶召克
7116	南宮乎鐘	嗣土南宮乎乍大𬹼𬹼鐘
7116	南宮乎鐘	乎拜手䭫首
7204	克鎛	王乎士曶召克
M423.	趞鼎	王乎内史19冊易趞幺衣黹屯

小計：共　107 筆

0753

于

0645	天黿婦于未鼎一	[天黽]婦于未
0646	天黿婦于未鼎二	[天黽]婦于未
0984	韓姛乍父乙鼎一	龔始商易貝于司
0985	韓姛乍父乙鼎二	龔始商易貝于司
1018	豨屯乍父己鼎一	屯蔑曆于□oy(衛?)
1019	__屯乍父己鼎二	屯蔑曆于□oy(衛?)
1032	𠭯乍父丁鼎	邅于□癸□□月[𠭯]
1047	𨙵白鼎	王令𨙵白啚于㞢為宮
1085	曾者子乍鬻鼎	用享于且、子子孫永壽
1089	女蠶方鼎	女蠶堇于王
1091	小臣趙鼎	小臣趙即事于西、休
1092	小臣建鼎	休于小臣Lq貝五朋
1104	辛中姬皇母鼎	其子子孫孫用享孝于宗老
1124	玔乍父庚鼎一	己亥、揚見事于彭
1125	玔乍父庚鼎二	己亥、揚見事于彭
1127	嗣鼎	王初□恆于成周
1137	匽侯旨鼎一	匽侯旨初見事于宗周
1173	羌乍文考鼎	羌對揚君令于彝
1174	易乍旅鼎	唯十月事于曾
1174	易乍旅鼎	寍白于成周休賜小臣金
1175	白鮮乍旅鼎一	用亯孝于文且
1176	白鮮乍旅鼎二	用亯孝于文且
1177	白鮮乍旅鼎三	用亯孝于文且
1187	員乍父甲鼎	王獸于眂ko
1188	旃弔樊乍易姚鼎	用亯孝于朕文且
1191	堇乍大子癸鼎	匽侯令堇飴大保于宗周
1192	亞□伐__乍父乙鼎	于省隹反
1193	新邑鼎	□自新邑于柬
1199	虢宣公子白鼎	用孝亯于皇且考
1204	淮白鼎	__其及氒妻子孫于之__饅𠭯肉
1206	旟鼎	王姜易旟田三于待劏
1207	眉__鼎	其用享于氒帝考
1215	麥鼎	井侯征鬲于麥
1221	井鼎	辛卯、王漁于nqul
1222	竅鼎一	師𨙵父省道至于猒、竅從
1223	竅鼎二	師𨙵父省道至于猒、竅從
1229	厚趠方鼎	隹王來各于成周年
1229	厚趠方鼎	厚趠又償于𣳡公
1230	師器父鼎	用亯孝于宗室
1233	__鼎	省于氒身、孚戈
1242	𡎸方鼎	隹周公于征伐東尸
1242	𡎸方鼎	公歸__于周廟
1245	仲師父鼎一	其用亯用考于皇且帝考
1246	仲師父鼎二	其用亯用考于皇且帝考
1250	曾子斿鼎	惠于剌曲、tys8
1251	中先鼎一	中乎歸生鳳于王
1251	中先鼎一	𤔲于寶彝
1252	中先鼎二	中乎歸生鳳于王

于

1252	中先鼎二	𠭯于寶彝
1259	䢼公䜌鼎	用追亯丂于皇且考
1263	呂方鼎	呂祉于大室
1264	䔲鼎	䔲來遘于妊氏
1265	𩁹弔鼎	其用享于文且考
1266	䢼公平侯鬵一	用追孝于氒皇且晨公
1266	䢼公平侯鬵一	于氒皇考屖_公
1267	䢼公平侯鬵二	用追孝于氒皇且晨公
1267	䢼公平侯鬵二	于氒皇考屖_公
1268	梁其鼎一	用亯孝于皇且考
1269	梁其鼎二	用亯孝于皇且考
1270	小臣夌鼎	王迖于楚麓
1270	小臣夌鼎	王至于迖㡉、無遣
1271	史獸鼎	尹令史獸立工于成周
1271	史獸鼎	史獸𤔲獻工于尹
1272	剌鼎	王啻、用牡于大室
1274	哀成弔鼎	死于下土
1275	師同鼎	刲用1z王羞于黽
1278	十五年趞曹鼎	王射于射廬
1279	中方鼎	易于珷王乍臣
1281	史頌鼎一	師𤔲辪好于成周
1282	史頌鼎二	師𤔲辪好于成周
1283	𢼸𢿜鼎	𢿜用享孝于朕皇考
1284	尹姞鼎	穆公乍尹姞宗室于py林
1284	尹姞鼎	各于尹姞宗室py林
1285	㦰方鼎一	其用夙夜享孝于氒文且乙公
1285	㦰方鼎一	于文妣日戊
1288	令鼎一	王大耤農于諆田
1288	令鼎一	王至于濂宮、𢽾
1289	令鼎二	王大耤農于諆田、餳
1289	令鼎二	王至于濂宮、𢽾
1290	利鼎	王客于般宮
1291	善夫克鼎一	王命善夫克舍令于成周遹正八𠂤之年
1292	善夫克鼎二	王命善夫克舍令于成周遹正八𠂤之年
1293	善夫克鼎三	王命善夫克舍令于成周遹正八𠂤之年
1294	善夫克鼎四	王命善夫克舍令于成周遹正八𠂤之年
1295	善夫克鼎五	王命善夫克舍令于成周遹正八𠂤之年
1296	善夫克鼎六	王命善夫克舍令于成周遹正八𠂤之年
1297	善夫克鼎七	王命善夫克舍令于成周遹正八𠂤之年
1298	師旂鼎	師旂眾僕不從王征于方
1298	師旂鼎	雷事氒友引以告于白懋父
1298	師旂鼎	其又內于師旂
1298	師旂鼎	旂對氒賓(貿?)于尊彝
1299	鼉侯鼎一	鼉侯馭方內豊于于王
1304	王子午鼎	用享以考于我皇且文考
1304	王子午鼎	惠于政德
1304	王子午鼎	淑于威義
1305	師奎父鼎	王各于大室
1305	師奎父鼎	用追考于剌仲
1306	無叀鼎	王各于周廟

1306	無叀鼎	遂于圖室
1306	無叀鼎	用享于朕剌考
1307	師望鼎	用辟于先王
1308	白晨鼎	似乃且考侯于䡇
1310	鬲攸從鼎	鬲从㠯攸衛牧告于王
1312	此鼎一	用享孝于文申（神）用
1313	此鼎二	用享孝于文申（神）
1314	此鼎三	用享孝于文申（神）、用丏釁壽
1316	或方鼎	氒復享于天子
1316	或方鼎	母又眈于氒身
1317	善夫山鼎	王曰：山、令女官飼歙獻人于晃
1322	九年裘衛鼎	眉敖者膚（膚）卓吏見于王
1323	師訊鼎	乍公上父尊于朕考虢季易父wu宗
1324	禹鼎	命禹oo朕且考政于井邦
1324	禹鼎	用天降大喪于下或
1324	禹鼎	至于歷內
1324	禹鼎	于匩朕肅慕
1324	禹鼎	雩禹㠯武公徒馭至于噩
1325	五祀衛鼎	衛㠯邦君君厲告于井白
1325	五祀衛鼎	迺舍寓于氒邑
1326	多友鼎	告追于王
1326	多友鼎	命武公遣乃元士羞追于京㠯
1326	多友鼎	武公命多友逹公車羞追于京㠯
1326	多友鼎	甲申之辰搏于鄀
1326	多友鼎	或搏于龔
1326	多友鼎	從至、追搏于世
1326	多友鼎	乃𧼤追至于楊冢
1326	多友鼎	多友乃獻孚、聝、訊于公
1326	多友鼎	武公乃獻于王
1326	多友鼎	迺h9于獻宮
1327	克鼎	宖靜于猷
1327	克鼎	惠于萬民
1327	克鼎	肆克□于皇天
1327	克鼎	頊于上下
1327	克鼎	永念于氒孫辟天子
1327	克鼎	覭孝于申
1327	克鼎	易女田于埜
1327	克鼎	易女田于渒
1327	克鼎	易女井家r5田于𣪕
1327	克鼎	易女田于康
1327	克鼎	易女丁田于匽
1327	克鼎	易女田于隫原
1327	克鼎	易女田于寒山
1327	克鼎	易女井人奔于量
1328	盂鼎	率肄于酉（酒）
1328	盂鼎	今我隹即井亩于玟王正德
1328	盂鼎	人鬲自馭至于庶人六百又五十又九夫
1329	小字盂鼎	折嘼于□
1329	小字盂鼎	劃□□□□□于明白
1329	小字盂鼎	王乎蕎（贊）□于㠯□□□迖賓□□

于

于

1330	曶鼎	□吏氒小子𤔲目限訟于井弔
1330	曶鼎	敝日于王參門
1330	曶鼎	昏(曶)母卑成于𠭯
1330	曶鼎	昏(曶)迺每于𠭯□
1330	曶鼎	匡迺詣首于昏(曶)
1331	中山王𡈼鼎	隹十四年中山王𡈼詐(乍、作)鼎、于銘曰
1331	中山王𡈼鼎	天降休命于朕邦
1331	中山王𡈼鼎	于𢦏(在)氒邦
1331	中山王𡈼鼎	克并之、于含(今)
1332	毛公鼎	亡不閈(覲)于文武耿光
1332	毛公鼎	圂湛于艱
1332	毛公鼎	忝于小大政
1332	毛公鼎	于外尃(敷)命尃(敷)政
1332	毛公鼎	出入尃(敷)命于外
1332	毛公鼎	母(毋)又敢忝尃命于外
1332	毛公鼎	母頧于政
1332	毛公鼎	母(毋)敢qs于酒
1332	毛公鼎	俗(欲)女弗目乃辟圅于艱
1332	毛公鼎	大史寮于父即尹
1455	榮白鬲	榮白鑄鬲于qa
1466	亞餘𢍜母辛鬲	[亞俞]𢍜入𩛥于女子
1529	仲枏父鬲一	用敢卿(饗)孝于皇且丂
1530	仲枏父鬲二	用敢卿(饗)孝于皇且丂
1531	仲枏父鬲三	用敢卿(饗)孝于皇且丂
1532	仲枏父鬲四	用敢卿(饗)孝于皇且丂
1533	尹姞寶鬲一	穆公乍尹姞宗室于䌛林
1533	尹姞寶鬲一	各于尹姞宗室䌛林
1534	尹姞寶鬲二	穆公乍尹姞宗室于䌛林
1534	尹姞寶鬲二	各于尹姞宗室䌛林
1657	圉甗	王𡍮于成周
1666	遹乍旅甗	遹事于鈇侯
1668	中甗	氒又舍女𢦏量至于女
2353	保侃母𣪘	保侃母易貝于南宮乍寶𣪘
2363	保𡉣母旅𣪘	保𡉣母易貝于庚姜
2524	仲幾文𣪘	中幾父、史幾史于諸侯諸監
2576	白倔□寶𣪘	用夙夜亯于宗室
2586	史𨗨𣪘一	𨗨古于彝
2586	史𨗨𣪘一	其于之朝夕監
2587	史𨗨𣪘二	𨗨古于彝
2587	史𨗨𣪘二	其于之朝夕監
2593	弔䚄父乍旅𣪘一	其夙夜用亯孝于皇君
2594	弔䚄父乍旅𣪘二	其夙夜用亯孝于皇君
2594.	弔䚄父乍旅𣪘三	其夙夜用亯孝于皇君
2605	邿_𣪘	用追孝于其父母
2605	邿_𣪘	用追孝于其父母
2606	易_乍父丁𣪘一	hz弔休于小臣貝三朋、臣三家
2607	易_乍父丁𣪘二	hz弔休于小臣貝三朋
2611	𤰔𣳚𤔲土𠑇𣪘	征令康侯啚于衛
2613	白椃乍充寶𣪘	用追孝于氒皇考
2622	𢦏伐父𣪘一	用亯于皇且文考

2623	琱伐父毁二	用亯于皇且文考
2623.	琱伐父毁	用亯于皇且文考
2623.	琱伐父毁	用亯于皇且文考
2624	琱伐父毁三	用亯于皇且文考
2627	伊毁	伊＿征于辛吏
2629	牧師父毁一	牧師父弟弔脤父御于君
2630	牧師父毁二	牧師父弟弔脤父御于君
2631	牧師父毁三	牧師父弟弔脤父御于君
2633	相侯毁	相侯休于氒臣殳
2633	相侯毁	告于文考、 用乍尊毁
2634	𢾅叔毁	用亯孝于其姑公
2635	賢毁一	公弔初見于衛、賢從
2636	賢毁二	公弔初見于衛、賢從
2637	賢毁三	公弔初見于衛、賢從
2638	賢毁四	公弔初見于衛、賢從
2643	史族毁	其朝夕用亯于文考
2643	史族毁	其朝夕用亯于文考
2645	周客毁	其用亯于氒帝考
2648	仲𣪘父毁一	其萬年子子孫孫永寶用亯于宗室
2649	仲𣪘父毁二	其萬年子子孫孫永寶用亯于宗室
2650	仲𣪘父毁三	其萬年子子孫孫永寶用亯于宗室
2651	內白多父毁	用亯于皇且文考
2652	＿毁	用孝于宗室
2665	＿弔毁	ki弔u4my于西宮
2666	鑄弔皮父毁	其妻子用亯考于弔皮父
2669	＿妊小毁	白艿父吏＿＿尹人于齊自
2672	伯艿父毁	白艿父吏＿＿尹人于齊自
2673	□弔買毁	其用追孝于朕皇且啻考
2674	弔姺毁	夙夜亯于宗室
2675	大保毁	王降征令于大保
2676	旅𦘒乍父乙毁	遘于{ 匕戊 }武乙奭、豕一[旅]
2683	白家父毁	用亯于其皇文考
2685	仲枏父毁一	用敢鄉考于皇且丂
2687	敔毁	王才周、各于大室
2688	大毁	曰：用啻于乃考
2690.	相侯毁	相侯休于氒臣□
2704	穆公毁	迺自商自復還至于周□
2704	穆公毁	夕鄉醴于□室
2706	郜公敄人毁	用亯孝于氒皇且、于氒皇丂
2707	小臣守毁一	王吏小臣守吏于夷
2708	小臣守毁二	王吏小臣守吏于夷
2709	小臣守毁三	王吏小臣守吏于夷
2712	虢姜毁	用禪追孝于皇考叀中
2722	寍弔乍豐姞旅毁	豐姞憝用宿夜亯孝于𢼄公
2722	寍弔乍豐姞旅毁	于寍弔倗友
2723	沓毁	升于氒文且考
2724	章白𢽷毁	至、尞于宗周
2725	師毛父毁	旦、王各于大室
2725.	㭪星毁	其用卲亯(享)于朕皇考
2726	曶毁	王各于大室

于

2727	蔡姞乍尹弔𣪘	尹弔用妥多福于皇考德尹惠姬
2730	獻𣪘	櫅白于遘王
2732	曾仲大父蝻敂𣪘	蝻其用追孝于其皇考
2734	遹𣪘	乎漁于大沱（池）
2735	厵敖𣪘	戎獻金于子牙父百車
2735	厵敖𣪘	厵敖菫用□弔于吏孟
2737	段𣪘	令龏𡢁遺（饋）大則于段
2738	衛𣪘	王客于康宮
2744	五年師旋𣪘一	令女羞追于齊
2745	五年師旋𣪘二	令女羞追于齊
2746	追𣪘一	用喜孝于前文人
2747	追𣪘二	用喜孝于前文人
2748	追𣪘三	用喜孝于前文人
2749	追𣪘四	用喜孝于前文人
2750	追𣪘五	用喜孝于前文人
2751	追𣪘六	用喜孝于前文人
2752	史頌𣪘一	帥堣盩于成周
2753	史頌𣪘二	帥堣盩于成周
2754	史頌𣪘三	帥堣盩于成周
2755	史頌𣪘四	帥堣盩于成周
2756	史頌𣪘五	帥堣盩于成周
2757	史頌𣪘六	帥堣盩于成周
2758	史頌𣪘七	帥堣盩于成周
2759	史頌𣪘八	帥堣盩于成周
2759	史頌𣪘九	帥堣盩于成周
2762	免𣪘	王各于大廟
2763	弔向父禹𣪘	勴于永令
2764	艾𣪘	無冬令玗（于）有周
2765	敔𣪘	四日、用大葡于五邑
2768	趩𣪘	王各于康宮
2769	師𢈢𣪘	王各于大室
2770	𢦚𣪘	王各于大室
2771	弭弔師㝨𣪘一	王才莽、各于大室
2772	弭弔師㝨𣪘二	王才莽、各于大室
2774	臣諫𣪘	隹戎大出于軝
2774	臣諫𣪘	征令臣諫吕□□亞旅處于軝
2774	臣諫𣪘	隹用□康令于皇辟侯
2777	天亡𣪘	王祀于天室、降
2777	天亡𣪘	天亡又王衣祀于王不顯考文王
2777	天亡𣪘	每揚王休于尊𣪘
2778	格白𣪘一	格白取良馬乘于倗生
2778	格白𣪘一	格白取良馬乘于倗生
2779	格白𣪘二	格白取良馬乘于倗生
2780	格白𣪘三	格白取良馬乘于倗生
2781	格白𣪘四	格白取良馬乘于倗生
2782	格白𣪘五	格白取良馬乘于倗生
2782.	格白𣪘六	格白取良馬乘于倗生
2783	趞𣪘	王各于大朝
2785	王臣𣪘	王各于大室
2786	縣妃𣪘	白犀父休于縣妃曰

2786	縣妃毁	肄敢s0于彝曰	于
2788	靜毁	卿燹葢自、邦周射于大沱	
2789	同毁一	各于大廟	
2789	同毁一	自淲東至于河	
2789	同毁一	氒逆至于玄水	
2790	同毁二	各于大廟	
2790	同毁二	自淲東至于河	
2790	同毁二	氒逆至于玄水	
2791	豆閉毁	王各于師戲大室	
2791	豆閉毁	永寶用于宗室	
2793	元年師旋毁一	備于大ナ	
2794	元年師旋毁二	備于大ナ	
2795	元年師旋毁三	備于大ナ	
2798	師瘨毁一	用亯于宗室	
2799	師瘨毁二	用亯于宗室	
2801	五年召白虎毁	余sc于君氏大章	
2802	六年召白虎毁	其萬年子子孫孫寶用亯于宗	
2807	鄢毁一	丁亥、王各于宣廟	
2808	鄢毁二	丁亥、王各于宣廟	
2809	鄢毁三	丁亥、王各于宣廟	
2814	鳥冊夨令毁一	隹王于伐楚白、才炎	
2814	鳥冊夨令毁一	乍冊夨令尊俎于王姜	
2814	鳥冊夨令毁一	公尹白丁父兄(貺)于戍	
2814	鳥冊夨令毁一	令用弇扆于皇王	
2814	鳥冊夨令毁一	用尊史于皇宗	
2814.	夨令毁二	隹王于伐楚白、才炎	
2814.	夨令毁二	乍冊夨令尊俎于王姜	
2814.	夨令毁二	公尹白丁父兄(貺)于戍	
2814.	夨令毁二	令用弇扆于皇王	
2814.	夨令毁二	用尊史于皇宗	
2815	師訇毁	師訇、乃且考又jq(勞?)于我家	
2816	彔白𢦏毁	又jq(勞?)于周邦	
2818	此毁一	用亯孝于文申	
2819	此毁二	用亯孝于文申	
2820	此毁三	用亯孝于文申	
2821	此毁四	用亯孝于文申	
2822	此毁五	用亯孝于文申	
2823	此毁六	用亯孝于文申	
2824	此毁七	用亯孝于文申	
2825	此毁八	用亯孝于文申	
2828	宜侯夨毁	王立于宜、入土(社)南鄉	
2828	宜侯夨毁	繇、侯于宜	
2829	師虎毁	各于大室	
2834	𠫑毁	墜于四方	
2836	𢦏毁	𢦏達有嗣師氏奔追御戎于𩁹林	
2836	𢦏毁	無眈于𢦏身	
2836	𢦏毁	用夙夜尊亯孝于氒文母	
2837	敔毁一	王令敔追禦于上洛烬谷	
2837	敔毁一	至于伊、班	
2837	敔毁一	啚于榮白之所	

	2837	敔𣪘一	于㷭衣諱
	2837	敔𣪘一	王各于成周大廟
	2837	敔𣪘一	易田于𢼄五十田、于早五十田
于	2838	師𧻚𣪘一	王才周、各于大室、即立
	2838	師𧻚𣪘一	𪆫叔市巩(恐)告于王
	2838	師𧻚𣪘一	各于大室、即立
	2838	師𧻚𣪘一	敢對揚于子休
	2839	師𧻚𣪘二	王才周、各于大室、即立
	2839	師𧻚𣪘二	𪆫叔市巩(恐)告于王
	2839	師𧻚𣪘二	各于大室、即立
	2839	師𧻚𣪘二	敢對揚于子休
	2840	番生𣪘	廣啟氒孫子于下
	2840	番生𣪘	勵于大服
	2841	芾白𣪘	又芾于大命
	2841	芾白𣪘	歸夆其萬年日用亯于宗室
	2842	卯𣪘	易于乍一田
	2842	卯𣪘	易于nn一田
	2842	卯𣪘	易于隊一田
	2842	卯𣪘	易于𩰫一田
	2843	沈子它𣪘	朕吾考令乃鴅沈子乍綴于周公宗
	2843	沈子它𣪘	休同公克成妥吾考㠯于顯受令
	2843	沈子它𣪘	烏虖、乃沈子妹克蔑見猒于公
	2852	不𡢁𣪘一	王令我羞追于西
	2852	不𡢁𣪘一	余命女御追于𧊒
	2852	不𡢁𣪘一	女以我車宕伐𤞷允于高陵
	2852	不𡢁𣪘一	女休、弗㠯我車圅(陷)于𩰫
	2852	不𡢁𣪘一	女肇誨于戎工
	2853	不𡢁𣪘二	王令我羞追于西
	2853	不𡢁𣪘二	余命女御追于𧊒
	2853	不𡢁𣪘二	女以我車宕伐𤞷𡚦于高陶
	2853	不𡢁𣪘二	女休、弗以我車圅于𩰫
	2853	不𡢁𣪘二	女肇誨于戎工
	2853.	_弔𣪘	_弔_福于大廟
	2855	班𣪘一	公告氒吏于上
	2855	班𣪘一	登于大服
	2855.	班𣪘二	公告氒吏于上
	2855.	班𣪘二	登于大服
	2856	師訇𣪘	古亡丞于先王
	2856	師訇𣪘	欲女弗以乃辟圅于𩰫
	2856	師訇𣪘	王各于大室
	2966	𪑒公諴旅匠	用追孝于皇祖皇考
	2982.	甲午匠	祀于㓝室
	2982.	甲午匠	臣京考帝顯令誌于匠
	2985	陳逆匠一	于大宗皇祖皇妣
	2985.	陳逆匠二	于大宗皇祖皇妣
	2985.	陳逆匠三	于大宗皇祖皇妣
	2985.	陳逆匠四	于大宗皇祖皇妣
	2985.	陳逆匠五	于大宗皇祖皇妣
	2985.	陳逆匠六	于大宗皇祖皇妣
	2985.	陳逆匠七	于大宗皇祖皇妣

于

2985.	陳逆匿八	于大宗皇祖皇祉
2985.	陳逆匿九	于大宗皇祖皇祉
2985.	陳逆匿十	于大宗皇祖皇祉
2986	曾白霖旅匿一	用孝用亯于我皇文考
2987	曾白霖旅匿二	用孝用亯于我皇文考
3057	仲自父鎮(盨)	其用亯用孝于皇且文考
3063	遛乍姜淠盨	用亯孝于姞公
3063	遛乍姜淠盨	用亯孝于姞公
3070	杜白盨一	其用亯孝于皇申且考、于好倗友
3071	杜白盨二	其用亯孝于皇申且考、于好倗友
3072	杜白盨三	其用亯孝于皇申且考、于好倗友
3073	杜白盨四	其用亯孝于皇申且考、于好倗友
3074	杜白盨五	其用亯孝于皇申且考、于好倗友
3085	駒父旅盨(蓋)	我乃至于淮{ 小大 }邦亡敢不__具逆王命
3085	駒父旅盨(蓋)	四月、還至于蔡、乍旅盨
3086	善夫克旅盨	隹用獻于師尹、倗友、婚(聞)遘
3086	善夫克旅盨	克其用朝夕亯于皇且考
3088	師克旅盨一(蓋)	則隹乃先且考又Jr于周邦
3089	師克旅盨二	則繇隹乃先且考又Jr于周邦
3099	十年陳侯午𨏜(器)	陳侯午朝群邦者侯于齊
3109	周生豆一	周生乍尊豆用亯于宗室
3110	周生豆二	周生乍尊豆用亯于宗室
4204	盂爵	隹王初桒于成周
4447	臣辰冊冊戈乍冊父癸盉	隹王大龠于宗周
4447	臣辰冊冊戈乍冊父癸盉	王令士上眔史寅殷于成周
4449	裘衛盉	王再旂于豐
4449	裘衛盉	矩白庶人取瑾章于裘衛
4449	裘衛盉	裘衛乃彘告于白邑父
4536	大于尊	[大于]
4837	鬲乍父甲尊	鬲易貝于王、用乍父甲寶尊彝
4838	執乍父□尊	□□各于宮□□
4840	平䟣方尊	平䟣易貝于王始用乍寶尊彝
4856	季受尊	vd休于tv季
4862	娕能匋尊	能匋易貝于氒智公矢ns五朋
4863	睘乍父乙尊	隹公pw于宗周
4863	睘乍父乙尊	睘從公亥ry洛于官
4865	氒方尊	其用夙夜亯于氒大宗
4872	古白尊	曰母入于公
4872	古白尊	丙曰隹母入于公
4873	臣辰冊岁冊乍父癸尊	隹王大龠于宗周佮饔葊京年
4873	臣辰冊岁冊乍父癸尊	王令士□□寅殷于□
4874	萬諆尊	用乍念于多友
4875	忻折尊	令乍冊忻(折)兄望土于柤侯
4876	保尊	蔑曆于保、易賓
4876	保尊	遘于四方迨王大祀祓于周
4879	彔䵼尊	女其以成周師氏戍于古自
4883	耳尊	侯各于q3n0
4883	耳尊	侯休于q3
4884	臤尊	臤从師雝父戍于古自之年
4885	效尊	王雚于嘗

于

4885	效尊	公東宮内鄉于王
4888	盠駒尊一	王初執駒于㡿
4890	盠方尊	王各于周廟
4890	盠方尊	立于中廷北鄉
4891	何尊	隹王初鄙宅于成周
4891	何尊	王誥宗小子于京室曰
4891	何尊	則廷告于天曰
4891	何尊	視于公氏
4891	何尊	有Jr于天
4892	麥尊	出__侯于井
4892	麥尊	于若二月
4892	麥尊	侯見于周、亡尤
4892	麥尊	于若昱日才璧雝
4892	麥尊	王乘于舟、為大豐
4892	麥尊	侯乘于赤旂舟從
4892	麥尊	之日、王目侯内于寢
4892	麥尊	于王才㡿
4892	麥尊	覭考于井侯
4892	麥尊	乍冊麥易金于辟侯
4892	麥尊	唯天子休于麥辟侯之年
4893	夨令尊	丁亥、令夨告于周公宮
4893	夨令尊	明公朝至于成周
4893	夨令尊	甲申、明公用牲于京宮
4893	夨令尊	乙酉、用牲于康宮
4893	夨令尊	咸既、用牲于王
4893	夨令尊	奭左右于乃寮以乃友事
4893	夨令尊	用乍父丁寶尊彝、敢追明公賞于父丁[鳥冊]
4928	折觥	令乍冊忻(折)兄望土于柂侯
4967	平𩰫方彝	平𩰫易貝于王始
4975	麥方彝	鬲(嗝)于麥宄、易金
4976	折方彝	令乍冊忻(折)兄望土于柂侯
4979	盠方彝一	王各于周廟
4979	盠方彝一	立于中廷北鄉
4980	盠方彝二	王各于周廟
4980	盠方彝二	立于中廷北鄉
4981	鳥冊令方彝	丁亥、令夨告于周公宮
4981	鳥冊令方彝	明公朝至于成周、徣令
4981	鳥冊令方彝	甲申、明公用牲于京宮
4981	鳥冊令方彝	乙酉、用牲于康宮
4981	鳥冊令方彝	咸既、用牲于王
4981	鳥冊令方彝	奭左右于乃寮、以乃友事
4981	鳥冊令方彝	敢追明公賞于父丁
5424	束乍父辛卣	公賞束、用乍父辛于彝
5462	帛白乍父乙卣一	隹王八月、帛白易貝于姜
5463	帛白乍父乙卣二	隹王八月、帛白易貝于姜
5466	顯乍母辛卣一	顯易婦rb、日用𩰫于乃姑宊
5467	顯乍母辛卣二	顯易婦rb、日用𩰫于乃姑宊
5472	乍旒且丁卣	歸福于我多高処山易䔱
5472	乍旒且丁卣	歸福于我多高oe山易䔱
5481	叔卣一	隹王𣏟于宗周

5481	叔卣一	王姜史叔事于大保
5482	叔卣二	隹王˜于宗周
5482	叔卣二	王姜史叔事于大保
5483	周乎卣	用啻于文考庚中
5483	周乎卣	用啻于文考庚中
5485	貉子卣一	王各于呂𢿘
5485	貉子卣一	王牢于pj、hG宜
5486	貉子卣二	王各于呂𢿘
5486	貉子卣二	王牢于pj、咸宜
5489	戉箙㪟卣	寂if山谷至于上侯滰川上
5490	戉稽卣	稽從師𨑢父戍于古𠂤
5490	戉稽卣	稽從師𨑢父戍于古𠂤
5491	亞獏二祀𠨍其卣	丙辰、王令𠨍其兄wG于夆田
5491	亞獏二祀𠨍其卣	才正月遘于匕丙肜日大乙奭
5491	亞獏二祀𠨍其卣	既𠭰于上帝
5494	𡜊𦅫乍母辛卣	乙巳、子令{ 小子 }先以人于堇
5495	保卣	蔑曆于保、易賓
5495	保卣	遘于四方、迨王大祀
5495	保卣	祓于周
5495	保卣	蔑曆于保、易賓
5495	保卣	遘于四方、迨王大祀
5495	保卣	祓于周
5496	召卣	用追于炎、不䵼白懋父友
5498	彔㦵卣	女其以成周師氏戍于古𠂤
5499	彔㦵卣二	女其以成周師氏戍于古𠂤
5501	臣辰冊冊⺈卣一	隹王大龠于宗周
5501	臣辰冊冊⺈卣一	王令士上眔史黃殷于成周
5502	臣辰冊冊⺈卣二	隹王大龠于宗周
5502	臣辰冊冊⺈卣二	王令士上眔史黃殷于成周
5503	競卣	白犀父皇競各于官
5504	庚贏卣一	王格于庚贏宮
5505	庚贏卣二	王格于庚贏宮
5507	乍冊䰧卣	隹公大史見服于宗周年
5507	乍冊䰧卣	公大史成見服于辟王
5507	乍冊䰧卣	辨于多正
5510	乍冊嗌卣	用乍大禦于氒且考父母多申
5511	效卣一	王雚于嘗
5511	效卣一	公東宮內鄉于王
5581	甾田罍	唯甾田吏于ul
5759	趙孟壺一	禺邗王于黃池
5761	兮熬壺	享孝于大宗
5766	周㝅壺一	其用享于宗
5767	周㝅壺二	其用享于宗
5784	𡛤氏壺	歲賢鮮于
5786	㝵季良父壺	用享孝于兄弔婚媾者老
5787	汈其壺一	用享考于皇且考
5788	汈其壺二	用享考于皇且考
5789	命瓜君厚子壺一	至于萬意年
5790	命瓜君厚子壺二	至于萬意年
5798	智壺	王各于成宮

于

5798	曶壺	更乃且考乍冢嗣土于成周八自
5801	洹子孟姜壺一	聽命于天子
5801	洹子孟姜壺一	于上天子用璧玉備一嗣（笥）
5801	洹子孟姜壺一	于大無嗣折于大嗣命用璧
5801	洹子孟姜壺一	于南宮子用璧二備
5802	洹子孟姜壺二	齊侯命大子乘dw來句宗白聽命于天子
5802	洹子孟姜壺二	于上天子用璧玉備一嗣
5802	洹子孟姜壺二	于大無嗣折于與大嗣命用璧
5802	洹子孟姜壺二	于南宮子用璧二備
5803	㒼嗣好螸壺	于皮（彼）新土
5804	齊侯壺	執者獻于靈公之所
5804	齊侯壺	□□□□□其士女□＿旬四舟＿＿丘□＿于＿
5804	齊侯壺	執車馬獻之于莊公之所
5805	中山王嚳方壺	節于醠醋
5805	中山王嚳方壺	明＿之于壺而時觀焉
6278	臤䢅用＿日義觚	毖婦賞于䢅
6634	郐王義楚祭耑	用享于皇天
6635	中觶	王大省公族于庚農旅
6663	白公父金勺一	于朕皇考
6784	三十四祀盤（楳盤）	啻于卲王
6786	＿弔多父盤	吏利于辟王卿事師尹倗友
6790	虢季子白盤	用武于戎工
6790	虢季子白盤	于洛之陽
6790	虢季子白盤	獻馘于王
6791	兮甲盤	王初各伐玁狁于䍐䖒
6791	兮甲盤	至于南淮夷
6792	史墻盤	初盭龢于政
6792	史墻盤	武王則令周公舍䧹于周卑處
6793	矢人盤	至于大沽
6793	矢人盤	至于邊柳、復涉濡
6793	矢人盤	封于＿城桂木
6793	矢人盤	封于芻逨
6793	矢人盤	封于芻道
6793	矢人盤	內陟芻、登于厂qq
6793	矢人盤	封于單道、封于原道、封于周道
6793	矢人盤	以東封于mk東彊右
6793	矢人盤	還、封于履道
6793	矢人盤	以南封于qx逨道
6793	矢人盤	以西至于琟莫
6793	矢人盤	自根木道左至于井邑封
6793	矢人盤	降以南封于同道
6793	矢人盤	矢王于豆新宮東廷
6877	㒼乍旅盉	乃以告吏䂂吏曶于會
6909	迹盂	命遡吏于述土
6910	師永盂	益公內即命于天子
6925	晉邦盦	至于大廷
7001	嘉賓鐘	余武于戎攻䜌聞
7003	舍武編鐘	余武于戎攻䜌聞
7007	梁其鐘	匄于永令
7008	通彔鐘	匄于永令

7009	兮仲鐘一	其用追孝于皇考己白
7010	兮仲鐘二	其用追孝于皇考己白
7011	兮仲鐘三	其用追孝于皇考己白
7012	兮仲鐘四	其用追孝于皇考己白
7013	兮仲鐘五	其用追孝于皇考己白
7014	兮仲鐘六	其用追孝于皇考己白
7015	兮仲鐘七	其用追孝于皇考己白
7017	楚王酓章鐘一	寘之于西昜
7018	楚王酓章鐘二	寘之于西昜
7021	虘鐘一	用追孝于己白
7022	虘鐘二	用追孝于己白
7023	虘鐘三	用追孝于己白
7024	虘鐘四	用追孝于己白
7038	應侯見工鐘一	雁侯見工遺王于周
7038	應侯見工鐘一	辛未王各于康
7040	克鐘一	王親令克遹涇東至于京自
7041	克鐘二	王親令克遹涇東至于京自
7042	克鐘三	王親令克遹涇東至于京
7047	井人鐘	永冬于吉
7048	井人鐘二	永冬于吉
7058	邾公孫班鐘	用喜于其皇且
7070	者沕鐘二	女亦虔秉不經悳台克刺__光之于聿
7073	者沕鐘五	台克__光朕于
7075	者沕鐘七	用受刺__光之于聿
7076	者沕鐘八	詨之于不啻
7078	者沕鐘十	光之于聿
7079	者沕鐘十一	詨之于不啻
7080	者沕鐘十二	詨之于不啻
7080	者沕鐘十二	光之于聿
7081	者沕鐘十三	詨之于不
7082	齊鞄氏鐘	于台皇且文考
7084	邾公牼鐘一	至于萬年
7085	邾公牼鐘二	至于萬年
7086	邾公牼鐘三	至于萬年
7087	邾公牼鐘四	至于萬年
7088	士父鐘一	龕于永□
7088	士父鐘一	用享于宗
7089	士父鐘二	龕于永□
7089	士父鐘二	用享于宗
7090	士父鐘三	龕于永□
7090	士父鐘三	用享于宗
7091	士父鐘四	龕于永□
7091	士父鐘四	用享于宗
7092	驫羌鐘一	入長城、先會于平陰
7092	驫羌鐘一	賞于韓宗
7092	驫羌鐘一	令于晉公
7092	驫羌鐘一	昭于天子
7092	驫羌鐘一	用明則之于銘
7093	驫羌鐘二	入長城、先會于平陰
7093	驫羌鐘二	賞于韓宗

于

7093	𠫑羌鐘二	令于晉公
7093	𠫑羌鐘二	昭于天子
7093	𠫑羌鐘二	用明則之于銘
7094	𠫑羌鐘三	入長城、先會于平陰
7094	𠫑羌鐘三	賞于韓宗
7094	𠫑羌鐘三	令于晉公
7094	𠫑羌鐘三	昭于天子
7094	𠫑羌鐘三	用明則之于銘
7095	𠫑羌鐘四	先會于平陰
7095	𠫑羌鐘四	賞于韓宗
7095	𠫑羌鐘四	令于晉公
7095	𠫑羌鐘四	昭于天子
7095	𠫑羌鐘四	用明則之于銘
7096	𠫑羌鐘五	入長城、先會于平陰
7096	𠫑羌鐘五	賞于韓宗
7096	𠫑羌鐘五	令于晉公
7096	𠫑羌鐘五	昭于天子
7096	𠫑羌鐘五	用明則之于銘
7108	𪓐弔之仲子平編鐘一	rp于hs東
7109	𪓐弔之仲子平編鐘二	rp于hs東
7110	𪓐弔之仲子平編鐘三	rp于hs東
7111	𪓐弔之仲子平編鐘四	rp于hs東
7112	者減鐘一	敦𢿌于我霝龠
7112	者減鐘一	于其皇且皇考
7112	者減鐘一	其登于上下
7112	者減鐘一	聞于四旁
7113	者減鐘二	敦協于我霝龠
7113	者減鐘二	于其皇且皇考
7113	者減鐘二	其登于上下
7113	者減鐘二	聞于四旁
7117	𨛭𪒠兒鐘一	余迖斯于之孫
7118	𨛭𢊁兒鐘二	余迖斯于之孫
7121	邻王子旃鐘	聞于四方
7124	沇兒鐘	淑于威義
7124	沇兒鐘	惠于明祀
7125	蔡侯𩐙紐鐘一	既恖于心
7126	蔡侯𩐙紐鐘二	既恖于心
7132	蔡侯𩐙紐鐘八	既恖于心
7133	蔡侯𩐙紐鐘九	既恖于心
7134	蔡侯𩐙甬鐘	既恖于心
7135	逆鐘	乃且考□政于公室
7135	逆鐘	用𤔲于公室僕庸臣妾
7150	虢叔旅鐘一	御于氒辟
7150	虢叔旅鐘一	寵御于天子
7151	虢叔旅鐘二	御于氒辟
7151	虢叔旅鐘二	寵御于天子
7152	虢叔旅鐘三	御于氒辟
7152	虢叔旅鐘三	寵御于天子
7153	虢叔旅鐘四	御于氒辟
7153	虢叔旅鐘四	寵御于天子

7154	虢叔旅鐘五	御于氒辟
7155	虢叔旅鐘六	寵御于天子
7157	邾公華鐘一	不豕于氒身
7159	瘐鐘二	追孝于高且辛公
7159	瘐鐘二	匃于永令
7163	瘐鐘六	初盭龢于政
7165	瘐鐘八	匃于永
7174	秦公鐘	不豕于上
7175	王孫遺者鐘	于我皇且文考
7175	王孫遺者鐘	惠于政德
7175	王孫遺者鐘	淑于威義
7175	王孫遺者鐘	余敷旬于國
7177	秦公及王姬編鐘一	不豕于上
7182	叔夷編鐘一	師于____
7182	叔夷編鐘一	余命女政于朕三軍
7183	叔夷編鐘二	女肇敏于戎功
7184	叔夷編鐘三	女專余于艱卹
7184	叔夷編鐘三	飘命于外內之吏
7184	叔夷編鐘三	雁卹余于
7186	叔夷編鐘五	是辟于齊侯之所
7186	叔夷編鐘五	又共于超武靈公之所
7187	叔夷編鐘六	用享于其皇祖皇妣皇母皇考
7188	叔夷編鐘七	至于業
7191	叔夷編鐘十	余敏于戎攻
7192	叔夷編鐘十一	女專余于艱卹
7201	楚王酓章乍曾侯乙鎛	奠之于西昜
7204	克鎛	至于京自
7205	蔡侯𨽍編鎛一	既恩于心
7206	蔡侯𨽍編鎛二	既恩于心
7207	蔡侯𨽍編鎛三	既恩于心
7208	蔡侯𨽍編鎛四	既恩于心
7209	秦公及王姬鎛	不豕于上
7210	秦公及王姬鎛二	不豕于上
7211	秦公及王姬鎛三	不豕于上
7212	秦公鎛	于秦執事
7213	𬴊鎛	用享用孝于皇祖聖弔
7213	𬴊鎛	于皇祖又成惠弔
7213	𬴊鎛	勞于齊邦
7214	叔夷鎛	師于____
7214	叔夷鎛	余命女政于朕三軍
7214	叔夷鎛	女肇敏于戎功
7214	叔夷鎛	女專余于艱卹
7214	叔夷鎛	飘命于外內之吏
7214	叔夷鎛	雁卹余于盟卹
7214	叔夷鎛	是辟于齊侯之所
7214	叔夷鎛	又共于公所
7214	叔夷鎛	用享于其皇祖皇妣皇母皇考
7214	叔夷鎛	至于業
7468	𩫖于公戈	𩫖于公之__造
7678	啚于公劍	啚于公乍

于
粤
平

	7686	朕之丕劍	朕之丕忏古于
	7744	工歔太子劍	至于南行
	7744	工歔太子劍	至于西行
	7870	陳純釜	敇成左關之斧節于稟斧
	7871	子禾子釜一	左關斧節于稟斧
	7871	子禾子釜一	關鉨節于稟料
	7871	子禾子釜一	于其事區夫
	7976	之利殘片	__書新□□__女長于部旨
	M126	圝卣	王桒于成周
	M143	𩨺壺	用饎于乃姑弃
	M423.	趞鼎	各于大室、即立
	M545	配兒勾鑃	余其戕于戎攻歔武
	M707	曾侯乙編鐘下一・三	符于索宮之顛
	M711	曾侯乙編鐘下二・四	符于索商之顛
	M712	曾侯乙編鐘下二・五	符于索宮之顛
	M746	曾侯乙編鐘中三・七	符于索商之顛
	M747	曾侯乙編鐘中三・八	符于索宮之顛
	M900	梁十九年鼎	躳于兹从
			小計：共 766 筆
粤	0754	1874雩字重見	
平	0755		
	0156	平鼎	[平]
	1266	鄀公平侯鬸一	鄀公平侯自乍尊鬸
	1267	鄀公平侯鬸二	鄀公平侯自乍尊鬸
	3095	拍乍祀彝（ 蓋 ）	拍乍朕配平姬褱宮祀彝
	3099	十年陳侯午𦗟（ 器 ）	用作平壽造器𦗟台登台嘗
	7092	𠫑羌鐘一	入長城、先會于平陰
	7093	𠫑羌鐘二	入長城、先會于平陰
	7094	𠫑羌鐘三	入長城、先會于平陰
	7095	𠫑羌鐘四	先會于平陰
	7096	𠫑羌鐘五	入長城、先會于平陰
	7108	簷弔之仲子平編鐘一	筥弔之中子平自乍鑄游鐘
	7108	簷弔之仲子平編鐘一	中平善弜𠭯考鑄其游鐘
	7109	簷弔之仲子平編鐘二	筥弔之中子平自乍鑄游鐘
	7109	簷弔之仲子平編鐘二	中平善弜𠭯考鑄其游鐘
	7110	簷弔之仲子平編鐘三	筥弔之中子平自乍鑄游鐘
	7110	簷弔之仲子平編鐘三	中平善弜𠭯考鑄其游鐘
	7111	簷弔之仲子平編鐘四	筥弔之中子平自乍鑄游鐘
	7111	簷弔之仲子平編鐘四	中平善弜𠭯考鑄其游鐘
	7400	平阿戈	平阿右戈
	7411	平陸戈	平陸左戟
	7417	平□□戈	平□□戈
	7445	平陽高馬里戈	平陽高馬里戈
	7559	十五年奠令戈	工帀陳平冶贛
	7658	五年春平侯矛	五年相邦□平侯邦司寇__

7659	元年春平侯矛	元年相邦□平侯
7660	十□年相邦春平侯矛	十□年相邦春平侯
7683	陰平左軍劍	陰平左庫之造
7724	二年春平侯劍	二年相邦春平侯
7734	四年春平侯劍	四年□□春升平侯□左庫工币丘□________
7737	十五年劍	十五年相邦春平侯
7738	十七年相邦春平侯劍	十七年相邦春平侯
7740	四年春平相邦劍	四年春平相邦都及
7884	五年司馬權	半石__平石
7975	中山王墓兆域圖	丘平□□□
7975	中山王墓兆域圖	丘平者卌乇
7975	中山王墓兆域圖	丘平者五十乇
7975	中山王墓兆域圖	丘平者五十乇
7975	中山王墓兆域圖	丘平者卌乇
7975	中山王墓兆域圖	丘平者卌乇
7975	中山王墓兆域圖	丘平者五十乇
7975	中山王墓兆域圖	丘平者五十乇
7975	中山王墓兆域圖	丘平者卌乇
M798	廿八年平安君鼎	廿八年平安邦鑄客載四分齋
M798	廿八年平安君鼎	廿八年平安邦鑄客載四分齋
M799	卅二年平安君鼎	平安邦鑄客廚四分齋（蓋一）
M799	卅二年平安君鼎	卅二年平安邦鑄客廚四分齋
M799	卅二年平安君鼎	卅三年單父上官宰喜所受平安君石宅（器二）
M897	六年安平守劍	六年安平守敀疾
		小計：共　48 筆
0756		
0844	匽侯旨乍父辛鼎	匽侯旨乍父辛尊
1137	匽侯旨鼎一	匽侯旨初見事于宗周
1137	匽侯旨鼎一	王賞旨貝廿朋
2898	白旅魚父旅匿	用側旨飤
2983	弭仲寶匿	既具旨飤
3122	__君之孫盧(者旨瞿盤)	n8君之孫郐命尹者旨瞿
4888	盠駒尊一	王親旨盠駒、易兩
5700	旻季良父壺	旻（ 殳 ）季良父乍kh姒（ 始 ）尊壺，用盛旨酒
5826	國差罏	用實旨酉
5826	國差罏	卑旨卑瀞
6754.	徐令尹者旨瞿爐盤	n8君之孫郐令尹者旨瞿罴其吉金
7519	越王者旨於賜戈一	戉王者旨於賜、□t7t8□t9ua
7520	越王者旨於賜戈二	戉王者旨烏於賜、□t7t8□t9ua
7634	越王者旨於賜矛	越王者旨於賜
7699	越王者旨於賜劍一	越王者旨於賜王越
7700	越王者旨於賜劍二	越王者旨於賜王越
7701	越王者旨於賜劍三	越王者旨於賜王越
7976	之利殘片	之利寺王之奴旨____弘____萬
7976	之利殘片	□__卲乍成旨
7976	之利殘片	__書鉨□□__女長于卲旨
M553	越王者旨於賜鐘	戉王者旨於賜罴厗吉金
M555	越王者旨於賜劍	越王者旨於賜王越

小計：共 22 筆

旨 嘗 0757

1003	楚王酓肯釶鼎	以共歲嘗
1005	楚王酓肯喬鼎	以共歲嘗
1115	楚王酓肯喬鼎	以共歲嘗
1198	姬鬻彝鼎	用烝用嘗
2682	陳侯午毁	□□台＿台嘗
2802	六年召白虎毁	用乍朕剌且召公嘗毁
2908	楚王酓肯匿一	以共歲嘗、戊寅
2909	楚王酓肯匿二	以共歲嘗、戊寅
2910	楚王酓肯匿三	以共歲嘗、戊寅
3097	陳侯午鐏錞一	乍皇妣孝大妃祭器sk鐏台登台嘗
3098	陳侯午鐏錞二	乍皇妣孝大妃祭器sk鐏台登台嘗
3099	十年陳侯午臺(器)	用乍平壽造器臺台登台嘗
3100	陳侯因資錞	台登台嘗、保有齊邦
3112	邶陵君王子申豆一	攸立歲嘗
3113	邶陵君王子申豆二	攸立歲嘗
4885	效尊	王雚于嘗
4887	蔡侯𦓖尊	祗盟嘗啻
5511	效卣一	王雚于嘗
6723	楚王酓肯盤	台共歲嘗
6776	楚王酓忎盤	以共歲嘗
6788	蔡侯𦓖盤	祗盟嘗啻
6887	邶陵君王子申鑑	攸立歲嘗

小計：共 22 筆

0758			
1007	史喜鼎	史喜乍朕文考翟祭	喜
1169	平安邦鼎	卅三年單父上官{冢子}喜所受坪安君者也(蓋)	
1169	平安邦鼎	卅三年單父上官{冢子}喜所受坪安君者也(器)	
1253	平安君鼎	單父上官宰喜所受坪安君者也	
1322	九年裘衛鼎	㔷吴喜皮二	
2419	白喜父乍洹餴殷一	白喜父乍洹餴殷	
2420	白喜父乍洹餴殷二	白喜父乍洹餴殷	
2579	白喜乍文考剌公殷	白喜父乍朕文考剌公尊殷	
2579	白喜乍文考剌公殷	喜其萬年子子孫孫其永寶用	
2674	弔妣殷	用侃喜百生倗友眔子婦{ 子孫 }永寶用	
2777	天亡殷	吏喜上帝	
3093.	台(以)喜敦	台(以)喜匽	
5773	陳喜壺	陳喜再立事歲pf月己酉	
6786	__弔多父盤	兄弟者子聞(婚)媾無不喜	
7009	兮仲鐘一	用侃喜前文人	
7010	兮仲鐘二	用侃喜前文人	
7011	兮仲鐘三	用侃喜前	
7012	兮仲鐘四	用侃喜前文人	
7013	兮仲鐘五	用侃喜前文人	
7014	兮仲鐘六	用侃喜前	
7015	兮仲鐘七	用侃喜前文人	
7051	子璋鐘一	用匽以喜	
7052	子璋鐘二	用匽以喜	
7053	子璋鐘三	用匽以喜	
7054	子璋鐘四	用匽以喜	
7055	子璋鐘五	用匽以喜	
7056	子璋鐘六	用匽以喜	
7057	子璋鐘八	用匽以喜	
7058	邾公孫班鐘	用喜于其皇且	
7059	師臾鐘	用喜侃前文人	
7060	昊生鐘一	用喜侃前文人	
7082	齊鞄氏鐘	用匽用喜	
7084	邾公牼鐘一	以喜者士	
7085	邾公牼鐘二	以喜者士	
7086	邾公牼鐘三	以喜者士	
7087	邾公牼鐘四	以喜者士	
7088	士父鐘一	用喜侃皇考	
7089	士父鐘二	用喜侃皇考	
7090	士父鐘三	用喜侃皇考	
7091	士父鐘四	用喜侃皇考	
7121	郤王子旃鐘	以宴以喜	
7124	沇兒鐘	虞以匽以喜	
7159	癲鐘二	用卲各喜侃樂前文人	
7175	王孫遺者鐘	用匽台喜	
7489	郾王喜乍五__鋸一	郾王喜乍巨攼鋸	
7490	郾王喜乍五__鋸二	郾王喜乍巨攼鋸	
7535	三年汪陶令戈	下庫工市王喜冶□	
7549	十六年喜令戈	喜命韓鳳左庫工币司馬裕冶何	

喜
壴
尌

7635	郾王喜矛	郾王喜□□钕矛
7644	郾王喜矛	郾王喜乍□□□□
7692	郾王喜劍一	郾王喜乍畢旅鈦
7693	郾王喜劍二	郾王喜乍畢旅鈦
7694	郾王喜劍三	郾王喜乍畢旅鈦
7695	郾王喜劍四	郾王喜乍畢旅鈦
M612	鄦子鐘	用匽目喜
M720	曾侯乙編鐘中一・四	獸鐘之喜
M725	曾侯乙編鐘中一・九	坪皇之喜
M729	曾侯乙編鐘中二・二	濁獸鐘之喜
M729	曾侯乙編鐘中二・二	穆鐘之喜反
M730	曾侯乙編鐘中二・三	獸鐘之喜反
M731	曾侯乙編鐘中二・四	割肄之喜
M731	曾侯乙編鐘中二・四	濁文王之喜
M732	曾侯乙編鐘中二・五	穆鐘之喜
M733	曾侯乙編鐘中二・六	獸鐘之喜
M736	曾侯乙編鐘中二・九	坪皇之喜
M739	曾侯乙編鐘中二・十二	鄉音之喜
M798	廿八年平安君鼎	六益料新之家(器一)卅三年單父上官宰喜所
M799	卅二年平安君鼎	卅三年單父上官宰喜所受平安君石它(器二)

小計：共 68 筆

壴 0759

0067	壴鼎	[壴]
0420	壴父辛鼎	[壴]父辛
2659	郾侯庫毁	乍焦金壴
3755	且辛壴爵	且辛[壴]
3933	父辛爵	[壴]父辛
3996	且辛壴爵	且辛[壴]
4097	庚壴父癸爵	[庚壴]父癸
4576	壴父丁尊	[壴]父丁
J2960	女壴方彝	女壴女聿聿
5248	白壴父乍卣	白壴父乍
5477	單光壴乍父癸簫卣	文考日癸乃_子壴乍父癸旅宗尊彝
5983.	壴觚	[壴]
7175	王孫遺者鐘	永保壴(鼓)之
M719	曾侯乙編鐘中一・三	獸鐘之壴反
M720	曾侯乙編鐘中一・四	割肄之壴
M720	曾侯乙編鐘中一・四	濁新之壴
M721	曾侯乙編鐘中一・五	穆鐘之壴
M722	曾侯乙編鐘中一・六	獸鐘之壴

小計：共 18 筆

尌 0760

1656	尌仲甗	尌中乍獻(甗)
2667	尌仲毁	尌中乍朕皇考趄中醬彝尊毁

小計：共 2 筆

0761

0596	彭母彝冉鼎一	彭母彝[冉]
0597	彭母彝冉鼎二	彭母彝[冉]
1124	玐乍父庚鼎一	己亥、揚見事于彭
1125	玐乍父庚鼎二	己亥、揚見事于彭
1603	冉彭女彝甗	彭母彝[冉]
2051	彭女彝冉毁	彭母彝[冉]
2496	廣乍弔彭父毁	廣乍弔彭父寶毁
4392	白彭乍盉	白彭乍
4710	乍彭史從尊	乍彭史从尊
J3124	伯彭父卣	(拓本未見)
J3244	魚伯彭卣	魯白彭長子囗乍寶尊彝
J3402	彭姬壺	彭姬乍壺尊
6722	彭生盤	彭生乍氒文考辛寶尊彝[冊光自尹]
7560	十六年奠令戈	十六年奠命趙司寇彭璋生庫
7561	十七年奠令戈	十七年奠命幽距司寇彭璋武庫
7900	鄂君啟舟節	適彭射、適松易、內瀘江

小計：共 16 筆

0762

1274	哀成弔鼎	正月庚午、嘉曰
1274	哀成弔鼎	嘉是隹哀成弔
1318	晉姜鼎	嘉遣我
1331	中山王嚳鼎	嘉其力
2482	敶侯乍嘉姬毁	陳侯乍嘉姬寶毁
J1378	伯嘉父毁	白嘉父乍姬尊毁
2907	王子申匿	王子申乍嘉嬭
4344	嘉仲父罍	嘉中父羇其吉金
4887	蔡侯䵼尊	齊嘉整讟(肅)
5697	右走馬嘉行壺	右走馬嘉自乍行壺
5801	洹子孟姜壺一	齊侯拜嘉命
5801	洹子孟姜壺一	洹子孟姜用嘉命
5802	洹子孟姜壺二	齊侯拜嘉命
5802	洹子孟姜壺二	洹子孟姜用嘉命
6788	蔡侯䵼盤	齊嘉整讟(肅)
6790	虢季子白盤	王孔嘉子白義
6906	王子申盞盂	王子申乍嘉嬭盞盂
7001	嘉賓鐘	用樂嘉賓父兄
7003	舍武編鐘	用樂嘉賓父兄
7027	邾公釛鐘	用樂我嘉賓、及我正卿
7082	齊鞄氏鐘	用樂嘉賓
7083	鮮鐘	用樂嘉賓
7121	郤王子旃鐘	以樂嘉賓
7124	沇兒鐘	孔嘉元成
7124	沇兒鐘	以樂嘉賓
7175	王孫遺者鐘	用樂嘉賓父兄

7867.	龍__	□客減(臧)嘉聞王於栽(蒇)之歲
7878	安邑下闗鍾	安邑下闗□重□□□嗇夫嘉句□....
M612	鄦子鐘	用樂嘉賓大夫及我倗友

小計：共 29 筆

鼓 0763

1327	克鼎	霝籥鼓鐘
2838	師嫠殷一	令女嗣(司)乃且舊官小輔鼓鐘
2838	師嫠殷一	令女嗣乃且舊官小輔眔鼓鐘
2839	師嫠殷二	令女嗣(司)乃且舊官小輔鼓鐘
2839	師嫠殷二	令女嗣乃且舊官小輔眔鼓鐘
5558	母壴罍	母[鼓]母
5801	洹子孟姜壺一	鼓鐘一肆
5802	洹子孟姜壺二	敳(鼓)鐘一肆
5804	齊侯壺	冉子執鼓
6308	鼓觶	[鼓]
6627	鼓𩫖乍父辛觶	[鼓𩫖]乍父辛寶尊彝
7051	子璋鐘一	子子孫孫永保鼓之
7052	子璋鐘二	子子孫孫永保鼓之
7053	子璋鐘三	子子孫孫永保鼓之
7054	子璋鐘四	子子孫孫永保鼓之
7055	子璋鐘五	子子孫孫永保鼓之
7056	子璋鐘六	子子孫孫永保鼓之
7057	子璋鐘八	子子孫孫永保鼓之
7082	齊鞄氏鐘	子子孫孫永保鼓之
7083	鮮鐘	用利鼓之
7121	𨛔王子旃鐘	萬世鼓之
7124	沇兒鐘	子子孫孫永保鼓之
7125	蔡侯掇紐鐘一	子孫鼓之
7126	蔡侯掇紐鐘二	子孫鼓之
7131	蔡侯掇紐鐘七	子孫鼓之
7132	蔡侯掇紐鐘八	子孫鼓之
7133	蔡侯掇紐鐘九	子孫鼓之
7134	蔡侯掇甬鐘	子孫鼓之
7136	郘鐘一	玉鐈鼉鼓
7137	郘鐘二	玉鐈鼉鼓
7138	郘鐘三	玉鐈鼉鼓
7139	郘鐘四	玉鐈鼉鼓
7140	郘鐘五	玉鐈鼉鼓
7141	郘鐘六	玉鐈鼉鼓
7142	郘鐘七	玉鐈鼉鼓
7143	郘鐘八	玉鐈鼉鼓
7144	郘鐘九	玉鐈鼉鼓
7145	郘鐘十	玉鐈鼉鼓
7146	郘鐘十一	玉鐈鼉鼓
7147	郘鐘十二	玉鐈鼉鼓
7148	郘鐘十三	玉鐈鼉鼓
7149	郘鐘十四	玉鐈鼉鼓

7160	瘋鐘三	瘋其萬年永寶日鼓
7161	瘋鐘四	瘋其萬年永寶日鼓
7162	瘋鐘五	瘋其萬年永寶日鼓
7169	瘋鐘十二	萬年日鼓
7170	瘋鐘十三	萬年日鼓
7171	瘋鐘十四	萬年日鼓
7175	王孫遺者鐘	永保鼓之
7187	叔夷編鐘六	卑若鐘鼓
7194	叔夷編鐘十三	卑若鐘鼓
7205	蔡侯𩠚編鎛一	子孫鼓之
7206	蔡侯𩠚編鎛二	子孫鼓之
7207	蔡侯𩠚編鎛三	子孫鼓之
7208	蔡侯𩠚編鎛四	子孫鼓之
7214	叔夷鎛	卑若鐘鼓
M160	□貯段	□□賈眔子鼓罰鑄旅段
M553	越王者旨於賜鐘	其旨鼓之
M612	鄦子鐘	子子孫孫永保鼓之
M727	曾侯乙編鐘中一・十一	郿音之鼓
M742	曾侯乙編鐘中三・三	為剌音鼓
M743	曾侯乙編鐘中三・四	為黃鐘鼓
M745	曾侯乙編鐘中三・六	大族之鼓

小計：共　63 筆

0764

2599	宰甴段	王來獸自豆彔
2791	豆閉段	右豆閉
2791	豆閉段	王乎內史冊命豆閉
3109	周生豆一	周生乍尊豆用亯于宗室
3110	周生豆二	周生乍尊豆用亯于宗室
3110.	元祀豆	＿元祀乍豆
3110.	孟＿旁豆	孟uG旁乍父旅克豆
3111	大師虘豆	大師虘乍蕐尊豆
3121.	鑄客𨪌	鑄客為集豆＿為之
3234	豆爵	[豆]
6697	冊冊豆父丁盤	[豆冊]父丁
6793	矢人盤	豆人虞丂、彔貞、師氏、 右眚
6793	矢人盤	矢王于豆新宮東廷
M236	單昊生豆	單昊生乍羞豆、用亯

小計：共　14 筆

登 0765

1328	盂鼎	夙夕召我一人蕐四方
2737	段段	王鼒(才)畢登
2834	𠭰段	寍糧(登)宇慕遠猷
2853.	尹段	登、咸
3111	大師虘豆	大師虘乍蕐尊豆

業 丵 豊 豐

			小計：共　5 筆
豊	0766	豊豐同字，0767豐字參看	
	1117	豐乍父丁鼎	乙未、王商宗庚豐貝二朋
	1242	豊方鼎	豊白、專古咸戈
	1244	瘨鼎	王才豊
	1299	鼉侯鼎一	鼉侯馭方内豊于于王
	1477	右戲仲夏父豐鬲	右戲中夏父乍豐鬲
	3531	豐癸爵	[豊]癸
	4448	長甶盉	穆王鄉豊
	7536	郾王詈戈一	右攻尹桐其攻豊
			小計：共　8 筆
豐	0767	豊豐同字，0766豊字參看	
	1060	輔白雁父鼎	輔白雁父乍豐孟妘賸鼎
	1117	豐乍父丁鼎	丁亥、豐用乍父乙齋彝[亞啚]
	1443	宋饗父乍寶子賸鬲	宋饗父乍豐子賸鬲
	1647	井乍寶甗	䰝乍旅甗子孫孫永寶用、豐井
	2030	豐乍從彝毀	豐乍從彝
	2372	夆乍豐敟毀	夆乍豐敟寶毀
	2529	豐井弔乍白姬毀	豐井弔乍白姬尊毀
	2574	豐兮毀一	豐兮夷作朕皇考尊毀
	2575	豐兮毀二	豐兮夷作朕皇考尊毀
	2722	䆁弔乍豐姞旅毀	䆁弔乍豐姞憨旅毀
	2722	䆁弔乍豐姞旅毀	豐姞憨用宿夜亯孝于㪟公
	2731	小臣宅毀	周公才豐
	2777	天亡毀	乙亥、王又大豐
	2784	申毀	官嗣豐人眔九戲祝
	2793	元年師旋毀一	官司豐還ナ又師氏
	2794	元年師旋毀二	官司豐還ナ又師氏
	2795	元年師旋毀三	官司豐還ナ又師氏
	4178	豐乍父辛爵一	豐乍父辛寶[冊𡴑]
	4179	豐乍父辛爵二	豐乍父辛寶[冊𡴑]
	4180	豐乍父辛爵三	豐乍父辛寶[冊𡴑]
	4437	王乍豐妊盉	王乍豐妊單寶般盉
	4449	裘衛盉	王爯旂于豐
	4823	懷季遽父尊	懷季遽父乍豐姬寶尊彝
	4871	冊𡴑豐尊	令豐殷大矩
	4871	冊𡴑豐尊	大矩易豐金、貝
	4891	何尊	復爯珷王豐福自天
	4892	麥尊	王乘于舟、為大豐
	4956	白豐乍旅方彝一	白豐乍旅彝
	4957	白豐乍旅方彝二	白豐乍旅彝
	5309	豐乍從寶彝卣	豐乍從寶彝
	5441	懷季遽父卣一	懷季遽父乍豐姬寶尊彝
	5442	懷季遽父卣二	懷季遽父乍豐姬寶尊彝
	5480	冊𡴑冊豐卣	令豐殷大矩

5480	冊牽冊豐卣	大矩易豐金、貝
5480	冊牽冊豐卣	令豐殷大矩
5480	冊牽冊豐卣	大矩易豐金、貝
5507	乍冊魖卣	公大史在豐
6792	史墻盤	上帝司vu尢保受天子綰令厚福豐年
6793	夨人盤	豐父、唯人有𤔲刑丂
7159	瘓鐘二	豐豐纍纍
7749	斧	豐王
7934	豐王鋪一	豐王
7935	豐王門鋪二	豐王
7936	豐王門鋪三	豐王
		小計：共　44 筆

0768

2728	恆殷一	其萬年世子子孫虞寶用
2729	恆殷二	其萬年世子子孫虞寶用
2828	宜侯夨殷	王令虞侯夨曰
2828	宜侯夨殷	乍虞公父丁尊彝
5768	虞𤔲寇白吹壺一	虞𤔲寇白吹乍寶壺
5769	虞𤔲寇白吹壺二	虞𤔲寇白吹乍寶壺
6793	夨人盤	豆人虞丂、彔貞、師氏、右眚
6793	夨人盤	小門人繇、原人虞艿、淮𤔲工虎、孝龠
M508	虞侯政壺	虞侯政乍寶壺
		小計：共　9 筆

0769

1307	師望鼎	虔夙夜出內王命
1318	晉姜鼎	虔不豕
1332	毛公鼎	虔夙夕
2746	追殷一	追虔夙夕卹氒死事
2747	追殷二	追虔夙夕卹氒死事
2748	追殷三	追虔夙夕卹氒死事
2749	追殷四	追虔夙夕卹氒死事
2750	追殷五	追虔夙夕卹氒死事
2751	追殷六	追虔夙夕卹氒死事
2826	師寰殷一	師寰虔不豕
2826	師寰殷一	師寰虔不豕
2827	師寰殷二	師寰虔不豕
2833	秦公殷	虔敬朕祀
2840	番生殷	虔夙夜尃求不朁德
4887	蔡侯𤕌尊	蔡侯𤕌虔共大命
6788	蔡侯𤕌盤	蔡侯𤕌虔共大命
6888	吳王光鑑一	虔敬乃后
6889	吳王光鑑二	虔敬乃后
6925	晉邦盦	虔韡盟祀
7008	通彔鐘	康虔屯右

豐 虞 虔

7069	者沕鐘一	q7亦虔秉不經悳
7070	者沕鐘二	女亦虔秉不經悳台克刺__光之于聿
7071	者沕鐘三	女亦虔秉不經悳
7072	者沕鐘四	女亦虔秉不經德
7073	者沕鐘五	女亦虔秉不經悳
7122	梁其鐘一	虔夙夕、辟天子
7123	梁其鐘二	虔夙夕、辟天子
7125	蔡侯𤔲𢾊鐘一	有虔不易
7126	蔡侯𤔲𢾊鐘二	有虔不易
7132	蔡侯𤔲𢾊鐘八	有虔不易
7133	蔡侯𤔲𢾊鐘九	有虔不易
7134	蔡侯𤔲甬鐘	有虔不易
7164	㾓鐘七	今㾓夙夕虔苟(敬)卹㽙死事
7174	秦公鐘	余夙夕虔敬朕祀
7177	秦公及王姬編鐘一	余夙夕虔敬朕祀
7182	叔夷編鐘一	虔卹㽙死事
7184	叔夷編鐘三	虔卹不易
7192	叔夷編鐘十一	虔卹不易
7205	蔡侯𤔲編鎛一	有虔不易
7206	蔡侯𤔲編鎛二	有虔不易
7207	蔡侯𤔲編鎛三	有虔不易
7208	蔡侯𤔲編鎛四	有虔不易
7209	秦公及王姬鎛	余夙夕虔敬朕祀
7210	秦公及王姬鎛二	余夙夕虔敬朕祀
7211	秦公及王姬鎛三	余夙夕虔敬朕祀
7212	秦公鎛	虔敬朕祀
7212	秦公鎛	虓(虔)夙夕剌剌桓桓
7214	叔夷鎛	虔卹㽙死事
7214	叔夷鎛	虔卹不易

小計：共　49 筆

虘　0770

1025	虘鐘五	好賓虘眔蔡姬
1329	小字盂鼎	□趞白□□䖒旟虘㠯新□從、咸
2232	虘𣪘	虘乍父辛尊彝
2641	伯椃虘𣪘一	伯椃虘肇乍皇考剌公尊𣪘
2642	伯椃虘𣪘二	伯椃虘肇乍皇考剌公尊𣪘
2644.	伯椃虘𣪘	白椃虘肇乍皇考剌公尊𣪘
2767	虘𣪘一	王乎師晨召大師虘入門、立中廷
2767	虘𣪘一	王乎宰曶易大師虘虎裘
2767	虘𣪘一	虘拜䭫首敢對揚天子不顯休
2767	虘𣪘一	虘其萬年永寶用
3111	大師虘豆	大師虘乍𦎫尊豆
3111	大師虘豆	虘其永寶用亯
4128	虘爵	虘乍父辛
6792	史墻盤	虘長伐尸童
7021	虘鐘一	虘乍寶鐘
7021	虘鐘一	虘眔蔡姬永寶

7022 虘鐘二 虘乍寶鐘
7022 虘鐘二 虘眔蔡姬永寶
7023 虘鐘三 虘乍寶鐘
7023 虘鐘三 虘眔蔡姬永寶
7220 喬君鉦 喬君淲虘與朕以wL
M792 宋公䜌簠 乍其妹句敔(敔)夫人季子媵匠

小計：共 22 筆

0771

0668 虖北鼎 虖北□季□
1097 白虖父乍羊鼎 白虖父乍羊鼎
1316 𢦔方鼎 𢦔曰：烏虖、王唯念𢦔辟剌考甲公
1316 𢦔方鼎 𢦔曰：烏虖、朕文考甲公、文母日庚
1324 禹鼎 烏虖哀哉
1331 中山王𰯼鼎 烏虖、語不㢊(廢)𢦏(哉)
1331 中山王𰯼鼎 而皇(況)才烏(於){ 小子 }(少)君虖
1331 中山王𰯼鼎 烏虖、折𢦏(哉)
1331 中山王𰯼鼎 社稷其庶虖(乎)
1331 中山王𰯼鼎 烏虖、休𢦏
1331 中山王𰯼鼎 烏虖、念之𢦏(哉)
1331 中山王𰯼鼎 烏虖、念之𢦏(哉)
1332 毛公鼎 烏虖、懼余小子
2843 沈子它簋 烏虖隹考取丑念自先王先公
2843 沈子它簋 烏虖、乃沈子妹克蔑見猒于公
2855 班簋一 班拜稽首曰：烏虖
2855. 班簋二 烏虖
4885 效尊 烏虖、效不敢不萬年夙夜奔走
4891 何尊 烏虖、爾有唯小子亡識
5468 子寡子卣 烏虖、詠帝家以寡子作永寶
5468 子寡子卣 烏虖、詠帝家以寡子乍永寶
5508 弔趩父卣一 烏虖
5511 效卣 烏虖
5803 𡻞嗣好蜜壺 於虖、先王之悳
5805 中山王𰯼方壺 烏虖、允𢦏(哉)若言
7117 邾𣪕兒鐘一 曰：於虖敬哉
7118 邾𣪕兒鐘二 曰：於虖敬哉
7976 之利殘片 烏虖、烏興余利貣烏止

小計：共 28 筆

0772

5308 __𡚬乍從彝卣 [虞]𡚬乍從彝
7136 部鐘一 余既壽㽙虞
7137 部鐘二 既壽㽙虞
7138 部鐘三 既壽㽙虞
7139 部鐘四 既壽㽙虞
7140 部鐘五 既壽㽙虞

虞虎

7141	邵鐘六	既壽䍙虞
7142	邵鐘七	既壽䍙虞
7143	邵鐘八	既壽䍙虞
7144	邵鐘九	既壽䍙虞
7145	邵鐘十	既壽䍙虞
7146	邵鐘十一	既壽䍙虞
7147	邵鐘十二	既壽䍙虞
7148	邵鐘十三	既壽䍙虞
7149	邵鐘十四	既壽䍙虞
D224	蔡侯□鐘	虞
7735	少虞劍一	冑之少虞
7736	少虞劍二	冑之少虞

小計：共 18 筆

虎 0773

0911	弔虎父乍弔姬鼎	弔虎父乍弔姬寶鼎
1008	虎嗣君鼎	虎嗣君常羃其吉金
1015	□大師虎鼎	□大師虎□乍□鼎
1251	中先鼎一	隹王令南宮伐反虎方之年
1252	中先鼎二	隹王令南宮伐反虎方之年
1278	十五年趞曹鼎	史趞曹易弓矢、虎盧、□冑、毌、殳
1306	無叀鼎	王乎史翏冊令無叀曰：官嗣Lk王1J側虎臣
1308	白晨鼎	畫hd、轉較、虎幃
1316	㦰方鼎	王用肇事乃子㦰率虎臣禦淮戎
1322	九年裘衛鼎	矩取眚車較桒、圅虎冟、㯱𦃄、畫轉
1332	毛公鼎	雩參有嗣、小子、師氏、虎臣雩朕褻事
1332	毛公鼎	金車𠦪較、朱鬲圅(鞃)靳、虎冟熏裏、右厄
1414	𥂴姬乍姜虎旅鬲	𥂴姬乍姜虎旅鬲
1444	黃虎棕鬲	唯黃虎棕用吉金乍鬲
1741	虎毀一	[虎]
1742	虎毀二	[虎]
1743	虎毀三	[虎]
1744	虎毀四	[虎]
2412	滕虎乍氒皇考毀一	滕(賸)虎敢肇乍氒皇考公命中寶尊彝
2413	滕虎乍氒皇考毀二	滕(賸賸)虎敢肇乍氒皇考公命中寶尊彝
2414	滕虎乍氒皇考毀三	滕(賸)虎敢肇乍氒皇考公命中寶尊彝
2767	虘毀一	王乎宰曶易大師虘虎裘
2791.	史密毀	敆南尸膚、虎
2801	五年召白虎毀	召白虎曰
2802	六年召白虎毀	召白虎告曰
2803	師酉毀一	嗣乃且啻官邑人、虎臣
2804	師酉毀二	嗣乃且啻官邑人、虎臣
2804	師酉毀二	嗣乃且啻官邑人、虎臣
2805	師酉毀三	嗣乃且啻官邑人、虎臣
2806	師酉毀四	嗣乃且啻官邑人、虎臣
2806.	師酉毀五	嗣乃且啻官邑人、虎臣
2816	彔白㦰毀	虎冟朱▒、金甬、畫聞(輴)
2826	師寰毀一	龔、䇂、mm、un、左右虎臣

2826	師𡨦𣪘一	𥃝、𠂢、mm、尿、左右虎臣
2827	師𡨦𣪘二	𥃝、𠂢、mm、un、左右虎臣
2829	師虎𣪘	井白內、右師虎即立中廷北鄉
2829	師虎𣪘	王乎內史吳曰冊令虎
2829	師虎𣪘	王若曰：虎
2829	師虎𣪘	虎敢拜䭫首
2830	三年師兌𣪘	虎冟熏裏
2835	訇𣪘	先虎臣後庸
2840	番生𣪘	朱爾鞹靳、虎冟熏裏、逪衡右戹
2857	牧𣪘	朱虢、鞃靳、虎冟、熏裏
2913	旅虎匿一	𩁹＿旅虎鑄其寶匿
2914	旅虎匿二	𩁹＿旅虎鑄其寶匿
2915	旅虎匿三	𩁹＿旅虎鑄其寶匿
2945	□仲虎匿	隹□中虎羼其吉金
3088	師克旅盨一（蓋）	𠭥嗣左右虎臣
3088	師克旅盨一（蓋）	虎冟、熏裏、畫轉、畫輴、金甬、朱旂
3089	師克旅盨二	𠭥嗣左右虎臣
3089	師克旅盨二	虎冟、熏裏、畫轉、畫輴、金甬、朱旂
3090	𤔲盨（器）	虎冟、熏裏
4449	裘衛盉	矩或取赤虎兩
4978	吳方彝	虎冟熏裏
6793	矢人盤	小門人𧭚、原人虞艿、 淮嗣工虎、孝龠
7186	叔夷編鐘五	𤔲力若虎
7193	叔夷編鐘十二	不顯若虎
7214	叔夷鎛	𤔲力若虎
7270	虎戈	[虎]
		小計：共 59 筆

0774

6755	毛叔盤	毛弔賸彪氏孟姬寶般
J3808	許伯彪戈	（拓本未見）
		小計：共 2 筆

0775

1332	毛公鼎	虩許（赫戲）上下若否
2833	秦公𣪘	虩吏𢆶（蠻）夏
6925	晉邦𥂴	虩虩才上
7174	秦公鐘	以虩事𢆶方
7177	秦公及王姬編鐘一	以虩事𢆶方
7185	叔夷編鐘四	虩虩成唐
7209	秦公及王姬鎛	以虩事𢆶方
7210	秦公及王姬鎛二	以虩事𢆶方
7211	秦公及王姬鎛三	以虩事𢆶方
7212	秦公鎛	虩吏𢆶夏
7214	叔夷鎛	虩虩成唐

小計：共 11 筆

虢 0776

虢
虢

1021	虢弔大父鼎	虢弔大父乍尊鼎
1066	穌告妊鼎	穌告妊乍虢改魚母賸
1130	虢文公子㝬鼎一	虢文公子㝬乍弔改鼎
1131	虢文公子㝬鼎二	虢文公子㝬乍弔改鼎
1199	虢宣公子白鼎	虢宣公子白乍尊鼎
1244	㺇鼎	王乎虢弔召㺇
1310	鬲攸從鼎	王令眚史南目即虢旅
1319	頌鼎一	王呼史虢生冊令頌
1320	頌鼎二	王呼史虢生冊令頌
1321	頌鼎三	王呼史虢生冊令頌
1323	師𩰫鼎	乍公上父尊于朕考虢季易父wu宗
1367	虢姞乍鬲	虢姞乍鬲
1374	虢弔尊鬲	虢弔乍尊鬲
1402	虢仲乍姞鬲一	虢中乍姞尊鬲
1403	虢仲乍姞鬲二	虢中乍姞尊鬲
1483	虢季氏子組鬲	虢季氏子緵(組)乍鬲
1497	虢仲乍虢妃鬲	虢中乍虢改尊鬲
1501	虢季氏子㝬鬲	虢季氏子㝬乍寶鬲
1509	虢文公子㝬乍弔妃鬲	虢文公子㝬乍弔改鬲鼎
1512	虢白乍姬夨母鬲	虢白乍姬夨母尊鬲
1620	虢白甗	虢白乍婦獻用
2211	城虢仲乍旅毁	城虢中乍旅毁
2442	䣝虢遣生旅毁	䣝(城)虢遣生乍旅毁
2553	虢季氏子組毁一	虢季氏子組乍毁
2554	虢季氏子組毁二	虢季氏子組乍毁
2555	虢季氏子組毁三	虢季氏子組乍毁
2595	奠虢仲毁一	奠虢中乍寶毁
2596	奠虢仲毁二	奠虢中乍寶毁
2597	奠虢仲毁三	奠虢中乍寶毁
2699	公臣毁一	虢中令公臣嗣朕百工
2700	公臣毁二	虢中令公臣嗣朕百工
2701	公臣毁三	虢中令公臣嗣朕百工
2702	公臣毁四	虢中令公臣嗣朕百工
2712	虢姜毁	虢姜乍寶尊毁
2712	虢姜毁	虢姜其萬年釁壽
2733	何毁	王乎虢中入右何
2816	彔白𢦚毁	金車、桒𩍙較桒圅(宏)、朱虢靳
2830	三年師兌毁	朱虢
2844	頌毁一	王乎史虢生冊令頌
2845	頌毁二	王乎史虢生冊令頌
2845	頌毁二	王乎史虢生冊令頌
2846	頌毁三	王乎史虢生冊令頌
2847	頌毁四	王乎史虢生冊令頌
2848	頌毁五	王乎史虢生冊令頌
2849	頌毁六	王乎史虢生冊令頌
2850	頌毁七	王乎史虢生冊令頌

2851	頌設八	王乎史虢生冊令頌
2855	班設一	王令毛白更虢城公服
2855.	班設二	王令毛白更虢城公服
2857	牧設	朱虢、画靳、虎冟、熏裏
2874	虢弔匿一	虢弔乍弔殷穀尊匿
2874.	虢弔匿二	虢弔乍弔殷穀尊匿
2887	虢弔旅匿一	虢弔乍旅匿
2888	虢弔旅匿二	虢弔乍旅匿
3028	虢弔行盨	虢弔鑄行盨
3043	遣弔吉父旅須一	遣弔吉父乍虢王姞旅盨(須)
3044	遣弔吉父旅須二	遣弔吉父乍虢王姞旅盨(須)
3045	遣弔吉父旅須三	遣弔吉父乍虢王姞旅盨(須)
3055	虢仲旅盨	虢中以王南征
3083	瘨設(盨)一	虢市攸勒
3084	瘨設(盨)二	虢市攸勒
3088	師克旅盨一(蓋)	牙僰、駒車、桒較、朱虢、画靳
3089	師克旅盨二	牙僰、駒車、桒較、朱虢、画靳
3090	曌盨(器)	乃父市、赤舄、駒車、桒較、朱虢、画靳
4803	虢弔尊	虢弔乍弔殷穀尊朕
4978	吳方彝	金車、桒画(鞃)、朱虢靳
5748	虢季子組壺	虢季子組乍寶壺
5796	三年瘨壺一	乎虢弔召瘨、易羔組
5797	三年瘨壺二	乎虢弔召瘨、易羔組
5799	頌壺一	王乎史虢生冊令頌
5800	頌壺二	王乎史虢生冊令頌
6728	虢嬻□盤	虢嬻□乍寶盤
6735	虢金氐孫盤	虢金氏孫乍寶盤
6744	穌吉妊盤	穌吉妊乍虢妃魚母般(盤)
6790	虢季子白盤	虢季子白乍寶盤
6837	虢金氐孫匜	虢金氏孫乍寶匜
6866	齊侯乍虢孟姬匜	齊侯乍虢孟姬良女寶它
6892	虢弔乍旅盂一	虢弔乍旅盂
6893	虢叔乍旅盂二	虢弔乍旅盂
7059	師臾鐘	師臾肇乍朕剌且虢季宄公幽弔
7150	虢叔旅鐘一	虢弔旅曰
7151	虢叔旅鐘二	虢弔旅曰
7152	虢叔旅鐘三	虢弔旅曰
7153	虢叔旅鐘四	虢弔旅曰
7154	虢叔旅鐘五	虢弔旅曰
7457	虢大子元徒戈一	虢太子元徒戈
7458	虢大子元徒戈二	虢太子元徒戈
M457	鄭虢仲悆鼎	鄭虢中悆肇用乍皇且文考寶鼎
		小計：共 88 筆

0777

2789	同設一	自淲(虎)東至于河
2790	同設二	自淲(虎)東至于河
2911	奢虎匿一	霰山奢虎鑄其寶匿

⿸虍厶
⿰卜虎
虘
⿰糸虎
⿰月虎
⿰衤虎
贙

2912	奢虎⿷匚古二	㬎山奢⿸虍厶鑄其寶⿷匚古
5791	十三年瘐壺一	王才成周𤔲土⿸虍厶宮
5792	十三年瘐壺一	王才成周𤔲土⿸虍厶宮
7083	鮮鐘	王才成周𤔲□⿰氵虎(⿸虍厶?)宮

小計：共 7 筆

⿰卜虎 0778

2304	族𤔲土⿰卜虎𣪘	族𤔲土⿰卜虎乍寶尊𣪘
6970	紀侯鐘	己侯⿰卜虎乍寶鐘

小計：共 2 筆

虘 0779

4153	聞乍寶尊彝爵	聞(虘?)乍寶尊彝

小計：共 1 筆

⿰糸虎 0780

1308	白晨鼎	矛戈⿰糸虎(宗)冑
1329	小字盂鼎	征王令賞盂□□□□□□弓一、矢百、畫⿰糸虎一、

小計：共 2 筆

⿰月虎 0780+

1322	九年裘衛鼎	其䬵衛臣⿰月虎朏

小計：共 1 筆

⿰衤虎 0781

2207	弔⿰衤虎乍寶䧹𣪘二	弔⿰衤虎乍寶尊𣪘
2773	即𣪘	曰：𤔲琱宮人⿰衤虎旃、用吏

小計：共 2 筆

贙 0782

1442	王乍贙母鬲	王乍s5齎贙母寶䵼彝

小計：共 1 筆

0783

0178	亞__鼎	[亞𩰫皿矛]
1361	亞__母鬲	[亞𩰫皿矛]母
2145	皿䍙殷	皿䍙乍尊彝
3128.	示皿爵	[示皿]
3232	皿爵	[皿]
3337	示皿爵	[示皿]
3589	亞𩰫皿矛爵一	[亞𩰫皿矛]
3590	亞𩰫皿矛爵二	[亞𩰫皿矛]
3815	皿父丁爵	[皿]父丁
3884	__父己爵	[皿鬲]父己
4065	亞𩰫皿矛父乙爵	[亞𩰫皿矛]父乙
J2964	皿____父己方彝	
5288.	林卣	[林亞皿矢]
5562	皿父己罍	[皿]乍父己尊彝
5827	廿七年寧鈿	廿七年寧為鈿(皿)
6263	亞__皿觚	[亞𩰫犬]皿白乍尊彝
6408	亞皿觶	[亞𩰫皿矛]
6545	且戊其__觶	[且戊其__][其皿]
7979	示皿弓形器	[示皿]

小計：共 19 筆

0784

1140	衛鼎	衛乍文考小中姜氏盂鼎
1244	瘐鼎	用乍皇且文考盂鼎
1301	大鼎一	用乍朕剌考己白盂鼎
1302	大鼎二	用乍朕剌考己白盂鼎
1303	大鼎三	用乍朕剌考己白盂鼎
1328	盂鼎	隹九月、王才宗周、令盂
1328	盂鼎	王若曰：盂不顯玟王
1328	盂鼎	今余隹令女盂召榮敬雝德巠
1328	盂鼎	令女盂井乃嗣且南公
1328	盂鼎	王曰：盂、迺召夾死嗣戎
1328	盂鼎	人鬲千又五十夫極nx𨑢自𠂤土、王曰：盂
1328	盂鼎	盂用對王休
1329	小字盂鼎	盂目多旅佩
1329	小字盂鼎	盂或□□□乎穖(蔑)我征
1329	小字盂鼎	盂拜韻首
1329	小字盂鼎	盂告、𦣞白即立
1329	小字盂鼎	□白告咸盂目□侯眔侯田□□□□盂征
1329	小字盂鼎	王乎□□□盂目區入
1329	小字盂鼎	征王令賞盂□□□□□弓一、矢百、畫𩌏一、
2345	穌公乍王妃羊殷	穌公乍王改羊(羞)盂殷永寶用
4204	盂爵	王令盂寧鄧白、賓貝
4809	𩵦白匄井姬羊形尊	𩵦白匄井姬用盂鏙
5470	__盂乍父丁卣	兮公室盂鬯束貝十朋
5470	__盂乍父丁卣	盂對揚公休

皿
盂

5743	齊良壺	齊良乍壺盂
6717	魯白厚父乍仲姬俞盤一	魯白厚父乍盂姬俞賸盤
6891	寍小室盂	寍（寝）小室盂
6892	虢弔乍旅盂一	虢弔乍旅盂
6893	虢叔乍旅盂二	虢弔乍旅盂
6894	匽侯餴盂	匽侯乍餴盂
6895	匽侯旅盂一	匽侯乍旅盂
6896	匽侯旅盂二	匽侯乍旅盂
6900	乍父丁盂	_乍父丁__盂
6901	白盂	白乍寶尊盂
6902	白公父旅盂	白公父乍旅盂
6903	魯大嗣徒元歛盂	魯大嗣徒元乍歛盂
6904	善夫吉父盂	善夫吉父乍盂
6905	要君餴盂	要君白居自乍餴盂
6906	王子申盞盂	王子申乍嘉嬭盞盂
6907	齊侯乍朕子仲姜盂	齊侯乍朕子中姜寶盂
6908	郐宜同歛盂	郐王季糧之孫宜桐乍鑄歛盂
6909	遹盂	用乍文且己公尊盂
6910	師永盂	永用乍朕文考乙白尊盂
		小計：共　43 筆

盌 0785

7875	右里敀鉌一	右里敀盌_
		小計：共　1 筆

盛 0786

0868	之左鼎	□府（府）之左但（治）□□盛
2954	史免旅匿	用盛稻（稻）梁
2986	曾白霥旅匿一	用盛稻梁
2987	曾白霥旅匿二	用盛稻梁
5682	鄭右__盛季壺	鄭右wc盛季壺
5786	旻季良父壺	用盛旨酉
5803	㝬嗣好蚉壺	悳行盛㞷（旺）
7386	陳貣箙戈一	陳貣散盛
7387	陳貣箙戈二	陳貣散盛
		小計：共　9 筆

盝 0787

0451	𤜲盝方鼎	𤜲盝鼎
0489	仲乍齋鼎	中乍盝
0500	尚乍盝鼎	尚乍盝
0616	甲乍寶齋鼎	甲乍寶盝
0620	寡長乍齋方鼎	寡長乍盝
0694	仲𠂤父乍齋	中𠂤父乍盝

0706	𦱤乍寶鼎	𦱤乍寶齋鼎
0708	弔乍懿宗齋方鼎	弔乍懿宗齋
0782	雁弔乍寶鼎	雁弔乍寶尊齋
0900	季𨜒乍宮白方鼎	季𨜒(𨜒)乍宮白寶尊齋
0901	白六𨖪方鼎	白六𨖪乍祈寶尊齋
1010	榮有嗣爯鼎	榮有司爯乍齋鼎
1109	師𩚲乍齋鼎	師自其乍寶齋鼎
1114	廿七年大梁司寇肖無智鼎二	㢊半斗齋、下官
1117	豐乍父丁鼎	丁亥、豐用乍父乙齋彝[亞䚻]
1169	平安邦鼎	廿八年坪安邦𢀿客𢦏{ 四分 }齋
1192	亞□伐＿乍父乙鼎	用乍父乙齋[bp]
1229	厚趠方鼎	趠用乍𠔃文考父辛寶尊齋
1253	平安君鼎	容四分齋五益六釿半釿四分釿之重
1263	呂方鼎	用乍寶齋
1284	尹姞鼎	用乍寶齋
1382	𢼸白乍齋鬲一	𢼸白乍齋鬲
1383	𢼸伯鬲二	𢼸白乍齋鬲
1384	𢼸伯鬲三	𢼸白乍齋鬲
1385	𢼸伯鬲四	𢼸白乍齋鬲
1386	𢼸伯鬲五	𢼸白乍齋鬲
1387	姬莽母齋	姬莽母乍齋鬲
1388	𢿢白乍齋鼎	𢿢白乍齋鼎□
1400	仲𨱆父齋鬲	中𨱆父乍齋鬲
1405	白邦父乍齋鼎	白邦父乍齋鬲
1408	茍鬲	茍乍父丁尊齋
1417	弭弔乍犀妊齋鬲一	弭弔乍犀妊齋
1418	弭弔乍犀妊齋鬲二	弭弔乍犀妊齋
1419	弭弔乍犀妊齋鬲三	弭弔乍犀妊齋
1462	榮有嗣爯齋鬲	榮又(有)嗣爯乍齋鬲
1467	呂𩚲姬乍鬲	呂𩚲乍齋鬲
1469	戲白𩞁齋一	戲白乍𩞁齋
1470	戲白𩞁齋二	戲白乍𩞁齋
1533	尹姞寶齋一	用乍寶齋
1534	尹姞寶齋二	用乍寶齋
M798	廿八年平安君鼎	廿八年平安邦鑄客載四分齋
M798	廿八年平安君鼎	廿八年平安邦鑄客載四分齋
M799	卅二年平安君鼎	平安邦鑄客㢊四分齋(蓋一)
M799	卅二年平安君鼎	卅二年平安邦鑄客㢊四分齋
M900	梁十九年鼎	䍙吉金鑄𪔂(齋)、小料
		小計：共 45 筆

盧 0788

1278	十五年趞曹鼎	王射于射盧
1278	十五年趞曹鼎	史趞曹易弓矢、虎盧、□冑、毌、殳
2828	宜侯夨毀	𠔃盧□又五十夫
2984	伯公父盤	隹鐈隹盧(鑪)
3121	王子嬰次盧	王子嬰次之炒盧
3121.	大宰歸父鑪	齊大宰歸父vf為昰(忌?)盧盤

盧 盄 盆 盨

3121.	義子罏	☐義子丙☐盧考☐
3122	＿君之孫盧(者旨𨸹盤)	羅其吉金自乍盧盤
6754.	徐令尹者旨𨸹爐盤	自乍盧盤
		小計：共 9 筆

盄 0789

0786	史盄父鼎	史盄父乍寶鼎
1323	師訊鼎	叀余小子肇盄先王德
1327	克鼎	盄(淑)哲𠂤德
2842	卯毀	不盄(淑)取我家窒用喪
5789	命瓜君厚子壺一	屖屖康盄(弔)
5790	命瓜君厚子壺二	屖屖康盄(弔)
7047	井人鐘	覲盄文且皇考
7048	井人鐘二	覲盄文且皇考
7212	秦公鎛	乍盄龢
		小計：共 9 筆

盆 0790

6916	樊君夔盆	樊君C5用其吉金自乍寶盆
6917	郞子行臥盆	郞子行自乍臥盆
6918	曾孟嬭諫盆	曾孟嬭諫乍鄬盆
6919.	邖季宿車盆	邖季宿車自乍行盆子子孫孫永寶用之
6920	曾大保旅盆	自乍旅盆
6921	鄧子仲盆	自乍饙盆
		小計：共 6 筆

盨 0791

2988	攸南旅鎮	攸南乍旅盨(鎮)
2989	白筍父旅盨	白筍父乍旅盨
2991	弔倉父寶盨	弔倉父乍寶盨
2991.	弔倉父寶盨二	弔倉父乍寶盨
2992	白夸父盨	白夸父乍寶盨
2993	中白乍孌姬旅盨一	中白乍孌姬旅盨用
2994	中白乍孌姬旅盨二	中白乍孌姬旅盨用
2995	彔盨一	彔乍鑄盨餫
2996	彔盨二	彔乍鑄盨餫
2997	彔盨三	彔乍鑄盨餫
2998	彔盨四	彔乍鑄盨餫
2999	史𩰫旅盨一	史𩰫乍旅盨(𩞁)
3000	史𩰫旅盨二	史𩰫乍旅盨
3005	弔諆父旅盨毀一	弔諆父乍旅盨(鎮)毀
3005.	弔諆父旅盨毀二	弔諆父乍旅盨毀
3006	白多父旅盨一	白多父乍旅盨(須)
3007	白多父旅盨二	白多父乍旅盨(須)

3008	白多父旅盨三	白多父乍旅盨（須）
3009	白多父旅盨四	白多父乍旅盨（須）
3010	立為旅須	立為旅盨（須）
3011	弔姞旅鎮	弔姞乍旅盨（鎮）
3012	仲義父旅盨一	中義父乍旅盨
3013	仲義父旅盨二	中義父乍旅盨
3014	弭弔旅盨	弭弔乍旅盨（鎮）
3015	仲彤盨一	中彡（彤）乍旅盨
3016	仲彤盨二	中彡（彤）乍旅盨
3017	白大師旅盨一	白大師乍旅盨
3018	白大師旅盨（器）二	白大師乍旅盨
3019	弔賓父盨	弔賓父乍寶盨
3020	剴弔旅盨	剴弔乍旅盨（須）
3021	乍遣盨	乍遣盨用追考
3022	白車父旅盨（器）一	白車父乍旅盨
3023	白車父旅盨（器）二	白車父乍旅盨
3025	白公父旅盨（蓋）	白公父乍旅盨
3026	□□為甫人行盨	□□為甫人行盨
3027	仲饑旅盨	中饑□作鑄旅盨（顉）
3028	虢弔行盨	虢弔鑄行盨
3030	奠義白旅盨（器）	奠義白乍旅盨（彭）
3031	奠義羌父旅盨一	奠義羌父乍旅盨
3032	奠義羌父旅盨二	奠義羌父乍旅盨
3034	白孝__旅盨	白孝kd鑄旅盨（須）
3034	白孝__旅盨	永其萬年子子孫孫寶用白孝kd鑄旅盨（須）
3036	奠井弔康旅盨	奠井弔康乍旅盨（頳）
3036.	奠井弔康旅盨二	奠井弔康乍旅盨
3038	鬲弔興父旅盨	鬲弔興父乍旅盨（須）
3040	白庶父盨毀（蓋）	白庶父乍盨毀
3041	諫季獻旅須	諫季獻乍旅盨（須）
3042	頊燹旅盨	頊燹（燹）乍旅盨
3043	遣弔吉父旅須一	遣弔吉父乍虢王姞旅盨（須）
3044	遣弔吉父旅須二	遣弔吉父乍虢王姞旅盨（須）
3045	遣弔吉父旅須三	遣弔吉父乍虢王姞旅盨（須）
3046	筍白大父寶盨	筍白大父乍嬴改鑄匋（寶）盨
3047	改乍乙公旅盨（蓋）	改乍朕文考乙公旅盨
3048	鑄子弔黑臣盨	鑄子弔黑臣肇乍寶盨
3049	單子白旅盨	單子白乍弔姜旅盨
3050	覍弔乍旅盨	覍弔乍中姬旅盨
3051	兮白吉父旅盨（蓋）	兮白吉父乍旅尊盨
3052	走亞虢孟延盨一	走亞虢孟延乍盨
3053	走亞虢孟延盨二	走亞虢孟延乍盨
3055	虢仲旅盨	才成周乍旅盨
3055	虢仲旅盨	玆盨友十又二
3056	師趛乍檎姬旅盨	師趛乍㩻檎旅盨
3056	師趛乍檎姬旅盨	師趛乍檎姬旅盨
3057	仲自父鎮（盨）	中自父乍季恭□寶尊盨
3058	曼龏父盨一	曼龏父乍寶盨用亯孝宗室
3059	曼龏父盨三	曼龏父乍寶盨
3060	曼龏父盨二	曼龏父乍寶盨

盨

盨 盉

3061	弭弔旅盨	弭弔乍弔班旅盨
3063	犀乍姜淠盨	犀(遲)乍姜淠盨
3063	遟乍姜淠盨	遟(遲)乍姜淠盨
3064	曩白子宎父征盨一	曩白子宎父乍其征盨
3065	曩白子宎父征盨二	曩白子宎父乍其征盨
3066	曩白子宎父征盨三	曩白子宎父乍其征盨
3067	曩白子宎父征盨四	曩白子宎父乍其征盨
3068	白寬父盨一	白寬父乍寶盨
3069	白寬父盨二	白寬父乍寶盨
3070	杜白盨一	杜白乍寶盨
3071	杜白盨二	杜白乍寶盨
3072	杜白盨三	杜白乍寶盨
3073	杜白盨四	杜白乍寶盨
3074	杜白盨五	杜白乍寶盨
3075	白汈其旅盨一	白汈其乍旅盨
3076	白汈其旅盨二	白汈其乍旅盨
3077	弔專父乍奠季盨一	弔專父乍奠季寶鐘六、金尊盨四、鼎十
3078	弔專父乍奠季盨二	弔專父乍奠季寶鐘六、金尊盨四、鼎十
3079	弔專父乍奠季盨三	弔專父乍奠季寶鐘六、金尊盨四、鼎十
3080	弔專父乍奠季盨四	弔專父乍奠季寶鐘六、金尊盨四、鼎十
3081	翏生旅盨一	乍旅盨
3082	翏生旅盨二	乍旅盨
3082	翏生旅盨二	乍旅盨
3085	駒父旅盨(蓋)	四月、還至于蔡、乍旅盨
3086	善夫克旅盨	用乍旅盨
3087	鬲从盨	鬲比乍朕皇且丁公、 文考恵公盨
3088	師克旅盨一(蓋)	用乍旅盨
3089	師克旅盨二	用乍旅盨
3090	曩盨(器)	用乍寶盨
3110.	弔賓父豆?	弔賓父乍寶盨
6729	奠登弔旅盤	奠登弔乍旅盨
M299	白大師釐盨	白大師釐乍旅盨
M340	魯伯悆盨	肈乍其皇孝皇母旅盨毁
M343	魯司徒中齊盨	魯司徒中齊肈乍皇考白走公餗盨毁
M602	蔡看匜	蔡弔季之孫看賸孟臣有止媥盨盤
		小計：共 102 筆

盉 0792

1247	函皇父鼎	函皇父乍琱娟般、盉尊器、鼎、毁具
2678	函皇父毁一	盤、盉、尊器、毁、鼎
2679	函皇父毁二	盤、盉、尊器、毁、鼎
2680	函皇父毁三	盤、盉、尊器、毁、鼎
2680.	函皇父殷四	盤、盉、尊器、毁、鼎
4391	員乍盉	員乍盉
4406.	芇侯盉	芇侯乍寶盉
4412	白春盉	白春乍寶盉
4413	吳盉	吳乍寶盉[亞俞]
4417	嫐王盉	嫐(燹)王乍姬rf盉

4419	仲㠯父乍旅盨	中㠯父乍旅盨
4420	白__自乍用盨	白ny自乍用盨
4424	白䣄乍旅盨	白䣄乍母rd旅盨
4425	季䵼霝德盨	季䵼霝德乍寶盨
4426	㝬父盨	㝬父乍絲母寶盨
4431	史孔盨	史孔乍和（ 盨 ）
4432.	𩰬盨	用乍王尹__盨
4434	師子旅盨	師子下湛乍旅盨
4435.	霝終盨	乍遣盨
4436	尭盨	尭敢乍姜盨
4437	王乍豐妊盨	王乍豐妊單寶般盨
4440	白㝬父盨	白㝬父乍寶盨
4441	卅五年__盨	吏乍盨盤
4442	季良父盨	季良父乍kh姒（ 始 ）寶盨
4443	王仲皇父盨	王中皇父乍ou娟般盨
4444.	卅五年盨	吏（ 使 ）乍盨般
4446	麥盨	侯易麥金、乍盨
6778	免盤	用乍般盨
6783	函皇父盤	函皇父乍琱娟般盨、尊器
6848	霝乍王母媿氏匜	霝乍王母媿氏顭盨
6877	𠈇乍旅盨	𠈇用乍旅盨
J2363	白角父盨	白角父乍寶盨
		小計：共　32 筆

0793

1169	平安邦鼎	一益十釿料釿四分釿{之重}
1169	平安邦鼎	六益料釿{之重}
1170	信安君鼎	十二年再九益
1170	信安君鼎	十二年再二益六釿
1253	平安君鼎	容四分齋五益六釿半釿四分釿之重
2628	畢鮮毀	畢鮮乍皇且益公尊毀
2784	申毀	益公內右申中廷
2785	王臣毀	益公入、右王臣即立中廷北鄉
2793	元年師旋毀一	用乍朕文且益中尊毀
2794	元年師旋毀二	用乍朕文且益中尊毀
2795	元年師旋毀三	用乍朕文且益中尊毀
2835	㝬毀	益公入、右㝬
2841	茾白毀	王命益公征眉敖益公至、告
2855	班毀一	隹乍卲考爽益曰大政
2855.	班毀二	隹乍卲考爽益曰大政
2856	師㝬毀	用乍朕剌且乙白咸益姬寶毀
2857	牧毀	用乍朕皇文考益白尊毀
4890	盠方尊	用乍朕文祖益公寶尊彝
4979	盠方彝一	用乍朕文祖益公寶尊彝
4980	盠方彝二	用乍朕文祖益公寶尊彝
5717	旻成侯鍾	重{ 十勻（ 鈞 ）}十八益（ 鎰 ）
5779	安邑下官鍾	府嗇夫__冶事左__止大斛斗一益少半益
6787	走馬休盤	益公右走馬休入門

6910	師永盂	益公內即命于天子
6973	益公鐘	益公為楚氏龢鐘
7866	少府小器	少府pq二益（ 鎰 ）
M798	廿八年平安君鼎	一益七釿料釿四分釿之冢（ 器一 ）
M798	廿八年平安君鼎	六益料釿之冢（ 器一 ）卅三年單父上官宰喜所
M799	卅二年平安君鼎	五益六釿料釿四分釿之冢（ 器一 ）
		小計：共 29 筆

盡 0794

5805	中山王嚳方壺	賈渴（ 竭 ）志盡忠
7868	商鞅方升	皇帝盡并兼天下諸侯
		小計：共 2 筆

盅 0795

0919	盅鼎	盅之＿貞（ 鼎 ）
J0539	鄧子午鼎	盅子＿自乍飤金鐈
J1767	盅子臣匿	（ 拓本未見 ）
J3691	邾子賓缶	（ 拓本未見 ）
		小計：共 4 筆

盟 0796

J0172	盟鼎	盟
0492	客鑄盟鼎一	客鑄盟
0493	客鑄盟鼎二	客鑄盟
0494	客鑄盟鼎三	客鑄盟
0495	客鑄盟鼎四	客鑄盟
5758	匹君壺	匹君厷旅者其成公鑄子孟妃媵盟壺
5776	異公壺	異公乍為子弔姜盟壺
5822	蔡侯𨯭之盟缶	蔡侯𨯭之盟缶
5823	蔡侯𨯭乍大孟姬盟缶	蔡侯𨯭乍大孟姬媵盟缶
6754	楚季苟盤	楚季苟乍媚尊媵盟般
6779	齊侯盤	齊侯乍媵寡v1孟姜盟般
6781	夆弔盤	夆弔乍季妃盟般（ 盤 ）
J3531	鄧伯吉射盤	（ 拓本未見 ）
6808	蔡侯𨯭盟匜	蔡侯𨯭之盟匜
6870	寡公孫𦎫父匜	寡公孫𦎫父自作盟匜
6873	齊侯乍孟姜盟匜	齊侯乍媵寡v1孟姜盟盘
6875	慶弔匜	慶弔作朕子孟姜盟匜
6876	夆弔乍季妃盟盤(匜)	夆弔乍季妃盟般
		小計：共 18 筆

盅 0796+

0797

6926	杞白每亡盈	杞白每亡乍鼄嫀(曹)寶盈
		小計：共 1 筆

0798

2788	靜殷	卿燹茲自、邦周射于大池
		小計：共 1 筆

0799

6872	魯大嗣徒子仲白匜	魯大嗣徒子中白其庶女厲孟姬賸盉(它)
6873	齊侯乍孟姜盥匜	齊侯乍賸寡v1孟姜盥盉
		小計：共 2 筆

0800

0732	大賡之饎盞	大賡之饋盞
6898	__子敿行盞	wp子敿之行盞
6906	王子申盞盂	王子申乍嘉嬭盞盂
		小計：共 3 筆

0801

0918	洛叔鼎	洛弔之行貞(鼎)永用之
5719	洛弔壺一	□□吉□洛弔永用之
5720	洛弔壺二	□□吉□洛弔永用之
7432	洛叔戈	洛弔______
		小計：共 4 筆

0802

6924	江仲之孫白戔饎盦	邛中之孫白戔自乍饎盦
6924	江仲之孫白戔饎盦	邛中之孫白戔自乍饎盦
6925	晉邦盦	賸盦四酉
		小計：共 3 筆

0803

0804

2833	秦公殷	盩盩文武
7174	秦公鐘	盩盩允義

	7177	秦公及王姬編鐘一	盭盭允義
	7209	秦公及王姬鎛	盭盭允義
	7210	秦公及王姬鎛二	盭盭允義
	7211	秦公及王姬鎛三	盭盭允義
	7212	秦公鎛	盭盭文武
			小計：共 7 筆

䵼 0805

1301	大鼎一	王才䵼倲宮
1302	大鼎二	王才䵼倲宮
1303	大鼎三	王才䵼倲宮
2812	大𣪘一	王才䵼倲宮
2813	大𣪘二	王才䵼倲宮
		小計：共 5 筆

𤔔 0806

5407	單𤔔乍父甲卣	𤔔乍父甲寶尊彝[單]
		小計：共 1 筆

盜 0807

7174	秦公鐘	盜百蠻具即其服
7177	秦公及王姬編鐘一	盜百蠻具即其
7209	秦公及王姬鎛	盜百蠻具即其服
7210	秦公及王姬鎛二	盜百蠻具即其服
7211	秦公及王姬鎛三	盜百蠻具即其服
		小計：共 5 筆

戲 0808

2784	申𣪘	官嗣豐人眔九戲祝
		小計：共 1 筆

𩰫 0809

2713	瘨𣪘一	其𩰫祀大神
2714	瘨𣪘二	其𩰫祀大神
2715	瘨𣪘三	其𩰫祀大神
2716	瘨𣪘四	其𩰫祀大神
2717	瘨𣪘五	其𩰫祀大神
2718	瘨𣪘六	其𩰫祀大神
2719	瘨𣪘七	其𩰫祀大神
2720	瘨𣪘八	其𩰫祀大神
7158	瘨鐘一	用追孝𩰫祀
7160	瘨鐘三	用追孝𩰫祀

盭 䵼 𤔔 盜 戲 𩰫

7161	㝬鐘四	用追孝對祀
7162	㝬鐘五	用追孝對祀

小計：共　12 筆

0809+

1322	九年裘衛鼎	舍顏有𤔲壽商䝿、裘盠冟
4888	盠駒尊一	王乎師豦召盠
4888	盠駒尊一	王親旨盠駒、易兩
4888	盠駒尊一	mo皇盠身
4888	盠駒尊一	盠曰、王倗下不其
4888	盠駒尊一	盠曰、余其敢對揚天子之休
4888	盠駒尊一	盠曰、其萬年、世子孫永寶之
4888	盠駒尊一	王拘駒斆、易盠駒
4889	盠駒尊二	王拘駒䧹、易盠駒
4890	盠方尊	穆公右盠
4890	盠方尊	易盠赤市幽亢、攸勒
4890	盠方尊	王令盠曰
4890	盠方尊	盠拜稽首
4890	盠方尊	盠曰：天子不假不其
4890	盠方尊	盠敢拜稽首曰
4979	盠方彝一	穆公右盠
4979	盠方彝一	易盠赤市幽亢、攸勒
4979	盠方彝一	王令盠曰
4979	盠方彝一	盠拜稽首
4979	盠方彝一	盠曰：天子不假不其
4979	盠方彝一	盠敢拜稽首曰
4980	盠方彝二	穆公右盠
4980	盠方彝二	易盠赤市幽亢
4980	盠方彝二	王令盠曰
4980	盠方彝二	盠拜稽首
4980	盠方彝二	盠曰：天子不假不其
4980	盠方彝二	盠敢拜稽首曰

小計：共　27 筆

0809+

6792	史墻盤	初盭龢于政
7163	㝬鐘六	初盭龢于政
7174	秦公鐘	盭（ 戾 ）龢胤士
7177	秦公及王姬編鐘一	盭（ 戾 ）龢胤士
7209	秦公及王姬鎛	盭（ 戾 ）龢胤士
7210	秦公及王姬鎛二	盭（ 戾 ）龢胤士
7211	秦公及王姬鎛三	盭（ 戾 ）龢胤士

小計：共　7 筆

0809+

	2984	伯公父盤	白大師小子白公父乍盤
	2984	伯公父盤	白大師小子白公父乍盤
			小計：共 2 筆
𣅕	0809+		
	4171	𣅕乍且辛旅彝爵	𣅕乍且辛旅彝
			小計：共 1 筆
𣁋	0809+		
	補3	𣁋鼎	[𣁋]
			小計：共 1 筆
去	0810		
	J0670	鄦去魯鼎	鄦去魯_乍壽母朕鼎
	1274	哀成弔鼎	少去母父
	1331	中山王譻鼎	而去之遊
	5803	𠑇嗣好蚉壺	大去刑罰
	7409	去戈	去皮造戟冶
			小計：共 5 筆
嬰	0811		
	1322	九年裘衛鼎	嬰𪈇𦡞皮二
	2833	秦公𣪘	保嬰氒秦
	7158	㾓鐘一	嚴祜嬰妥厚多福
	7160	㾓鐘三	嚴祜嬰妥厚多福
	7161	㾓鐘四	嚴祜嬰妥厚多福
	7162	㾓鐘五	嚴祜嬰妥厚多福
	7212	秦公鎛	保嬰氒秦
			小計：共 7 筆
卹	0812		
	J0680	曹卹父鼎	(拓本未見)
	1325	五祀衛鼎	俗父曰、厲曰：余執龔王卹工于卲大室東
	2746	追𣪘一	追虔夙夕卹氒死事
	2747	追𣪘二	追虔夙夕卹氒死事
	2748	追𣪘三	追虔夙夕卹氒死事
	2749	追𣪘四	追虔夙夕卹氒死事
	2750	追𣪘五	追虔夙夕卹氒死事
	2751	追𣪘六	追虔夙夕卹氒死事
	2786	縣妃𣪘	曰：休白哭ㄥ卹縣白室
	2826	師寰𣪘一	夙夜卹氒穡旋(事)

2826	師寰毀一	夙夜卹氒穡旋（事）
2827	師寰毀二	夙夜卹氒穡旋（事）
2856	師訇毀	鄉女彶屯卹周邦
5781	曾姬無卹壺一	聖趄之夫人曾姬無卹
5782	曾姬無卹壺二	聖趄之夫人曾姬無卹
7027	邾公釛鐘	用敬卹盟祀
7157	邾公華鐘一	台卹其祭祀盟祀
7164	瘋鐘七	今瘋夙夕虔茍（敬）卹氒死事
7182	叔夷編鐘一	虔卹氒死事
7184	叔夷編鐘三	女專余于艱卹
7184	叔夷編鐘三	虔卹不易
7184	叔夷編鐘三	雁卹余于
7185	叔夷編鐘四	盟卹
7185	叔夷編鐘四	女台卹余朕身
7192	叔夷編鐘十一	女專余于艱卹
7192	叔夷編鐘十一	虔卹不易
7214	叔夷鎛	虔卹氒死事
7214	叔夷鎛	女專余于艱卹
7214	叔夷鎛	虔卹不易
7214	叔夷鎛	雁卹余于盟卹
7214	叔夷鎛	女台卹余朕身
		小計：共　31 筆

0813

1323	師訊鼎	王曰：師訊、女克盡（贊）乃身
1326	多友鼎	唯馬毆盡
5510	乍冊嗌卣	征先盡死亡
		小計：共　3 筆

0814

1231	楚王酓忓鼎一	室鑄鐈鼎之盍（蓋）
1232	楚王酓忓鼎二	室鑄鐈鼎之盍（蓋）
3112	挪陵君王子申豆一	攸茲造銖盍
3113	挪陵君王子申豆二	攸茲造鈦盍
4445	長陵盉	銅要銅錄乍氒緒父盍欒＿一升
		小計：共　5 筆

0814+

6404	盄女觶	[盄女]
		小計：共　1 筆

0815

●丹彤青

0140	●鼎	[●]
0262	採●鼎一	[採●]
0263	採●鼎二	[採●]
3523	主庚爵	[●(主)]庚
3605	採●爵一	[採●]
3606	採●爵二	[採●]
3606.	採●爵三	[採●]
3971	_父癸爵	[●丫]父癸
6081	目_觚	[目●大]
6194	舟午觚	[舟●仵]
		小計：共 10 筆

丹 0816

5504	庚贏卣一	又丹一㭒
5505	庚贏卣二	又丹一㭒
7379	甘丹上戈	甘丹上
7555	二年戈	許_丹鍨___奔
		小計：共 4 筆

彤 0817

1273	師湯父鼎	象弭、矢臸、彤欮
1306	無叀鼎	易女玄衣黹屯、戈琱㦰鞃必彤沙、攸勒䜌旂
1308	白晨鼎	{ 彤弓 }、{ 彤矢 }、旅弓、旅矢
2744	五年師旋㲃一	鞃(厚)必、彤沙
2745	五年師旋㲃二	鞃(厚)必、彤沙
2769	師耤㲃	金亢、赤舄、戈琱㦰、彤沙
2774.	南宮弔㲃	賜(賜)女乘馬戈琱、彤矢
2775.	害㲃一	彤沙
2775.	害㲃二	易戈琱、_、彤沙
2785	王臣㲃	戈畫㦰、厚必、彤沙、用事
2797	輔師𠭰㲃	赤市朱黃、戈彤沙琱㦰
2815	師𣪕㲃	彤沙(緌)
2828	宜侯夨㲃	彤弓一、彤矢百、旅弓十、旅矢千
2835	訇㲃	戈琱㦰、厚必彤沙
6787	走馬休盤	戈琱㦰、彤沙厚必、䜌旂
6789	袁盤	戈琱㦰厚必彤沙
6790	虢季子白盤	賜用弓、彤矢其央
7135	逆鐘	錫戈彤㶣(緌)
		小計：共 18 筆

青 0818

4978	吳方彝	用乍青尹寶尊彝
6792	史墻盤	青幽高且
		小計：共 2 筆

0819

1049	靜弔乍旅鼎	靜弔乍鄙兄旅貞(鼎)
1171	魯白車鼎	魯白車自乍文考造靜鼎
1326	多友鼎	女既靜京白、𢦚女
1326	多友鼎	多禽、女靜京白
1327	克鼎	盄靜于猷
1332	毛公鼎	大從(縱)不靜
2655	小臣靜毁	小臣靜即吏(事)
2774.	南宮弔毁	吏靜安辟土
2788	靜毁	丁卯、王令靜司射學宮
2788	靜毁	靜學無䀢
2788	靜毁	王易靜鞞剢
2788	靜毁	靜敢拜䭫首
2833	秦公毁	鍨靜不廷
2855	班毁一	三年靜東或、亡不成
2855.	班毁二	靜東或
2856	師訇毁	亡不康靜
5487	靜卣	王易靜弓
5487	靜卣	靜拜䭫首
5488	靜卣二	王易靜弓
5488	靜卣二	靜拜䭫首
5826	國差𦉜	齊邦鼏靜安寧
6778	免盤	免蔑、靜女王休
7174	秦公鐘	剌剌卲文公、靜公、憲公
7177	秦公及王姬編鐘一	剌剌卲文公、靜公、憲公
7209	秦公及王姬鎛	剌剌卲文公、靜公、憲公
7210	秦公及王姬鎛二	剌剌卲文公、靜公、憲公
7211	秦公及王姬鎛三	剌剌卲文公、靜公、憲公
7212	秦公鎛	鍨靜不廷
M171	小臣靜卣	小臣靜即事

小計：共　29 筆

0820

0804	井季㚔乍旅鼎	井季㚔乍旅鼎
0825	㶣乍井姬鼎	㶣乍井姬用鼎
0885	井姬䆂鼎	㶣白乍井姬䆂鼎
1038	白䵼父鼎	其子子孫孫永用[井]
1073	白鼎	吏農才井
1119	曆方鼎	曆肇對元德考友隹井乍寶尊彝
1185	㶣白乍井姬鼎一	井姬婦亦佩祖考弔公宗室
1185	㶣白乍井姬鼎一	隹㶣白乍井姬用鼎、毁
1186	㶣白乍井姬鼎二	井姬婦亦佩祖考弔公宗室
1186	㶣白乍井姬鼎二	隹㶣白乍井姬用鼎、毁
1208	乙亥乍父丁方鼎	唯王正井方[𡚬]
1215	麥鼎	井侯征鬲于麥
1215	麥鼎	用從井侯征事
1221	井鼎	呼井從漁

	1275	師同鼎	Lz畀其井師同從
	1277	七年趞曹鼎	井白入右趞曹立中廷、北鄉
	1280	康鼎	奠井
井	1290	利鼎	井白内右利立中廷、北鄉
	1305	師奎父鼎	嗣馬井白右師奎父
	1307	師望鼎	望肈帥井皇考
	1323	師𩁹鼎	用井乃聖且考隧明
	1324	禹鼎	命禹oo朕且考政于井邦
	1325	五祀衛鼎	衛目邦君君厲告于井白
	1325	五祀衛鼎	井白、白邑父、定白、䣄白、白俗父迺顜
	1325	五祀衛鼎	厲有嗣醽季、慶癸、燹□、荊人敢、井人陽屖
	1327	克鼎	易女井家r5田于㽙
	1327	克鼎	易女井、𠈌、匍人䩛
	1327	克鼎	易女井人奔于量
	1328	盂鼎	今我隹即井亩于玟王正德
	1328	盂鼎	今女盂井乃嗣且南公
	1330	曶鼎	井弔易曶(曶)赤金鈞
	1330	曶鼎	井弔才異為□
	1330	曶鼎	□吏㕥小子𩁹目限訟于井弔
	1330	曶鼎	井弔曰、才
	1332	毛公鼎	女母(毋)弗帥用先王乍明井(型)
	1430	奠井弔歡父拜鬲	奠井弔歡父乍拜鬲
	1446	白𤞷父乍井姬鬲	白𤞷父乍井姬季姜尊鬲
	1610	井白甗	井白乍甗
	1639	𩵦白乍井姬甗	𩵦白乍井姬用甗
	1647	井乍寶甗	睘乍旅甗子孫孫永寶用、豐井
	2505.	井姜大宰段	井姜大宰己鑄其寶段
	2518	白田父段	白田父乍井r1寶段
	2529	豐井弔乍白姬段	豐井弔乍白姬尊段
	2545	季𩁹乍井弔段	季𩁹肈乍㕥文考井弔寶尊彝
	2694	𢊁乍且考段	公白易㕥臣弟𢊁井五mG
	2725	師毛父段	井白右、大史冊命
	2762	免段	井弔有免即令
	2763	弔向父禹段	肈帥井先文且
	2764	𦬁段	𩁹(割)井侯服
	2765	𣪘段	井白内、右𣪘立中廷北鄉
	2771	弭弔師𣹭段一	井弔內、右師𣹭
	2772	弭弔師𣹭段二	井弔內、右師𣹭
	2774	臣諫段	井侯搏戎
	2776	走段	司馬井白入、右徒
	2791	豆閉段	井白入
	2798	師𤸫段一	嗣馬井白𧡧右師𤸫入門立中廷
	2799	師𤸫段二	嗣馬井白𧡧右師𤸫入門立中廷
	2816	彔白𢦚段	子子孫孫其帥井受玆休
	2829	師虎段	井白內、右師虎即立中廷北鄉
	2829	師虎段	今余隹帥井先令
	2840	番生段	番生不敢弗帥井皇且考不杯元德
	2843	沈子它段	克又井學懿父迺□子
	2855	班段一	文王孫亡弗褱井
	2855.	班段二	文王孫亡弗褱井

2857	牧毁	不用先王乍井
2857	牧毁	不井不中
2857	牧毁	王曰：牧、女母敢弗帥用先王乍明井
2857	牧毁	母敢不明不中不井
2857	牧毁	丌不中不井
3036	奠井弔康旅盨	奠井弔康乍旅盨（ 槙 ）
3036.	奠井弔康旅盨二	奠井弔康乍旅盨
4446	麥盉	井侯光氒吏麥𬫍于麥宮
4448	長甶盉	即井白大祝射
4448	長甶盉	穆王蔑長甶以逨即井白氏
4448	長甶盉	井白氏彌不姦
4809	㒸白匄井姬羊形尊	㒸白匄井姬用盂鏙
4880	免尊	井弔右免
4886	趩尊	井叔入右趩
4892	麥尊	王令辟井侯
4892	麥尊	出＿侯于井
4892	麥尊	覠考于井侯
4975	麥方彝	才八月乙亥、辟井侯光氒正吏
4975	麥方彝	用鬲（ 嗝 ）井侯出入遅令、孫孫子子其永寶
5340	井季㚔旅卣	井季㚔乍旅彝
5500	免卣	井弔右免
5798	曶壺	井公內右曶
6400	亞井觶	[亞井]
6791	兮甲盤	則即井撲伐
6791	兮甲盤	母敢或入䜌宄貯、則亦井
6792	史墻盤	井帥宇誨
6793	夨人盤	履井邑田
6793	夨人盤	自根木道左至于井邑封
6867	弔男父乍為霍姬匜	其子子孫孫其萬年永寶用[井]
6910	師永盂	井白、榮白、尹氏、師俗父遣中
6925	晉邦盦	敢帥井先王
6978	鄭井弔鐘	鄭井弔乍霝龠鐘用妥賓
6979	鄭井弔鐘二	鄭井弔乍霝龠鐘用妥賓
7020	單伯鐘	余小子肇帥井朕皇且考懿德
7047	井人鐘	井人妄曰
7048	井人鐘二	井人妄曰
7122	梁其鐘一	汎其肇帥井皇且考秉明德
7123	梁其鐘二	汎其肇帥井皇且考秉明德
7150	虢叔旅鐘一	旅敢肇帥井皇考威儀
7151	虢叔旅鐘二	旅敢肇帥井皇考威儀
7152	虢叔旅鐘三	旅敢肇帥井皇考威儀
7153	虢叔旅鐘四	旅敢肇帥井皇考威儀
7154	虢叔旅鐘五	旅敢肇帥井
M361	井伯南毁	井南白乍鄭季姚好尊毁
M478	大宰巳毁	井姜大宰巳鑄其寶毁

小計：共　109 筆

井
刑

5803	㡁嗣𡚒𧕿壺	大去刑罰
7184	叔夷編鐘三	中尃盟刑
7212	秦公鎛	睿尃明刑
7214	叔夷鎛	中尃盟刑
7669	四年□雍令矛	左庫工币刑秦冶俞敷____
7871	子禾子釜一	中刑__it
		小計：共 6 筆

荆 0821

6793	夨人盤	豐父、唯人有嗣荆丂
		小計：共 1 筆

刱 0822

2451	過白𣪕	過白從王伐反刱（荊）、孚金
2543	𢦚馭𣪕	伐楚刱（荊）
2829	師虎𣪕	嗣ナ右戲緐刱（荊）
2829	師虎𣪕	嗣ナ右戲緐刱（荊）
		小計：共 4 筆

刑 0823

2318	刑𡆥冀乍父癸𣪕	刑𡆥冀乍父癸寶尊彝
		小計：共 1 筆

弄 0824

2814	鳥冊夨令𣪕一	令用弄扆于皇王
2814.	夨令𣪕二	令用弄扆于皇王
2983	弭仲寶匿	者友即飤具飽（舊釋飲飤，非是）
		小計：共 3 筆

𢧂 0825

1194	郐王𢧂鼎	郐王𢧂用其良金
		小計：共 1 筆

皀 0826

2722	𡨦弔乍豐姞旅𣪕	丝𣪕𣪕（猒?）皀（䭃）亦壽人
		小計：共 1 筆

即 0827

0991	交鼎	交從嘼逨即
1091	小臣趚鼎	小臣趚即事于西、休
1300	南宮柳鼎	即立中廷、北卿
1309	寰鼎	旦、王各大室、即立
1310	鬲攸從鼎	王令眚史南目即虢旅
1311	師晨鼎	旦、王各大室、即立
1312	此鼎一	旦、王各大室、即立
1313	此鼎二	旦、王各大室、即立
1314	此鼎三	旦、王各大室、即立
1319	頌鼎一	旦、王各大室、即立
1320	頌鼎二	旦、王各大室、即立
1321	頌鼎三	旦、王各大室、即立
1327	克鼎	王各穆廟、即立
1328	盂鼎	余隹即朕小學
1328	盂鼎	今我隹即井亩于玟王正德
1329	小字盂鼎	□嚚進、即大廷
1329	小字盂鼎	即立中廷、北卿
1329	小字盂鼎	盂告、劆白即立
1329	小字盂鼎	□咸、賓即立、贊賓
1330	曶鼎	迺或即曶（曶）用田二
1330	曶鼎	凡用即曶（曶）田七田、人五夫
1332	毛公鼎	大史寮于父即尹
2655	小臣靜段	小臣靜即吏（事）
2725	師毛父段	師毛父即立
2738	衛段	榮右衛內、即立
2762	免段	井弔有免即令
2765	救段	王才師嗣（司辭）馬宮大室即立
2767	虘段一	旦、王各大室、即立
2769	師耤段	榮白內、右師耤即立中廷
2771	弭弔師求段一	即立中廷
2772	弭弔師求段二	即立中廷
2773	即段	定白入、右即
2773	即段	即敢對揚天子不顯休
2773	即段	即其萬年子子孫孫永寶用
2775	裘衛段	王才周、各大室、即立
2776	走段	王才周、各大室、即立
2783	趩段	密弔右趩即立
2783	趩段	內史即命
2784	申段	各大室、即立
2785	王臣段	益公入、右王臣即立中廷北鄉
2787	望段	旦、王各大室即立
2787	望段	旦、王十大室即立
2792	師俞段	旦、王各大室即立
2793	元年師旋段一	甲寅、王各廟即立
2793	元年師旋段一	遟公入、右師旋即立中廷
2794	元年師旋段二	甲寅、王各廟即立
2794	元年師旋段二	遟公入、右師旋即立中廷
2795	元年師旋段三	甲寅、王各廟即立
2795	元年師旋段三	遟公入、右師旋即立中廷
2796	諫段	旦、王各大室即立

即

2796	諫𣪘	旦、王各大室即立
2797	輔師𩠡𣪘	各大室即立
2798	師𤸫𣪘一	各大室、即立
2799	師𤸫𣪘二	各大室、即立
2800	伊𣪘	旦、王各穆大室即立
2810	揚𣪘一	旦、各大室即立
2811	揚𣪘二	旦、各大室即立
2826	師寰𣪘一	即𣃔𠂤邦𠭯
2826	師寰𣪘一	即𣃔𠂤邦𠭯
2827	師寰𣪘二	即𣃔𠂤邦𠭯
2829	師虎𣪘	井白內、右師虎即立中廷北鄉
2830	三年師兌𣪘	各大廟、即立
2831	元年師兌𣪘一	王才周、各康廟即立
2832	元年師兌𣪘二	王才周、各康廟即立
2838	師𩠡𣪘一	王才周、各于大室、即立
2838	師𩠡𣪘一	各于大室、即立
2839	師𩠡𣪘二	王才周、各于大室、即立
2839	師𩠡𣪘二	各于大室、即立
2844	頌𣪘一	旦、王各大室即立
2845	頌𣪘二	旦、王各大室即立
2845	頌𣪘二	旦、王各大室即立
2846	頌𣪘三	旦、王各大室即立
2847	頌𣪘四	旦、王各大室即立
2848	頌𣪘五	旦、王各大室即立
2849	頌𣪘六	旦、王各大室即立
2850	頌𣪘七	旦、王各大室即立
2851	頌𣪘八	旦、王各大室即立
2854	𣜩𣪘	旦、王各廟、即立
2854	𣜩𣪘	𠂤又見又即令
2857	牧𣪘	各大室即立
3083	𤸫𣪘（盨）一	各大室、即立
3084	𤸫𣪘（盨）二	各大室、即立
3085	駒父旅盨（蓋）	南中邦父命駒父即南者侯逹高父見南淮夷
3090	㝬盨（器）	迺𩣡𠈇即女
4448	長甶盉	即井白大祝射
4448	長甶盉	穆王蔑長甶以逨即井白氏
5503	競卣	隹白犀父以成𠂤即東
5791	十三年𤸫壺一	各大室即立
5792	十三年𤸫壺一	即立
5799	頌壺一	旦、王各大室即立
5800	頌壺二	旦、王各大室即立
5805	中山王𰯼方壺	其即得民
6787	走馬休盤	旦、王各大室即立
6789	寰盤	旦、王各大室即立
6791	兮甲盤	其賈毋敢不即次、即市
6791	兮甲盤	則即井撲伐
6791	兮甲盤	𠂤賈毋不即市
6793	矢人盤	迺即散用田履
6909	𨔵盂	君才𨛭、即宮
6910	師永盂	益公内即命于天子

7174	秦公鐘	盜百蠻具即其服
7177	秦公及王姬編鐘一	盜百蠻具即其
7209	秦公及王姬鎛	盜百蠻具即其服
7210	秦公及王姬鎛二	盜百蠻具即其服
7211	秦公及王姬鎛三	盜百蠻具即其服
7435	陳侯因咨戈二	即墨右
M171	小臣靜卣	小臣靜即事
M423.	趞鼎	各于大室、即立

小計：共　108 筆

既　0828

1056	曾白從寵鼎	隹王十月既吉
1139	寓鼎	隹二月既生霸丁丑
1187	員乍父甲鼎	唯正月既望癸酉
1220	鄁公鼎	隹王八月既朢
1235	不栺方鼎一	隹八月既望戊辰
1236	不栺方鼎甲二	隹八月既望戊辰
1248	庚嬴鼎	隹廿又二年四月既望己酉
1249	寍鼎	隹九月既生霸辛酉、才匽
1255	作冊大鼎一	隹四月既生霸己丑
1256	作冊大鼎二	隹四月既生霸己丑
1257	作冊大鼎三	隹四月既生霸己丑
1258	作冊大鼎四	隹四月既生霸己丑
1259	鄀公鼬鼎	既死霸壬午
1262	㝉鼎	隹王九月既望乙巳
1263	呂方鼎	唯五月既死霸辰才壬戌
1274	哀成弔鼎	君既安惠
1276	_季鼎	隹五月既生霸庚午
1277	七年趞曹鼎	隹七年十月既生霸
1278	十五年趞曹鼎	隹十又五年五月既生霸壬午
1284	尹姞鼎	隹六月既生霸乙卯
1285	㦰方鼎一	隹九月既望乙丑、才盄自
1301	大鼎一	隹十又五年三月既霸丁亥
1302	大鼎二	隹十又五年三月既霸丁亥
1303	大鼎三	隹十又五年三月既霸丁亥
1305	師奎父鼎	隹六月既生霸庚寅
1306	無叀鼎	隹九月既望甲戌
1309	寰鼎	隹廿又八年五月既朢庚寅
1312	此鼎一	隹十又七年十又二月既生霸乙卯
1313	此鼎二	隹十又七年十又二月既生霸乙卯
1314	此鼎三	隹十又七年十又二月既生霸乙卯
1315	善鼎	王曰：善、昔先王既令女左足𥃝侯
1319	頌鼎一	隹三年五月既死霸甲戌
1320	頌鼎二	隹三年五月既死霸甲戌
1321	頌鼎三	隹三年五月既死霸甲戌
1322	九年裘衛鼎	隹九年正月既死霸庚辰
1326	多友鼎	女既靜京自、䓔女
1327	克鼎	王若曰：克、昔余既令女出內朕令

既

1330	曶鼎	隹王元年六月既望乙亥
1330	曶鼎	隹王四月既生霸、辰才丁酉
1330	曶鼎	我既賣女五□□父
1528	公姞鬲鼎	隹十二月既生霸
1533	尹姞寶鬲一	隹六月既生霸乙卯
1534	尹姞寶鬲二	隹六月既生霸乙卯
1666	遹乍旅甗	隹六月既死霸丙寅
2542	辰才寅□□毁	隹七月既生霸辰才寅
2595	奠虢仲毁一	隹十又一月既生霸庚戌
2596	奠虢仲毁二	隹十又一月既生霸庚戌
2597	奠虢仲毁三	隹十又一月既生霸庚戌
2608	官差父毁	隹王正月既死霸乙卯
2643	史族毁	隹三月既望乙亥
2643	史族毁	隹三月既望
2652	_毁	隹八月既生霸
2661	競毁一	隹六月既死霸壬申
2662	競毁二	隹六月既死霸壬申
2684	_寵乎毁	隹正二月既死霸壬戌
2703	免乍旅毁	隹三月既生霸乙卯
2707	小臣守毁一	隹五月既死霸辛未
2708	小臣守毁二	隹五月既死霸辛未
2709	小臣守毁三	隹五月既死霸辛未
2710	肄自乍寶器一	唯十又二月既生霸丁亥
2711	肄自乍寶器二	唯十又二月既生霸丁亥
2721	萳毁	唯六月既生霸辛己
2723	沓毁	友既拜䭬首
2725	師毛父毁	隹六月既生霸戊戌
2725.	䅵星毁	隹一月既望丁亥
2730	獻毁	隹九月既望庚寅
2732	曾仲大父蛕蚑毁	唯五月既生霸庚申
2734	遹毁	隹六月既生霸
2736	師遽毁	隹王三祀四月既生霸辛酉
2744	五年師旋毁一	隹王五年九月既生霸壬午
2745	五年師旋毁二	隹王五年九月既生霸壬午
2767	虘毁一	正月既望甲午
2775	裘衛毁	隹廿又七年三月既生霸戊戌
2776	走毁	隹王十又二年三月既望庚寅
2786	縣妃毁	隹十又二月既望辰才壬午
2791	豆閉毁	唯王二月既眚霸
2793	元年師旋毁一	隹王元年四月既生霸
2794	元年師旋毁二	隹王元年四月既生霸
2795	元年師旋毁三	隹王元年四月既生霸
2796	諫毁	先王既命女䟫嗣王宥
2796	諫毁	先王既命女䟫嗣王宥
2797	輔師嫠毁	隹王九月既生霸甲寅
2798	師瘨毁一	先王既令女
2799	師瘨毁二	先王既令女
2800	伊毁	隹王廿又七年正月既望丁亥
2801	五年召白虎毁	余既訊㒸我考我母令
2802	六年召白虎毁	今余既訊有嗣曰侯令

既

2802	六年召白虎殷	今余既一名典獻
2807	鄸殷一	王曰：鄸、昔先王既命女作邑
2808	鄸殷二	王曰：鄸、昔先王既命女作邑
2809	鄸殷三	王曰：鄸、昔先王既命女作邑
2810	揚殷一	佳王九月既眚霸庚寅
2811	揚殷二	佳王九月既眚霸庚寅
2812	大殷一	佳十又二年三月既生霸丁亥
2812	大殷一	余既易大乃里
2813	大殷二	佳十又二年三月既生霸丁亥
2813	大殷二	余既易大乃里
2814	鳥冊夨令殷一	佳九月既死霸丁丑
2814.	夨令殷二	佳九月既死霸丁丑
2817	師類殷	佳王元年九月既望丁亥
2817	師類殷	才先王既令女乍嗣土
2818	此殷一	佳十又七年十又二月既生霸乙卯
2818	此殷一	旦、王各大室既立
2819	此殷二	佳十又七年十又二月既生霸乙卯
2819	此殷二	旦、王各大室既立
2820	此殷三	佳十又七年十又二月既生霸乙卯
2820	此殷三	旦、王各大室既立
2821	此殷四	佳十又七年十又二月既生霸乙卯
2821	此殷四	旦、王各大室既立
2822	此殷五	佳十又七年十又二月既生霸乙卯
2822	此殷五	旦、王各大室既立
2823	此殷六	佳十又七年十又二月既生霸乙卯
2823	此殷六	旦、王各大室既立
2824	此殷七	佳十又七年十又二月既生霸乙卯
2824	此殷七	旦、王各大室既立
2825	此殷八	佳十又七年十又二月既生霸乙卯
2825	此殷八	旦、王各大室既立
2826	師寰殷一	休既又工
2826	師寰殷一	休既又工
2827	師寰殷二	休既又工
2829	師虎殷	佳六年六月既望甲戌
2829	師虎殷	載先王既令乃祖考吏啻官
2830	三年師兌殷	余既令女正師龢父
2838	師嫠殷一	既令女更乃且考嗣（ 司 ）
2838	師嫠殷一	既令女更乃且考嗣（ 司 ）小輔
2839	師嫠殷二	既令女更乃且考嗣（ 司 ）
2839	師嫠殷二	既令女更乃且考嗣（ 司 ）小輔
2842	卯殷	佳王十又一月既生霸丁亥
2842	卯殷	昔乃且亦既令乃父死（ 司 ）葊人
2844	頌殷一	佳三年五月既死霸甲戌
2845	頌殷二	佳三年五月既死霸甲戌
2845	頌殷二	佳三年五月既死霸甲戌
2846	頌殷三	佳三年五月既死霸甲戌
2847	頌殷四	佳三年五月既死霸甲戌
2848	頌殷五	佳三年五月既死霸甲戌
2849	頌殷六	佳三年五月既死霸甲戌
2850	頌殷七	佳三年五月既死霸甲戌

既

2851	頌段八	隹三年五月既死霸甲戌
2854	綦段	隹元年既望丁亥
2854	綦段	昔先王既令女乍宰、嗣王家
2856	師旂段	隹元年二月既望庚寅
2857	牧段	隹王七年又三月既生霸甲寅
2857	牧段	牧、昔先王既令女乍嗣土
2857	牧段	以今既司匐厥辜召故
2983	弭仲簠匿	既具旨飤
2986	曾白霥旅匿一	具既卑方
2987	曾白霥旅匿二	具既卑方
3056	師趛乍槝姬旅盨	隹王正月既望
3056	師趛乍槝姬旅盨	隹王正月既望
3061	弭弔旅盨	隹五月既生霸庚午
3068	白寬父盨一	隹卅又三年八月既死辛卯
3069	白寬父盨二	隹卅又三年八月既死辛卯
3083	瘨段（盨）一	隹四年二月既生霸戊戌
3084	瘨段（盨）二	隹四年二月既生霸戊戌
3087	鬲从盨	隹王廿又五年七月既□□□
3088	師克旅盨一（蓋）	昔余既令女
3089	師克旅盨二	昔余既令女
4203	御正良爵	隹四月既望丁亥
4447	臣辰冊冊乍冊父癸盉	才五月既望辛酉
4449	裘衛盉	隹三年三月既生霸壬寅
4871	冊𨚕豊尊	隹六月既生霸乙卯
4873	臣辰冊冊乍父癸尊	才五月既□□□酉
4876	保尊	才二月既望
4881	䍜方尊	＿＿䍜＿既告
4884	𣪕尊	隹十又三月既生霸丁卯
4891	何尊	隹珷王既克大邑商
4893	夨令尊	既咸令
4893	夨令尊	咸既、用牲于王
4977	師遽方彝	隹正月既生霸丁酉
4981	鳥冊令方彝	既咸令
4981	鳥冊令方彝	咸既、用牲于王
5480	冊𨚕冊豊卣	隹六月既生霸乙卯
5480	冊𨚕冊豊卣	隹六月既生霸乙卯
5483	周乎卣	隹九月既生霸乙亥
5483	周乎卣	隹九月既生霸乙亥
5491	亞獏二祀𠨘其卣	既𠨘于上帝
5495	保卣	才二月既望
5495	保卣	才二月既望
5501	臣辰冊冊ㄆ卣一	才五月既望辛酉
5502	臣辰冊冊ㄆ卣二	才五月既望辛酉
5503	競卣	正月既生霸辛丑、才坏
5504	庚嬴卣一	隹王十月既望辰才己丑
5505	庚嬴卣二	隹王十月既望辰才己丑
5506	小臣傳卣	隹五月既望甲子
5507	乍冊䰠卣	十二月既望乙亥
5507	乍冊䰠卣	雩四月既生霸庚午
5784	𡚬氏壺	自頌既好

5785	史懋壺	隹八月既死霸戊寅
5795	白克壺	隹十又六年七月既生霸乙未
5799	頌壺一	隹三年五月既死霸甲戌
5800	頌壺二	隹三年五月既死霸甲戌
5801	洹子孟姜壺一	齊侯既濟洹子孟姜喪其人民都邑
5802	洹子孟姜壺二	齊侯既濟洹子孟姜喪其人民都邑
5816	奠義白𦉢	我酉既清
6782	者尚余卑盤	者尚余卑□永既羿其吉金
6784	三十四祀盤（祼盤）	隹王卅又四祀唯五月既望戊午
6785	守宮盤	隹正月既生霸乙未
6787	走馬休盤	隹廿年正月既望甲戌
6789	寰盤	隹廿又八年五月既望庚寅
6791	兮甲盤	隹五年三月既死霸庚寅
6792	史墻盤	雩武王既𢦏殷
6793	矢人盤	我既付散氏田器
6793	矢人盤	我既付散氏溼（隰）田、畛田
6877	𠐇匜旅盉	隹三月既死霸甲申
6877	𠐇匜旅盉	今女亦既又pb誓
6877	𠐇匜旅盉	亦既卿乃誓
6877	𠐇匜旅盉	女亦既從辭從誓
6888	吳王光鑑一	隹王五月既字白期吉日初庚
6889	吳王光鑑二	隹王五月既字白期吉日初庚
7125	蔡侯𩂣紐鐘一	既恖于心
7126	蔡侯𩂣紐鐘二	既恖于心
7132	蔡侯𩂣紐鐘八	既恖于心
7133	蔡侯𩂣紐鐘九	既恖于心
7134	蔡侯𩂣甬鐘	既恖于心
7135	逆鐘	仕王元年三月既生霸庚申
7136	郘鐘一	余既壽𠭯虡
7136	郘鐘一	大鐘既縣
7137	郘鐘二	既壽𠭯虡
7137	郘鐘二	大鐘既縣
7138	郘鐘三	既壽𠭯虡
7138	郘鐘三	大鐘既縣
7139	郘鐘四	既壽𠭯虡
7139	郘鐘四	大鐘既縣
7140	郘鐘五	既壽𠭯虡
7140	郘鐘五	大鐘既縣
7141	郘鐘六	既壽𠭯虡
7141	郘鐘六	大鐘既縣
7142	郘鐘七	既壽𠭯虡
7142	郘鐘七	大鐘既縣
7143	郘鐘八	既壽𠭯虡
7143	郘鐘八	大鐘既縣
7144	郘鐘九	既壽𠭯虡
7144	郘鐘九	大鐘既縣
7145	郘鐘十	既壽𠭯虡
7145	郘鐘十	大鐘既縣
7146	郘鐘十一	既壽𠭯虡
7146	郘鐘十一	大鐘既縣

7147	䣙鐘十二	既壽㽼虡
7147	䣙鐘十二	大鐘既縣
7148	䣙鐘十三	既壽㽼虡
7148	䣙鐘十三	大鐘既縣
7149	䣙鐘十四	既壽㽼虡
7149	䣙鐘十四	大鐘既縣
7163	瘐鐘六	雩武王既𢦏殷
7182	叔夷編鐘一	余既專乃心
7205	蔡侯𩁹編鎛一	既悤于心
7206	蔡侯𩁹編鎛二	既悤于心
7207	蔡侯𩁹編鎛三	既悤于心
7208	蔡侯𩁹編鎛四	既悤于心
7214	叔夷鎛	余既專乃心
M252	免簠	隹三月既生霸乙卯
M423.	趞鼎	隹十又九年四月既望辛卯
		小計：共 252 筆

叀 0829

1308	白晨鼎	叀表、里幽、攸勒、旅五旅
1322	九年裘衛鼎	㡀虎叀、𩌏𩋗、畫轉
1322	九年裘衛鼎	舍顏有𤔲壽商䝨、裘㲋叀
1322	九年裘衛鼎	舍𤕌𢊾叀
1332	毛公鼎	金車𠦪較、朱𩈈𡇞(𩋗)靳、虎叀熏裏、右厄
2816	彔白𢦚殷	虎叀朱裏、金甬、畫聞(輯)
2830	三年師兌殷	虎叀熏裏，右厄，畫轉，畫輯，金甬
2840	番生殷	虎叀熏裏、逪衡右厄，畫轉畫輯、金童
2857	牧殷	朱虢、𡇞靳、虎叀、熏裏
3088	師克旅盨一(蓋)	虎叀、熏裏、畫轉、畫輯、金甬、朱旂
3089	師克旅盨二	虎叀、熏裏、畫轉、畫輯、金甬、朱旂
3090	𡔽盨(器)	虎叀、熏裏，畫轉、金甬，
3974	叀父癸爵	[叀]父癸
4978	吳方彝	虎叀熏裏
6785	守宮盤	易守宮絲束、蘆幕五、蘆叀二
		小計：共 15 筆

㽼 0830

1308	白晨鼎	易女𩰫㽼一卣、玄袞衣、幽夫(韍)
1328	盂鼎	易女㽼一卣、冂衣、市、舃、車馬
1332	毛公鼎	易女𩰫㽼一卣、𥛚(祼)圭瓚(瓚?)寶
2816	彔白𢦚殷	余易女𩰫㽼一卣
2828	宜侯夨殷	易𩰫㽼一、商瓚一肆
2830	三年師兌殷	易女𩰫㽼一卣
2856	師𩛥殷	易女𩰫㽼一卣、圭瓚
2857	牧殷	易女𩰫㽼一卣、金車、𠦪較、畫輯
3088	師克旅盨一(蓋)	易𩰫㽼一卣、赤市五黃、赤舃
3089	師克旅盨二	易𩰫㽼一卣、赤市五黃、赤舃

3090	𡨦盨(器)	易女𨰻__鬯一卣
4202	魯侯爵	魯侯乍L6鬯u9
4447	臣辰冊冊𠬝乍冊父癸盉	眔賞卣鬯貝
4864	乍冊𠫑尊	公易乍冊𠫑鬯、貝
4873	臣辰冊岢冊乍父癸尊	□百生豚、鬯、貝
4877	小子生尊	小子生易金、鬱鬯
4893	夨令尊	明公易亢師鬯、金、牛
4893	夨令尊	易令鬯、金、牛
4978	吳方彝	易秬(𨰻)鬯一卣
4981	𦉢冊令方彝	明公易亢師鬯、金、牛
4981	𦉢冊令方彝	易令鬯、金、牛
5470	__盂乍父丁卣	兮公宧盂鬯束貝十朋
5474	𠫑卣	公易乍冊𠫑鬯、貝
5474	𠫑卣	公易乍冊𠫑鬯、貝
5481	叔卣一	賞叔鬱鬯、白金、hx牛
5482	叔卣二	賞叔鬱鬯、白金、hx牛
5501	臣辰冊冊𠬝卣一	眔賞卣鬯貝
5502	臣辰冊冊𠬝卣二	眔賞卣鬯貝
5798	曶壺	易女秬鬯一卣玄袞衣
7083	鮮鐘	王易鮮□□鮮楚遺鬯
7136	邵鐘一	余既壽鬯𠪚
7137	邵鐘二	既壽鬯𠪚
7138	邵鐘三	既壽鬯𠪚
7139	邵鐘四	既壽鬯𠪚
7140	邵鐘五	既壽鬯𠪚
7141	邵鐘六	既壽鬯𠪚
7142	邵鐘七	既壽鬯𠪚
7143	邵鐘八	既壽鬯𠪚
7144	邵鐘九	既壽鬯𠪚
7145	邵鐘十	既壽鬯𠪚
7146	邵鐘十一	既壽鬯𠪚
7147	邵鐘十二	既壽鬯𠪚
7148	邵鐘十三	既壽鬯𠪚
7149	邵鐘十四	既壽鬯𠪚
		小計：共　44 筆

0831

4877	小子生尊	小子生易金、鬱鬯
5481	叔卣一	賞叔鬱鬯、白金、hx牛
5482	叔卣二	賞叔鬱鬯、白金、hx牛
5508	弔䞋父卣一	余兄為女丝小鬱彝
5683	孟㦸父鬱壺	孟㦸父乍鬱壺
		小計：共　5 筆

0832

1248	庚𡨦鼎	易爵、璋、貝十朋

1271	史獸鼎	易豕鼎一、爵一
2570	㮚毀	王爵貝百朋
2786	縣妃毀	易女婦爵娥之弋周玉
3683	戈吏爵	戈吏爵
3994	爵寶彝爵	[爵]寶彝
4620	執爵形父癸尊	[爵]父癸
4638	爵且丙尊	爵且丙
5172	爵父癸卣(蓋)	[爵]父癸
6663	白公父金勺一	白公父乍金爵

小計：共 10 筆

䰜 0833

1263	呂方鼎	王易呂䰜三卣、貝卅朋
1308	白晨鼎	易女𩰪(䰜)鬯一卣
1332	毛公鼎	易女䰜鬯一卣、鄭(祼)圭鬲(瓚？)寶
2816	彔白㦰毀	余易女䰜鬯一卣
2830	三年師兌毀	易女䰜鬯一卣(卣)
2856	師訇毀	易女䰜鬯一卣、圭瓚
2857	牧毀	易女䰜鬯一卣、金車、𠦪較、畫輴
3088	師克旅盨一	易䰜鬯一卣(卣)、赤巿五黃、赤舄
3089	師克旅盨二	易䰜鬯一卣(卣)、赤巿五黃、赤舄
3090	𩛥盨(器)	易女䰜_鬯一卣
4978	吳方彝	易䰜鬯一卣(卣)
5798	曶壺	易女𩰪(䰜)鬯一卣

小計：共 12 筆

食 0834

2269	仲義昌乍食𩛥	中義昌自乍食𩛥
2279	牧共乍父丁食毀	牧共乍父丁to食毀
2633.	食生走馬谷毀	唯食生走馬谷自乍吉金用尊殷
2902	白矩食匿	白矩自乍食匿

小計：共 4 筆

餗 0835

0700	姚乍_餗鼎	姚乍n7餗鼎
0827	宋公䜌鼎	宋公䜌之餗貞(鼎)
0886.	喬夫人餗鼎	喬夫人鑄其餗鼎
0895	滌父乍姜懿母鼎一	滌父乍姜懿母餗貞(鼎)
0896	滌父乍姜懿母鼎二	滌父乍姜懿母餗貞(鼎)
1126	弔夜鼎	弔夜鑄其餗鼎
1163	齊陳_鼎蓋	乍皇考獻弔餗鼎
1195	戠弔朕鼎一	戠弔朕自乍餗鼎
1196	戠弔朕鼎二	戠弔朕自乍餗鼎
1197	戠弔朕鼎三	戠弔朕自乍餗鼎
1469	戲白餗鬲一	戲白乍餗鬲

1470	戱白餗鬲二	戱白乍餗盨
2146	新＿乍餗毁	新te乍餗毁
2188	鄧公毁	鞏（鄧）公牧乍餗毁
2242	罕豕乍父丁餗毁	罕豕乍父丁餗彝
2265	鮽乍簋毁	鮽乍簋尊彝用餗
2346	＿乍餗毁	用乍餗毁
2378	辰乍餗毁	辰乍餗毁
2402	敔毁	用餗孫子
2419	白喜父乍洹餗毁一	白喜父乍洹餗毁
2420	白喜父乍洹餗毁二	白喜父乍洹餗毁
2435	散車父毁一	散車父乍𡉚陼姞彙（餗）毁
2436	散車父毁二	散車父乍𡉚陼姞餗毁
2437	散車父毁三	散車父乍𡉚陼姞餗毁
2438	散車父毁四	散車父乍𡉚陼姞餗毁
2438.	散車父毁五	散車父乍𡉚陼姞餗毁
2438.	椒車父乍𡉚陼姞餗毁	散車父乍𡉚陼姞餗毁
2438.	椒車父乍𡉚陼姞餗毁二	散車父乍𡉚陼姞餗毁
2450	禾乍皇母孟姬毁	禾肇乍皇母懿恭孟姬餗彝
2469	𩁹乍王母媿氏餗毁一	𩁹乍王母媿氏餗毁
2470	𩁹乍王母媿氏餗毁二	𩁹乍王母媿氏餗毁
2471	𩁹乍王母媿氏餗毁三	𩁹乍王母媿氏餗毁
2472	𩁹乍王母媿氏餗毁四	𩁹乍王母媿氏餗毁
2516	鄧公餗毁	鄧公午□自乍餗毁
2548	仲惠父餗毁一	隹王正月 中叀父乍餗毁
2549	仲惠父餗毁二	隹王正月中叀父乍餗毁
2672	伯芍父毁	辰乍餗毁
2689	白康毁一	用餗王父王母
2690	白康毁二	用餗王父王母
2876	慶孫之子蛛餗匿	慶孫之子蛛之餗匿
2917	嵩乍餗匿	嵩自乍餗匿
2948	番君召餗匿一	番君召乍餗匿
2949	番君召餗匿二	番君召乍餗匿
2950	番君召餗匿三	番君召乍餗匿
2951	番君召餗匿四	番君召乍餗匿
2952	番君召餗匿五	番君召乍餗匿
2955	齊陳＿匿一	乍皇考獻弔餗般永保用匿
2956	齊陳曼匿二	乍皇考獻弔餗般永保用匿
2964	曾□□餗匿	曾□□□睪其吉金自乍餗匿
2977	□孫弔左餗匿	自乍餗匿
2980	鼄大宰餗匿一	鼄大宰欉子𨚕鑄其餗匿
2980	鼄大宰餗匿一	其釁壽、用餗萬年無𢍰
2981	鼄大宰餗匿二	鼄大宰欉子𨚕鑄其餗匿
2981	鼄大宰餗匿二	其釁壽、用餗萬年無𢍰
3094	□公克錞	陸公克鑄其餗錞
6894	匽侯餗盂	匽侯乍餗盂
6905	要君餗盂	要君白居自乍餗盂
6921	鄧子仲盆	自乍饋（餗）盆
6924	江仲之孫白戔餗盞	邛中之孫白戔自乍餗盞
6924	江仲之孫白戔餗盞	邛中之孫白戔自乍餗盞
M343	魯司徒中齊盨	魯司徒中齊肇乍皇考白走公餗盨毁

			小計：共 65 筆
饔	0836	雍字重見	
	1020	鄭饔原父鼎	鄭饔遷(原)父鑄鼎
	1238	曾子仲宣鼎	宣＿用饔其者(諸)父者(諸)兄
	2297	奠饔原父戶寶設	鄭饔原父寶彝
			小計：共 3 筆
飴	0837		
	1191	堇乍大子癸鼎	匽侯令堇飴大保于宗周
	2721	祸設	王命祸眔弔緐父歸吳姬飴器
			小計：共 2 筆
饎	0838	喜字重見	
養	0839		
	0579	又羖父己鼎	[又養]父己
	0593	又羖父癸鼎	[又養]父癸
	1334	羖鬲	[養]
	3636	羖又爵	[養又]
	4176	友羖父癸爵一	友養父癸妣止母
	4177	友羖父癸爵二	友養父癸妣止母
	4660	又羖父己尊	[又養]父己
	5015	養卣	[養]
	5201	養父甲卣	[養]父甲
	5203	養父乙卣	[養]父乙
	J3444	羖又罍	[羖又]
	5556	亞高羖父丁罍	[亞高養]父丁
	5956	牧觚	[養]
	6057	亞牧觚	[亞養]
	6129	羖父乙觚	[養]父乙
	6399	夊羊觶	[養]
	6432	養父乙觶	[養]父乙
	7355	羖亞又戈一	[目、養亞又]
	7356	羖亞又戈二	[目、養亞又]
	7357	羖亞又戈三	[目、養亞又]
	7358	羖亞又戈四	[目、養亞又]
	7359	羖亞又戈五	[目、養亞又]
	7360	羖亞又戈六	[目、養亞又]
			小計：共 23 筆
羖	0839		
	6509	羖父癸觶	[羖]父癸

小計：共 1 筆

0840

5780	公孫竈壺	公孫竈立事歲飯ho月

小計：共 1 筆

0841

0807	須炁生飤鼎	須炁生之飤貞（鼎）
0817	王子臺鼎	王子臺自酢（乍）飤貞（鼎）
0830	蔡侯𦚕飤鼾	蔡侯𦚕之飤鼾
0831	蔡侯𦚕飤𪔅	蔡侯𦚕之飤𪔅
0832	蔡侯𦚕飤鼎	蔡侯𦚕之飤貞（鼎）
0837	楚子遉之飤𩰫	楚子遉之飤𩰫
0920	倗鼎	楚弔之孫倗之飤𪔂
0993	陳生寉鼎	陳生寉乍飤鼎
0995	内公飤鼎	内公乍鑄飤鼎
1052	褱自乍𥓳𪔅	褱自乍飤𥓳𪔅
1063	鄧公乘鼎	鄧公乘自乍飤𩰫
1070	鄲孝子鼎	命鑄飤鼎鬲
1074	奠戚句父鬲	奠戚句父自乍飤鎡
1106	曾孫無期乍飤鼎	曾孫無箕自乍飤𩰫
1211	庚兒鼎一	郘王之子庚兒自乍飤𩰫
1212	庚兒鼎二	郘王之子庚兒自乍飤𩰫
1218	𢍰兒鼎	自乍飤𩰫
1224	王子吳鼎	自乍飤鼎
1241	蔡大師𦚕鼎	蔡大師𦚕媵鄦弔姬可母飤𩰫
1274	哀成弔鼎	乍鑄飤器黃鑊
1664	邕子良人甗	邕子良人睪其吉金自乍飤獻（甗）
1665	王孫壽飤甗	自乍飤甗
2300	史述乍父乙段	史述乍父乙寶毁飤
2393	白喬父飤毁	白喬父乍飤毁
2512	乙自乍𩰫	十月丁亥、乙自乍飤𩰫
2641	命毁	命其永以多友毁飤
2866	樊君飛飤匿	樊君飛之飤匿
2867	蔡侯𦚕飤匿	蔡侯𦚕之飤匿
2867.	蔡侯𦚕飤匿二	蔡侯𦚕之飤匿
2867.	蔡侯𦚕飤匿三	蔡𦚕之飤匿
2878.	蔡公子義工飤匿	蔡公子義工之飤匿
2879	大𤔲馬飤匿	大𤔲（司）馬孝述自乍飤匿
2889	魯士浮父飤匿一	魯士浮父乍飤匿、永寶用
2890	魯士浮父飤匿三	魯士浮父乍飤匿、永寶用
2891	魯士浮父飤匿四	魯士浮父乍飤匿、永寶用
2892	魯士浮父飤匿二	魯士浮父乍飤匿、永寶用
2898	白旅魚父旅匿	用倗旨飤
2942	楚子_飤匿一	楚子o4鑄其飤匿
2943	楚子_飤匿二	楚子o4鑄其飤匿

飤 饡 [illegible] 餳 饋

2944	楚子__飤匠三	楚子o4鑄其飤匠
2946	曾子□匠	曾子□自作飤匠
2957	子季匠	自乍飤匠
2973	楚屈子匠	楚屈子赤角賸中孀飤匠 自乍飤匠
2976	盤公匠	
2978	樂子敬豧飤匠	自乍飤匠
2983	弭仲賓匠	既具旨飤
2983	弭仲賓匠	者友歆飤具飽
3091	楚子敦	楚子□□之飤□
3092	齊侯乍飤𩞁一	齊侯乍飤𩞁
3093	齊侯乍飤𩞁二	齊侯乍飤𩞁
4375	父乙飤盉	父乙飤
5688	蔡侯䌛飤壺一	蔡侯䌛之飤壺
5689	蔡侯䌛飤壺二	蔡侯䌛之飤壺
5805	中山王嚳方壺	氏以遊夕歆飤
6440	父乙歆觶	父乙飤
6766	黃韋艅父盤	黃韋俞父自乍飤器
6917	郳子行飤盆	郳子行自乍飤盆
7117	郘𪒠兒鐘一	歆飤訶舞
7119	郘𪒠兒鐘三	歆飤訶舞
7175	王孫遺者鐘	誨猷不飤
7890	王命傳賃節一	飤之
7895	王命傳節一	王命傳賃一擔飤之
7896	王命傳節二	王命傳賃一擔飤之
7897	王命傳節三	王命傳賃一擔飤之
7898	王命傳節四	王命傳賃一擔飤之
7899	鄂君啟車節	毋舍槫(傳)飤
7900	鄂君啟舟節	毋舍槫(傳)飤
M599	蔡公子義工簠	蔡公子義工之飤匠
M773	鄧子午鼎	鄧子午之飤鐈
		小計：共 69 筆

饡 0842

6792	史墻盤	天子圂饡文武長剌
		小計：共 1 筆

餳 0843

1288	令鼎一	餳、王射
1289	令鼎二	王大耤農于諆田、餳
2677	居__䱷鑄____	才餳賫余一斧
2677.	居__䱷毁二	才餳賫余一斧
		小計：共 4 筆

饋 0843+ 金文編0285遺字條下引汗簡以為饋之或體

0719	無臭之饆鼎一	無臭之饋鼎
0720	無臭之饆鼎二	無臭之饋鼎
0732	大廣之饆盞	大廣之饋盞
0865	邵王之諻饆鼎	邵王之諻之饋貞(鼎)
		小計：共 4 筆

饗 0844

1208	乙亥乍父丁方鼎	王饗酏、尹pa邐
1301	大鼎一	王卿(饗)醴
1302	大鼎二	王卿(饗)醴
1303	大鼎三	王卿(饗)醴
1529	仲枏父鬲一	用敢卿(饗)孝于皇且丂
1530	仲枏父鬲二	用敢卿(饗)孝于皇且丂
1531	仲相父鬲三	用敢卿(饗)孝于皇且丂
1532	仲相父鬲四	用敢卿(饗)孝于皇且丂
2599	宰亩殷	王鄉(饗)酉，
6918	曾孟嬭諫盆	曾孟嬭諫乍饗盆
		小計：共 10 筆

饕 0845

J1442	叨孳殷	(拓本未見)
		小計：共 1 筆

饉 0846

1330	曶鼎	昔饉歲匡眔氒臣廿夫
		小計：共 1 筆

飡 0847

5710	飡車父壺一	飡車父乍寶壺永用享(器蓋)
5711	飡車父壺二	飡車父乍寶壺永用享(器蓋)
		小計：共 2 筆

鈇 0848

5414	鈇乍父戊卣	鈇乍父戊尊彝[戈]
		小計：共 1 筆

餘 0849

2834	䚄𣪕	肆余目餘士獻民
		小計：共　1 筆

皦　0850

1331	中山王䧹鼎	季（越）人皦（修）斆備信
		小計：共　1 筆

寢　0851

1080	華仲義父鼎一	中義父乍新寢寶鼎
1081	華仲義父鼎二	中義父乍新寢寶鼎
1082	華仲義父鼎三	中義父乍新寢寶鼎
1083	華仲義父鼎四	中義父乍新寢寶鼎
1084	華仲義父鼎五	中義父乍新寢寶鼎
1219	戍嗣子鼎	隹王寢闌大室、才九月
1239	＿鼎一	nt用乍寢公寶尊鼎
1240	＿鼎二	nt用乍寢公寶尊鼎
1263	呂方鼎	王寢□大室
2655	小臣靜𣪕	王寢葊京
2853.	尹𣪕	王初寢□□□□周
4447	臣辰冊冊夕乍冊父癸盉	出寢葊京年
4873	臣辰冊岁冊乍父癸尊	隹王大龠于宗周徣寢葊京年
5501	臣辰冊冊夕卣一	徣寢葊京年
5502	臣辰冊冊夕卣二	徣寢葊京年
5509	𤔲卣	王初寢旁
M171	小臣靜卣	王寢葊京
		小計：共　17 筆

饡　0852

3027	仲饡旅盨	中饡□作鑄旅盨（額）
		小計：共　1 筆

師　0852+

4434	師子旅盉	師子下湛乍旅盉
		小計：共　1 筆

合　0853

2801	五年召白虎𣪕	召來合吏
3100	陳侯因脊錞	合揚氒德
4202.	＿＿爵	乙未王賚（賞貝合文）姛母申才𡩜
7174	秦公鐘	卲合皇天

7177	秦公及王姬編鐘一	卲合皇天
7209	秦公及王姬鎛	卲合皇天
7210	秦公及王姬鎛二	卲合皇天
7211	秦公及王姬鎛三	卲合皇天
7829	右內戈鐓	右內合造
7840	合盔一	[合]
7841	合盔二	[合]
7842	合盔三	[合]
7843	合盔四	[合]
7844	合盔五	[合]

小計：共　14 筆

僉　0854　參劍字條下

7689	蔡侯產劍	蔡侯產之用僉（劍）
7702	越王州勾劍一	越王州句自乍用僉（劍）
7703	越王州勾劍二	越王州句自乍用僉（劍）
7704	越王州勾劍三	越王州句自乍用僉（劍）
7705	越王州勾劍四	越王州句自乍用僉（劍）
7706	越王州勾劍五	越王州句自乍用僉（劍）
7707	越王州勾劍六	越王州句自乍用僉（劍）
7743	越王丌北古劍	唯越王丌北自乍元之用之僉（劍）
J3869	戉王劍	自乍用僉

小計：共　9 筆

侖　0855

1331	中山王譽鼎	侖（論）其德

小計：共　1 筆

今　0856

0637	今永里者鼎	今永里者
1270	中方鼎	今兄畀女褱土
1298	師旂鼎	今弗克氒罰
1298	師旂鼎	今母播
1315	善鼎	今余唯肇𤔲先王令
1327	克鼎	今余隹𤔲京乃令
1328	盂鼎	今我隹即井啇于玟王正德
1328	盂鼎	今余隹令女盂召榮敬雝德巠
1331	中山王譽鼎	今余方壯
1331	中山王譽鼎	含（今）虘（吾）老貯
1331	中山王譽鼎	克并之、于含（今）
1332	毛公鼎	厤自今
1332	毛公鼎	王曰：父厝、今余唯𤔲先王命
2786	縣妃簋	其自今日孫孫子子毋敢望白休
2796	諫簋	今余隹或𤔲命女

今

2796	諫毁	今余隹或嗣命女
2797	輔師𠭯毁	今余曾乃令
2798	師瘨毁一	今余唯䌛(緟)先王令女官司邑人師氏
2799	師瘨毁二	今余唯䌛(緟)先王令女官司邑人師氏
2802	六年召白虎毁	今余既訊有嗣日侯令
2802	六年召白虎毁	今余既一名典獻
2807	郙毁一	今余佳緟京乃命
2808	郙毁二	今余佳緟京乃命
2809	郙毁三	今余佳緟京乃命
2817	師穎毁	今余佳肇䌛乃令
2826	師㝨毁一	今敢博氒眾叚
2826	師㝨毁一	今余肇令女達(率)齊帀
2826	師㝨毁一	今余弗叚組
2826	師㝨毁一	今敢博氒眾叚
2826	師㝨毁一	今余肇令女達(率)齊帀
2826	師㝨毁一	今余弗叚組
2827	師㝨毁二	今敢博氒眾叚
2827	師㝨毁二	今余肇令女達(率)齊帀
2827	師㝨毁二	今余弗叚組
2829	師虎毁	今余佳帥井先令
2830	三年師兌毁	今余佳䌛(緟)京乃令
2835	訇毁	今余令女啻官
2838	師𠭯毁一	今余唯䌛(緟)京乃令
2838	師𠭯毁一	今余佳䌛(緟)京乃令
2839	師𠭯毁二	今余唯䌛(緟)京乃令
2839	師𠭯毁二	今余佳䌛(緟)京乃令
2842	卯毁	今余非敢m6先公
2842	卯毁	今余隹令女死嗣(司)葬宮葬人
2854	蔡毁	今余佳䌛京乃令
2856	師訇毁	今日天疾畏降喪
2856	師訇毁	今余佳䌛京乃令
2857	牧毁	今余唯或𡨦改
2857	牧毁	以今既司匐氒辠召故
2857	牧毁	今余佳䌛京乃命
3088	師克旅盨一(蓋)	今余佳䌛(緟)京乃令
3089	師克旅盨二	今余佳䌛(緟)京乃令
4893	夨令尊	迺令日、今我唯令女二人
4981	𪓐冊令方彝	今我唯令女二人、亢眔夨
5754	__氏扁壺	今三斗二升少半升
6877	𠘶匜旅盉	今女亦既又pb誓
6877	𠘶匜旅盉	今我赦女
6877	𠘶匜旅盉	今大赦女
6877	𠘶匜旅盉	自今余敢vv乃小大事
6925	晉邦盦	𨾴今小子
7069	者沪鐘一	今余其念Jh乃有
7074	者沪鐘六	今余其念Jh乃有
7077	者沪鐘九	今余其念Jh乃有
7135	逆鐘	今余易女毌五
7164	㾓鐘七	今㾓夙夕虔苟(敬)卹氒死事

小計：共 64 筆

0857

1145	舍父鼎	辛宮易舍父帛金
1288	令鼎一	余其舍女臣卅家
1289	令鼎二	余其舍女臣卅家
1291	善夫克鼎一	王命善夫克舍令于成周遹正八自之年
1292	善夫克鼎二	王命善夫克舍令于成周遹正八自之年
1293	善夫克鼎三	王命善夫克舍令于成周遹正八自之年
1294	善夫克鼎四	王命善夫克舍令于成周遹正八自之年
1295	善夫克鼎五	王命善夫克舍令于成周遹正八自之年
1296	善夫克鼎六	王命善夫克舍令于成周遹正八自之年
1297	善夫克鼎七	王命善夫克舍令于成周遹正八自之年
1322	九年裘衛鼎	舍矩姜帛三兩
1322	九年裘衛鼎	迺舍裘衛林𦣻里
1322	九年裘衛鼎	我舍顏陳大馬兩
1322	九年裘衛鼎	舍顏姒（始）虞吝
1322	九年裘衛鼎	舍顏有嗣壽商圖、裘盠冟
1322	九年裘衛鼎	舍盠冒□羝皮二、豎（從）皮二
1322	九年裘衛鼎	舍遬虞冟
1325	五祀衛鼎	逆棨（營）二川、日：余舍女田五田
1325	五祀衛鼎	迺舍寓于氒邑
1330	曶鼎	女其舍𩡜矢五秉
1332	毛公鼎	父厝舍命
1668	中甗	氒又舍女𠦪量至于女
2053	舍乍寶毁	舍乍寶毁
2556	復公子白舍毁一	復公子白舍曰
2557	復公子白舍毁二	復公子白舍曰
2558	復公子白舍毁三	復公子白舍曰
2677	居__敔鑄____	君舍余三鑪
2677	居__敔鑄____	p2昏余一斧__舍余一斧
2677.	居__敔毁二	君舍余三鑪
2677.	居__敔毁二	p2昏余一斧__舍余一斧
4449	裘衛盉	氒賈（價）其舍田十田
4449	裘衛盉	其舍田三田
4893	夨令尊	徥令、舍三事令
4893	夨令尊	舍四方令
4981	𢑴冊令方彝	舍三事令
4981	𢑴冊令方彝	舍四方令
6792	史墻盤	武王則令周公舍圖于周卑處
6793	夨人盤	夨舍散田
7164	瘐鐘七	武王則令周公舍寓以五十頌處
7899	鄂君啟車節	母舍槫（傳）飤
7900	鄂君啟舟節	母舍槫（傳）飤

小計：共 41 筆

0858

今舍會

0092	會鼎一	[會]
0093	會鼎二	[會]
0094	會鼎三	[會]
0095	會鼎四	[會]
0096	會鼎	[會]
0379	會父丁鼎	[會]父丁
0435	會父癸鼎	[會]父癸
1057	會娟鼎	會妘乍寶鼎
1118	宋莊公之孫趨亥鼎	宋莊公之孫趨亥自乍會鼎
1375	會始朕鬲	會始乍朕鬲
1739	會𣪘	[會]
2698	陳肪𣪘	用追孝□我皇餘(和)鎗(會)
2791.	史密𣪘	會杞尸、舟尸
3112	挪陵君王子申豆一	以會父侃
3113	挪陵君王子申豆二	以會父侃
4276.	會斝	[會]
4276.	會斝	[會]
4489	會尊	[會]
4490	會尊	[會]
4490.	會尊	[會]
4587	父丁會尊	父丁[會]
5289	會且己父辛卣	且己父辛[會]
5465	員卣	員從史旟(旅)伐會
5803	胤嗣好蚉壺	其會女(如)林
5805	中山王譽方壺	而退與者侯齒長於會同
5805	中山王譽方壺	齒長於會同
6429	會父乙觶	[會]父乙
6645	會勺	[會]
6813	蔡子□自乍會匜	蔡子□自乍會尊匜
6877	僩乍旅盉	乃以告吏觬吏曶于會
6887	挪陵君王子申鑑	以會父兄
7092	䧹羌鐘一	入長城、先會于平陰
7093	䧹羌鐘二	入長城、先會于平陰
7094	䧹羌鐘三	入長城、先會于平陰
7095	䧹羌鐘四	先會于平陰
7096	䧹羌鐘五	入長城、先會于平陰
7548	元年_令戈	_命夜會上庫工帀冶門旅其都
7886	新郪虎符	必會王符
7886	新郪虎符	雖母會符
7887	杜虎符	必會君符
7887	杜虎符	雖母會符

小計：共 41 筆

倉 0859

0116	倉鼎	[倉]
0951	壽春鼎	壽春倉覓
J1221	宜陽右倉𣪘	宜陽右倉
2991	弔倉父寶盨	弔倉父乍寶盨

2991.	弔倉父寶盨二	弔倉父乍寶盨
7112	者減鐘一	龢龢倉倉
7113	者減鐘二	龢龢倉倉
7176	㝬鐘	倉倉悤悤
7504	廿三年□陽令戈	工帀倉壘、冶□
7550	十二年少令邯鄲戈	十二年尙命邯鄲□右庫工帀□紹台倉造
7551	十二年尙令邯鄲戈	十二年尙命邯鄲□右庫工帀□紹台倉造
7570	六年奠令戈	六年奠命__幽司寇向__左庫工帀倉慶冶尹成贛
		小計：共　12 筆

0860

1227	衛鼎	乃用鄉出入吏人
1277	七年趞曹鼎	井白入右趞曹立中廷、北鄉
1279	中方鼎	王曰：中、絲寏人入史
1301	大鼎一	王乎善夫騳召大目氒友入攼
1302	大鼎二	王乎善夫騳召大目氒友入攼
1303	大鼎三	王乎善夫騳召大目氒友入攼
1309	寰鼎	宰頵右寰入門
1311	師晨鼎	嗣馬共右師晨入門、立中廷
1312	此鼎一	嗣土毛弔右此入門、立中廷
1313	此鼎二	嗣土毛弔右此入門、立中廷
1314	此鼎三	嗣土毛弔右此入門、立中廷
1317	善夫山鼎	南宮乎入右善夫山入門
1317	善夫山鼎	反入堇章
1319	頌鼎一	宰引右頌入門、立中廷
1319	頌鼎一	反、入堇章
1320	頌鼎二	宰引右頌入門、立中廷
1320	頌鼎二	反、入堇章
1321	頌鼎三	宰引右頌入門、立中廷
1321	頌鼎三	反、入堇章
1327	克鼎	𤔲季右善夫克入門立中廷、北卿
1328	盂鼎	敏朝夕入讕（諫）、享奔走、畏天畏
1329	小字盂鼎	三ナ（左）三右多君入服酉
1329	小字盂鼎	□□□□□□□□□人䶵入門
1329	小字盂鼎	□□入燎周□
1329	小字盂鼎	大采、三□入服酉
1329	小字盂鼎	王乎□□□盂目區入
1329	小字盂鼎	□三事□□入服酉
1332	毛公鼎	王曰：父厝、雩之庶出入事
1332	毛公鼎	出入尃（敷）命于外
1466	亞鯀𢍰母辛鬲	[亞俞]𢍰入餗于女子
2731	小臣宅毀	其萬年用鄉王出入
2733	何毀	王乎虢中入右何
2767	虘毀一	王乎師晨召大師虘入門、立中廷
2770	𢦏毀	穆公入、右𢦏立中廷北鄉
2773	即毀	定白入、右即
2774.	南宮弔毀	南宮弔入門
2775	裘衛毀	南白入、右裘衛入門、立中廷、北鄉

入

2776	走𣪘	司馬井白入、右徒
2785	王臣𣪘	益公入、右王臣即立中廷北鄉
2787	望𣪘	宰倗父右望入門
2791	豆閉𣪘	井白入
2792	師俞𣪘	嗣馬共右師俞入門立中廷
2793	元年師旋𣪘一	遟公入、右師旋即立中廷
2794	元年師旋𣪘二	遟公入、右師旋即立中廷
2795	元年師旋𣪘三	遟公入、右師旋即立中廷
2796	諫𣪘	嗣馬共又右諫入門立中廷
2796	諫𣪘	嗣馬共又右諫入門立中廷
2797	輔師𠭰𣪘	滎白入、右輔師𠭰
2798	師瘨𣪘一	嗣馬井白親右師瘨入門立中廷
2799	師瘨𣪘二	嗣馬井白親右師瘨入門立中廷
2803	師酉𣪘一	公族𤠿釐入
2804	師酉𣪘二	公族𤠿釐入
2804	師酉𣪘二	公族𤠿釐入
2805	師酉𣪘三	公族𤠿釐入
2806	師酉𣪘四	公族𤠿釐入
2806.	師酉𣪘五	公族𤠿釐入
2817	師𩔈𣪘	嗣工液白入右師𩔈
2818	此𣪘一	司土毛弔右此入門、立中廷
2819	此𣪘二	司土毛弔右此入門、立中廷
2820	此𣪘三	司土毛弔右此入門、立中廷
2821	此𣪘四	司土毛弔右此入門、立中廷
2822	此𣪘五	司土毛弔右此入門、立中廷
2823	此𣪘六	司土毛弔右此入門、立中廷
2824	此𣪘七	司土毛弔右此入門、立中廷
2825	此𣪘八	司土毛弔右此入門、立中廷
2828	宜侯夨𣪘	王立于宜、入土(社)南鄉
2830	三年師兌𣪘	𩛥白右師兌入門、立中廷
2831	元年師兌𣪘一	同中右師兌入門、立中廷
2832	元年師兌𣪘二	同中右師兌入門、立中廷
2835	訇𣪘	益公入、右訇
2837	敔𣪘一	武公入右
2842	卯𣪘	滎季入右卯立中廷
2844	頌𣪘一	宰引右頌入門立中廷
2844	頌𣪘一	反、入堇章
2845	頌𣪘二	宰引右頌入門立中廷
2845	頌𣪘二	反、入堇章
2845	頌𣪘二	宰引右頌入門立中廷
2845	頌𣪘二	反、入堇章
2846	頌𣪘三	宰引右頌入門立中廷
2846	頌𣪘三	反、入堇章
2847	頌𣪘四	宰引右頌入門立中廷
2847	頌𣪘四	反、入堇章
2848	頌𣪘五	宰引右頌入門立中廷
2848	頌𣪘五	反、入堇章
2849	頌𣪘六	宰引右頌入門立中廷
2849	頌𣪘六	反、入堇章
2850	頌𣪘七	宰引右頌入門立中廷

2850	頌毁七	反、入堇章
2851	頌毁八	宰引右頌入門立中廷
2851	頌毁八	反、入堇章
2854	蔡毁	宰曶入、右蔡立中廷
2854	蔡毁	嗣百工、出入姜氏令
2854	蔡毁	毋敢疾又入告
2857	牧毁	公族組入右牧立中廷
3128	魚鼎匕	帛命入敷
3128	魚鼎匕	滑入滑出
4872	古白尊	曰母入于公
4872	古白尊	丙曰隹母入于公
4886	趩尊	井叔入右趩
4975	麥方彝	用鬲(嗝)井侯出入遅令、孫孫子子其永寶
4978	吳方彝	宰朏右乍冊吳入門
5438	𤔲乍旅彝卣	孫子用言出入
5799	頌壺一	宰引右頌入門立中廷
5799	頌壺一	反入堇章
5800	頌壺二	宰引右頌入門立中廷
5800	頌壺二	反入堇章
6787	走馬休盤	益公右走馬休入門
6789	寰盤	宰頵右寰入門
6791	兮甲盤	毋敢或入繺宄賈、則亦井
7092	𠩺羌鐘一	入長城、先會于平陰
7093	𠩺羌鐘二	入長城、先會于平陰
7094	𠩺羌鐘三	入長城、先會于平陰
7095	𠩺羌鐘四	入長城
7096	𠩺羌鐘五	入長城、先會于平陰
M423.	趞鼎	宰訊趞入門立中廷北向

小計：共 115 筆

內 0861

0906	魯內小臣床生鼎	魯內小臣床生乍䵼
0937	內公乍鑄從鼎一	內(芮)公乍鑄從鼎永寶用
0938	內公乍鑄從鼎二	內公乍鑄從鼎永寶用
0939	內公乍鑄從鼎三	內公乍鑄從鼎永寶用
0971	內大子鼎一	內大子乍鑄鼎
0972	內大子鼎二	內大子乍鑄鼎
0988	白矩鼎	用言王出內事人
0995	內公飤鼎	內公乍鑄飤鼎
1086	內子仲□鼎	內子中□肇乍弔媿尊鼎
1190	內史鼎	內史令1a事
1190	內史鼎	內史恭朕天君
1280	康鼎	榮白內右康
1285	戜方鼎一	王𠟭姜事內史友員易戜玄衣、朱襮裣
1290	利鼎	井白內右利立中廷、北鄉
1290	利鼎	王乎乍命內史冊令利曰
1298	師旂鼎	其又內于師旂
1299	噩侯鼎一	噩侯馭方內豊于王

	1305	師坴父鼎	王乎內史駒冊命師坴父
	1306	無叀鼎	嗣徒南中右無叀內門
	1307	師望鼎	虔夙夜出內王命
內	1324	禹鼎	至于歷內
	1325	五祀衛鼎	內史友寺芻
	1327	克鼎	出內王令
	1327	克鼎	王若曰：克、昔余既令女出內朕令
	1332	毛公鼎	命女辥我邦我家內外
	1510	內公鑄弔姬鬲一	內公乍鑄京氏婦弔姬賸
	1511	內公鑄弔姬鬲二	內公乍鑄京氏婦弔姬朕鬲
	2329	內公段	內公乍鑄從用段永寶
	2582	內弔_段	內弔_父乍寶段
	2651	內白多父段	內白多父乍寶段
	2738	衛段	榮右衛內、即立
	2744	五年師旋段一	盾生皇畫內、戈琱戚
	2745	五年師旋段二	盾生皇畫內、戈琱戚
	2764	艾段	隹三月、王令榮眔內吏曰
	2765	救段	井白內、右救立中廷北鄉
	2765	救段	內史尹冊
	2768	楚段	中倗父內
	2768	楚段	內史尹氏冊命楚
	2768	楚段	嗣莽啚官內師舟
	2769	師耤段	榮白內、右師耤即立中廷
	2769	師耤段	王孚內史尹氏冊命師耤
	2771	弭弔師汞段一	井弔內、右師汞
	2772	弭弔師汞段二	井弔內、右師汞
	2775	裘衛段	王乎內史易衛載市、朱黃、鑾
	2783	趩段	內史即命
	2784	申段	益公內右申中廷
	2785	王臣段	乎內史先冊命王臣
	2791	豆閉段	王乎內史冊命豆閉
	2792	師俞段	王乎乍冊內史冊令師俞
	2796	諫段	王乎內史q4冊命諫曰
	2796	諫段	王乎內史先冊命諫曰
	2798	師瘨段一	王乎內史吳冊令師瘨曰
	2799	師瘨段二	王乎內史吳冊令師瘨曰
	2800	伊段	黼(緟)季內、右伊立中廷北鄉
	2807	鄁段一	毛白內門
	2807	鄁段一	王乎內史冊命鄁
	2808	鄁段二	毛白內門
	2808	鄁段二	王乎內史冊命鄁
	2809	鄁段三	毛白內門
	2809	鄁段三	王乎內史冊命鄁
	2810	揚段一	嗣徒單白內、右揚
	2810	揚段一	王乎內史史q4冊令揚
	2811	揚段二	嗣徒單白內、右揚
	2811	揚段二	王乎內史史q4冊令揚
	2815	師訇段	東栽內外
	2817	師穎段	王乎內史遺冊令師穎
	2829	師虎段	井白內、右師虎即立中廷北鄉

2829	師虎段	王乎內史吳曰冊令虎
2830	三年師兌段	王乎內史尹冊令師兌
2831	元年師兌段一	王乎內史尹冊令師兌
2832	元年師兌段二	王乎內史尹冊令師兌
2837	敔段一	內伐湋、昴、參泉、裕敏、陰陽洛
2838	師𤸫段一	宰琱生內、右師𤸫
2838	師𤸫段一	宰琱生內、右師𤸫
2839	師𤸫段二	宰琱生內、右師𤸫
2839	師𤸫段二	宰琱生內、右師𤸫
2854	蔡段	死嗣王家外內
2856	師𩛥段	𤔲內右□
2857	牧段	王乎內史吳冊令牧
2918	內大子白匿	內(芮)大子自乍匿
3087	鬲从盨	令小臣成友逆＿□內史無䢅
3090	𡎖盨(器)	善效乃友內辟
3700	內耳爵	[內耳]
4877	小子生尊	用鄉出內事人
4879	彔䧹尊	㲋、淮夷敢伐內國
4885	效尊	公東宮內鄉于王
4886	趩尊	王乎內史冊令趩更氒且考服
4892	麥尊	之日、王目侯內于寢
5465	員卣	員先內邑
5498	彔䧹卣	㲋、淮尸敢伐內國
5499	彔䧹卣二	㲋、淮尸敢伐內國
5508	弔䟒父卣一	女其用鄉乃辟軝侯逆䢔出內事人
5511	效卣一	公東宮內鄉于王
5695	內白攸乍𩕿公壺	內白攸乍𩕿公尊彝
5703	內公鑄從壺一	內公乍鑄從壺永寶用
5704	內公鑄從壺二	內公乍鑄從壺永寶用
5705	內公鑄從壺三	內公乍鑄從壺永寶用
5725	呂王＿乍內姬壺	呂王np乍內姬尊壺
5735	內大子白壺	內大子白乍鑄寶壺
5735	內大子白壺	內大子白乍鑄寶壺、永享
5737	左＿壺	左內㱃廿八
5772	陳璋方壺	大壯孔陳璋內伐匽亳邦之隻
5798	曶壺	井公內右曶
5805	中山王𡚁方壺	以內絕邵公之業
6778	免盤	令乍冊內史易免鹵百s1
6793	矢人盤	內陟芻、登于厂qq
6874	鄭大內史弔上匜	奠大內史弔上乍弔媍賸匜
6910	師永盂	益公內即命于天子
6919	子弔𡣕內君簠器	子弔𡣕內君乍寶器
6980	內公鐘	內公乍從鐘
7038	應侯見工鐘一	𤔲白內右雁侯見工
7184	叔夷編鐘三	𥃝命于外內之吏
7187	叔夷編鐘六	外內剴辟
7194	叔夷編鐘十三	外內其皇祖皇妣皇母皇
7214	叔夷鎛	𥃝命于外內之吏
7214	叔夷鎛	外內剴辟
7227	內公鐘一	內公乍鑄從鐘之句

內

	7228	內公鐘二	內公乍鑄從鐘之句
	7829	右內戈鐓	右內合造
	7871	子禾子釜一	子禾子□□內者御命陳得
	7900	鄂君啟舟節	適汪、逾夏、內郘、逾江
	7900	鄂君啟舟節	適彭射、適松昜、內瀘江
	7900	鄂君啟舟節	適爰陵、上江、內湘
	7900	鄂君啟舟節	適牒、適兆陽、內灣、適鄙
	7900	鄂君啟舟節	內資、沅、澧、澮
	7900	鄂君啟舟節	女載馬、牛、羊台出內關
	7975	中山王墓兆域圖	從丘欧目至內宮六步
	7975	中山王墓兆域圖	從丘欧目至內宮六步
	7975	中山王墓兆域圖	從丘欧目至內宮六步
	7975	中山王墓兆域圖	從丘欧目至內宮六步
	7975	中山王墓兆域圖	從丘欧至內宮廿四步
	7975	中山王墓兆域圖	從丘欧目至內宮六步
	7975	中山王墓兆域圖	從丘欧目至內宮六步
	7975	中山王墓兆域圖	從丘欧至內宮廿四步
	7975	中山王墓兆域圖	閔、內宮垣
	7975	中山王墓兆域圖	內宮垣
	7975	中山王墓兆域圖	內宮垣
	7975	中山王墓兆域圖	內宮垣
	7975	中山王墓兆域圖	內宮垣
	7975	中山王墓兆域圖	內宮垣
	7975	中山王墓兆域圖	從內宮目至中宮卅步
	7975	中山王墓兆域圖	從內宮至中宮廿五步
	7975	中山王墓兆域圖	從內宮至中宮廿五步
	7975	中山王墓兆域圖	從內宮目至中宮卅步
	7975	中山王墓兆域圖	從內宮至中宮卅六步
	7975	中山王墓兆域圖	從內宮目至中宮卅六步
	M423.	趩鼎	王乎內史19冊易趩幺衣滯屯
			小計：共　147 筆
缶	0862		
	1150	小臣缶方鼎	王易小臣缶湡責五年
	1150	小臣缶方鼎	缶用乍享大子乙家祀尊
	1456	京姜鬲	其永缶(寶)用
	2239	偁缶乍且癸毀	偁缶乍且癸尊彝
	3951	缶父癸爵	[缶]父癸
	4850	犅劫尊	用乍□□且缶尊彝
	4954	般缶彝方彝	[般缶]彝
	5091	缶戈卣	[缶戈]
	5687	孟姬嬪壺	孟姬嬪之尊缶
	5817	□缶	□缶
	5818	倗缶	倗之尊缶
	5819	蔡侯朱之缶	蔡侯朱之缶
	5820	蔡侯䌹尊缶	蔡侯䌹之尊缶
	5821	蔡侯䌹尊缶	蔡侯䌹之尊缶
	5822	蔡侯䌹之盥缶	蔡侯䌹之盥缶
	5822	蔡侯䌹之盥缶	缶

5823	蔡侯𨜴乍大孟姬盥缶	蔡侯𨜴乍大孟姬賸盥缶
5824	孟縢姬賸缶	自乍浴缶
5825	㜌書缶	以乍鑄缶
7930	昶用乍寶缶一	鄭帚大昶用乍寶缶
7931	昶□乍寶缶二	大昶用乍寶缶
M030	剛劫卣	用乍□祼□且缶尊彝
		小計：共 22 筆

0863

0723	__律乍寶鼎	qt律乍匋(寶)器
2694	㾃乍且考毁	休朕匋(寶)君
2725.	㚔星毁	㚔星父乍匋中姞寶毁
3046	筍白大父寶盨	筍白大父乍嬴改鑄匋(寶)盨
4426	㐭父盉	㐭父乍幺女(母)匋(寶)盉
4862	奐能匋尊	能匋易貝于厰咎公矢ns五朋
4862	奐能匋尊	能匋用乍文父日乙寶尊彝[奐]
5731	邛君壺	子子孫孫永匋(寶)用之
6706	㐭父盤	㐭父乍幺女(母)匋(寶)盤
7718	脽公劍	者匋用之
		小計：共 10 筆

0864

5808	孟城行鉼	若公孟城乍為行鉼(鉼)
J3699	陳公孫㝵父瓶	陳公孫㝵父乍旅鉼
		小計：共 2 筆

0864

1533	尹姞寶鬲一	休天君弗望穆公聖粦明㓛吏(事)先王
1534	尹姞寶鬲二	休天君弗望穆公聖粦明㓛吏(事)先王
2384	鄧公毁一	𢍰(鄧)公乍雍嫚㓛朕毁
2385	鄧公毁二	𢍰(鄧)公乍雍嫚㓛朕毁
		小計：共 4 筆

0865

5811	曾白文𦉜	唯曾白父自乍厥pe𦉜
5812	仲義父𦉜一	中義父乍旅𦉜
5813	仲義父𦉜二	中義父乍旅𦉜
5814	白夏父𦉜一	白夏父乍畢姬尊𩰫(𦉜)
5815.	白夏父𦉜二	白夏父乍畢姬尊𩰫(𦉜)
5816	奠義白𦉜	奠義白乍武□𦉜
5816.	伯亞臣𦉜	黃孫馬pr子白亞臣自乍𦉜
		小計：共 7 筆

0866

	5826	國差罎	攻師何鑄西郭寶罎四秉
			小計：共 1 筆

罎矢射

矢 0867

0157.	矢宁鼎	[矢宁]
0562	矢宁父乙方鼎	[矢宁]父乙
0652	父辛長矢鼎	父辛長矢
1273	師湯父鼎	象弭、矢臺、彤欮
1278	十五年趞曹鼎	史趞曹易弓矢、虎盧、□冑、毌、殳
1299	䣄侯鼎一	王親易馭___五穀、馬四匹、矢五__
1308	白晨鼎	{ 彤弓 }、{ 彤矢 }、旅弓、旅矢
1329	小字盂鼎	征王令賞盂□□□□□□弓一、矢百、畫絨一、
1330	曶鼎	女其舍𩛥矢五秉
1972	父乙亞矢𣪘	父乙[亞矢]
1976.	矢宁𣪘	[矢宁]父丁
2653	𪓕𣪘	易𪓕弓矢束、馬匹、貝五朋
2774.	南宮乎𣪘	晹(賜)女乘馬戈琱、彤矢
2791	豆閉𣪘	司馬弓矢
2828	宜侯夨𣪘	彤弓一、彤矢百、旅弓十、旅矢千
2836	𢦚𣪘	孚戎兵盾、矛、戈、弓、備、矢、裨、冑
2852	不𡢁𣪘一	易女弓一、矢束
2853	不𡢁𣪘二	易女弓一、矢束
3128.	矢爵	[矢]
3327	矢宁爵	[矢宁]
3637	俎矢爵	[俎矢]
3949	矢父癸爵一	[矢]父癸
3950	矢父癸爵二	[矢]父癸
4113	矢且___爵一	矢且___
4114	矢且___爵二	矢且___
4897.	__觥	[宁矢]
5288.	林卣	[林亞皿矢]
5389	矢白隻乍父癸卣	矢白隻乍父癸彝
5473	同乍父戊卣	夨王易同金車弓矢
5995	矢宁觚一	[矢宁]
5996	矢宁觚二	[矢宁]
6510	矢父癸觶	[矢]父癸
6790	虢季子白盤	賜用弓、彤矢其央
7258	矢戈	[矢]
7752	矢斧	矢
7851	矢盔	[矢]
補1	矢爵	[矢]
		小計：共 37 筆

射 0868

0285	__射女鼎	[ez射女]
0286	__射女鼎	[ez射女]

1110	𤔲白原鼎	[射京]
1273	師湯父鼎	才射廬
1278	十五年趞曹鼎	王射于射廬
1288	令鼎一	餳、王射
1288	令鼎一	有嗣眔師氏小子𨚕射
1289	令鼎二	王射、有嗣眔師氏小子𨚕射
1299	噩侯鼎一	王休宴、乃射
1299	噩侯鼎一	馭方𨚕王射
1310	鬲攸從鼎	其且射、分田邑
1599	門射乍寶彝甗	門射乍寶彝
1607	丫射乍尊甗	[丫]射乍尊
2775.	害𣪕一	小射
2775.	害𣪕二	吏官__嗣人僕、小射
2783	趩𣪕	啻官僕、射、士、訊
2788	靜𣪕	丁卯、王令靜司射學宮
2788	靜𣪕	小子眔服眔小臣眔𡰪僕學射
2788	靜𣪕	𨚕燮𢆶𠂤、邦周射于大沱
2835	𠣱𣪕	王才射日宮
2868	射南匠二	射南自乍其匠
2869	射南匠一	射南自乍其匠
3247	射爵	[射]
3377	射爵	[射]
3823	__父丁爵	[射__]父丁
4448	長由盉	即井白大祝射
4556	丫射尊	[丫射]
4882	匡乍文考日丁尊	懿王才射廬
4892	麥尊	王射大龏、禽
6689.	射女盤	[ez射女]
6878	__射女鑑	[ez射女]
7584	射戟	[射]
7900	鄂君啟舟節	適彭射、適松昜、內瀘江

小計：共 33 筆

侯 0869

0770	康侯丰鼎	康侯丰乍寶尊
0830	蔡侯𦀚飤𪔂	蔡侯𦀚之飤𪔂
0831	蔡侯𦀚飤𪔂	蔡侯𦀚之飤𪔂
0832	蔡侯𦀚飤鼎	蔡侯𦀚之飤貞(鼎)
0838	亞吴鼎	[亞吴]宮晉旅𣄰(𢇍?)侯宜
0844	匽侯旨乍父辛鼎	匽侯旨乍父辛尊
0864	𩱧侯之孫陳𪔂	𩱧侯之孫陳之𩰫(𪔂)
0876	__訫侯鼎	__訫(信)侯____
0883	曾侯乙鼎	曾侯乙詐(乍)時甬(用)冬(終)
0936	天黿敕𢼸乍丁侯鼎	敕𢼸乍丁侯尊彝[天黽]
0948	辪侯戚乍父乙鼎	辪侯戚乍父乙鼎彝[史]
0965	曾侯仲子斿父鼎	曾侯中子游父自乍𩰫彝
0970	蔡侯鼎	蔡侯乍旅貞(鼎)
0986	中乍且癸鼎	侯易中貝三朋

射
侯

侯

1009	䜌侯簋鼎	䜌侯隻(獲)巢
1037	乍冊𠂤鼎	康侯才朽自易乍冊𠂤貝
1046	圉方鼎	休朕公君匽侯易圉貝
1058	復鼎	侯賞復貝三朋
1134	𨻰侯鼎	𨻰侯乍朕媯四母賸鼎
1135	獻侯乍丁侯鼎	賞獻侯𩁹貝
1135	獻侯乍丁侯鼎	用乍丁侯尊彝[天黽]
1136	獻侯乍丁侯鼎二	賞獻侯𩁹貝
1136	獻侯乍丁侯鼎二	用乍丁侯尊彝[天黽]
1137	匽侯旨鼎一	匽侯旨初見事于宗周
1151	曩侯鼎	曩侯易弟__嗣戒
1156	亳鼎	公侯易亳杞土、v0土、__禾、vk禾
1157	禽鼎	王伐𦣻侯
1191	堇乍大子癸鼎	匽侯令堇飴大保于宗周
1209	嬰方鼎	[亞曩侯吳]丁亥
1215	麥鼎	井侯𨒅鬲于麥
1215	麥鼎	用從井侯征事
1226	師𩛥鼎	王女上侯
1235	不栺方鼎一	王才上侯应
1236	不栺方鼎甲二	王才上侯应
1249	富鼎	侯易富貝、金
1249	富鼎	揚侯休
1266	郘公平侯鼑一	郘公平侯自乍尊鼑
1267	郘公平侯鼑二	郘公平侯自乍尊鼑
1299	噩侯鼎一	噩侯馭方內豊于于王
1308	白晨鼎	王命䡅侯伯晨曰
1308	白晨鼎	似乃且考侯于䡅
1315	善鼎	王曰：善、昔先王既令女左足䨻侯
1315	善鼎	令女左足䨻侯、監𩰬師戍
1318	晉姜鼎	勿廢文侯䫫令
1324	禹鼎	亦唯噩侯馭方率南淮尸、東尸
1324	禹鼎	𢦏伐噩侯馭方
1324	禹鼎	伐噩侯馭方
1328	盂鼎	隹殷邊侯田雩殷正百辟
1329	小字盂鼎	□白告咸盂目□侯眔侯田□□□□盂征
1399	魯侯乍姬番鬲	魯侯乍姬番鬲
1465	魯侯獄鬲	魯侯獄乍彝
1485	白矩鬲	匽侯易白矩貝
1658	奠大師小子甗	奠大師小子侯父乍寶獻(甗)
1666	遹乍旅甗	遹事于𠭯侯
1666	遹乍旅甗	侯蔑遹曆、易遹金
1837	𠡎侯𣪕	[𠡎侯]
2148	亞曩侯吳父乙𣪕	[亞曩侯吳]父乙
2150	亞曩侯父戊吳𣪕	[亞曩]侯父戊[吳]
2151	亞曩侯吳父己𣪕	[亞其]侯[吳]父己
2208	𦳊侯乍𦳊寶𣪕	革侯乍登寶𣪕
2227	蔡侯𦅫之𩰫𣪕	蔡侯𦅫之𩰫𣪕
2303	噩侯𣪕	噩侯uo季自𠈌𣪕
2335	告田乍且乙𦒢侯弔尊𣪕	乍且乙𦒢侯弔尊彝[告田]
2358	㚸侯為季姬𣪕	㚸侯白為季姬𣪕

2383	侯氏𣪕	侯氏乍孟姬尊𣪕
2394	己侯乍姜縈𣪕一	己侯乍姜縈𣪕
2401	敶侯乍王嬀朕𣪕	敶（ 陳 ）侯乍王嬀媵𣪕
242.0	雁侯𣪕	雁侯乍姬原母尊彝
2431	__弔侯父乍尊𣪕一	弔侯父乍尊𣪕
2432	__弔侯父乍尊𣪕二	弔侯父乍尊𣪕
2482	敶侯乍嘉姬𣪕	陳侯乍嘉姬寶𣪕
2483	量侯𣪕	量侯豺作寶尊𣪕
2497	鄂侯乍王姞𣪕一	鄂侯乍王姞媵𣪕
2498	鄂侯乍王姞𣪕二	鄂侯乍王姞媵𣪕
2499	鄂侯乍王姞𣪕三	鄂侯乍王姞媵𣪕
2500	鄂侯乍王姞𣪕四	鄂侯乍王姞媵𣪕
2508	攸𣪕	侯賞攸貝三朋
2524	仲幾文𣪕	中幾父、史幾史于諸侯諸監
2533	己侯貉子𣪕	己侯貉子分己姜寶、乍𣪕
2585	禽𣪕	王伐禁侯
2611	朙㳻嗣土㚖𣪕	征令康侯啚于衛
2621	雁侯𣪕	雁侯乍生杙姜尊𣪕
2633	相侯𣪕	相侯休于氒臣殳
2633	相侯𣪕	易帛金、殳揚侯休
2633	相侯𣪕	其萬年子子孫孫□□侯
2659	郾侯庫𣪕	郾侯庫畏夜怒人哉
2670	構侯𣪕	構侯乍姜氏寶𩰫彝
2681	鄌侯𣪕	鄌（ 筥 ）侯少子析乙孝孫不巨
2682	陳侯午𣪕	陳侯午台群者侯□鑄乍皇妣□大妃祭器
2690.	相侯𣪕	相侯休于氒臣□
2690.	相侯𣪕	對揚侯休
2690.	相侯𣪕	其萬年子孫孫用亯侯
2743	䝨𣪕	眾者侯、大亞
2764	爻𣪕	龏（ 割 ）井侯服
2774	臣諫𣪕	井侯搏戎
2774	臣諫𣪕	余朕皇辟侯
2774	臣諫𣪕	隹用□康令于皇辟侯
2802	六年召白虎𣪕	今余既訊有嗣曰侯令
2828	宜侯夨𣪕	王令虞侯夨曰
2828	宜侯夨𣪕	繇、侯于宜
2828	宜侯夨𣪕	宜侯夨揚王休
2857	牧𣪕	迺侯之__
2867	蔡侯𨭭飤匠	蔡侯𨭭之飤匠
2867.	蔡侯𨭭飤匠二	蔡侯𨭭之飤匠
2873	曾侯乙匠	曾侯乙乍寺甬冬
2893	隨侯𬤦逆匠	隨侯𬤦逆之匠、永壽用之
2935	鬳侯乍弔姬寺男媵匠	鬳侯乍弔姬寺男媵匠
2961	敶侯乍媵匠一	陳侯乍王中嬀𢍰媵匠
2962	敶侯乍媵匠二	陳侯乍王中嬀𢍰媵匠
2963	陳侯匠	陳侯乍王中嬀𢍰媵匠
2965	曾侯乍弔姬賸器𩰫彝	曾侯乍弔姬邛嬭媵器𩰫彝
2967	敶侯乍孟姜朕匠	陳侯乍孟姜𢍰匠
2985	陳逆匠一	余寅吏齊侯
2985.	陳逆匠二	余寅吏齊侯

侯

侯

2985.	陳逆匠三	余寅吏齊侯
2985.	陳逆匠四	余寅吏齊侯
2985.	陳逆匠五	余寅吏齊侯
2985.	陳逆匠六	余寅吏齊侯
2985.	陳逆匠七	余寅吏齊侯
2985.	陳逆匠八	余寅吏齊侯
2985.	陳逆匠九	余寅吏齊侯
2985.	陳逆匠十	余寅吏齊侯
3054	滕侯穌乍旅毁	滕侯穌乍氒文考滕中旅毁
3085	駒父旅盨(蓋)	南中邦父命駒父即南者侯逵高父見南淮夷
3092	齊侯乍飤𦎫一	齊侯乍飤𦎫
3093	齊侯乍飤𦎫二	齊侯乍飤𦎫
3096	齊侯乍孟姜善𦎫	齊侯乍朕寡薦孟賸𦎫
3097	陳侯午錞錞一	陳侯午台群者侯獻金
3098	陳侯午錞錞二	陳侯午台群者侯獻金
3099	十年陳侯午𦎫(器)	陳侯午朝群邦者侯于齊
3099	十年陳侯午𦎫(器)	者侯亯台吉金
3100	陳侯因資錞	陳侯因資曰
3100	陳侯因資錞	朝問者侯
3100	陳侯因資錞	者侯寅薦吉金
3628	康侯爵	[康]侯
4202	魯侯爵	魯侯乍L6卽u9
4406.	革侯盉	革侯乍寶盉
4438	亞㠱侯吴盉	[亞㠱侯吴]
4438	亞㠱侯吴盉	匽侯亞貝
4446	麥盉	井侯光氒吏麥𤔲于麥宮
4446	麥盉	侯易麥金、乍盉
4446	麥盉	用從邢侯征吏
4754	魯侯乍姜𩁹彝尊	魯侯乍姜亯彝
4821	蔡侯𬴊乍大孟姬尊	蔡侯𬴊乍大孟姬媵尊
4853	復尊	匽侯賞復冂衣、臣妾、貝
4860	魯侯尊	魯侯又卟工
4875	𣂑折尊	令乍冊𣂑(折)兄塱土于柩侯
4876	保尊	乙卯、王令保及殷東或(國)五侯
4883	耳尊	侯各于q3n0
4883	耳尊	侯休于q3
4883	耳尊	pp師q3對揚侯休
4883	耳尊	侯萬年壽考黃耇
4887	蔡侯𬴊尊	蔡侯𬴊虔共大命
4892	麥尊	王令辟井侯
4892	麥尊	出_侯于井
4892	麥尊	侯見于周、亡尤
4892	麥尊	侯乘于赤旂舟從
4892	麥尊	之日、王目侯內于寢
4892	麥尊	侯易玄周戈
4892	麥尊	巳夕、侯易者𠨘臣二百家
4892	麥尊	用𢍰義寧侯
4892	麥尊	覭考于井侯
4892	麥尊	乍冊麥易金于辟侯
4892	麥尊	用鬲侯逆造

侯

4892	麥尊	唯天子休于麥辟侯之年
4893	矢令尊	眔者侯、侯、田、男
4928	折觥	令乍冊忻(折)兄望土于柩侯
4975	麥方彝	才八月乙亥、辟井侯光氒正吏
4975	麥方彝	用鬲(嗝)井侯出入運令、孫孫子子其永寶
4976	折方彝	令乍冊忻(折)兄望土于柩侯
4981	𠂤冊令方彝	眔者侯：侯、田、男
4985	子医卣	[子、侯]
5420	咢侯弟曆季旅卣	咢侯弟曆季乍旅彝
5443	亞𠃬侯吳󰁀卣	󰁀易孝用乍且丁彝[亞𠃬侯吳]
5489	戉箙啟卣	宂if山谷至于上侯滰川上
5495	保卣	乙卯、王令保及殷東或五侯
5495	保卣	乙卯、王令保及殷東或五侯
5508	弔趞父卣一	女其用鄉乃辟軧侯逆遹出內事人
5509	僰卣	𠃬侯吳其子子孫孫寶用
5585	侯瓿	[侯]
5671	𣄰侯旅壺	𣄰侯乍旅彝
5688	蔡侯𩠯𩚁壺一	蔡侯𩠯之𩚁壺
5689	蔡侯𩠯𩚁壺二	蔡侯𩠯之𩚁壺
5694	魯侯乍尹弔姬壺	魯侯乍尹弔姬壺
5702	_侯壺	_侯乍旅壺永寶用
5717	𡌆成侯鍾	𡌆成侯we容半斗
5721	蔡侯壺	蔡侯□□皇□朕□□其萬年無□
5729	陳侯乍嬀穌𦛜壺	陳侯乍嬀穌(蘇)賸壺
5752	陳侯壺	陳侯乍壺
5801	洹子孟姜壺一	齊侯〔女〕靁喪其□
5801	洹子孟姜壺一	齊侯命大子乘_來句宗白
5801	洹子孟姜壺一	齊侯拜嘉命
5801	洹子孟姜壺一	齊侯既濟洹子孟姜喪其人民都邑
5802	洹子孟姜壺二	齊侯女雷眔𤔲陵_
5802	洹子孟姜壺二	齊侯命大子乘dw來句宗白聽命于天子
5802	洹子孟姜壺二	齊侯拜嘉命
5802	洹子孟姜壺二	齊侯既濟洹子孟姜喪其人民都邑
5805	中山王譽方壺	不顧(忌)者侯
5805	中山王譽方壺	而退與者侯齒長於會同
5805	中山王譽方壺	者侯皆賀
5806	蔡侯𩠯鈃	蔡侯𩠯之鈃
5819	蔡侯朱之缶	蔡侯朱之缶
5820	蔡侯𩠯尊缶	蔡侯𩠯之尊缶
5821	蔡侯𩠯尊缶	蔡侯𩠯之尊缶
5822	蔡侯𩠯之盥缶	蔡侯𩠯之盥缶
5823	蔡侯𩠯乍大孟姬盥缶	蔡侯𩠯乍大孟姬賸盥缶
5826	國差𦉢	侯氏受福眉壽
5826	國差𦉢	侯氏母咎母痻
6393	乍侯觶	乍侯
6612	亞𠃬侯匕辛吳觶	[亞𠃬侯匕辛吳]
6635	中觶	王易中馬自_侯四_、南宮兄
6700	蔡侯𩠯盤	蔡侯𩠯之尊盤
6713	亞𠃬侯乍父丁盤	乍父丁寶旅彝[亞𠃬侯]
6726	筍侯乍弔姬盤	筍侯乍弔姬媵盤

侯

6746	齊侯乍孟姬盤	齊侯乍皇氏孟姬寶般(盤)
6750	白侯父盤	白侯父媵弔嬀㫚母槃(盤)
6762	薛侯盤	薛侯乍弔妊襄朕盤
6779	齊侯盤	齊侯乍賸寡v1孟姜盥般
6788	蔡侯𬴊盤	蔡侯𬴊虔共大命
6791	兮甲盤	其隹我者侯百生
6808	蔡侯𬴊盥匜	蔡侯𬴊之盥匜
6812	蔡侯乍姬單匜	蔡侯乍姬單賸匜
6818	弔侯父匜	弔侯父乍姜□寶它
6838	荀侯匜	筍侯乍寶匜
6862	薛侯乍弔妊朕匜	薛侯乍弔妊襄朕匜
6866	齊侯乍虢孟姬匜	齊侯乍虢孟姬良女寶它
6873	齊侯乍孟姜盥匜	齊侯乍賸寡v1孟姜盥𬯀
6883	蔡侯尊鉈(方鑑)	蔡侯𬴊之匜
6894	匽侯餗盂	匽侯乍餗盂
6895	匽侯旅盂一	匽侯乍旅盂
6896	匽侯旅盂二	匽侯乍旅盂
6907	齊侯乍朕子仲姜盂	齊侯乍朕子中姜寶盂
6970	紀侯鐘	己侯虓乍寶鐘
6974	𥁰侯鐘	𥁰侯自乍龢鐘用
7002	鑄侯求鐘	鑄侯求乍季姜朕鐘
7017	楚王酓章鐘一	楚王酓章乍曾侯乙宗彝
7018	楚王酓章鐘二	乍曾侯宗彝
7037	遲父鐘	侯父眔齊萬年釁壽
7038	應侯見工鐘一	雁侯見工遺王于周
7038	應侯見工鐘一	艾白內右雁侯見工
7039	應侯見工鐘二	用乍朕皇且雁侯大𬭚鐘
7107	曾侯乙甬鐘	曾侯乙乍時
7125	蔡侯𬴊紐鐘一	蔡侯𬴊曰
7126	蔡侯𬴊紐鐘二	蔡侯𬴊曰
7127	蔡侯𬴊紐鐘三	蔡侯𬴊之行鐘
7128	蔡侯𬴊紐鐘四	蔡侯𬴊之行鐘
7129	蔡侯𬴊紐鐘五	蔡侯𬴊
7132	蔡侯𬴊紐鐘八	蔡侯𬴊曰
7133	蔡侯𬴊紐鐘九	蔡侯𬴊曰
7134	蔡侯𬴊甬鐘	蔡侯𬴊曰
7186	叔夷編鐘五	是辟于齊侯之所
7188	叔夷編鐘七	齊侯左右
7189	叔夷編鐘八	齊侯左右
7201	楚王酓章乍曾侯乙鎛	楚王酓章乍曾侯乙宗彝
7205	蔡侯𬴊編鎛一	蔡侯𬴊曰
7206	蔡侯𬴊編鎛二	蔡侯𬴊曰
7207	蔡侯𬴊編鎛三	蔡侯𬴊曰
7208	蔡侯𬴊編鎛四	蔡侯𬴊曰
7213	𬴊鎛	用𬴊侯氏永命萬年
7213	𬴊鎛	侯氏易之邑二百又九十又九邑
7213	𬴊鎛	侯氏從告之日
7214	叔夷鎛	是辟于齊侯之所
7214	叔夷鎛	齊侯左右
7225	康侯鈴	康侯

侯

7406	弔侯乍戈	弔侯乍戈
7412	陳戈	陳侯因資造
7419	滕侯耆之造戈一	滕侯耆之造
7420	滕侯耆之造戈二	滕侯耆之造
7421	_淠侯散戈	_淠侯散戈
7424	□尾戈	□尾之侯戈
7434	陳侯因咨戈一	陳侯因咨造
7435	陳侯因咨戈二	陳侯因咨造
7448	蔡侯𩿦之行戈	蔡侯𩿦之行戈
7449	蔡侯𩿦之用戈	蔡侯𩿦之用戈
7464	曾侯乙之用戈	曾侯乙之用戟
7465	曾侯乙寢戈	曾侯乙之寢戈
7466	郾侯脮殘戈	□侯脮乍萃鍨鉘
7467	滕侯昃戈	滕侯昃之造戟
7472	朝訶右庫戈	朝歌右庫侯工帀_
7474	郢侯戈	郢侯之造戈五百
7484	郾侯職乍巾萃句	郾侯職乍巾萃鋸
7497	郾侯脮乍師巾萃鍨鉘	郾侯脮乍師巾萃鍨鉘
7552	_生戈	郾侯庫乍戎_蚳生不祇□無□□□自洹來
7579	侯戟二	[侯]
7580	侯戟三	[侯]
7581	侯戟四	[侯]
7582	侯戟五	[侯]
7588	医石佣鉤戟	侯石佣
7619	康侯矛	康侯
7633	郾侯庫乍軍矛	郾侯庫乍左軍
7658	五年春平侯矛	五年相邦□平侯邦司寇_
7659	元年春平侯矛	元年相邦□平侯
7660	十□年相邦春平侯矛	十□年相邦春平侯
7680	郚侯劍	郚侯之造
7681	高都侯劍	高都侯散之徒
7685	_侯武弔之用劍	p4侯武弔之用
7687	蔡侯產劍一	蔡侯產乍t5t6
7688	蔡侯產劍二	蔡侯產乍t5t6
7689	蔡侯產劍	蔡侯產之用劍
7724	二年春平侯劍	二年相邦春平侯
7734	四年春平侯劍	四年□□春升平侯□左庫工帀丘□______
7737	十五年劍	十五年相邦春平侯
7738	十七年相邦春平侯劍	十七年相邦春平侯
7747	康侯刀	康侯
7758	康侯斧一	康侯
7759	康侯斧二	康侯
7772	陳侯因鑿	陳侯因造
7835	匽侯盾錫	郾侯
7868	商鞅方升	皇帝盡并兼天下諸侯
7883	三侯權	三侯朕_中余吉
7909	侯車鑾一	[侯]
7910	侯車鑾二	[侯]
M158	曆季尊	醽侯弟曆季乍寶彝
M282	師觶尊	王如上侯

侯

M339	魯侯盉蓋	魯侯乍姜亯彝
M349	己侯壺	己侯乍鑄壺
M508	虞侯政壺	虞侯政乍寶壺
M596	蔡侯匜	蔡侯𨙶之尊匜
M693	曾大工尹戈	穆侯之子
M705	曾侯乙編鐘下一・一	曾侯乙乍時，宮、徵曾，
M706	曾侯乙編鐘下一・二	曾侯乙乍時，商、羽曾，
M707	曾侯乙編鐘下一・三	曾侯乙乍時，徵顀、徵曾，
M708	曾侯乙編鐘下二・一	曾侯乙乍時，鄁鎛、徵角，
M709	曾侯乙編鐘下二・二	曾侯乙乍時，商角、商曾，
M710	曾侯乙編鐘下二・三	曾侯乙乍時，中鎛、宮曾，
M711	曾侯乙編鐘下二・四	曾侯乙乍時，商、羽曾，
M712	曾侯乙編鐘下二・五	曾侯乙乍時，宮、徵曾，
M713	曾侯乙編鐘下二・七	曾侯乙乍時，羽、羽角，
M714	曾侯乙編鐘下二・八	曾侯乙乍時，徵、徵角，
M715	曾侯乙編鐘下二・九	曾侯乙乍時，鍴、宮曾，
M716	曾侯乙編鐘下二・十	曾侯乙乍時，商、羽曾，
M717	曾侯乙編鐘中一・一	曾侯乙乍寺(時)，羽反，宮反，羽反，宮反，
M718	曾侯乙編鐘中一・二	曾侯乙乍寺(時)，角反，徵反，角反，徵反，
M719	曾侯乙編鐘中一・三	曾侯乙乍寺(時)，少商，羽曾，
M720	曾侯乙編鐘中一・四	曾侯乙乍時(時)，少羽，宮反，
M721	曾侯乙編鐘中一・五	曾侯乙乍寺(時)，下角，徵反，
M722	曾侯乙編鐘中一・六	曾侯乙乍寺(時)，商、羽曾，
M723	曾侯乙編鐘中一・七	曾侯乙乍寺(時)，宮、徵曾，
M724	曾侯乙編鐘中一・八	曾侯乙乍時，羽、羽角，
M725	曾侯乙編鐘中一・九	曾侯乙乍時，徵、徵角，
M726	曾侯乙編鐘中一・十	曾侯乙乍時，宮角、宮曾，
M727	曾侯乙編鐘中一・十一	曾侯乙乍時，商、羽曾，
M728	曾侯乙編鐘中二・一	曾侯乙乍寺(時)，羽、宮反，
M729	曾侯乙編鐘中二・二	曾侯乙乍時，角反，徵反，割肄之駃，
M730	曾侯乙編鐘中二・三	曾侯乙乍時，少商，羽曾，坪皇之巽反，
M731	曾侯乙編鐘中二・四	曾侯乙乍時，少羽，宮反，
M732	曾侯乙編鐘中二・五	曾侯乙乍時，下角，徵反，
M733	曾侯乙編鐘中二・六	曾侯乙乍時，商、羽曾，
M734	曾侯乙編鐘中二・七	曾侯乙乍寺(時)，宮、徵曾，
M735	曾侯乙編鐘中二・八	曾侯乙乍時，羽、羽角，
M736	曾侯乙編鐘中二・九	曾侯乙乍時，徵、徵角，
M737	曾侯乙編鐘中二・十	曾侯乙乍時，宮角、徵，
M738	曾侯乙編鐘中二・十一	曾侯乙乍寺(時)，商角、商，
M739	曾侯乙編鐘中二・十二	曾侯乙乍寺(時)，商、羽曾，
M740	曾侯乙編鐘中三・一	曾侯乙乍時，羽、宮，
M741	曾侯乙編鐘中三・二	曾侯乙乍時，商角、商曾，
M742	曾侯乙編鐘中三・三	曾侯乙乍時，宮角、徵，
M743	曾侯乙編鐘中三・四	曾侯乙乍時，商、羽徵，
M744	曾侯乙編鐘中三・五	曾侯乙乍時，羽、宮，
M745	曾侯乙編鐘中三・六	曾侯乙乍時，商角、徵，
M746	曾侯乙編鐘中三・七	曾侯乙乍時，商、羽徵，
M747	曾侯乙編鐘中三・八	曾侯乙乍時，宮、徵曾，
M748	曾侯乙編鐘中三・九	曾侯乙乍寺(時)，羽、羽角，
M749	曾侯乙編鐘中三・十	曾侯乙乍時，徵、徵角，

M806	滕侯吳戟一	滕侯吳之造戟
M807	滕侯吳戟二	滕侯吳之□
M808	滕侯_戟	滕侯_之造
M867	陳侯因咨戟	陳侯因咨造、昜右
M873	郾侯載戟	右軍戟、郾侯脮(載)乍
M883	中山侯鉞	中山侯_乍丝軍釛
		小計：共 325 筆

0870

1331	中山王嚳鼎	使智(知)社稷之任
1331	中山王嚳鼎	知天若否
1331	中山王嚳鼎	智(知)為人臣之宜施(也)
5805	中山王嚳方壺	余知其忠信施(也)
		小計：共 4 筆

0871

1331	中山王嚳鼎	閈烏(於)天下之勿(物)矣
		小計：共 1 筆

0872

1406	虢弔矧父鬲	虢弔矧父乍鼎
1699	矧毁一	[矧]
1700	矧毁二	[矧]
1701	矧毁三	[矧]
J1930	矧爵	[矧]
3742	矧且己爵	[矧]且己
3816	矧父丁爵	[矧]父丁
3953	矧父癸爵	[矧]父癸
3953.	矧父己爵	[矧]父己
4000	矧且壬爵	[矧]且壬
5299	㒸矧父辛卣	[㒸矧]父辛彝
5867	矧觚	[矧]
6067	矧父□觚	[矧]父
6142	矧父丁觚	[矧]父丁
6198	矧父戊觚	[矧]父戊
6468	矧父己觶	[矧]父己
6502	矧父癸觶一	[矧]父癸
6503	矧父癸觶二	[矧]父癸
6518	矧父癸觶一	[矧]父癸
補3	矧且己爵	[矧]且己
		小計：共 20 筆

0873

0719	無臭之䥂鼎一	無臭之䥂鼎
0720	無臭之䥂鼎二	無臭之䥂鼎
5805	中山王譽方壺	天不臭(斁)其有愿
		小計：共　3 筆

高　0874

2186	師高乍寶𣪕	師高乍寶尊𣪕
2271	陸婦乍高姑𣪕	陸婦乍高姑尊彝
2280	亞高亢乍父癸𣪕	亞高亢乍父癸尊彝
2833	秦公𣪕	高引又慶
2852	不嬰𣪕一	女以我車宕伐厰允于高陵
2853	不嬰𣪕二	女以我車宕伐厰妥于高陶
3085	駒父旅盨(蓋)	南中邦父命駒父即南者侯逹高父見南淮夷
3100	陳侯因𪒠錞	紹緟高且黃啻
4827	兀乍高㗊日乙＿尊	兀乍高㗊日乙＿尊[臣辰𡖞]
4974	＿方彝	用乍高文考父癸寶尊彝
5419	＿高卣	王易＿高■、用乍彝
5472	乍毓且丁卣	歸福于我多高処山易𢆶
5472	乍毓且丁卣	歸福于我多高oe山易𢆶
5509	㮚卣	高對乍父丙寶尊彝
5556	亞高敄父丁罍	[亞高養]父丁
5566	楚高罍一	征窹右征君尹楚高
5567	楚高罍二	楚䛚高
6594	高乍父乙觶	高乍父乙彝
6749	弔高父盤	弔高父乍中𡛱般
6792	史墻盤	青幽高且
6850	弔高父匜一	弔高父乍中𡛱它
6851	弔高父匜二	弔高父乍中𡛱它
7158	瘋鐘一	不顯高且亞且文考
7159	瘋鐘二	追孝于高且辛公
7159	瘋鐘二	弋皇且考高對爾烈
7160	瘋鐘三	不顯高且亞且文考
7161	瘋鐘四	不顯高且亞且文考
7162	瘋鐘五	不顯高且亞且文考
7185	叔夷編鐘四	尸雍典其先舊及其高祖
7212	秦公鎛	畯疐才立高引又慶
7214	叔夷鎛	尸雍典其先舊及其高祖
7372	高陽左戈一	高陽左
7389	高密造戈	高密造戈
7445	平陽高馬里戈	平陽高馬里戈
7531	廿九年高都令陳愈戈	廿九年高都命陳愈
7532	九年我□令雍戈	高望、九年戠丘命雍工帀＿冶＿
7534	□＿戈	□＿命司馬伐右庫工帀高反冶□
7569	五年奠令戈	右庫工帀＿高冶尹＿　造
7571	八年奠令戈	八年奠命＿幽司寇史墜右庫工帀易高冶尹＿□
7616	高奴矛	高奴
7681	高都侯劍	高都侯散之徒
7719	廿九年高都令劍	廿九年高都命陳愈工帀冶乘

7899	鄂君啟車節	適高丘、適下蔡、適居巢、適郢
		小計：共 43 筆

亳 0875

0910	亞亳乍父乙方鼎	[亞弘]亳乍父乙尊彝
1156	亳鼎	公侯易亳杞土、v0土、__禾、vk禾
1156	亳鼎	亳敢對公中休
2138	冊亳戈父丁毁	[戈亳冊]父丁
5772	陳璋方壺	大壯孔陳璋內伐匽亳邦之隻
J2759	乙亳觚	乙亳戈冊
		小計：共 6 筆

冂同 0876

1277	七年趞曹鼎	易趞曹戠市、冂(同)黃、縊
1305	師奎父鼎	易戠市冂(同)黃、玄衣黹屯、戈琱㦸、旂
1327	克鼎	易女叔市参冂(同)、茀悤
1328	盂鼎	易女鬯一卣(卣)、冂(同)衣、市、舄、車馬
2793	元年師旋毁一	易女赤市冂(同)黃、麗般(鑿)
2794	元年師旋毁二	易女赤市冂(同)黃、麗般(鑿)
2795	元年師旋毁三	易女赤市冂(同)黃、麗般(鑿)
2807	鄃毁一	易女赤市冂(同)黃、縊旂、用吏
2808	鄃毁二	易女赤市冂(同)黃、縊旂、用吏
2809	鄃毁三	易女赤市冂(同)黃、縊旂、用吏
2835	訇毁	易女玄衣黹屯、戠市冂(同)黃
2857	牧毁	令女辟百寮有冂(同)吏
3593	冂戈爵	[冂戈]
3691	冂龍爵	[冂龍]
4853	復尊	匽侯賞復冂衣、臣妾、貝
4880	免尊	令史懋易免戠市同黃
4886	趩尊	易趩戠衣、戠市同黃、旂
4892	麥尊	金__、冂、衣、市、舄
5500	免卣	令史懋易免戠市同黃
5967	__觚	[辛冂]
6085	犅冂觚	[犅冂]
6551	冂__乍父乙觶	[冂ll]乍父乙
補2	冂觚	[冂龍]
補2	冂觚	[冂龍]
		小計：共 24 筆

市 0877

6791	兮甲盤	其賈毋敢不即次、即市
6791	兮甲盤	毋賈毋不即市
7900	鄂君啟舟節	自鄂市、逾油、上漢
7560	十六年奠令戈	十六年奠命趙司寇彭璋生(市)庫

高亳冂同市

7563	卅一年奠令戈	卅一年奠命榑司寇肖它生(市)庫工币冶㝬啟
7632	奠生庫矛	奠生(市)庫矛剌
7663	卅二年奠令槍□矛	生(市)庫工币皮冶尹造
7664	元年奠命槍□矛	生(市)庫工币皮□冶尹貞造
7665	三年奠令槍□矛	生(市)庫工币皮□冶尹貞造
7667	卅四年奠令槍□矛	生(市)庫工币皮□□冶尹造
7668	二年奠令槍□矛	生(市)庫工币鈹□□冶尹學造□
7739	卅三年奠令□□劍	生(市)庫工币皮冶尹啟造
		小計：共 12 筆

央 0878

1028	央＿鼎	央＿姬昌乍孟田用＿＿鼎
J1220	央㲃	央乍寶㲃
6790	虢季子白盤	賜用弓、彤矢其央
7655	中央勇矛	中央勇生安空五年之後日毋
7655	中央勇矛	中央勇□生安空三年之後日毋
7996	陶範二	央乍父乙寶尊彝
		小計：共 6 筆

章 0879

0283	辛章鼎	辛[章]
0611	章乍寶鼎	章乍寶鼎
0797	師鼎	余弋母章又諲
1323	師𩰫鼎	朕考章季易父
1332	毛公鼎	余非章又昏
1448	白章父鬲一	白章父乍弔姬鬲
1449	白墉父鬲二	白章父乍弔姬鬲
2724	章白㲋㲃	易章(鄘)白㲋貝十朋
2764	𤎯㲃	易臣三品：州人、重人、章人
2774	臣諫㲃	母弟引章又長子□
3095	拍乍祀彝(蓋)	拍乍朕配平姬章宮祀彝
4440	白章父盉	白章父乍寶盉
5548	䢅白章罍	䢅白[章]䥶
6751	䢅白章盤	䢅白章自乍寶監
		小計：共 14 筆

庸 0879

1331	中山王譽鼎	寡人庸其悳(德)
1331	中山王譽鼎	庸其工(功)
1331	中山王譽鼎	後人其庸庸之
1332	毛公鼎	庸又聞
2801	五年召白虎㲃	余老止公僕庸土田多諫
2835	訇㲃	先虎臣後庸
5803	𠑇嗣好盗壺	以追庸先王之工剌(烈)
7135	逆鐘	用㲋于公室僕庸臣妾

小計：共　8 筆

0879

5826	國差罎	攻師何鑄西郭寶罎四秉

小計：共　1 筆

0880

0218	子京鼎	[子京]
0755	京犬犬魚父乙鼎	[京犬犬魚]父乙
1110	䣄白原鼎	[射京]
1139	寓鼎	王才葊京鼒(真)_
1221	井鼎	隹七月、王才葊京
1318	晉姜鼎	魯覃京自
1326	多友鼎	廣伐京自
1326	多友鼎	命武公遣乃元士羞追于京自
1326	多友鼎	武公命多友達公車羞追于京自
1326	多友鼎	復奪京自之孚
1326	多友鼎	女既靜京自、𠭯女
1326	多友鼎	多禽、女靜京自
1327	克鼎	今余隹䌛京乃令
1456	京姜鬲	京姜年母乍尊鬲
1507	善夫吉父乍京姬鬲一	善夫吉父乍京姬尊鬲
1508	善夫吉父乍京姬鬲二	善吉父乍京姬尊鬲
1510	內公鑄弔姬鬲一	內公乍鑄京氏婦弔姬媵
1511	內公鑄弔姬鬲二	內公乍鑄京氏婦弔姬朕鬲
1807	京辛毀	[京]辛
2546	聖毀	辛巳、王㱃(歓)多亞聖啚京
2626	奢乍父乙毀	公姒(始)易奢貝、才葊京
2655	小臣靜毀	王竂葊京
2734	遹毀	穆王才葊京
2788	靜毀	王才葊京
2803	師酉毀一	西門尸、𥿋尸、秦尸、京尸、畁th尸
2804	師酉毀二	西門尸、𥿋尸、秦尸、京尸、畁th尸
2804	師酉毀二	西門尸、𥿋尸、秦尸、京尸、畁th尸
2805	師酉毀三	西門尸、𥿋尸、秦尸、京尸、畁th尸
2806	師酉毀四	西門尸、𥿋尸、秦尸、京尸、畁th尸
2806.	師酉毀五	西門尸、𥿋尸、秦尸、京尸、畁th尸
2807	𨚕毀一	今余隹緟京乃命
2808	𨚕毀二	今余隹緟京乃命
2809	𨚕毀三	今余隹緟京乃命
2830	三年師兌毀	今余隹䌛(緟)京乃令
2835	訇毀	西門尸、秦尸、京尸、𥿋尸
2838	師嫠毀一	今余唯䌛(緟)京乃令
2838	師嫠毀一	今余隹䌛(緟)京乃令
2839	師嫠毀二	今余唯䌛(緟)京乃令
2839	師嫠毀二	今余隹䌛(緟)京乃令
2854	𦍍毀	今余隹䌛京乃令

京
祟

	2855	班毀一	受京宗懿釐
	2855.	班毀二	受京宗懿釐
	2856	師訇毀	今余隹黼京乃令
	2857	牧毀	今余隹黼京乃命
	2982.	甲午匿	臣京考帝顯令誌于匿
	3088	師克旅盨一(蓋)	今余隹黼(緟)京乃令
	3089	師克旅盨二	今余隹黼(緟)京乃令
	3600	子京爵	[子京]
	3699.	畂京保爵	[畂京保]
	4043	__京比爵	[__京比]
	4447	臣辰冊冊夕乍冊父癸盉	出饔莽京年
	4542	子京尊	[子京]
	4873	臣辰冊岢冊乍父癸尊	隹王大龠于宗周徣饔莽京年
	4883	耳尊	肇乍京公寶尊彝
	4883	耳尊	京公孫子寶
	4891	何尊	王奡宗小子于京室曰
	4892	麥尊	王客莽京彭祀
	4893	夨令尊	甲申、明公用牲于京宮
	4971	__乍父癸方彝(蓋)	癸亥王才圃觀京
	4981	爲冊令方彝	甲申、明公用牲于京宮
	5089	___卣	[叹京]、[宁工工]
	5487	靜卣	王才莽京
	5488	靜卣二	王才莽京
	5501	臣辰冊冊夕卣一	徣饔莽京年
	5502	臣辰冊冊夕卣二	徣饔莽京年
	5506	小臣傳卣	王□□京
	5785	史懋壺	王才莽京濕宮
	6256	京戈冊父乙觚	[京戈冊]父乙
	6716	京隣仲__盤	[京]隣中wb乍父辛寶尊彝
	6719	京弔盤	京弔乍孟嬴盤
	6784	三十四祀盤(裸盤)	王才莽京
	6793	夨人盤	棗、州京、倓從剮
	6843	白吉父乍京姬匜	白吉父乍京姬它
	6925	晉邦盦	□宅京自
	7040	克鐘一	王親令克遹涇東至于京自
	7041	克鐘二	王親令克遹涇東至于京自
	7042	克鐘三	王親令克遹涇東至于京
	7092	鳳羌鐘一	𢦏敓楚京
	7093	鳳羌鐘二	𢦏敓楚京
	7094	鳳羌鐘三	𢦏敓楚京
	7095	鳳羌鐘四	𢦏敓楚京
	7096	鳳羌鐘五	𢦏敓楚京
	7204	克鎛	至于京自
	M171	小臣靜卣	王饔莽京
			小計:共 84 筆
祟	0881		
	2728	恆毀一	令女更祟克嗣直啚

2729	恆𣪘二	令女更𢆶克𤔲直啚
		小計：共 2 筆

0882

0132	亯鼎	[亯]
0394	亯父己鼎一	[亯]父己
0395	亯父己鼎二	[亯]父己
0753	犬且辛且癸鼎	犬且辛且癸[亯]
1077	曾仲子＿鼎	子孫永用亯
1107	番仲吳生鼎	用亯用孝
1110	𩰫白原鼎	子子孫孫其萬年永用亯
1117	豐乍父丁鼎	丁亥、豐用乍父乙𪊲彝[亞亯]
1119	曆方鼎	其用夙夕𩰫亯
1123	伯夏父鼎	永寶用亯
1130	虢文公子𢦚鼎一	子孫永寶用亯
1131	虢文公子𢦚鼎二	子子孫孫永寶用亯
1132	郜白祀乍善鼎	子子孫永寶用亯
1141	善夫旅白鼎	其萬年子子孫孫永寶用亯
1142	杞白每亡鼎	子子孫孫永寶用亯
1146	囗者生鼎一	其萬年子子孫孫永寶用亯
1147	囗者生鼎二	其萬年子子孫孫永寶用亯
1154	黃孫子𧊒君弔單鼎	子子孫孫永寶用亯
1171	魯白車鼎	子子孫孫永寶用亯
1175	白鮮乍旅鼎一	用亯孝于文且
1176	白鮮乍旅鼎二	用亯孝于文且
1177	白鮮乍旅鼎三	用亯孝于文且
1188	旂弔樊乍易姚鼎	用亯孝于朕文且
1189	諆鼎	子孫孫永寶用亯
1198	姬𩰫彝鼎	用孝用亯
1199	虢宣公子白鼎	用孝亯于皇且考
1220	鄁公鼎	子子孫孫永寶用亯
1230	師器父鼎	用亯孝于宗室
1245	仲師父鼎一	其用亯用考于皇且帝考
1245	仲師父鼎一	其子子孫萬年永寶用亯
1246	仲師父鼎二	其用亯用考于皇且帝考
1246	仲師父鼎二	其子子孫萬年永寶用亯
1250	曾子斿鼎	用考用亯
1259	都公𩰫鼎	用追亯丂于皇且考
1266	都公平侯鼑一	子子孫孫永寶用亯
1267	都公平侯鼑二	子子孫孫永寶用亯
1268	梁其鼎一	用亯孝于皇且考
1269	梁其鼎二	用亯孝于皇且考
1318	晉姜鼎	用亯用德
1463	呂王尊鬲	子子孫孫永寶用亯
1465	魯侯獄鬲	用亯𩰫氒文考魯公
1481	咊仲無龍寶鼎一	其子子孫永寶用亯
1482	咊仲無龍寶鼎二	其萬年子子孫永寶用亯
1483	虢季氏子組鬲	子子孫孫永寶用亯

亯

1509	虢文公子𢦚乍弔妃鬲	其萬年子孫永寶用亯
1511	內公鑄弔姬鬲二	子子孫孫永寶用亯
1514	白夏父乍畢姬鬲一	其萬年子子孫孫永寶用亯
1515	白夏父乍畢姬鬲二	其萬年子子孫孫永寶用亯
1516	白夏父乍畢姬鬲三	其萬年子子孫孫永寶用亯
1517	白夏父乍畢姬鬲四	其萬年子子孫孫永寶用亯
1518	白夏父乍畢姬鬲六	其萬年子子孫孫永寶用亯
1519	白夏父乍畢姬鬲五	其萬年子子孫孫永寶用亯
1745	亯𣪕	[亯]
1994	戚亯父乙𣪕	[戚亯]父乙
2262	屖乍寶𣪕	屖乍寶𣪕用日亯
2386	白_乍白幽𣪕二	子子孫孫永用亯
2389	𢾊𢆶妊乍寶𣪕	子孫孫永寶用亯
2430	倗白_尊𣪕	其子子孫孫永寶用亯
2439	寺季故公𣪕一	子子孫孫永寶用亯
2440	寺季故公𣪕二	子子孫孫永寶用亯
2488	杞白每亡𣪕一	子子孫孫永寶用亯
2489	杞白每亡𣪕二	子子孫孫永寶用亯
2490	杞白每亡𣪕三	子子孫孫永寶用亯
2491	杞白每亡𣪕四	子子孫孫永寶用亯
2492	杞白每亡𣪕五	子子孫孫永寶用亯
2505.	井姜大宰𣪕	子子孫孫永寶用亯
2509	旅仲𣪕	其萬年子子孫孫永用亯孝
2527	東仲寮父𣪕	其萬年子子孫永寶用亯
2531	魯白大父乍孟□姜𣪕	其萬年釁壽永寶用亯
2532	魯白大父乍仲姬俞𣪕	其萬年釁壽永寶用亯
2535	仲殷父𣪕一	用朝夕亯孝宗室
2536	仲殷父𣪕二	用朝夕亯孝宗室
2537	仲殷父𣪕三	用朝夕亯孝宗室
2537	仲殷父𣪕四	用朝夕亯孝宗室
2538	仲殷父𣪕五	用朝夕亯孝宗室
2539	仲殷父𣪕六	用朝夕亯孝宗室
2540	仲殷父𣪕六	用朝夕亯孝宗室
2541	仲殷父𣪕七	用朝夕亯孝宗室
2541.	仲𣪕父𣪕七	用朝夕亯孝宗室
2541.	仲𣪕父𣪕八	用朝夕亯孝宗室
2546	聖𣪕	辛巳、王畬(歓)多亞聖亯京
2553	虢季氏子組𣪕一	子子孫孫永寶用亯
2554	虢季氏子組𣪕二	子子孫孫永寶用亯
2555	虢季氏子組𣪕三	子子孫孫永寶用亯
2563	德克乍文且考𣪕	克其萬年子子孫孫永寶用亯
2564	韋且日庚乃孫𣪕一	用世亯孝
2565	且日庚乃孫𣪕二	用世亯孝
2569	鼎卓林父𣪕	用亯用孝、旛釁壽
2571	穌公子癸父甲𣪕	子子孫孫永寶用亯
2571.	穌公子癸父甲𣪕二	子子孫孫永寶用亯
2572	毛白𠹌父𣪕	子子孫孫永寶用亯
2573	泆白寺𣪕	其萬年子子孫孫永寶用亯
2574	豐兮𣪕一	叀其萬年子孫永寶、用亯考
2575	豐兮𣪕二	叀其萬年子子孫永寶、用亯考

2576	白俍□寶毁	用夙夜亯于宗室
2578	兮吉父乍仲姜毁	子子孫孫永寶用亯
2581	曹伯狄毁	子子孫孫永寶用亯
2583	鄁公毁	子子孫孫永用亯
2593	弔釁父乍旅毁一	其夙夜用亯孝于皇君
2594	弔釁父乍旅毁二	其夙夜用亯孝于皇君
2594.	弔釁父乍旅毁三	其夙夜用亯孝于皇君
2604	黃君毁	子子孫孫永寶用亯
2605	邿_毁	子子孫孫永寶用亯
2605	邿_毁	子子孫孫永寶用亯
2622	琱伐父毁一	用亯于皇且文考
2623	琱伐父毁二	用亯于皇且文考
2623.	琱伐父毁	用亯于皇且文考
2623.	琱伐父毁	用亯于皇且文考
2624	琱伐父毁三	用亯于皇且文考
2625	曾白文毁	其萬年子子孫孫永寶用亯
2629	牧師父毁一	其萬年子子孫孫永寶用亯
2630	牧師父毁二	其萬年子子孫孫永寶用亯
2631	牧師父毁三	其萬年子子孫孫永寶用亯
2633.	食生走馬谷毁	子孫永寶用亯
2634	誅叔毁	用亯孝于其姑公
2641	伯椃虘毁一	用亯用孝
2642	伯椃虘毁二	用亯用孝
2643	史族毁	其朝夕用亯于文考
2643	史族毁	其朝夕用亯于文考
2644.	伯椃虘毁	用亯用孝
2645	周客毁	其用亯于氒帝考
2646	仲辛父毁	子孫孫永寶用亯
2647	魯士商戱毁	子子孫永寶用亯
2648	仲戱父毁一	其萬年子子孫孫永寶用亯于宗室
2649	仲戱父毁二	其萬年子子孫孫永寶用亯于宗室
2650	仲戱父毁三	其萬年子子孫孫永寶用亯于宗室
2651	內白多父毁	用亯于皇且文考
2651	內白多父毁	其萬年子子孫孫永寶用亯
2653.	弔_孫父毁	子子孫永寶用亯
2666	鑄弔皮父毁	其妻子用亯考于弔皮父
2667	尌仲毁	用亯用孝、旛匄釁壽
2673	□弔買毁	買其子子孫孫永寶用亯
2674	弔姒毁	夙夜亯于宗室
2681	鬎侯毁	永保用亯
2683	白家父毁	用亯于其皇文考
2683	白家父毁	子孫永寶用亯
2684	_竈乎毁	用亯孝皇且文考
2690.	相侯毁	其萬年子孫孫用亯侯
2691	善夫梁其毁一	用追亯孝
2691	善夫梁其毁一	孫子子孫孫永寶用亯
2692	善找梁其毁二	用追亯孝
2692	善找梁其毁二	孫子子孫孫永寶用亯
2695	鬎兌毁	子子孫孫永寶用亯
2706	鄀公敄人毁	用亯孝于氒皇且、于氒皇丂

亯

	2706	䣄公敄人𣪘	子子孫孫永寶用亯
	2722	㝬弔乍豐姞旅𣪘	豐姞�用宿夜亯孝于𢿢公
	2725.	𦄂星𣪘	其用卲亯(享)于朕皇考
亯	2725.	𦄂星𣪘	子子孫孫永寶用亯
	2727	蔡姞乍尹弔𣪘	子子孫孫永寶用亯
	2732	曾仲大父𧍮𧌒𣪘	其萬年子子孫孫永寶用亯
	2737	段𣪘	孫孫子子萬年用亯祀
	2746	追𣪘一	用亯孝于前文人
	2747	追𣪘二	用亯孝于前文人
	2748	追𣪘三	用亯孝于前文人
	2749	追𣪘四	用亯孝于前文人
	2750	追𣪘五	用亯孝于前文人
	2751	追𣪘六	用亯孝于前文人
	2766	三兒𣪘	子子孫永保用亯
	2798	師𤸫𣪘一	用亯于宗室
	2799	師𤸫𣪘二	用亯于宗室
	2800	伊𣪘	子子孫孫永寶用亯
	2802	六年召白虎𣪘	其萬年子子孫孫寶用亯于宗
	2807	𨞶𣪘一	子子孫孫永寶用亯
	2808	𨞶𣪘二	子子孫孫永寶用亯
	2809	𨞶𣪘三	子子孫孫永寶用亯
	2809	𨞶𣪘三	子子孫孫永寶用亯
	2814	鳥冊夨令𣪘一	用𩛥後人亯
	2814.	夨令𣪘二	用𩛥後人亯
	2815	師𣪕𣪘	𡚱其萬年子子孫孫永寶用亯
	2818	此𣪘一	用亯孝于文申
	2819	此𣪘二	用亯孝于文申
	2820	此𣪘三	用亯孝于文申
	2821	此𣪘四	用亯孝于文申
	2822	此𣪘五	用亯孝于文申
	2823	此𣪘六	用亯孝于文申
	2824	此𣪘七	用亯孝于文申
	2825	此𣪘八	用亯孝于文申
	2826	師㝨𣪘一	其萬年子子孫孫永寶用亯 (蓋)王若曰：師㝨rt
	2826	師㝨𣪘一	其萬年子子孫孫永寶用亯 (器)
	2827	師㝨𣪘二	其萬年子子孫孫永寶用亯
	2836	㦰𣪘	用夙夜尊亯孝于氒文母
	2841	𦬁白𣪘	我亦弗𥄳亯邦
	2841	𦬁白𣪘	亯夙夕
	2841	𦬁白𣪘	歸夆其萬年日用亯于宗室
	2852	不𡢁𣪘一	子子孫孫其永寶用亯
	2853	不𡢁𣪘二	子子孫孫其永寶用亯
	2917	胄乍𩞁𠤳	其子子孫孫永寶用亯
	2920	𦚩子仲安旅𠤳	其子子孫永寶用亯
	2920.	白多父𠤳	其永寶用亯
	2935	𡪞侯乍弔姬寺男媵𠤳	子子孫孫永寶用亯
	2936	走馬𦚩仲赤𠤳	子子孫孫永保用亯
	2945	口仲虎𠤳	其子孫永寶用亯
	2948	番君召𩞁𠤳一	用亯用孝
	2949	番君召𩞁𠤳二	用亯用孝

2950	番君召𩞁𠤳三	用亯用孝
2951	番君召𩞁𠤳四	用亯用孝
2952	番君召𩞁𠤳五	用亯用孝
2954	史免旅𠤳	其子子孫孫永寶用亯
2968	奠白大𤔲工召弔山父旅𠤳一	用亯用孝
2969	奠白大𤔲工召弔山父旅𠤳二	用亯用孝
2982.	甲午𠤳	永寶用亯
2984	伯公父盤	其子子孫孫永寶用亯(蓋)
2984	伯公父盤	其子子孫孫永寶用亯(器)
2985	陳逆𠤳一	台(以)亯台(以)孝
2985.	陳逆𠤳二	台(以)亯台(以)孝
2985.	陳逆𠤳三	台(以)亯台(以)孝
2985.	陳逆𠤳四	台(以)亯台(以)孝
2985.	陳逆𠤳五	台(以)亯台(以)孝
2985.	陳逆𠤳六	台(以)亯台(以)孝
2985.	陳逆𠤳七	台(以)亯台(以)孝
2985.	陳逆𠤳八	台(以)亯台(以)孝
2985.	陳逆𠤳九	台(以)亯台(以)孝
2985.	陳逆𠤳十	台(以)亯台(以)孝
2986	曾白霥旅𠤳一	用孝用亯于我皇文考
2986	曾白霥旅𠤳一	子子孫孫永寶用之亯
2987	曾白霥旅𠤳二	用孝用亯于我皇文考
2987	曾白霥旅𠤳二	子子孫孫永寶用之亯
3028	虢弔行盨	子子孫孫永寶用亯
3033	昜弔旅盨	其子子孫孫永寶用亯
3039	白多父盨	其永寶用亯
3042	項燮旅盨	其萬年子子孫孫永寶用亯
3057	仲𠂤父鑐(盨)	其用亯用孝于皇且文考
3057	仲𠂤父鑐(盨)	其子孫萬年永寶用亯
3058	曼龏父盨一	曼龏父乍寶盨用亯孝宗室
3059	曼龏父盨三	用亯孝宗室、用匄𩰲壽
3060	曼龏父盨二	用亯孝宗室、用匄𩰲壽
3063	遹乍姜淉盨	用亯孝于姞公
3063	遹乍姜淉盨	用亯孝于姞公
3070	杜白盨一	其用亯孝于皇申且考、于好倗友
3071	杜白盨二	其用亯孝于皇申且考、于好倗友
3072	杜白盨三	其用亯孝于皇申且考、于好倗友
3073	杜白盨四	其用亯孝于皇申且考、于好倗友
3074	杜白盨五	其用亯孝于皇申且考、于好倗友
3075	白汈其旅盨一	用亯用孝、用匄𩰲壽多福
3076	白汈其旅盨二	用亯用孝、用匄𩰲壽多福
3086	善夫克旅盨	克其用朝夕亯于皇且考
3099	十年敶侯午𦎫(器)	者侯亯台吉金
3109	周生豆一	周生乍尊豆用亯于宗室
3110	周生豆二	周生乍尊豆用亯于宗室
3111	大師虘豆	虘其永寶用亯
3128.	亯爵	[亯]
3217	亯爵二	[亯]
3218	亯爵一	[亯]
3219	亯爵三	[亯]

	3533	亯癸爵	[亯]癸
	3599	亯_爵	[亯_]
	3826	亯父丁爵	[亯]父丁
亯	3843.	亯奴父丁爵	[亯奴]父丁
	3974.	亯父癸爵	[亯]父癸
	4500	亯尊一	[亯]
	4500.	亯尊二	[亯]
	4595	亯父己尊	[亯]父己
	4633	_冊亯尊	[a5冊亯]
	4754	魯侯乍姜鴞彤尊	魯侯乍姜亯彝
	4845	服方尊	服肈夙夕明亯
	4858	峀甶尊	其萬年子孫永寶用亯
	4865	㚸方尊	其用夙夜亯于㚸大宗
	4874	萬諆尊	用亯囗尹_歆
	4887	蔡侯𩰫尊	禋亯是台
	4903	亯戚觥	[亯戚]
	5483	周乎卣	用亯于文考庚中
	5483	周乎卣	用亯于文考庚中
	5883	亯觚一	[亯]
	5884	亯觚二	[亯]
	5885	亯觚三	[亯]
	5886	亯觚四	[亯]
	5887	亯觚五	[亯]
	6143	亯父丁觚	[亯]父丁
	6177	_乙冊亯觚一	[a4乙冊亯]
	6178	_乙冊亯觚二	[a4乙冊亯]
	6475	亯父己觶	[亯]父己
	6546	囗亯且己觶	[囗亯]且己
	6663	白公父金勺一	用亯用孝
	6741	𧙘盤	其萬年子孫永寶用亯
	6751	𧙘白章盤	子孫永寶用亯
	6754	楚季苟盤	其子子孫孫永寶用亯
	6756	番君白弊盤	萬年子孫永用之亯
	6761	白者君盤	其萬年子孫永寶用亯
	6763	字句盤	子子孫孫永寶用亯
	6767	齊縈姬之爐盤	子子孫孫永寶用亯
	6774	_右盤	迺用萬年囗孫永寶用亯囗用之
	6819	_匜	_乍寶匜、用子孫亯
	6829	黃仲匜	永寶用亯
	6847	蚰_匜	萬年無彊孫亯
	6849	𧙘白匜	其萬年子子孫孫永寶用亯
	6854	辭馬南弔匜	子子孫孫永寶用亯
	6856	番仲㷆匜	其萬年子子孫永寶用亯
	6858	樊君首匜	子子孫孫其永寶用亯
	6864	番_匜	其萬年子子孫永寶用亯
	6865	楚贏匜	其萬年子孫永用亯
	6868	大師子大孟姜匜	用亯用孝
	6888	吳王光鑑一	用亯用孝
	6889	吳王光鑑二	用亯用孝
	6901	白盂	其萬年孫孫子子永寶用亯

6953	__鐃一	[fa亯亯]
6954	__鐃二	[fa亯亯]
6955	__鐃三	[fa亯亯]
6975	魯邍鐘	魯邍乍龢鐘用亯考
7009	兮仲鐘一	子孫永寶用亯
7010	兮仲鐘二	子孫永寶用亯
7012	兮仲鐘四	子子孫孫永寶用亯
7013	兮仲鐘五	子子孫孫永寶用亯
7015	兮仲鐘七	子子孫孫永寶用亯
7017	楚王酓章鐘一	其永時用亯穆商、商
7018	楚王酓章鐘二	其永時用亯□羽反、宮反
7026	邾干鐘	子子孫孫永寶用亯
7082	齊鞄氏鐘	用亯台孝
7150	虢叔旅鐘一	旅其萬年子子孫孫永寶用亯
7151	虢叔旅鐘二	旅其萬年子子孫孫永寶用亯
7152	虢叔旅鐘三	旅其萬年子子孫孫永寶用亯
7153	虢叔旅鐘四	旅其萬年子子孫孫永寶用亯
7156	虢叔旅鐘七	旅其萬年子子孫孫永寶用亯
7188	叔夷編鐘七	子孫永保用亯
7201	楚王酓章乍曾侯乙鎛	其永時用亯
7214	叔夷鎛	子孫永保用亯
7220	喬君鉦	其萬年用亯用考
7237	亯戈	[亯]
7288	亯戈	[亯]
7678	亯于公劍	亯于公乍
7867.	龍__	亯月己酉之日
M236	單昊生豆	單昊生乍羞豆、用亯
M339	魯侯盉蓋	魯侯乍姜亯彝
M340	魯伯悆盨	永寶用亯
M341	魯中齊鼎	子子孫孫永寶用亯
M343	魯司徒中齊盨	子子孫孫永寶用亯
M344	魯司徒中齊盤	其萬年永寶用亯
M345	魯司徒中齊匜	子子孫孫永寶用亯
M361	井伯南毀	日用亯考
M478	大宰巳毀	子子孫孫永寶用亯
M617	番白享匜	隹番白亯自乍匜
補7	亯爵	[亯]
		小計：共 331 筆

0882	同亯	
0971	內大子鼎一	子孫永用享
0972	內大子鼎二	子孫永用享
0990	__白鮮鼎	其萬年用享
0995	內公飤鼎	子孫永寶用享
1000	郜造鼎	子子孫孫用享
1057	會娟鼎	其萬年子子孫永寶用享
1062	昶鼎	其萬年子孫永寶用享
1067	雁公方鼎一	用夙夕𩞁享

享

1068	雁公方鼎二	用夙夕𩱦享
1069	雁公方鼎三	用夙夕𩱦享
1075	黃季乍季嬴鼎	其萬年子孫永寶用享
1085	曾者子乍𩰫鼎	用享于且、子子孫永壽
1097	白𢉅父乍羊鼎	其子子孫孫萬年永寶用享
1099	仲旳父鼎	其萬年子子孫孫永寶用享
1104	辛中姬皇母鼎	其子子孫孫用享孝于宗老
1105	䜌季乍嬴氏行鼎	子子孫其釁壽萬年永用享
1150	小臣缶方鼎	缶用乍享大子乙家祀尊
1207	眉__鼎	其用享于氒帝考
1265	𣪕弔鼎	其用享于文且考
1283	微䜌鼎	䜌用享孝于朕皇考
1283	微䜌鼎	䜌子子孫永寶用享
1285	㦰方鼎一	其用夙夜享孝于氒文且乙公
1304	王子午鼎	用享以考于我皇且文考
1306	無叀鼎	用享于朕剌考
1312	此鼎一	用享孝于文申（ 神 ）用
1313	此鼎二	用享孝于文申（ 神 ）
1314	此鼎三	用享孝于文申（ 神 ）、用丐釁壽
1316	㦰方鼎	氒復享于天子
1316	㦰方鼎	用穆穆夙夜尊享孝妥福
1328	盂鼎	敏朝夕入讕（ 諫 ）、享奔走、畏天畏
1501	虢季氏子𢉣鬲	子子孫孫永寶用享
1510	內公鑄弔姬鬲一	子子孫孫永寶用享
1521	單白遷父鬲	子子孫孫其萬年永寶用享
1526	琱生乍完仲尊鬲	琱生其萬年子子孫孫用寶用享
2362	__𣪘	__子子孫其萬年用享
2725.	桒星𣪘	其用卲亯（ 享 ）于朕皇考
4891	何尊	徹令苟享戋
4892	麥尊	妥多友、享奔走令
5355	犬且辛且癸享卣	[犬]且辛、且癸[享]
5580	洖___罍	子子孫孫永寶用享
5581	蚩眲罍	其萬年子孫永寶用享
5710	夆車父壺一	夆車父乍寶壺永用享（ 器蓋 ）
5711	夆車父壺二	夆車父乍寶壺永用享（ 器蓋 ）
5721	蔡侯壺	子子孫永保用享
5725	吕王__乍內姬壺	其永寶用享
5735	內大子白壺	萬子孫永用享（ 蓋 ）
5735	內大子白壺	內大子白乍鑄寶壺、永享
5746	史僕壺一	其萬年子子孫孫永寶用享
5747	史僕壺二	其萬年子子孫孫永寶用享
5748	虢季子組壺	子孫孫永寶其用享
5761	兮熬壺	享孝于大宗
5763	殷句壺	其萬年子子孫孫永寶用享
5764	杞白每亡壺一	子子孫永寶用享
5765	杞白每亡壺二	子子孫永寶用享
5766	周䜌壺一	其用享于宗
5767	周䜌壺二	其用享于宗
5768	虞嗣寇白吹壺一	用享用孝
5769	虞嗣寇白吹壺二	用享用孝

5775	蔡公子壺	子子孫孫萬年永寶用享
5783	曾白陭壺	用孝用享
5786	㠱季良父壺	用享孝于兄弔婚媾者老
5787	洌其壺一	用享考于皇且考
5788	洌其壺二	用享考于皇且考
5795	白克壺	克克其子子孫孫永寶用享
6079	__享觚	[__享]
6634	郐王義楚祭耑	用享于皇天
6788	蔡侯𤔲盤	禋享是台
6859	白者君匜一	其萬年子孫永寶用享tG
6900	乍父丁盂	其萬年永寶用享宗彝
6964	用享鐘	用享
7002	鑄侯求鐘	其子子孫孫永享用之
7019	邾太宰鐘	子孫孫永保用享
7021	虘鐘一	用享大宗
7022	虘鐘二	用享大宗
7023	虘鐘三	用享大宗
7024	虘鐘四	用享大宗
7049	井人鐘三	妄其萬年子子孫孫永寶用享
7050	井人鐘四	妄其萬年子子孫孫永寶用享
7059	師臾鐘	師臾其萬年永寶用享
7083	鮮鐘	□□用享
7088	士父鐘一	用享于宗
7089	士父鐘二	用享于宗
7090	士父鐘三	用享于宗
7091	士父鐘四	用享于宗
7136	郘鐘一	我以享孝樂我先且
7137	郘鐘二	我以享孝樂我先且
7138	郘鐘三	我以享孝樂我先且
7139	郘鐘四	我以享孝樂我先且
7140	郘鐘五	我以享孝樂我先且
7141	郘鐘六	我以享孝樂我先且
7142	郘鐘七	我以享孝樂我先且
7143	郘鐘八	我以享孝樂我先且
7144	郘鐘九	我以享孝樂我先且
7145	郘鐘十	我以享孝樂我先且
7146	郘鐘十一	我以享孝樂我先且
7147	郘鐘十二	我以享孝樂我先且
7148	郘鐘十三	我以享孝樂我先且
7149	郘鐘十四	我以享孝樂我先且
7157	邾公華鐘一	子子孫孫永保用享
7187	叔夷編鐘六	用享于其皇祖皇妣皇母皇考
7212	秦公鎛	以卲格孝享
7213	𩵦鎛	用享用孝于皇祖聖弔
7213	𩵦鎛	子孫永保用享
7214	叔夷鎛	用享于其皇祖皇妣皇母皇考
7215	其次勾鑃一	台享台孝
7216	其次勾鑃二	台享台孝
7218	郐䣄尹征城	__皮吉人享
7930	昶用乍寶缶一	其萬年子子孫永寶用享

7931	𣪕□乍寶缶二	其萬年子子孫永寶用享
補1	享觚	[享]
補1	享觚二	[享]
補2	享觚三	[享]
		小計：共 112 筆

辜 0883

0130	辜鼎	[辜]
0240	丁辜鼎	丁[辜]
1324	禹鼎	辜(敦)伐噩
1690	辜𣪘	[辜]
2564	辜且日庚乃孫𣪘一	其子子孫孫永寶用[辜]
2565	且日庚乃孫𣪘二	其子子孫孫永寶用[辜]
2852	不嬰𣪘一	女彶戎大辜戟(搏)
2853	不嬰𣪘二	女及戎大辜
3092	齊侯乍飤辜一	齊侯乍飤辜
3093	齊侯乍飤辜二	齊侯乍飤辜
3096	齊侯乍孟姜善辜	齊侯乍朕寡萬孟賸辜
3099	十年陳侯午辜(器)	用乍平壽造器辜台登台嘗
3598	喜羊爵	[辜]
5468	子寡子卣	辜不弔L1乃邦
5468	子寡子卣	辜不弔L1乃邦
6041	享羊觚	[辜]
6627	鼓辜乍父辛觶	[鼓辜]乍父辛寶尊彝
7176	𣪕鐘	王辜伐其至
7468	辜于公戈	辜于公之__造
7927	辜羊錡	[辜]
		小計：共 20 筆

覃 0884

0738	亞共覃父甲鼎	[亞共覃]父甲
1318	晉姜鼎	魯覃京自
2080	亞共覃父乙𣪘	[亞共覃]父乙
3871	覃父己爵	[覃]父己
4050	亞覃父丁爵	[亞覃]父丁
5131	亞覃父乙卣	[亞覃父乙]
		小計：共 6 筆

厚 0885

1217	毛公旅方鼎	我用飲厚眔我友
1229	厚趠方鼎	厚趠又償于𣳚公
1306	無叀鼎	易女玄衣黹屯、戈琱㦰、𩌏(厚)必彤沙、
1309	寰鼎	䜌旂攸勒、戈琱㦰、𩌏(厚)必彤沙
2298	戈厚乍兄日辛𣪘	[戈]厚乍兄日辛寶彝
2744	五年師旋𣪘一	𩌏(厚)必、彤沙
2745	五年師旋𣪘二	𩌏(厚)必、彤沙
2785	王臣𣪘	戈畫㦰、厚必、彤沙、用事

2815	師𩛥𣪘	厚必
2835	㝬𣪘	戈琱㦸、厚必彤沙
2856	師㝬𣪘	隹王身厚賴
3118	魯大嗣徒厚氏元善匲一	魯大嗣徒厚氏元乍善簠
3119	魯大嗣徒厚氏元善匲二	魯大嗣徒厚氏元乍善簠
3120	魯大嗣徒厚氏元善匲三	魯大嗣徒厚氏元乍善簠
5789	命瓜君厚子壺一	命瓜君厚子乍鑄尊壺
5790	命瓜君厚子壺二	命瓜君厚子乍尊壺
6717	魯白厚父乍仲姬俞盤一	魯白厚父乍孟姬俞賸盤
6718	魯白厚父乍仲姬俞盤二	魯白厚父乍中姬俞賸盤
6787	走馬休盤	戈琱㦸、彤沙厚必、䜌旂
6789	寰盤	戈琱㦸厚必彤沙
6792	史墻盤	上帝司vu尢保受天子綰令厚福豐年
7049	井人鐘三	降余厚多福無疆
7158	㾓鐘一	嚴祐龔妥厚多福
7159	㾓鐘二	韓妥厚多福
7160	㾓鐘三	嚴祐龔妥厚多福
7161	㾓鐘四	嚴祐龔妥厚多福
7162	㾓鐘五	嚴祐龔妥厚多福
7165	㾓鐘八	韓妥厚多福
7184	叔夷編鐘三	余用登屯厚乃命
7214	叔夷鎛	余用登屯厚乃命
		小計：共　30 筆

畐　0886

3912	畐父辛爵	[畐]父辛
4818	季𥁰尊	用𣪕畐(福)
7088	士父鐘	降余魯多畐(福)無疆
		小計：共　3 筆

良　0887

1194	郐王𦢊鼎	郐王𦢊用其良金
1664	邕子良人𣪕甗	邕子良人羼其吉金自乍飤𣪕(甗)
2520	大㠯事良父𣪘	大㠯吏良父乍寶𣪘
2633.	食生走馬谷𣪘	用易其良壽萬年
J1487	司寇良父𣪘	司寇良父乍衛姬𣪘
2778	格白𣪘一	格白取良馬乘于倗生
2778	格白𣪘一	格白取良馬乘于倗生
2779	格白𣪘二	格白取良馬乘于倗生
2780	格白𣪘三	格白取良馬乘于倗生
2781	格白𣪘四	格白取良馬乘于倗生
2782	格白𣪘五	格白取良馬乘于倗生
2782.	格白𣪘六	格白取良馬乘于倗生
2930	尹氏賈良旅匠(匡)	尹氏賈良乍旅匡
2940	季良父乍宗娟賸匠二	季良(𩰫、复?)父乍宗娟(妘)賸匠
2941	季良父乍宗娟賸匠三	季良(𩰫、复?)父乍宗娟(妘)賸匠
4203	御正良爵	尹大保賞御正良貝
2939	季良父乍宗娟賸匠一	季良(𩰫、复?)父乍宗娟(妘)賸匠

4442	季良父盉	季良父乍kh姒(始)寶盉
5018	良卣	[良]
5740	嗣寇良父壺	嗣寇良父乍為衛姬壺
5743	齊良壺	齊良乍壺盂
5786	旻季良父壺	旻季良父乍kh姒(始)尊壺
5805	中山王譽方壺	使得賢在良佐貢
6866	齊侯乍虢孟姬匜	齊侯乍虢孟姬良女寶它
7117	斜儠兒鐘一	余義楚之良臣
7593	大良造鞅戟	秦大良造鞅之造戟
7830	十六年大良造鞅戈	十六年大良造庶長鞅之造__革
7868	商鞅方升	大良造鞅
		小計：共 31 筆

稟 0888

2802	六年召白虎毁	曰：公、氒稟貝
5497	農卣	迺稟氒奴、氒小子小大事
5826	國差𦉜	攻師何鑄西郭寶𦉜四稟
7870	陳純釜	敕成左關之斧節于稟斧
7871	子禾子釜一	左關斧節于稟斧
7871	子禾子釜一	關鈉節于稟料
		小計：共 6 筆

啚 0889

1047	𩁹白鼎	王令𩁹白啚于㞢為宮
2611	𤰔渚嗣土𠣏毁	征令康侯啚于衛
2611	𤰔渚嗣土𠣏毁	渚司土𠣏眾啚乍氒考尊彝[𤰔]
2728	恆毁一	令女更崇克嗣直啚
2729	恆毁二	令女更崇克嗣直啚
2768	楚毁	嗣莽啚官內師舟
2791.	史密毁	乃執啚寡亞
2837	敔毁一	啚于榮白之所
6554	啚天父乙觶	[啚天]父乙
7213	𨛭鎛	都啚
		小計：共 10 筆

啚 0890

4426	啚父盉	啚父乍丝母寶盉
6706	啚父乍丝女盤	啚父乍丝女寶盤
		小計：共 2 筆

亶 0890+

5888	亶觚	[亶]
7238	亶戈	[亶]
		小計：共 2 筆

0891

1112	十一年庫嗇夫尚不茲鼎	庫嗇夫尚丕茲鬫人夫__所為空二斗
2843	沈子它𣪘	休沈子肇斁tc賈嗇乍兹𣪘
J2225	中父壬爵	（ 拓本未見 ）
5779	安邑下官鍾	府嗇夫__治事左__止大斛斗一益少半益
5803	亂嗣好盗壺	嗇夫孫固
6792	史墻盤	農嗇戉曆
6877	儹乍旅盨	專各嗇覯儹
7878	安邑下關鍾	安邑下關□重□□□嗇夫嘉句□....
M900	梁十九年鼎	梁十九年鼎亡智__兼嗇夫庶䰠
		小計：共 9 筆

0892 1158穡字重見

2826	師㝨𣪘一	夙夜卹𠭯牆（ 穡 ）旋（ 事 ）
2826	師㝨𣪘一	夙夜卹𠭯牆（ 穡 ）旋（ 事 ）
2827	師㝨𣪘二	夙夜卹𠭯牆（ 穡 ）旋（ 事 ）
4190	牆乍父乙爵一	牆乍父乙寶尊彝
4191	牆乍父乙爵二	牆乍父乙寶尊彝
6792	史墻盤	史牆夙夜不彖
6792	史墻盤	牆弗敢沮
6792	史墻盤	受牆爾䵼福懷
		小計：共 8 筆

0893

0642	公朱右自鼎	肴韓韓貞、來
0718	𠂤母鼎	𠂤母乍山來
1193	新邑鼎	癸卯王來鄭新邑
1229	厚趠方鼎	隹王來各于成周年
1234	旅鼎	隹公大保來伐反尸年
1264	螢鼎	螢來遘于妊氏
1330	曶鼎	□乃來歲弗賞
1461	𪓑來隹鼎	𪓑來隹乍貞（ 鼎 ）
1661	乍冊般甗	用乍父己尊［ 來冊 ］
2599	宰亩𣪘	王來獸自豆彔
2660	彔乍辛公𣪘	白雝父來自㝬
2801	五年召白虎𣪘	召來合吏
2852	不嬰𣪘一	余來歸獻禽
2853	不嬰𣪘二	余來歸獻禽
4866	小臣艅尊	隹王來正尸（ 夷 ）方
5801	洹子孟姜壺一	齊侯命大子乘__來句宗白
5802	洹子孟姜壺二	齊侯命大子乘dw來句宗白聽命于天子
6581	逨乍寶彝觶	逨（ 逨、來?）乍寶彝
6720	來__乍__盤	來p9乍sr盤
6792	史墻盤	散史剌且迺來見武王
6925	晉邦盦	其不來王

來 𩫏 麥 复 憂 夏

7020	單伯鐘	來匹先王
7164	㺇鐘七	且來見武王
7176	㝬鐘	艮子迺遣閒來逆卲王
7552	__生戈	郾侯庫乍戎__蚔生不祗□無□□□自洹來
7868	商鞅方升	齊率卿大夫眾來聘
M160	□貯𣪘	隹巢來𢼄王令東宮追㠯六𠂤之年
		小計：共 27 筆

𩫏 0894

M423.	趞鼎	用乍朕皇考𩫏白、奠姬寶鼎
		小計：共 1 筆

麥 0895

1215	麥鼎	井侯征𩰫于麥
1215	麥鼎	麥易赤金
4446	麥盉	井侯光氒吏麥𤔲于麥宮
4446	麥盉	侯易麥金、乍盉
4892	麥尊	乍冊麥易金于辟侯
4892	麥尊	麥揚、用乍寶尊彝
4892	麥尊	唯天子休于麥辟侯之年
4975	麥方彝	𩰫(嗝)于麥宂、易金
6753	仲𣪕父盤	黍粱1k麥
		小計：共 9 筆

复 0896

2939	季良父乍宗媍賸匿一	季良([illegible]、复?)父乍宗媍(妘)賸匿
2940	季良父乍宗媍賸匿二	季良([illegible]、复?)父乍宗媍(妘)賸匿
2941	季良父乍宗媍賸匿三	季良([illegible]、复?)父乍宗媍(妘)賸匿
3087	𩰫从盨	复友𩰫比其田
3087	𩰫从盨	其邑复__言二邑。畀𩰫比复氒小宮tu𩰫比田
		小計：共 5 筆

憂 0897

1331	中山王䁐鼎	以憂勞邦家
1332	毛公鼎	俗(欲)我弗乍先王憂
5376	亞束無憂乍父丁卣	[亞束]無憂乍父丁彝
5803	㸚𤔲好蜜壺	以憂氒民之隹不辜
6388	白憂觶	白憂
		小計：共 5 筆

夏 0898

1123	伯夏父鼎	白夏父乍畢姬尊鼎
1477	右戲仲夏父豐鬲	右戲中夏父乍豐鬲
1514	白夏父乍畢姬鬲一	白夏父畢姬尊鬲
1515	白夏父乍畢姬鬲二	白夏父乍畢姬尊鬲
1516	白夏父乍畢姬鬲三	白夏父乍畢姬尊鬲
1517	白夏父乍畢姬鬲四	白夏父乍畢姬尊鬲
1518	白夏父乍畢姬鬲六	白夏父乍畢姬尊鬲
1519	白夏父乍畢姬鬲五	白夏父乍畢姬尊鬲
2000	安夏父丁毀	[安夏]父丁
2833	秦公毀	虩吏䜌(蠻)夏
5239	安夏父丁卣	[安夏]父丁[巸]
5583	不白夏子罍一	不白夏子自乍尊罍(罍)
5584	不白夏子罍二	不白夏子自乍尊罍(罍)
5814	白夏父𨱆一	白夏父乍畢姬尊𨱆
5815	白夏父𨱆二	白夏父乍畢姬尊𨱆
7186	叔夷編鐘五	剸伐夏后
7212	秦公鎛	虩吏䜌夏
7214	叔夷鎛	剸伐夏后
7867.	龍__	集尹陳夏、少集尹龔則、少攻(工)差(佐)孝癸
7899	鄂君啟車節	夏层之月、乙亥之日
7900	鄂君啟舟節	夏层之月、乙亥之日
7900	鄂君啟舟節	適汪、逾夏、內郘、逾江
		小計：共 22 筆

0899

7117	斜𠭯兒鐘一	歆飤訶舞
7119	斜𠭯兒鐘三	歆飤訶舞
J3723	匽侯舞陽器	匽侯舞陽
		小計：共 3 筆

0900

0161	韋方鼎	[韋方]
0761	𣪕韋乍父丁鼎	𣪕韋乍父丁彝
1712	韋毀	[韋]
2797	輔師𠩁毀	易女韋市素黃、䜌旂
6766	黃韋艅父盤	黃韋俞父自乍飤器
7107	曾侯乙甬鐘	韋音之變羽
7518	四年呂不韋戈	四年相邦呂不韋
7564	五年相邦呂不韋戈	五年相邦呂不韋造
7565	八年相邦呂不韋戈	八年相邦呂不韋造
M706	曾侯乙編鐘下一・二	為韋音羽角
M710	曾侯乙編鐘下二・三	韋音之宮
M710	曾侯乙編鐘下二・三	韋音之才楚號為文王
M710	曾侯乙編鐘下二・三	韋音之下角
M711	曾侯乙編鐘下二・四	為韋音羽角
M713	曾侯乙編鐘下二・七	韋音之羽曾

韋
韓
韍

M714	曾侯乙編鐘下二・八	韋音之曾
M742	曾侯乙編鐘中三・三	韋音之宮
M742	曾侯乙編鐘中三・三	韋音之徵曾
M743	曾侯乙編鐘中三・四	韋音之變商
M744	曾侯乙編鐘中三・五	韋音之變羽
M745	曾侯乙編鐘中三・六	韋音之宮
M745	曾侯乙編鐘中三・六	韋音之才楚號為文王
M745	曾侯乙編鐘中三・六	韋音之徵曾
M746	曾侯乙編鐘中三・七	為韋音羽角
M748	曾侯乙編鐘中三・九	韋音之羽曾
M759	曾侯乙編鐘上二・四	商曾、羽角，韋音之宮，

小計：共 26 筆

韓 0901

0642	公朱右自鼎	君韓韓貞、來
7092	𠫑羌鐘一	𠫑羌乍rq𢓊辟韓宗徹
7092	𠫑羌鐘一	賞于韓宗
7093	𠫑羌鐘二	𠫑羌乍rq𢓊辟韓宗徹
7093	𠫑羌鐘二	賞于韓宗
7094	𠫑羌鐘三	𠫑羌乍rq𢓊辟韓宗徹
7094	𠫑羌鐘三	賞于韓宗
7095	𠫑羌鐘四	𠫑羌乍rq氏辟韓宗徹
7095	𠫑羌鐘四	賞于韓宗
7096	𠫑羌鐘五	𠫑羌乍rq𢓊辟韓宗徹
7096	𠫑羌鐘五	賞于韓宗
7512	六年奠令韓熙戈	六年鄭令韓熙□、右庫工帀馬＿冶狄
7523	四年戈	四年命韓＿右庫工帀＿冶＿
7524	三年脩余令戈	三年逌余命韓＿工帀＿＿、冶＿
7528	王二年奠令戈	王二年奠命韓□右庫工帀＿慶
7544	八年亲城大令戈	八年亲城大命韓定工帀宋費冶褚
7546	王三年奠令韓熙戈	王三年奠命韓熙右庫工師吏史□冶□
7549	十六年喜令戈	喜命韓鳳左庫工帀司馬裕冶何
7553	廿年奠令戈	廿年鄭命韓恙司寇吳裕
7568	四年奠令戈	四年奠命韓及司寇長朱
7569	五年奠令戈	五年奠命韓＿司寇張朱
7652	五年鄭令韓□矛	五年奠命韓□司寇長朱
7669	四年□雍令矛	四年□雝命韓匡司寇□宅
7670	六年安陽令斷矛	六年安陽命韓亟司陽□□□
7730	十五年守相杜波劍一	邦右庫工帀韓工帀
7742	十三年劍	邦右韓□
7742	十三年劍	攻尹韓耑
M902	韓氏ム官鼎	韓氏ム官、韓＿

小計：共 28 筆

韍 0902

2410	遣小子韍𣪘	遣小子韍目其友乍𩰫男王姬𩰫彝

小計：共 1 筆

韍 0903

1277	七年趞曹鼎	易趞曹韍市、冋黃、䜌
1305	師𡩜父鼎	易韍市冋黃、玄衣黹屯、戈琱㦰、旂
2775	裘衛𣪕	王乎內史易衛韍市、朱黃、䜌
2799	輔師嫠𣪕	易女韍市素黃、䜌旂
2835	𠷎𣪕	易女玄衣黹屯、韍市冋黃
4880	免尊	令史懋易免韍市冋黃
4886	趩尊	易趩戠衣、韍市冋黃、旂
5500	免卣	令史懋易免韍市冋黃
7062	柞鐘	易韍朱黃䜌
7063	柞鐘二	易韍朱黃䜌
7064	柞鐘三	易韍朱黃䜌
7065	柞鐘四	易韍朱黃䜌
7066	柞鐘五	易韍朱黃䜌

小計：共 13 筆

韈 0903+

1322	九年裘衛鼎	䙴㮚韈韐

小計：共 1 筆

弟 0904

1067	雁公方鼎一	曰奄以乃弟
1068	雁公方鼎二	曰奄以乃弟
1069	雁公方鼎三	曰奄以乃弟
1151	曩侯鼎	曩侯易弟＿嗣戒
1151	曩侯鼎	弟＿乍寶鼎
2629	牧師父𣪕一	牧師父弟弔脵父御于君
2630	牧師父𣪕二	牧師父弟弔脵父御于君
2631	牧師父𣪕三	牧師父弟弔脵父御于君
2694	𢊁乍且考𣪕	公白易𢊁臣弟𢊁井五mG
2774	臣諫𣪕	母弟引𦣞又長子□
2843	沈子它𣪕	它用褱𢦏我多弟子我孫
4926	吳𢦏馭觥（蓋）	[吳]𢦏馭弟史遣馬、弗ナ（左）
5420	㝬侯弟𠩺季旅卣	㝬侯弟𠩺季乍旅彝
5786	叀季良父壺	用享孝于兄弔弟婚媾者（諸）老
6786	＿弔多父盤	兄弟者子聞（婚）媾無不喜
7213	𩰫鎛	保𥃝兄弟
M158	𠩺季尊	㝬侯弟𠩺季乍寶彝

小計：共 17 筆

夆 0905

筝 斋 乘

	1322	九年裘衛鼎	則乃成筝四筝
	1322	九年裘衛鼎	顏小子具叓筝
	1621	筝白甗	筝白命乍旅彝
	1839	筝毁	[筝]
	2841	茾白毁	歸筝其萬年日用亯于宗室
	5359	筝萁父卣	筝萁父乍寶彝
	5491	亞獏二祀切其卣	丙辰、王令切其兄wG于筝田
	6781	筝弔盤	筝弔乍季改盥般(盤)
	6876	筝弔乍季妃盥盤(匜)	筝弔乍季改盥般
	M379	筝伯鬲	筝白乍郜孟姬尊鬲
			小計：共 10 筆
斋	0906		
	2372	斋乍豐敝毁	斋乍豐敝寶毁
			小計：共 1 筆
乘	0907		
	1063	鄧公乘鼎	鄧公乘自乍飤𩰫
	1090	十三年梁上官鼎	十三年、梁陰命率上官__子疾冶乘鑄、
	1216	貿鼎	弔氏事貿安曩白賓貿馬車乘
	1275	師同鼎	孚車馬五乘
	1322	九年裘衛鼎	夋朩𩍐、帛轡乘、金麃鍐
	1324	禹鼎	肆武公迺遣禹率公戎車百乘
	1326	多友鼎	孚戎車百乘一十又七乘
	1326	多友鼎	孚車十乘
	2659	郾侯庫毁	用司乘__
	2699	公臣毁一	易女馬乘
	2700	公臣毁二	易女馬乘
	2701	公臣毁三	易女馬乘
	2702	公臣毁四	易女馬乘
	2774.	南宮弔毁	晹(賜)女乘馬戈琱、彤矢
	2778	格白毁一	格白取良馬乘于倗生
	2778	格白毁一	格白取良馬乘于倗生
	2779	格白毁二	格白取良馬乘于倗生
	2780	格白毁三	格白取良馬乘于倗生
	2781	格白毁四	格白取良馬乘于倗生
	2782	格白毁五	格白取良馬乘于倗生
	2782.	格白毁六	格白取良馬乘于倗生
	3062	乘父毁(盨)	乘父士杉其肈乍其皇考白明父寶毁
	4892	麥尊	王乘于舟、為大豐
	4892	麥尊	侯乘于赤旂舟從
	4892	麥尊	劑用王乘車馬
	5616	公乘方壺	公乘
	5801	洹子孟姜壺一	齊侯命大子乘__來句宗白
	5802	洹子孟姜壺二	齊侯命大子乘dw來句宗白聽命于天子

5804	齊侯壺	庚率二百乘舟
5804	齊侯壺	相乘馹
5804	齊侯壺	釗不□其王乘馹
6790	虢季子白盤	王賜乘馬
6835	匽公匜	匽公乍嬀姜乘般匜
7040	克鐘一	易克佃、車馬乘
7044	克鐘五	乘、克不敢豢
7204	克鎛	易克佃車馬乘
7493	十四年戈	四年州工帀明冶乘
7719	廿九年高都令劍	廿九年高都命陳愈工帀冶乘
7823	距末二	廿年尚上長斗乘四其我__攻書
7885	__虎符	□__________乘
7889	__縱熊節	__縱一乘
7891	齊馬節	齊節大夫傳五乘
7893	鷹節一	馬乘帚伐__ 四年帀
7894	鷹節二	馬乘帚伐__傳__年
7899	鄂君啟車節	車五十乘、歲翼(代)返
7899	鄂君啟車節	台毀於五十乘之中

乘

小計：共 46 筆

第五卷總計：共 8386 筆

青銅器銘文檢索卷六

木 0908

0417	木父辛鼎	[木]父辛
0429	木父壬鼎	[木]父壬
0809	木乍父辛鼎	木乍父辛寶尊
0848	木工乍妣戊鼎	木工乍匕戊贗[冊]
0932	木乍母辛鼎	乍母辛尊彝[木工冊]
1330	智鼎	□□木me
1865	木父丙段	[木]父丙
2778	格白段一	殷人紉霄谷杜木
2778	格白段一	殷人紉霄谷杜木
2779	格白段二	則析、格....谷杜木
2780	格白段三	殷人紉霄谷杜木
2781	格白段四	殷人紉霄谷杜木
2782	格白段五	殷人紉霄谷杜木
2782.	格白段六	殷人紉霄谷杜木
3128.	木爵	[木]
3595	戉木爵	[戉木]
3595.	木且爵	[木]且
3754	木且辛爵	[木]且辛
3831	木父丁爵一	[木]父丁
3832	木父丁爵二	[木]父丁
3901	木父辛爵	[木]父辛
4049	亞木且己爵	[亞木]且己
4152	子木工父癸爵	[木子工]父癸
5086	戉木卣	[戉木]
5302	卬木父辛冊卣	[卬木父辛冊]
6020	戉木觚	戉[木]
6139	木父丁觚	[木]父丁
6176	亞木守觚	[亞木守]
6246	子工冊木觚	[冊木子工]
6793	矢人盤	封于＿城桂木
6793	矢人盤	自桹木道左至于井邑封
7900	鄂君啟舟節	上江、適木關、適郢
補8	木爵	[木]

小計：共　33 筆

梅 0909

2282	史某兕乍且辛段	史梅兕(兄)乍且辛寶彝

小計：共　1 筆

李 0910

1325	五祀衛鼎	厲有嗣醽李

		小計：共 1 筆

亲 0911

2365	中白𣪘	中白乍亲姬䜌彝
5756	中白乍𦞠壺一	中白乍亲姬䜌人賸壺
5757	中白乍𦞠壺二	中白乍亲姬䜌人賸壺
7447	羊_亲戈造服	羊wm亲造散戈
7544	八年亲城大令戈	八年亲城大命韓定工帀宋費冶褚
		小計：共 5 筆

杜 0912

1506	杜白乍弔嫞鬲	杜白乍叔嫞尊鬲
2778	格白𣪘一	殷人紉霄谷杜木
2778	格白𣪘一	殷人紉霄谷杜木
2779	格白𣪘二	則析、格....谷杜木
2780	格白𣪘三	殷人紉霄谷杜木
2781	格白𣪘四	殷人紉霄谷杜木
2782	格白𣪘五	殷人紉霄谷杜木
2782.	格白𣪘六	殷人紉霄谷杜木
2829	師虎𣪘	王才杜应
3070	杜白盨一	杜白乍寶盨
3071	杜白盨二	杜白乍寶盨
3072	杜白盨三	杜白乍寶盨
3073	杜白盨四	杜白乍寶盨
3074	杜白盨五	杜白乍寶盨
3116	劉公鋪	劉公乍杜孀尊簠永寶用
7725	元年劍	右庫工帀杜生、冶參執齊
7729	守相杜波劍	守相杜波邦右庫徙
7730	十五年守相杜波劍一	十五年守相杜波
7887	杜虎符	左才杜
		小計：共 19 筆

棫 0913

6793	夨人盤	降棫、二封
		小計：共 1 筆

杙 0914

2621	雁侯𣪘	雁侯乍生杙姜尊𣪘
		小計：共 1 筆

柞 0915

2580	㚸乍北子𣪘	㚸乍北子柞𣪘

7062	柞鐘	中大師右柞
7062	柞鐘	柞拜手對揚中大師休
7063	柞鐘二	中大師右柞
7063	柞鐘二	柞拜手對揚中大師休
7064	柞鐘三	中大師右柞
7064	柞鐘三	柞拜手對揚中大師休
7065	柞鐘四	中大師右柞
7065	柞鐘四	柞拜手對揚中大師休
7066	柞鐘五	中大師右柞
7067	柞鐘六	柞拜手對揚中大師休

小計：共 11 筆

檣 0916

6792	史墻盤	檣角熾光
7159	瘓鐘二	檣角熾光

小計：共 2 筆

楊 0917

1290	利鼎	對楊天子不顯皇休
1326	多友鼎	乃繊追至于楊冢
7060	旲生鐘一	拜手韻手敢對楊王休

小計：共 3 筆

柳 0918

1300	南宮柳鼎	武公有南宮柳
1300	南宮柳鼎	王乎乍冊尹冊令柳嗣六自牧、陽、大□
1300	南宮柳鼎	柳拜韻首
6793	矢人盤	至于邊柳、復涉瀋
7514	宋公差戈	宋公差之所造柳族戈

小計：共 5 筆

樂 0919 0355繺字重見

4445	長陵盉	銅要銅錄乍䍙緒父盉樂＿一升
M545	配兒勾鑃	目樂我者父

小計：共 2 筆

杞 0920

1054	杞白每亡鼎一	杞白每亡乍鼄婕（ 曹 ）寶貞（ 鼎 ）
1055	杞白每亡鼎二	杞白每亡乍鼄婕（ 曹 ）寶貞（ 鼎 ）
1142	杞白每亡鼎	杞白每亡乍鼄曹寶鼎

1156	亳鼎	公侯易亳杞土、v0土、__禾、vk禾
2488	杞白每亡毁一	杞白每亡乍鼄婇（曹）寶毁
2489	杞白每亡毁二	杞白每亡乍鼄婇（曹）寶毁
2490	杞白每亡毁三	杞白每亡乍鼄婇（曹）寶毁
2491	杞白每亡毁四	杞白每亡乍鼄婇（曹）寶毁
2492	杞白每亡毁五	杞白每亡乍鼄婇（曹）寶毁
2791.	史密毁	會杞尸、舟尸
5222	亞醜杞婦卣	[亞醜]杞婦
5764	杞白每亡壺一	杞白母亡乍鼄婇（曹）寶壺
5765	杞白每亡壺二	杞白每亡乍鼄婇（曹）寶壺
6831	杞白每亡匜	杞白每亡□寶它
6926	杞白每亡盆	杞白每亡乍鼄婇（曹）寶盆

小計：共 15 筆

櫟 0921

7543	四年相邦樛游戈	櫟陽工上造閒、吾

小計：共 1 筆

縈 0922 縈笈 孳乳為1251營、2233鎣。

1010	縈有嗣爯鼎	縈有司爯乍齍鼎
1033	縈子旅乍父戊鼎	縈子旅乍父戊寶尊彝
1280	康鼎	縈白內右康
1325	五祀衛鼎	逆笈（縈營）二川、日：余舍女田五田
1325	五祀衛鼎	逆縈（營）二川、日：余舍女田五田
1328	盂鼎	今余隹令女盂召縈敬雝德巠
1329	小字盂鼎	王令縈□嘼
1424	縈子鬲	縈子□乍父戊寶彝
1455	縈白鬲	縈白鑄鬲于qa
1462	縈有嗣爯齋鬲	縈又（有）嗣爯乍齍鬲
1650	縈子旅乍且乙甗	縈子旅乍且乙寶彝子孫永寶
2125	縈白乍旅毁	縈（縈）白乍旅毁
2212	縈子旅乍寶毁	縈子旅乍寶毁
2394	己侯乍姜縈毁	己侯乍姜笈（縈?）毁
2570	縈毁	隹正月甲申縈各
2570	縈毁	王休易氒臣父縈鬲
2710	肄自乍寶器一	王吏縈蔑曆令桂邦
2711	肄自乍寶器二	王吏縈蔑曆令桂邦
2738	衛毁	縈右衛內、即立
2764	笈毁	隹三月、王令縈眾內吏日
2769	師耤毁	縈白內、右師耤即立中廷
2789	同毁一	縈白右同立中廷、北鄉
2790	同毁二	縈白右同立中廷、北鄉
2797	輔師嫠毁	縈白入、右輔師嫠
2837	敔毁一	畐于縈白之所
2842	卯毁	縈季入右卯立中廷
2842	卯毁	縈白乎令卯日

2842	卯殷	𢦚乃先且考死嗣(司)榮公室
2842	卯殷	敢對揚榮白休
2856	師𩛥殷	艾(榮)内右□，
4407	榮子乍父戊盉一	榮子乍父戊
4408	榮子乍父戊盉二	榮子乍父戊
4409	𡚬乍公__艾盉	乍公uc艾(榮、鎣)[𡚬]
4449	裘衛盉	榮白、定白、𤪌白、單白
4449	裘衛盉	白邑父、榮白、定白、𤪌白
4755	榮子尊	榮子乍寶尊彝
4961	榮子方彝	榮子乍寶尊彝
5352	榮子旅卣	榮子旅乍旅彝
6702	𩵦白盤一	𩵦白自乍盤榮
6702	𩵦白盤一	𩵦白自乍盤艾(榮鎣)
6704	榮子盤	榮子乍寶尊彝
6910	師永盂	井白、榮白、尹氏、師俗父遣中
7038	應侯見工鐘一	艾(榮)白内右𤔲侯見工

小計：共 43 筆

艾 0922

2856	師𩛥殷	艾内右□
4409	𡚬乍公__艾盉	乍公uc艾(鎣)[𡚬]
7038	應侯見工鐘一	艾白内右𤔲侯見工

小計：共 3 筆

桐 0923

3081	翏生旅盨一	伐角津、伐桐
3082	翏生旅盨二	伐角津、伐桐
3082	翏生旅盨二	伐角津、伐桐
6908	郐宜同歙盂	郐王季糧之孫宜桐乍鑄歙盂
D224	蔡侯𨟭𢦏鐘	桐
7536	郾王詈戈一	右攻尹桐其攻豐

小計：共 6 筆

松 0924

7900	鄂君啟舟節	適彭射、適松昜、内瀘江

小計：共 1 筆

某 0925

1157	禽鼎	周公某禽祝
2282	史某𧠟乍且辛殷	史某𧠟(兄)乍且辛寶彝
2585	禽殷	周公某禽祝
2796	諫殷	女某不又聞

2796	諫𣪘	女某不又聞
		小計：共 5 筆

0926

0000	本鼎	（未見器銘）
		小計：共 1 筆

0927

0642	公朱右自鼎	公朱右自
1152	私官鼎	一斗半正十三斤八兩十四朱
1205	公朱左自鼎	公朱左自十一年十一月
1285	或方鼎一	王俎姜事內史友員易或玄衣、朱襮裣
1309	寰鼎	易寰玄衣、黹屯、赤市、朱黃、䜌旂、攸勒、
1312	此鼎一	易女玄衣黹屯、赤市朱黃、䜌旂
1313	此鼎二	易女玄衣黹屯、赤市、朱黃、䜌旅
1314	此鼎三	易女玄衣黹屯、赤市、朱黃、䜌旅
1317	善夫山鼎	易女玄衣黹屯、赤市朱黃、䜌旂
1319	頌鼎一	易女玄衣黹屯、赤市朱黃、䜌旂攸勒、用事
1320	頌鼎二	易女玄衣黹屯、赤市朱黃、䜌旂攸勒、用事
1321	頌鼎三	易女玄衣黹屯、赤市朱黃、䜌旂攸勒、用事
1323	師訊鼎	易女玄衮齟屯、赤市朱黃、䜌旂、大師金雁
1332	毛公鼎	朱市悤黃、玉環、玉琮
1332	毛公鼎	金車㯱較、朱䪏㡔（鞃）靳、虎冟熏裏、右厄
1332	毛公鼎	馬四匹、攸勒、金噣、金雁（膺）、朱旂二鈴
2733	何𣪘	王易何赤市、朱亢、䜌旂
2773	即𣪘	王乎命女赤市朱黃
2775	裘衛𣪘	王乎內史易衛㦰市、朱黃、䜌
2775.	害𣪘一	朱黃
2775.	害𣪘二	易女桒、朱黃
2785	王臣𣪘	易女朱黃、桒親
2792	師俞𣪘	易赤市、朱黃、旂
2797	輔師𠭰𣪘	赤市朱黃、戈彤沙琱戟
2803	師酉𣪘一	新易女赤市朱黃中絅、攸勒
2804	師酉𣪘二	新易女赤市朱黃中絅、攸勒
2804	師酉𣪘二	新易女赤市朱黃中絅、攸勒
2805	師酉𣪘三	新易女赤市朱黃中絅、攸勒
2806	師酉𣪘四	新易女赤市朱黃中絅、攸勒
2806.	師酉𣪘五	新易女赤市朱黃中絅、攸勒
2816	彔白或𣪘	金車、桒䡞較桒㡔（宏）、朱虢靳
2816	彔白或𣪘	虎冟朱裏、金甬、畫聞（輾）
2817	師𩔈𣪘	易女赤市朱黃、䜌旂攸勒、用事
2818	此𣪘一	赤市朱黃、䜌旅
2819	此𣪘二	赤市朱黃、䜌旅
2820	此𣪘三	赤市朱黃、䜌旅
2821	此𣪘四	赤市朱黃、䜌旅
2822	此𣪘五	赤市朱黃、䜌旅

	2823	此毁六	赤市朱黃、䜌旂
	2824	此毁七	赤市朱黃、䜌旂
	2825	此毁八	赤市朱黃、䜌旂
朱	2830	三年師兌毁	朱虢
末	2840	番生毁	易朱市悤黃、鞞䩛、玉睘、玉瑹
	2840	番生毁	朱鬲鞃靳、虎冟熏裏、造衡右戹
	2840	番生毁	朱旂旜、金芫二鈴
	2844	頌毁一	赤市朱黃
	2845	頌毁二	赤市朱黃
	2845	頌毁二	赤市朱黃
	2846	頌毁三	赤市朱黃
	2847	頌毁四	赤市朱黃
	2848	頌毁五	赤市朱黃
	2849	頌毁六	赤市朱黃
	2850	頌毁七	赤市朱黃
	2851	頌毁八	赤市朱黃
	2857	牧毁	朱虢、鬲靳、虎冟、熏裏
	3088	師克旅盨一（蓋）	牙僰、駒車、桒較、朱虢、鬲靳
	3088	師克旅盨一（蓋）	虎冟、熏裏、畫轉、畫輯、金甬、朱旂
	3089	師克旅盨二	牙僰、駒車、桒較、朱虢、鬲靳
	3089	師克旅盨二	虎冟、熏裏、畫轉、畫輯、金甬、朱旂
	3090	塱盨（器）	乃父市、赤舄、駒車、桒較、朱虢、鬲靳
	4978	吳方彝	金車、桒鬲（鞃）、朱虢靳
	5799	頌壺一	易女玄衣黹屯、赤市朱黃
	5800	頌壺二	易女玄衣黹屯、赤市朱黃
	5819	蔡侯朱之缶	蔡侯朱之缶
	6527	母朱戈觶	［朱母戈］
	6787	走馬休盤	赤市朱黃
	6789	寰盤	赤市朱黃、䜌旂攸勒
	6887	郪陵君王子申鑑	冢十＿四＿圣朱
	6887	郪陵君王子申鑑	＿襄、冢三朱二圣朱四□（盤外底）
	7062	柞鐘	易載朱黃䜌
	7063	柞鐘二	易載朱黃䜌
	7064	柞鐘三	易載朱黃䜌
	7065	柞鐘四	易載朱黃䜌
	7066	柞鐘五	易載朱黃䜌
	7568	四年奠令戈	四年奠命韓及司寇長朱
	7569	五年奠令戈	五年奠命韓＿司寇張朱
	7590	犢共畋戟	犢共畋罕朱
	7652	五年鄭令韓□矛	五年奠命韓□司寇長朱
	M423.	趞鼎	赤市朱黃

小計：共　79 筆

末　0928

7125	蔡侯□鐘一	余唯末少子
7126	蔡侯□鐘二	余唯末少子
7132	蔡侯□鐘八	余唯末少子
7133	蔡侯□鐘九	余唯末少子

7134	蔡侯𨨷甬鐘	余唯末少子
7205	蔡侯𨨷編鎛一	余唯末少子
7206	蔡侯𨨷編鎛二	余唯末少子
7207	蔡侯𨨷編鎛三	余唯末少子
7208	蔡侯𨨷編鎛四	余唯末少子
7822	距末一	國差賞末
		小計：共 10 筆

0929

0173	亞果鼎	[亞果]
2129	果乍放旅段	果乍放旅段
7450	蔡公子果之用戈一	蔡公子果之用
7451	蔡公子果之用戈二	蔡公子果之用戈
7452	蔡公子果之用戈三	蔡公子果之用
7461	㳄阩並果戈	㳄阩並果之造戈[Gu]
		小計：共 6 筆

0930 从木从斤从又者當釋析，金文編釋枚，當正

5410	枚家乍父戊卣	枚家乍父戊寶尊彝
		小計：共 1 筆

0931

6793	矢人盤	自根木道左至于井邑封
		小計：共 1 筆

0932

7543	四年相邦樛游戈	四年相邦樛游之造
		小計：共 1 筆

0933

J734	𢡉鼎	(拓本未見)
5784	杕氏壺	杕氏福__
		小計：共 2 筆

0934 0150各字重見

J680	曹卹父鼎	(拓本未見)
1248	庚贏鼎	王格□宮衣事
2547	格白乍晉姬段	格白乍晉姬寶段

格
栽
築
榦

2778	格白毁一	格白取良馬乘于倗生
2778	格白毁一	則析、格白iL
2778	格白毁一	医姒妊彶佁孚從格白安彶甸
2778	格白毁一	鑄保毁、用典格白田
2778	格白毁一	格白取良馬乘于倗生
2778	格白毁一	則析、格白iL
2778	格白毁一	医姒妊彶佁孚從格白安彶甸
2778	格白毁一	鑄保毁、用典格白田
2779	格白毁二	格白取良馬乘于倗生
2779	格白毁二	則析、格....谷杜木
2779	格白毁二	鑄保毁、用典格白田
2780	格白毁三	格白取良馬乘于倗生
2780	格白毁三	則析、格白iL
2780	格白毁三	医姒妊彶佁孚從格白安彶甸
2780	格白毁三	鑄保毁、用典格白田
2781	格白毁四	格白取良馬乘于倗生
2781	格白毁四	則析、格白iL
2781	格白毁四	医姒妊彶佁孚從格白安彶甸
2781	格白毁四	鑄保毁、用典格白田
2782	格白毁五	格白取良馬乘于倗生
2782	格白毁五	則析、格白iL
2782	格白毁五	医姒妊彶佁孚從格白安彶甸
2782	格白毁五	鑄保毁、用典格白田
2782.	格白毁六	格白取良馬乘于倗生
2782.	格白毁六	則析、格白iL
2782.	格白毁六	医姒妊彶佁孚從格白安彶甸
2782.	格白毁六	鑄保毁、用典格白田
5504	庚贏卣一	王格于庚贏宮
5505	庚鼎卣二	王格于庚贏宮
7212	秦公鎛	以卲格孝享
7626	格式矛	格氏治__
		小計：共　34 筆

栽　0935

2815	師𣪕毁	東栽內外
		小計：共　1 筆

築　0936

7871	子禾子釜一	關人築桿rw斧、閉□
		小計：共　1 筆

榦　0937

5803	𢼸嗣好蛮壺	隹邦之榦

小計：共 1 筆

0938

1331	中山王嚳鼎	敳（奮）桴振鐸
7729	守相杜波劍	冶巡執齊大攻尹公孫桴
7730	十五年守相杜波劍一	冶巡執齊大攻尹公孫桴_

小計：共 3 筆

0939

6760	中子化盤	用正梠

小計：共 1 筆

0940

7895	王命傳節一	一檐飤之
7896	王命傳節二	一檐飤之
7897	王命傳節三	一檐飤之
7898	王命傳節四	一檐飤之
7899	鄂君啟車節	女檐徒、屯廿
7899	鄂君啟車節	廿檐台（以）堂（當）一車

小計：共 6 筆

0941

6621	冊木工乍母甲觶	[冊杠]乍母甲尊彝

小計：共 1 筆

0942

6793	矢人盤	散父、教栗父

小計：共 1 筆

0943

6750	白侯父盤	白侯父賸弔嬀與母槃（盤）
6761	白者君盤	隹番hJ白者君自乍寶槃

小計：共 2 筆

幹
桴
梠
檐
杠
栗

槃
盤

盤 0943

1231	楚王酓忓鼎一	剛工師盤野佐秦忓為之
1232	楚王酓忓鼎二	剛工師盤野佐秦忓為之
2678	函皇父設一	盤、盉、尊器、設、鼎
2679	函皇父設二	盤、盉、尊器、設、鼎
2680	函皇父設三	盤、盉、尊器、設、鼎
2680.	函皇父殷四	盤、盉、尊器、設、鼎
3121.	大宰歸父鑪	齊大宰歸父vf為昰盧盤
3122	__君之孫盧(者旨𣅀盤)	羼其吉金自乍盧盤
4441	卅五年__盉	吏乍盉盤
5780	公孫𥎦壺	公子土斧乍子中姜Lw之盤壺
6659	但盤勺一	但盤埜(野)秦忑為之
6662	但盤勺	但盤野秦忑為之
6695	轉乍寶盤	轉乍寶盤
6698	亞𨎾吳盤	吳乍寶盤[亞俞]
6700	蔡侯𩍋盤	蔡侯𩍋之尊盤
6701	宗仲乍尹姞盤	宗中乍尹姞般(盤)
6702	𩵦白盤一	𩵦白自乍盤縈
6706	𥃝父乍幺女盤	𥃝父乍幺女寶盤
6710	白百父乍孟姬盤	白百父乍孟姬朕盤
6714	鮴甫人槃	鮴甫人乍嬀改襄賸般(盤)
6715	曩白𡧍父盤	曩白𡧍父朕姜無須盤
6717	魯白厚父乍仲姬俞盤一	魯白厚父乍孟姬俞賸盤
6718	魯白厚父乍仲姬俞盤二	魯白厚父乍中姬俞賸盤
6719	京弔盤	京弔乍孟𣪘盤
6720	來_乍_盤	來p9乍sr盤
6721	曾中盤	曾中自乍旅盤
6723	楚王酓肯盤	楚王酓肯乍為鑄盤
6725	郐王義楚盤	徐王義楚羼其吉金自乍朕盤
6726	筍侯乍弔姬盤	筍侯乍弔姬媵盤
6727	貞盤	貞乍寶盤
6728	虢嫚□盤	虢嫚□乍寶盤
6731	奠白盤	奠白乍盤也(匜)
6733	史頌盤	史頌乍般(盤)
6734	才盤	堯敢乍姜盤
6735	虢金氐孫盤	虢金氏孫乍寶盤
6739	中友父盤	中友父乍般(盤)
6740	白駟父盤	白駟父乍姬淪朕盤
6741	𧘝盤	□𧘝□□乍寶盤
6742	弔五父盤	弔五父乍寶盤
6743	𩁹盤	𩁹乍王母媿氏𩒨盤
6744	鮴吉妊盤	鮴吉妊乍虢改魚母般(盤)
6745	白考父盤	白考父乍寶盤
6746	齊侯乍孟姬盤	齊侯乍皇氏孟姬寶般(盤)
6747	師寏父盤	師寏父乍季姬般(盤)
6748	德盤	德其肇乍盤
6750	白侯父盤	白侯父賸弔媯㝨母槃(盤)
6753	仲𢿌父盤	中𢿌父乍rG姬尊般(盤)

6754.	徐令尹者旨𨰻爐盤	自乍盧盤
6756	番君白𩏂盤	隹番君白𩏂用其赤金自鑄盤
6758	殷㲉盤一	儕孫殷㲉乍𩓣盤
6760	中子化盤	自乍𩱢盤
6762	薛侯盤	薛侯乍弔妊襄𩱢盤
6764	般仲__盤	隹般中__乍其盤
6768	齊大宰歸父盤一	齊大宰歸父vf為忌𩓣盤
6769	齊大宰歸父盤二	齊大宰歸父vf為忌𩓣盤
6774	__右盤	唯qe右自乍用其吉金寶盤
6776	楚王酓忎盤	𡫹(室)鑄少盤
6777	邛仲之孫白戔盤	邛中之孫白戔自乍𩓣盤
6780	黃大子白克盤	黃大子白□乍中19□賸盤
6781	夆弔盤	夆弔乍季改盥般(盤)
6788	蔡侯𩱢盤	用詐大孟姬賸彝盤
6789	寰盤	用乍𩱢皇考奠白奠姬寶盤
6790	虢季子白盤	虢季子白乍寶盤
6887	𨟻陵君王子申鑑	攸無彊(盤外)
6887	𨟻陵君王子申鑑	__襄、冢三朱二圣朱四□(盤外底)
7124	沇兒鐘	用盤歙酉
M602	蔡𠭯匜	蔡弔季之孫𠭯賸孟臣有止𡤼盥盤
M616	番休伯者君盤	自乍旅盤
M616	番休伯者君盤	盤永寶用之
		小計:共 69 筆

0944	1870𦉜字重見	

1247	函皇父鼎	自豕鼎降十又二、㲃八、兩罍(櫺)、兩壺
2233	櫺仲乍寶㲃	櫺中乍寶尊彝
2678	函皇父㲃一	兩櫺
2678	函皇父㲃一	自豕鼎降十又二、㲃八、兩罍(櫺)、兩壺
2679	函皇父㲃二	自豕鼎降十又二、㲃八、兩罍(櫺)、兩壺
2679	函皇父㲃二	兩櫺
2680	函皇父㲃三	兩櫺
2680	函皇父㲃三	自豕鼎降十又二、㲃八、兩罍(櫺)、兩壺
2681	函皇父㲃四	自豕鼎降十又二、㲃八、兩罍(櫺)、兩壺
2680.1	函皇父㲃四	兩櫺
5579	乃孫乍且甲罍	乃孫__乍且甲罍(櫺)
5581	𠙵田罍	自乍寶𦉜(罍、櫺)
5564	單陵乍父日乙方罍	陵乍父日乙寶𦉜(罍、櫺)[dz]
5565	乍父乙罍	乍父乙寶中尊𦉜(罍、櫺)[ba]
5579	乃孫乍且甲罍	乃孫乍且甲__櫺
5580	㳄____罍	㳄td__乍尊𦉜(罍、櫺)
5582	對罍	對乍文考日癸寶尊𦉜(罍、櫺)
5583	不白夏子罍一	不白夏子自乍尊𦉜(罍、櫺)
5584	不白夏子罍二	不白夏子自乍尊𦉜(罍、櫺)
6783	函皇父盤	自豕鼎降十又一、㲃八、兩罍(櫺)、兩壺
		小計:共 20 筆

椑 0945 參箄字條

櫓 0946

5729	陳侯壺	陳侯乍嬀櫓賸壺
		小計：共 1 筆

樂 0947

0623	樂乍旅鼎一	樂乍旅鼎
0624	樂乍旅鼎二	樂乍旅鼎
0664	亞䙷方鼎	[亞䙷]母__樂
0748	上樂床三分鼎	上樂床曆參分
2659	郾侯庫毀	樂民𦘒諸
2978	樂子敬䝷𨚕簠	樂子敬䝷𨚕其吉金
4360.	樂斿盉	樂斿
5789	命瓜君厚子壺一	康樂我家
5790	命瓜君厚子壺二	康樂我家
5801	洹子孟姜壺一	瑾nz無用從爾大樂
5802	洹子孟姜壺二	瑾nz無用從爾大樂
5809	弘乍旅鉼	樂大嗣徒子棊之子引乍旅鉼
6058	樂文觚	[樂文]
6830	召樂父匜	召樂父乍婦改寶它、永寶用
7001	嘉賓鐘	用樂嘉賓父兄
7003	舍武編鐘	用樂嘉賓父兄
7021	虘鐘一	用濼(樂)好宗
7022	虘鐘二	用濼(樂)好宗
7023	虘鐘三	用濼(樂)好宗
7024	虘鐘四	用濼(樂)
7027	邾公釛鐘	用樂我嘉賓、及我正卿
7046	□□自乍鐘二	以樂君子
7051	子璋鐘一	用樂父兄者諸士
7052	子璋鐘二	用樂父兄者諸士
7053	子璋鐘三	用樂父兄者諸士
7054	子璋鐘四	用樂父兄者諸士
7055	子璋鐘五	用樂父兄者諸士
7056	子璋鐘六	用樂父兄者諸士
7057	子璋鐘八	用樂父兄者諸士
7075	者沏鐘七	亩__庚樂
7084	邾公牼鐘一	台樂其身
7085	邾公牼鐘二	台樂其身
7086	邾公牼鐘三	台樂其身
7087	邾公牼鐘四	台樂其身
7117	叙𪓐兒鐘一	樂我父兄
7119	叙𪓐兒鐘三	樂我父兄
7120	叙𪓐兒鐘四	追孝樂我父兄
7121	叙王子旃鐘	以樂嘉賓
7124	沇兒鐘	以樂嘉賓
7136	郘鐘一	我以享孝樂我先且

7137	邵鐘二	我以享孝樂我先且
7138	邵鐘三	我以享孝樂我先且
7139	邵鐘四	我以享孝樂我先且
7140	邵鐘五	我以享孝樂我先且
7141	邵鐘六	我以享孝樂我先且
7142	邵鐘七	我以享孝樂我先且
7143	邵鐘八	我以享孝樂我先且
7144	邵鐘九	我以享孝樂我先且
7145	邵鐘十	我以享孝樂我先且
7146	邵鐘十一	我以享孝樂我先且
7147	邵鐘十二	我以享孝樂我先且
7148	邵鐘十三	我以享孝樂我先且
7149	邵鐘十四	我以享孝樂我先且
7157	粎公華鐘一	台樂大夫
7158	瘋鐘一	卲各樂大神
7159	瘋鐘二	用卲各喜侃樂前文人
7160	瘋鐘三	卲各樂大神
7161	瘋鐘四	卲各樂大神
7162	瘋鐘五	卲各樂大神
7175	王孫遺者鐘	用樂嘉賓父兄
7217	姑馮勾鑃	台樂賓客
7529	十四年相邦冉戈	樂工帀□、工禺
M553	越王者旨於賜鐘	目樂□□
M612	鄦子鐘	用樂嘉賓大夫及我倗友
		小計：共　68 筆

0948

0747	梁上官鼎	梁上官賡參分
1090	十三年梁上官鼎	十三年、梁陰命率上官＿子疾治乘鑄
1113	梁廿七年鼎一	梁廿又七年
1113	梁廿七年鼎一	大梁司寇肖亡智新為量
1114	廿七年大梁司寇肖無智鼎二	梁廿又七年
1114	廿七年大梁司寇肖無智鼎二	大梁司寇肖亡智鑄新量
1268	梁其鼎一	梁其乍尊鼎
1269	梁其鼎二	梁其乍尊鼎
2954	史免旅匿	用盛稻粱
2972	弔家父乍仲姬匿	用成稻粱
2979	弔朕自乍籐匿	以敹稻粱
2979.	弔朕自乍籐匿二	以敹稻粱
2986	曾白霂旅匿一	用盛稻粱
2987	曾白霂旅匿二	用盛稻粱
5648	梁乍寶彝壺	梁乍寶彝
7007	梁其鐘	光梁其身
7522	卅三年大梁左庫戈	卅三年大梁左庫工帀丑治办
7537	汈白戈	梁白乍宮行元用
M900	梁十九年鼎	梁十九年鼎亡智＿兼嗇大庶庬
		小計：共　19 筆

采 0949

1279	中方鼎	乍乃采
1329	小孚盂鼎	大采、三□入服酉
1624	毌寮白甗	[毌]寮白采乍旅
4868	趞乍姑尊	易趞采曰、hw易貝五朋
5476	趞乍姑寶卣	易趞采曰：hw

小計：共 5 筆

析 0950

0356	析父乙鼎	[析]父乙
1890	析父辛毀	[析]父辛
2681	鄦侯毀	鄦(筥)侯少子析(析)乙孝孫不巨
2778	格白毀一	則析、格白iL
2778	格白毀一	則析、格白iL
2779	格白毀二	則析、格....谷杜木
2780	格白毀三	則析、格白iL
2781	格白毀四	則析、格白iL
2782	格白毀五	則析、格白iL
2782.	格白毀六	則析、格白iL
5136	析父丙卣	[析]父丙
7577	析戟	[析]

小計：共 12 筆

枼 0951

2730	猷毀	十枼(世)不諲
3095	拍乍祀彝(蓋)	用祀永枼毋出
5803	𤔲嗣釨盜壺	十三枼、左史車
5825	繺書缶	萬枼(世)是寶
7092	臚羌鐘一	永枼(世)毋忘
7093	臚羌鐘二	永枼(世)毋忘
7094	臚羌鐘三	永枼(世)毋忘
7095	臚羌鐘四	永枼(世)毋忘
7096	臚羌鐘五	永枼(世)毋忘
7121	郐王子旃鐘	萬枼(世)鼓之，
7175	王孫遺者鐘	枼萬孫子
7188	叔夷編鐘七	至于枼
7213	黏鎛	枼萬至於台辞孫子
7214	叔夷鎛	至于枼
7218	郐䣄尹征城	枼萬子孫
7219	冉鉦鋮(南疆征)	萬枼之外子子孫孫□堋作台□□
M553	越王者旨於賜鐘	萬枼亡疆

小計：共 17 筆